Caçada às Cegas

Do autor:

Dinheiro Sujo

O Último Tiro

Destino: Inferno

Alerta Final

Caçada às Cegas

LEE CHILD

Caçada às Cegas

Tradução
Michel Marques

Rio de Janeiro | 2015

Copyright © Lee Child, 2000

Título original: *The Visitor*

Capa: Raul Fernandes

Editoração: FA Studio

Texto revisado segundo o novo
Acordo Ortográfico da Língua Portuguesa

2015
Impresso no Brasil
Printed in Brazil

Cip-Brasil. Catalogação na fonte
Sindicato Nacional dos Editores de Livros. RJ

C464c	Child, Lee, 1954-
	Caçada às cegas / Lee Child; tradução Michel Marques. — 1. ed. — Rio de Janeiro: Bertrand Brasil, 2015.
	476 p.: 23 cm
	Tradução de: The visitor
	ISBN 978-85-286-1853-2
	1. Romance inglês. I. Marques, Michel. II. Título.
	CDD: 823
15-20105	CDU: 821.111-3

Todos os direitos reservados pela:
EDITORA BERTRAND BRASIL LTDA.
Rua Argentina, 171 — 2º andar — São Cristóvão
20921-380 — Rio de Janeiro — RJ
Tel.: (0xx21) 2585-2070 — Fax: (0xx21) 2585-2087

Não é permitida a reprodução total ou parcial desta obra, por
quaisquer meios, sem a prévia autorização por escrito da Editora.

Atendimento e venda direta ao leitor:
mdireto@record.com.br ou (0xx21) 2585-2002

Para meus pais, Audrey e John,
que me ensinaram as primeiras letras e a razão de ler

1

DIZEM QUE CONHECIMENTO É PODER. QUANTO mais conhecimento, mais poder. Imagine que você soubesse os números da loteria. Todos eles. Não que os tivesse adivinhado, nem sonhado com eles, mas que realmente os soubesse. O que você faria? Você correria para a lotérica; é isso que faria. Marcaria esses números no bilhete de apostas. E você ganharia.

É a mesma coisa com o mercado de ações. Imagine que você realmente soubesse o que vai subir. Não estou falando em intuição ou palpite. Não estou falando numa tendência ou num jogo com porcentagens ou algo que lhe tivesse sido soprado como uma dica. Estou falando em conhecimento. Conhecimento real, sólido. Imagine que você o tivesse. O que faria? Você ligaria para o seu corretor; é isso que faria. Compraria. Depois venderia, e ficaria rico.

É a mesma coisa com o basquete, com o turfe, o que for. Tanto faz. Futebol americano, hóquei, o campeonato de beisebol do ano que vem, qualquer modalidade esportiva: se você pudesse prever o futuro, você estaria com a vida ganha. Sem dúvida alguma. É a mesma coisa com o Oscar, com o Prêmio Nobel, com a primeira neve do inverno. É a mesma coisa com tudo. É a mesma coisa com matar pessoas.

Imagine que você quisesse matar pessoas. Você precisaria saber, antecipadamente, como proceder. Essa parte não é muito difícil. Há muitas maneiras. Algumas melhores do que outras. A maioria tem desvantagens. Então, você usa o conhecimento que tem e inventa uma nova maneira. Você pensa, pensa, pensa e concebe o método perfeito.

Você se dedica muito ao planejamento. Porque o método perfeito não é fácil, e uma preparação cuidadosa é muito importante. Mas isto é rotina para você. Você não tem nenhuma dificuldade com preparações cuidadosas. Nenhuma dificuldade mesmo. Como poderia ter, com a sua inteligência? Depois de todo o seu treinamento?

Você sabe que os grandes problemas virão em seguida. Como ter certeza de que conseguirá sair impune? Você usa o seu conhecimento, simples assim. Você sabe mais do que a maioria das pessoas sobre o modo de trabalho dos policiais. Você os viu em serviço muitas vezes, às vezes muito de perto. Sabe o que eles procuram. Por isso, não deixa nada para que eles encontrem. Você analisa tudo isso na sua cabeça, de modo muito preciso, exato e cuidadoso. Com o mesmo cuidado que teria ao marcar o bilhete de loteria que você soubesse com certeza que lhe daria uma fortuna.

Dizem que conhecimento é poder. Quanto mais conhecimento, mais poder. Isso o torna praticamente a pessoa mais poderosa do planeta. Quando se trata de matar pessoas. E conseguir sair impune.

A vida é cheia de decisões, ponderações e palpites, e chega o momento em que você está tão acostumado que continua com eles mesmo quando, a rigor, não precisa. Você entra numa coisa de "e se" e começa a conjecturar sobre o que faria se algum problema de outra pessoa fosse seu. Isso se torna um hábito. Esse era um hábito arraigado em Jack Reacher. E era

Caçada às Cegas   **9**

o porquê de ele estar sentado à mesa de um restaurante sozinho, observando dois sujeitos que estavam de costas a seis metros de distância e se perguntando se seria suficiente apenas expulsá-los dali ou se ele teria que fazer um esforço a mais e quebrar os braços deles.

Era uma questão de dinâmica. Desde o início, era uma consequência da dinâmica da cidade que um novíssimo restaurante italiano em Tribeca, como aquele em que Reacher estava, permanecesse às moscas até que o crítico de gastronomia do *The New York Times* escrevesse uma resenha elogiosa ou um colunista do *Observer* avistasse alguma celebridade no local por duas noites seguidas. Mas nenhuma dessas coisas tinha acontecido ainda, e o lugar ainda tinha poucos clientes, o que fazia dele a escolha perfeita para um sujeito solitário que quisesse jantar perto do apartamento da namorada enquanto ela fazia serão no escritório. A dinâmica da cidade. Ela tornava inevitável que Reacher estivesse lá. Ela tornava inevitável que os dois sujeitos que ele estava observando estivessem lá também. Porque era uma consequência da dinâmica da cidade que qualquer novo empreendimento comercial promissor fosse receber, mais cedo ou mais tarde, uma visita em nome de alguém cobrando trezentas pratas por semana em troca de não enviar seus capangas para quebrar tudo em pedacinhos com tacos de beisebol e machados.

Os dois sujeitos que Reacher observava estavam parados, perto do bar, falando em voz baixa com o proprietário. O bar era uma coisa simbólica construída no canto do salão. Ele formava um triângulo bem-proporcionado de cerca de dois ou dois metros e meio num dos lados. Não era de fato um bar, tendo em conta que ninguém jamais se sentaria ali para beber alguma coisa. Era apenas um foco de atenção. Era um lugar para guardar as garrafas de bebidas. Elas estavam organizadas em pilhas de três em prateleiras de vidro com espelhos jateados ao fundo. A caixa registradora e a máquina de cartão de crédito ficavam na prateleira de baixo. O proprietário era um homenzinho nervoso. Ele tinha recuado até o vértice do triângulo e estava com o traseiro pressionado contra a gaveta de dinheiro. Os braços estavam cruzados firmemente contra o peito, numa atitude de defesa. Reacher conseguia ver os olhos dele.

Eles mostravam algo entre a descrença e o pânico, e se mexiam por todo o salão.

Era um grande salão, que facilmente chegava a dezoito metros de cada lado, formando um quadrado perfeito. O teto era alto, talvez seis ou sete metros de altura, e feito de metal prensado, com um jateado que lhe restituía um brilho suave. O prédio tinha mais de cem anos, e o salão tinha sido usado provavelmente para todos os fins, em ocasiões diversas. Talvez ele tivesse começado como uma fábrica. As janelas eram grandes e numerosas o bastante para iluminar algum tipo de indústria na época em que a cidade tinha apenas prédios de no máximo cinco andares. Depois talvez tenha virado uma loja. Talvez até um *showroom* de automóveis. Era grande o bastante para isso. Agora era um restaurante italiano. Não uma cantina com toalhas de mesa quadriculadas e o molho da *mama*, mas o tipo de lugar que tem trezentos mil dólares investidos em decoração *avant-garde* esbranquiçada e que lhe oferece sete ou oito peças de ravióli feito à mão num prato grande e os chama de refeição. Reacher tinha comido lá dez vezes nas quatro semanas desde a inauguração e sempre ia embora com fome. Mas a qualidade era tão boa que ele vinha comentando sobre o restaurante com outras pessoas, o que realmente devia significar alguma coisa, porque Reacher não era nenhum *gourmet*. O lugar se chamava *Mostro's*, nome que, pelo tanto que ele entendia de italiano, queria dizer "monstro". Ele não tinha certeza a que o nome se referia. Com certeza não ao tamanho das porções. Mas o nome era meio evocativo, e o lugar, inteiro, com suas paredes creme e brancas e tons esmaecidos de alumínio. Era um espaço atraente. As pessoas que trabalhavam lá eram simpáticas e seguras de si. Óperas do início ao fim tocavam em excelentes alto-falantes dispostos nas paredes próximos ao teto. Na opinião leiga de Reacher, ele estava testemunhando o início de uma grande reputação.

Mas essa grande reputação estava claramente demorando a se espalhar. A sóbria decoração *avant-garde* tornava aceitável ter apenas vinte mesas num espaço de 18x18 metros, mas, em quatro semanas, ele nunca vira mais do que três delas ocupadas ao mesmo tempo. Numa ocasião, ele foi o único cliente durante os noventa minutos que passou no lugar. Esta noite, além

Caçada às Cegas

de Reacher, havia apenas um casal jantando a cinco mesas de distância. O casal estava sentado frente a frente, de lado para ele. O homem era ruivo, de porte médio. Cabelos curtos, bigode claro, terno marrom-claro, sapatos marrons. A mulher, magra e morena, vestia uma saia e um blazer. Havia uma pasta de imitação de couro escorada na perna da mesa ao lado do pé direito da mulher. Os dois aparentavam talvez uns trinta e cinco anos e carregavam um semblante abatido e ligeiramente desalinhado. Estavam bastante à vontade um com o outro, mas não conversavam muito.

Os dois homens no bar estavam falando. Isso era certo. Estavam se inclinando, curvando-se para a frente a partir da cintura, falando rápido e tentando, energicamente, persuadir o proprietário que estava encostado na caixa registradora, curvado para trás na mesma medida. Era como se os três tivessem sido pegos por uma forte ventania que soprasse numa mesma direção. Os dois homens eram de porte bem maior que o normal. Eles trajavam sobretudos de lã escuros idênticos, o que lhes conferia largura e volume. Reacher conseguia ver seus rostos nos espelhos opacos atrás das garrafas de bebida. Pele besuntada, olhos escuros. Não eram italianos. Sírios ou libaneses talvez, com seu desleixo árabe eliminado por uma geração de vida nos Estados Unidos. Eles estavam agitados, enfatizando uma questão após a outra. O sujeito à direita formava uma curva com a mão. Era fácil perceber que isso representava um taco derrubando as garrafas da prateleira. Depois a mão simulou um movimento para cima e para baixo. O sujeito estava demonstrando como as prateleiras podiam ser esmagadas. *Uma pancada podia esmagá-las todas, de cima a baixo*, indicava ele. O proprietário estava ficando pálido. De lado, olhava furtivamente para as prateleiras.

Então, o homem da esquerda arregaçou a manga da camisa por sob o casaco, bateu no relógio e se virou para ir embora. Seu parceiro se endireitou e o seguiu. Ele passou a mão sobre a mesa mais próxima e derrubou um prato no chão. O prato se despedaçou no piso, produzindo um ruído alto e desarmônico com a ópera que pairava no ar. O ruivo e a morena ficaram estáticos e desviaram o olhar. Os dois homens andaram lentamente até a porta, de cabeça erguida, confiantes. Reacher os observou por

todo o caminho até a calçada. Em seguida, o proprietário saiu de detrás do bar, ajoelhou-se e, com as pontas dos dedos, recolheu os cacos do prato quebrado.

— Tudo bem? — perguntou-lhe Reacher.

Assim que as palavras foram pronunciadas, ele se deu conta da imbecilidade que dissera. O homem apenas deu de ombros e fez uma cara triste que serviria a qualquer circunstância. Com as mãos em concha no chão, ele começou a empurrar os cacos, formando uma pilha. Reacher levantou da cadeira, afastou-se da mesa, fez um quadrado com o guardanapo no azulejo próximo a ele e passou a catar os cacos no guardanapo. O casal a cinco mesas de distância o observava.

— Quando eles vão voltar? — perguntou Reacher.

— Daqui a uma hora — respondeu o sujeito.

— Quanto eles querem?

O homem deu de ombros novamente e exibiu um sorriso amargo.

— Consegui um desconto inicial — disse ele. — Duzentos dólares por semana. Quando o lugar vingar, vai para quatrocentos.

— Você quer pagar?

O homem fez outra cara triste.

— Quero continuar no negócio, acho. Mas ter que desembolsar duas contas por semana não vai ser exatamente uma ajuda.

O ruivo e a morena estavam olhando para a parede oposta, mas ouviam. A ópera se reduziu a uma ária em tom menor, e a diva começou sua participação com uma nota grave de pesar.

— Quem são eles? — perguntou Reacher em voz baixa.

— Não são italianos — disse o homem. — São só uns bandidos.

— Posso usar o telefone?

O homem assentiu.

— Conhece uma papelaria que fique aberta até mais tarde? — perguntou Reacher.

— Na Broadway, duas quadras daqui — disse o homem. — Por quê? Você tem negócios a resolver?

Caçada às Cegas

Reacher fez que sim.

— É, negócios — respondeu.

Ele se levantou e passou para trás do bar. Havia um telefone novo do lado de um livro de reservas também novo. O livro parecia que nunca tinha sido aberto. Ele pegou o telefone, discou um número e aguardou dois toques até que atendessem a um quilômetro e meio de distância e quarenta andares acima.

— Alô — disse ela.

— Oi, Jodie — disse ele.

— Oi, Reacher, novidades?

— Você já vai terminar?

Ele a ouviu suspirar.

— Não, vou virar a noite — respondeu ela. — Legislação complexa, e eles precisam de uma opinião para ontem. Me desculpe mesmo.

— Não se preocupe — disse ele. — Tenho algo a fazer. Depois acho que vou para Garrison.

— Tudo bem, se cuida — disse ela. — Te amo.

Ele ouviu o estalido dos papéis jurídicos e o telefone foi para o gancho. Ele desligou e saiu de detrás do bar de volta para a mesa. Deixou quarenta dólares debaixo do pires do café espresso e se encaminhou para a porta.

— Boa sorte — gritou.

O homem agachado no chão fez um vago meneio de cabeça, e o casal o observou sair. Reacher virou a gola da camisa para cima, vestiu o casaco com um movimento de ombros, deixou a ópera para trás e saiu para a calçada. Estava escuro e frio; ar de outono. Pequenos halos de neblina estavam começando a se formar em volta das lâmpadas. Ele caminhou para o leste em direção à Broadway e procurou a papelaria em meio ao néon. A loja era um lugar estreito repleto de itens marcados com preços em grandes pedaços de cartolina fluorescente no formato de estrelas. Tudo era uma merreca, o que para Reacher era ótimo. Ele comprou um pequeno rotulador e um tubo de supercola. Depois, se curvou novamente para a frente em seu casaco e se encaminhou para o norte até o apartamento de Jodie.

Seu 4x4 estava estacionado na garagem no subsolo do prédio dela. Ele subiu a rampa com o carro e virou para o sul na Broadway e para o oeste de novo, de volta ao restaurante. Diminuiu a velocidade na rua e olhou rapidamente para dentro pelas grandes janelas. O lugar brilhava com as luzes de halogênio nas paredes brancas e na madeira clara. Nenhum cliente. Todas as mesas estavam vazias, e o proprietário estava sentado num banco atrás do bar. Reacher olhou para o outro lado, contornou o quarteirão e estacionou ilegalmente na boca do beco que dava nas portas da cozinha. Desligou o motor e os faróis e ficou parado, aguardando.

A dinâmica da cidade. Os fortes aterrorizam os fracos. Eles continuam nisso, como sempre fizeram, até que encontram alguém mais forte munido de arbitrária caridade para detê-los. Alguém como Reacher. Ele não tinha motivo algum para ajudar um sujeito que mal conhecia. Não havia lógica. Nenhum motivo escuso. Naquele momento, numa cidade de sete milhões de almas, devia haver centenas de pessoas fortes maltratando outras fracas, talvez até milhares. Naquele momento, naquele exato momento. Ele não ia tentar encontrar todas elas. Ele não estava montando nenhum tipo de campanha de grandes proporções. Mas, igualmente, não ia permitir que nada acontecesse bem debaixo de seu nariz. Ele não podia simplesmente dar meia-volta e ir embora. Nunca agira assim.

Procurou o rotulador no bolso e o retirou. Amedrontar os dois sujeitos era só metade do plano. O que importava era *quem* eles pensassem que estava fazendo esse trabalho. Um cidadão preocupado defendendo sozinho os direitos de algum dono de restaurante não ia ter nenhum efeito, não importa sua eficácia inicial. Ninguém teme um indivíduo sozinho, porque ele pode ser dominado por números absolutos e, de qualquer maneira, mais cedo ou mais tarde um indivíduo sozinho morre ou se muda ou perde o interesse. O que deixa uma impressão marcante é uma *organização*. Ele sorriu e baixou os olhos para o rotulador e começou a descobrir como ele funcionava. Ele imprimiu seu próprio nome como teste, soltou a fita e a inspecionou. *Reacher*. Sete letras perfuradas em branco numa fita plástica azul, com um pouquinho mais de dois centímetros e meio de comprimento. Isso faria a etiqueta do primeiro homem ter cerca de nove centímetros de

Caçada às Cegas

comprimento. E daí, cerca de doze ou treze centímetros para o segundo sujeito. O ideal. Ele sorriu de novo, usou as teclas, imprimiu e dispôs as fitas prontas no assento ao seu lado. Elas tinham adesivo na parte de trás sob uma fita de papel a ser retirada, mas ele precisava de algo melhor, e foi por isso que comprou a supercola. Ele desenroscou a tampa do minúsculo tubo, perfurou a folha metálica com a ponta plástica e preencheu o bico, deixando-o pronto para a ação. Colocou a tampa novamente e pôs o tubo e as etiquetas no bolso. Depois, saiu do carro para o ar frio e ficou parado na escuridão, aguardando.

A dinâmica da cidade. Sua mãe tinha medo de cidades. Tinha sido parte da educação que ele recebeu. Ela lhe dissera que *cidades são lugares perigosos. Elas são cheias de sujeitos durões e assustadores.* Ele mesmo era um rapaz durão, mas, quando adolescente, andava pelas ruas disposto a acreditar nela. E vira que ela tinha razão. As pessoas nas ruas da cidade eram medrosas e furtivas, e tinham uma atitude defensiva. Elas mantinham distância e atravessavam para o outro lado da calçada para evitar ficar perto dele. Elas faziam isso de modo tão óbvio, que ele se convencera de que os homens assustadores estavam sempre na sua cola. Daí, de repente, ele percebeu: *não, eu sou o sujeito assustador. Eles estão com medo de mim.* Foi uma revelação. Ele se viu refletido nas vitrines das lojas e compreendeu que isso era possível. Ele tinha parado de crescer aos quinze anos quando já tinha um metro e noventa e seis e pesava cem quilos. Um gigante. Do mesmo modo que a maioria dos adolescentes da época, ele se vestia como um vagabundo. A cautela que sua mãe havia inculcado nele se mostrava em seu rosto num olhar vazio e impassível. *Eles estão com medo de mim.* Isso o divertia, ele sorria, e daí as pessoas se afastavam ainda mais. Daquele momento em diante, ele soube que as cidades eram iguaizinhas a qualquer outro lugar, e para cada morador da cidade de quem ele precisasse ter medo havia 999 muito mais assustados com ele. Ele usava esse dado como uma tática, e a confiança e a tranquilidade que isso lhe dava em seu modo de andar e olhar multiplicava o efeito que ele tinha nas pessoas. A dinâmica da cidade.

Cinquenta e cinco minutos depois da hora cheia, ele saiu da escuridão e ficou parado na esquina, encostado na parede de tijolos do prédio do restaurante, ainda aguardando. Ele conseguia ouvir a ópera, um ligeiro murmúrio vindo da janela próxima. O tráfego passava pelos buracos na rua com choques e pancadas surdas. Havia um bar na esquina oposta com urros de uma centrífuga e vapor flutuando para fora ante a luminosidade ofuscante do néon. Estava frio, e as pessoas passavam apressadas com seus rostos enrolados em cachecóis. Ele mantinha as mãos nos bolsos e inclinava a cabeça no ombro, observando o fluxo do tráfego que vinha.

Os dois homens voltaram exatamente na hora marcada, num Mercedes preto. O carro estacionou a uma quadra de distância com um pneu colado ao meio-fio; os faróis se apagaram e as duas portas da frente se abriram ao mesmo tempo. Os homens saíram com seus sobretudos longos e elegantes, abriram as portas traseiras e pegaram tacos de beisebol no banco. Eles esconderam os tacos nos sobretudos, fecharam as portas, olharam em volta e começaram a andar. Eles tinham dez metros de calçada, depois a rua para atravessar, depois mais dez metros. Caminhavam sem nenhuma tensão. Dois grandalhões confiantes, caminhando descontraídos, a passos largos. Reacher se afastou da parede e os encontrou quando subiam no meio-fio.

— No beco, rapazes — disse ele.

De perto, eles impressionavam bastante. Como dupla, certamente convenciam. Eram jovens, com pouco menos de trinta anos. Eram pesados, recheados com aquela carne densa que não é bem puro músculo, mas que funciona tão bem quanto. Pescoços largos, gravatas de seda, camisas e ternos que não tinham saído de um catálogo. Os tacos estavam virados para cima debaixo dos sobretudos, no lado esquerdo, e cada um segurava o seu com a mão esquerda em volta da parte central do taco por dentro do bolso.

— Quem diabos é você? — perguntou o homem da direita.

Reacher olhou para ele. O primeiro a falar é a metade dominante de qualquer parceria; numa situação de dois contra um, você derruba o dominante primeiro.

Caçada às Cegas

— Quem é você? — repetiu o sujeito.

Reacher deu um passo para a esquerda e se virou ligeiramente, bloqueando a calçada, direcionando-os para o beco.

— Gerente comercial — respondeu ele. — Vocês querem receber o pagamento, eu sou o cara que pode fazer isso por vocês.

O homem fez uma pausa. Depois assentiu.

— Está bem, mas deixe o beco para lá. Vamos fazer isso lá dentro.

Reacher fez um gesto negativo com a cabeça.

— Não faz sentido, meu amigo. Estamos pagando para vocês ficarem longe do restaurante, começando agora, certo?

— Você está com o dinheiro?

— Claro — disse Reacher. — Duzentas pratas.

Ele seguiu na frente deles e entrou no beco. O vapor das saídas de ar da cozinha subia para encontrá-lo. Cheirava à comida italiana. Havia lixo e areia sob os pés dele, e o ruído que produziam ao serem esmigalhados repercutia nos velhos tijolos. Ele se deteve, virou-se e ficou parado como um homem impaciente, confuso pela relutância deles em segui-lo. A silhueta dos homens foi projetada contra o brilho vermelho ofuscante dos carros que esperavam no semáforo atrás. Eles olharam para Reacher e entre si, e avançaram lado a lado. Andaram até o beco. Fizeram isso de boa vontade. Homens grandes e confiantes, tacos debaixo dos sobretudos, dois contra um. Reacher aguardou por um instante e atravessou a divisão diagonal entre a luz e a sombra. Depois fez nova pausa. Recuou, como se quisesse que eles fossem à frente. Como uma cortesia. Eles avançaram. Chegaram perto.

Ele acertou o homem da direita na lateral da cabeça com o cotovelo. Há muitos bons motivos biológicos para fazer isso. Falando em termos gerais, o crânio humano é mais duro que a mão. Num impacto da mão no crânio, a mão fica prejudicada primeiro. O cotovelo é melhor. E a lateral da cabeça é melhor que a frente ou a nuca. O cérebro humano pode suportar o deslocamento de frente para trás talvez dez vezes melhor que o deslocamento lateral. Por algum tipo de razão evolutiva complicada. Assim, foi cotovelo na lateral da cabeça. Foi uma pancada forte de curta distância,

bem aplicada, mas o homem ficou de pé sobre seus joelhos moles por um longo segundo. Depois, largou o taco, que escorregou para baixo, dentro de seu paletó, e atingiu o chão de ponta com um sonoro baque. Em seguida, Reacher o atingiu novamente. Com o mesmo cotovelo. No mesmo lado da cabeça. O mesmo estalo. O sujeito veio abaixo como se um alçapão tivesse se aberto sob seus pés.

O segundo homem estava semialerta. Ele pôs a mão direita no cabo do taco, e depois a esquerda. Tirou o taco do sobretudo e o balançou, a postos, mas cometeu o mesmo erro que a maioria das pessoas comete. Ele o posicionou muito para trás, nas costas, e muito baixo. Tentou uma pancada forte direcionada ao meio do corpo de Reacher. Erro duplo. Um taco muito para trás e muito baixo leva tempo para atingir o alvo. E uma pancada direcionada ao meio do corpo é fácil demais de ser defendida. Melhor mirar na cabeça ou nos joelhos.

O jeito de se defender de uma pancada com um taco é se aproximar, e se aproximar logo. A força da pancada vem do peso do taco multiplicado pela velocidade do movimento. Uma coisa matemática. *Massa vezes velocidade é igual a momento linear.* Não há nada que se possa fazer quanto à massa. O taco vai pesar exatamente o mesmo onde quer que esteja. Então, você precisa matar a velocidade. Precisa chegar perto e segurá-lo quando ele voltar do recuo. Enquanto ainda é a primeira fração de segundo de aceleração. Enquanto ainda está devagar. É por isso que posicioná-lo muito para trás é uma má ideia. Quanto mais para trás você o coloca, mais tempo leva para que você possa avançar com ele novamente. Mais tempo você oferece.

Reacher estava a trinta centímetros do taco antes que este fosse balançado para a frente. Ele observou o arco e segurou o taco com as duas mãos, baixo, em frente à barriga. Em trinta centímetros de oscilação, não há força nenhuma. Só uma pancada inofensiva nas palmas das mãos. Então, todo o momento linear que o sujeito estava tentando aplicar se torna uma arma para usar contra ele mesmo. Reacher acompanhou o giro, ergueu o cabo e fez o homem perder o equilíbrio. Chutou seus tornozelos, libertou o taco

Caçada às Cegas

e o golpeou direto com ele. O golpe direto é o movimento a ser usado. Sem recuar o bastão para trás. O homem caiu de joelhos e bateu com a cabeça na parede do restaurante. Reacher chutou-o nas costas, agachou-se e pressionou o taco na garganta do homem, com o cabo preso pelo pé e a mão direita pressionando com força na extremidade mais larga. Ele enfiou a mão esquerda num bolso de cada vez. Retirou uma pistola automática, uma carteira grossa e um telefone celular.

— Quem mandou vocês? — perguntou ele.

— Sr. Petrosian — disse o homem, sufocado.

O nome não significava nada para Reacher. Ele tinha ouvido falar num soviético campeão de xadrez chamado Petrosian. E num general nazista de mesmo nome. Mas nenhum deles estava por trás de esquemas de extorsão na cidade de Nova York. Ele sorriu, incrédulo.

— Petrosian? — disse ele. — Você *só* pode estar de brincadeira.

Ele aplicou muito escárnio na voz, como se de todo o espectro de rivais preocupantes em que seus chefes poderiam pensar, Petrosian estivesse tão baixo na lista que era quase totalmente invisível.

— Vocês estão de brincadeira com a gente, né? — disse ele. — Petrosian? O que é que ele tem? É maluco?

O primeiro homem estava se mexendo. Seus braços e pernas estavam começando a se arrastar em câmera lenta em busca de apoio. Reacher forçou o taco por um segundo depois o tirou do pescoço do segundo homem e usou-o para dar uma pancada no alto da cabeça do primeiro homem. Ele o pôs de volta no lugar em um segundo e meio. O segundo homem começou a se sufocar com a força da madeira em sua garganta. O primeiro homem estava flácido no chão. Diferente do que se vê nos filmes. Com três pancadas na cabeça, ninguém continua lutando. Em vez disso, a pessoa fica doente, tonta e enjoada por uma semana. Mal consegue ficar de pé.

— Temos um recado para Petrosian — disse Reacher em voz baixa.

— Qual é o recado? — perguntou o segundo homem, sufocado.

Reacher sorriu de novo.

— Vocês são o recado — respondeu.

Ele pôs a mão no bolso em busca das etiquetas e da cola.

— Agora deite aí e fique bem parado — disse ele.

O homem ficou bem parado. Ele mexeu a mão para sentir sua garganta, mas foi tudo que fez. Reacher arrancou a parte de trás da etiqueta, aplicou uma linha grossa de cola no plástico e pressionou a etiqueta com força na testa do homem. Ele correu o dedo de um lado a outro sobre ela, duas vezes. Na etiqueta estava escrito *Mostro's já tem proteção*.

— Fique parado — ordenou ele novamente.

Ele levou o taco consigo e virou o outro homem com o rosto para cima com a mão em seus cabelos. Usou muita cola e esticou a outra etiqueta na testa dele. Nessa, estava escrito *nada de disputa territorial conosco*. Ele verificou os bolsos e retirou um conteúdo idêntico: uma arma automática, uma carteira e um telefone, além da chave do Mercedes. Ele aguardou até que o sujeito começasse a se mexer de novo. Depois, olhou de relance novamente para o segundo homem. Ele estava se levantando usando as mãos e os joelhos, mexendo na etiqueta que tinha na testa.

— Não vai sair — gritou Reacher. — Não sem arrancar um bocado de pele. Leve nossos cumprimentos ao sr. Petrosian, e depois vá até o hospital.

Ele se virou, esvaziou o tubo de cola nas palmas do primeiro homem, as comprimiu e contou até dez. Algemas químicas. Levantou o homem pela gola e o segurou enquanto este reaprendia a ficar de pé. Depois, jogou a chave do carro para o segundo homem.

— Pelo visto, você é o motorista da rodada — disse ele. — Agora, se manda.

O homem ficou só parado, com os olhos se movendo para esquerda e para a direita. Reacher fez um gesto negativo com a cabeça.

— Nem pense nisso — disse. — Ou vou arrancar suas orelhas e fazer você comê-las. E não volte mais aqui. Nunca mais. Ou mandaremos alguém muito pior do que eu. Neste momento, sou o seu melhor amigo, está bem? Entendeu bem isso?

O homem olhou fixamente. Depois assentiu, cauteloso.

— Então se manda — disse Reacher.

O homem com as mãos coladas se mexia com dificuldade. Não estava pensando direito. O outro homem tinha dificuldade em ajudá-lo. Não

Caçada às Cegas

havia braço livre para se apoiar. Ele ficou confuso por um instante, depois se abaixou de costas para ele, e levantou a cabeça entre as mãos coladas, carregando-o nas costas. Ele cambaleou e parou na boca do beco, com a silhueta projetada contra o brilho da rua. Inclinou-se para a frente, jogou o peso para os ombros e sumiu de vista.

As pistolas eram Berettas 9 mm de uso militar. Reacher tivera uma idêntica por treze longos anos. O número de série numa 9 mm é gravado na carcaça de alumínio, bem abaixo de *Pietro Beretta*, no ferrolho. Os números nas duas armas haviam sido raspados. Alguém tinha usado uma lixa de ponta redonda, esfregando-a da boca do cano até o guarda-mato. Não era um trabalho muito elegante. Os dois carregadores traziam cartuchos Parabellums brilhantes, de cobre. Reacher desmontou as pistolas no escuro e jogou os canos, os ferrolhos e as balas na caçamba de lixo próxima à porta da cozinha. Em seguida, colocou as armações no chão, jogou areia com as mãos em concha nos mecanismos de disparo e mexeu nos gatilhos para dentro e para fora até que a areia os emperrasse. Depois, jogou as armações na caçamba e esmigalhou os telefones com os tacos, deixando os pedaços onde caíram.

As carteiras continham cartões, carteiras de motorista e dinheiro. Talvez trezentas pratas no total. Ele enrolou o dinheiro no bolso e chutou as carteiras para um canto. Em seguida, se levantou, virou-se e andou de volta até a calçada, sorrindo. Olhou a rua. Nenhum sinal do Mercedes preto. Tinham ido embora. Ele andou de volta até o restaurante deserto. A orquestra tocava brilhantemente e um tenor subia heroicamente a uma nota aguda. O proprietário estava atrás do bar, perdido em pensamentos. Ele ergueu os olhos. O tenor chegou à nota, e os violinos, violoncelos e baixos se aglomeraram atrás dele. Reacher tirou uma nota de dez dólares do maço roubado e a deixou no bar.

— Pelo prato que eles quebraram — disse. — Eles mudaram de ideia.

O homem apenas olhou para a nota e nada disse. Reacher se virou novamente e andou de volta para a calçada. Do outro lado da rua, ele viu o casal do restaurante. Eles estavam parados na outra calçada, observando. O ruivo de bigode e a morena com a pasta estavam parados lá, envoltos em sobretudos, observando. Ele andou até o 4x4, abriu a porta entrou e deu a partida. Olhou por sobre o ombro o fluxo do trânsito. Eles ainda o observavam. Adentrou o tráfego e acelerou. A uma quadra de distância, viu a morena com a pasta pelo retrovisor, dando um passo até o meio-fio, esticando o pescoço, olhando-o ir embora. Depois, a camada de néon a encobriu, deixando-a fora de vista.

2

GARRISON É UM LUGAR NO LEITO LESTE DO RIO Hudson, no condado de Putnam, cerca de noventa e três quilômetros de estrada ao norte de Tribeca. Num fim de noite de outono, o trânsito não é problema. Com apenas um posto de pedágio, em avenidas largas e vazias, a velocidade média pode ser tão alta quanto se ousar acelerar. Entretanto, Reacher dirigia com cuidado. O conceito de fazer um trajeto normal do ponto A ao ponto B era novo para ele. Mesmo *ter* pontos A e B era uma coisa nova. Ele se sentia como um forasteiro num território ocupado. E, como qualquer forasteiro, estava cauteloso para evitar problemas. Por isso, dirigia devagar o suficiente para não ser notado e deixava os motoristas que voltavam para casa tarde em seus velozes sedãs o ultrapassarem pela esquerda e pela direita. Ele levou uma hora e dezessete minutos para percorrer o trajeto.

Sua rua estava muito escura, porque ficava escondida bem no meio de uma área rural subpovoada. O contraste com o brilho ostensivo da cidade era total. Ele fez a curva para entrar no acesso de veículos e observou os feixes de luz dos faróis se refletirem e passarem rápidos sobre o monte de plantas no asfalto. As folhas estavam ficando marrons e secas e pareciam vívidas e irreais sob a luz artificial. Ele fez a última curva e as luzes dos faróis giraram em direção à porta da garagem, iluminando dois carros que aguardavam virados na direção oposta. Ele pisou no freio numa parada de emergência, e as lanternas dos carros se acenderam, atingindo-o no rosto e o cegando no mesmo instante em que o retrovisor foi inundado por uma terceira luz brilhante vinda de trás. Ele desviou a cabeça do brilho ofuscante e viu que pessoas vinham correndo das laterais e balançavam feixes fortes de lanterna no escuro. Girou o corpo e viu dois sedãs pararem cantando pneus atrás dele, com os faróis balançando para cima e para baixo com brilho intenso. As pessoas saíram e correram até ele. O carro foi imobilizado numa matriz brilhante de luz. As pessoas se moviam rápidas como um relâmpago pela luz e pela escuridão, vindo em sua direção. Elas tinham armas e vestiam coletes escuros sobre os casacos. Estavam cercando o carro. Ele viu que algumas das lanternas estavam presas com tiras a canos de espingarda. As pessoas que se aglomeravam foram iluminadas por trás pelas luzes incômodas de seus carros. A cerração subia do rio e pendia no ar. As luzes cortavam o nevoeiro e os feixes de luz se entrecruzavam em alucinadas configurações horizontais.

Um vulto se aproximou do carro. Uma mão surgiu e bateu no vidro ao lado de sua cabeça. A mão se abriu. Era pequena, pálida e magra. Mão de mulher. Um raio de luz de lanterna foi direcionado para a mão e mostrou que ela segurava um distintivo. Ele tinha o formato de um escudo. Era dourado reluzente. Havia uma águia dourada pousada no topo do escudo, com a cabeça virada para a esquerda. A lanterna se aproximou, e Reacher viu letras em alto relevo no escudo, dourado sobre dourado. Ele as olhou fixamente. Elas diziam *Agência Federal de Investigação. Departamento de Justiça dos Estados Unidos*. A mulher pressionou o escudo do FBI contra

Caçada às Cegas 25

a janela. O distintivo tocou o vidro com um clique metálico hostil. Ela gritava para Reacher. Ele ouviu a voz dela vinda da escuridão:

— Desligue o motor.

Ele não conseguia ver nada a não ser os feixes de luz apontados em sua direção. Desligou o motor e não ouviu nada exceto o nevoeiro pendente no ar e o inquieto ranger de botas no acesso de veículos.

— Ponha as duas mãos no volante — gritou a mulher.

Ele colocou as duas mãos no volante e ficou sentado, imóvel, com a cabeça virada, observando a porta, que foi aberta por fora, e a luz se acendeu, espalhando-se sobre a morena do restaurante. O ruivo de bigode claro estava ao lado dela. Ela segurava o distintivo do FBI numa das mãos e uma arma na outra. A arma estava apontada para a cabeça de Reacher.

— Saia do veículo — disse ela. — Bem devagar.

Ela recuou, com a arma seguindo o movimento da cabeça dele. Ele girou e retirou as pernas do espaço em frente ao banco e parou por um instante com uma das mãos no encosto do assento, a outra no volante, pronto para escorregar os pés para o chão. Ele conseguia ver meia dúzia de homens à sua frente, apanhados pelo brilho dos faróis. Haveria outros mais atrás dele. Talvez mais perto da casa. Talvez mais na boca do acesso de veículos. A mulher recuou mais um passo. Ele desceu ao chão em frente a ela.

— Vire-se — disse ela. — Ponha as mãos no veículo.

Ele atendeu a ordem. A superfície metálica estava fria ao toque e pegajosa com o orvalho da noite. Ele sentiu mãos em cada centímetro do corpo. Tiraram sua carteira do paletó e o dinheiro roubado do bolso de suas calças. Alguém passou ao seu lado, inclinou-se e tirou as chaves da ignição.

— Agora, ande até o carro — gritou a mulher.

Ela apontou com o distintivo. Ele deu meia-volta e viu as luzes dos faróis aprisionadas no nevoeiro, não lhe acertando as pernas por um metro. Ele andou até um dos sedãs perto da garagem. Ouviu uma voz atrás de si que gritava *faça uma busca no veículo dele.* Um sujeito de Kevlar azul-escuro estava aguardando-o no carro. Ele abriu a porta traseira e deu um passo para trás. A pasta da mulher estava em pé no banco traseiro. Imitação de couro, com uma textura áspera malfeita estampada na superfície. Ele se curvou para dentro, ao lado da pasta. O sujeito de colete bateu a porta e, ao mesmo tempo, a porta oposta se abriu, e a mulher entrou e ficou ao lado dele. O casaco dela estava aberto e ele viu sua blusa e seu *tailleur*. A saia era preta, curta e acinzentada. Ele ouviu o roçar do nylon e viu novamente a arma, ainda apontada para sua cabeça. A porta da frente se abriu, o ruivo se ajoelhou no assento e se esticou para pegar a pasta. Reacher viu os pelos claros do punho dele. A correia de um relógio. O homem abriu a pasta e puxou um maço de papéis. Pegou uma lanterna e jogou o feixe de luz sobre eles. Reacher viu as letras densas e seu próprio nome em negrito no topo da primeira página.

— Mandado de busca — disse-lhe a mulher. — Para sua casa.

O ruivo se abaixou de novo para sair e bateu a porta. O carro ficou silencioso. Reacher ouvia pegadas no nevoeiro. Elas foram ficando mais baixas. Por um segundo, a mulher tinha sido iluminada com o clarão do lado de fora. Em seguida, ela esticou o braço para cima e para a frente e clicou na luz do teto. Era uma luz quente e amarela. A mulher estava sentada de lado, com as costas para a porta, os joelhos virados para ele, repousando sua arma nas costas do assento. O braço estava virado, com o cotovelo no tampão do porta-malas, de maneira que a arma estava escorada confortavelmente para a frente, apontada para ele. Era uma SIG-Sauer, grande, eficiente e cara.

— Mantenha os pés encostados no chão — disse ela.

Ele assentiu com a cabeça. Sabia o que ela queria. Manteve as costas contra sua porta e mergulhou os pés embaixo do assento da frente. Isso dava ao seu corpo uma torção desajeitada, de lado, ou seja, se ele quisesse arriscar qualquer movimento, seria vagaroso o bastante para fazer sua cabeça ser estourada antes que chegasse a algum lugar.

— Mãos onde eu possa vê-las — disse ela.

Ele esticou as mãos e segurou com as palmas o encosto de cabeça do assento da frente. E repousou o queixo no ombro. Ele estava olhando de lado para o cano da SIG-Sauer. Estava firme como uma rocha. Atrás do cano, o dedo firme no gatilho. Depois vinha o rosto dela.

Caçada às Cegas 27

— Tudo bem, agora sente-se — disse ela.

O rosto dela era impassível.

— Você sequer perguntou do que se trata — disse ela.

Não é sobre o que aconteceu há uma hora e dezessete minutos, disse ele para si mesmo. *Impossível tudo isso ter sido organizado em uma hora e dezessete minutos.* Ele se manteve quieto e estático. Estava preocupado com a brancura do nó do dedo no ponto em que a mulher segurava o gatilho da SIG-Sauer. Acidentes acontecem.

— Você não quer saber do que se trata? — perguntou.

Ele a olhou, inexpressivo. *Sem algemas*, pensou ele. *Por que não?* A mulher deu de ombros. *Tudo bem, que seja do seu jeito então*, ela estava dizendo. O rosto dela estacionou num olhar fixo. Não era um rosto bonito, mas era interessante. Havia alguma personalidade nele. Tinha cerca de trinta e cinco anos, o que não é velhice, mas havia rugas em sua pele, como se ela tivesse passado algum tempo fazendo caras e bocas. *Provavelmente mais caretas que sorrisos*, pensou ele. Seu cabelo era bem preto, porém ralo. Ele conseguia ver o couro cabeludo. Era branco. Isso lhe conferia uma aparência cansada e doentia. Mas seus olhos brilhavam. Ela olhou de relance o que acontecia atrás dele, na escuridão, pela janela do carro, do lado de fora, onde seus homens faziam algo na casa.

Ela sorriu. Tinha dentição cruzada nos dentes da frente. O da direita acavalava-se para o lado e uma parte cobria ligeiramente o da esquerda. Uma boca interessante. Implicava algum tipo de decisão. Os pais dela não tinham corrigido a falha na infância, e nem ela corrigira já adulta. Deve ter tido oportunidade para isso. Mas decidiu ficar com o que a natureza oferecera. Provavelmente fizera a escolha certa. Tornou seu rosto característico. Deu-lhe personalidade.

Por baixo do volumoso casaco, ela era magra. Havia um blazer preto que combinava com a saia, e uma blusa creme folgada sobre os seios pequenos. A blusa parecia poliéster depois de lavado muitas vezes e descia em espiral até a cintura da saia. Ela se virou de lado e a saia estava no meio das coxas. As pernas dela eram finas e duras sob o nylon preto. Os joelhos estavam pressionados um ao outro, mas havia um espaço entre as coxas.

— Quer parar de fazer isso, por favor?
A voz dela esfriou, e a arma se mexeu.
— Fazer o quê? — perguntou Reacher.
— Olhar para as minhas pernas.
Ele passou a olhá-la nos olhos.
— Se alguém aponta uma arma para mim, tenho o direito de conferir a pessoa de cima a baixo, não acha?
— Gosta de fazer isso?
— Fazer o quê?
— Ficar olhando mulheres.
Ele deu de ombros.
—- Mais do que gosto de olhar certas coisas, eu acho.
A arma se aproximou.
— Isso não é engraçado, seu babaca. Não gosto do jeito que olha para mim.
Ele a olhou fixamente.
— De que jeito estou olhando para você? — perguntou ele.
— Você sabe de que jeito.
Ele fez um gesto negativo com a cabeça.
— Não sei, não — disse ele.
— Como se estivesse se insinuando — disse ela. — Você é nojento, sabia?
Ele notou o desdém na voz dela e olhou para os cabelos ralos, a testa franzida, os dentes acavalados, o corpo duro e seco em seu ridículo uniforme barato de executiva.
— Acha que estou me insinuando para você?
— Não está? Não gostaria?
Ele fez que não novamente.
— Nem se você fosse a última mulher da face da Terra — disse ele.

Eles ficaram sentados num silêncio absoluto e hostil por quase vinte minutos. Depois, o ruivo de bigode voltou para o carro e sentou no banco do carona. A porta do motorista se abriu e um segundo homem entrou. Ele trazia chaves na mão. Observou o espelho até que a mulher sinalizou com a cabeça. Então, ele deu partida no motor e o carro passou devagar pela picape de Reacher e se encaminhou para a estrada.

— Tenho direito a um telefonema? — perguntou Reacher. — Ou o FBI não acredita nessas coisas?

O ruivo olhava fixo o para-brisa à frente.

— Em algum momento nas próximas 24 horas, vamos nos certificar de que não lhe sejam negados seus direitos constitucionais — disse ele.

A mulher manteve a boca do cano da SIG-Sauer perto da cabeça de Reacher por todo o caminho de volta a Manhattan, noventa e três quilômetros de via expressa pela escuridão e pelo nevoeiro.

3

ELES ESTACIONARAM EM ALGUM LUGAR SUBTERrâneo ao sul de Midtown Manhattan e o forçaram a sair do carro numa garagem pintada de branco cheia de luzes claras e sedãs escuros. A mulher deu uma volta completa no chão de concreto com os sapatos riscando o silêncio. Ela estava examinando todo o espaço apertado. Uma abordagem cautelosa. Depois, ela apontou para a única porta de elevador localizada num canto distante. Havia dois outros homens esperando ali. Ternos escuros, camisas brancas, gravatas discretas. Eles observavam por todo o caminho a mulher e o ruivo entrarem em diagonal. Havia deferência em seus rostos. Eram homens de posição inferior. Mas eles também estavam confortáveis e aparentavam um pouco de orgulho, como se fossem *anfitriões de alguma coisa*. Reacher de repente compreendeu que a mulher

Caçada às Cegas

e o ruivo não eram agentes de Nova York. Eram visitas vindas de outro lugar. Estavam na área de outra pessoa. A mulher não tinha examinado toda a garagem simplesmente por cautela. Ela o fez porque não sabia onde ficava o elevador.

Eles colocaram Reacher no centro do elevador e se distribuíram em volta dele. A mulher, o ruivo, o motorista, os dois rapazes locais. Cinco pessoas, cinco armas. Os quatro homens escolheram um canto cada um e a mulher ficou parada no centro, ao lado de Reacher, como se o estivesse reivindicando como seu. Um dos rapazes apertou um botão, a porta se fechou e o elevador se moveu.

Ele subiu por muito tempo e parou bruscamente com o número *21* sendo exibido no indicador no chão. A porta se abriu num estrondo, e os sujeitos locais abriram o caminho até um corredor vazio. Era cinza. Carpete fino cinza, pintura cinza, iluminação cinza. Era silencioso, como se todo mundo, exceto os entusiastas mais ferrenhos, tivesse ido para casa horas antes. Havia portas fechadas ao longo das paredes. O homem que tinha dirigido o sedã parou na frente da terceira e a abriu. Reacher foi levado até a entrada e olhou o espaço vazio, de talvez três metros e meio por cinco metros, chão de concreto, paredes de blocos de concreto, tudo revestido por grossas camadas de tinta cinza como as laterais de um couraçado. O teto era sem acabamento, e os dutos estavam todos visíveis, tubulação quadrada feita de metal fino manchado. Luminárias fluorescentes pendiam de correntes e lançavam um brilho suave contra o cinza. Havia uma única cadeira plástica no canto. Era a única coisa na sala.

— Sente-se — disse a mulher.

Reacher andou para longe da cadeira até o canto oposto e se sentou no chão, acomodado no ângulo das paredes. O concreto estava frio e a tinta, oleosa. Ele cruzou os braços sobre o peito e esticou as pernas, pondo um tornozelo sobre o outro. Descansou com a cabeça na parede, a quarenta e cinco graus dos ombros, de modo que fitava diretamente as pessoas de pé na porta. Eles voltaram para o corredor e fecharam a porta. Não houve som de tranca, e nem precisava haver, pois não existia maçaneta no lado de dentro.

Ele sentiu o ligeiro tremor de passos que se distanciavam no chão de concreto. Depois, ficou apenas com o silêncio que pairava sobre o murmúrio da ventilação de ar acima de sua cabeça. Ele se sentou em meio ao silêncio por talvez cinco minutos, depois, mais passos do lado de fora, a porta se abriu novamente, e um homem enfiou o rosto para dentro da sala e olhou diretamente para ele. Era um rosto mais velho, grande, vermelho e inchado de tensão, inflado pela pressão sanguínea, cheio de hostilidade, e seu olhar direto dizia *então, é você o sujeito, hein?* O olhar fixo durou três ou quatro segundos e depois o rosto se retirou, a porta bateu e o silêncio voltou.

A mesma coisa se repetiu cinco minutos depois. Passos no corredor, um rosto na porta, o mesmo olhar direto. *Então é você o sujeito.* Dessa vez, o rosto era mais magro e sombrio. Mais jovem. Camisa e gravata, sem paletó. Reacher olhou de volta, por três ou quatro segundos. O rosto desapareceu e a porta bateu.

Dessa vez, o silêncio durou por mais tempo, algo em torno de vinte minutos. Um terceiro rosto veio olhar. Passos, o som da maçaneta, a porta se abrindo, o olhar. *É esse o sujeito, hein?* Este terceiro rosto era de alguém mais velho, um homem por volta dos seus cinquenta anos, uma expressão competente, cabelos grisalhos. Ele usava óculos grossos e, por trás deles, olhos tranquilos. Olhos em considerável reflexão. Dava a impressão de ser um homem com responsabilidades. Talvez algum tipo de chefe da agência. Reacher olhou-o fixamente, cansado. Nenhuma palavra foi dita. Nenhuma comunicação ocorreu. O homem apenas ficou olhando por um tempo, depois seu rosto desapareceu e a porta se fechou novamente.

O que quer que estivesse acontecendo do lado de fora continuou acontecendo por quase uma hora. Reacher ficou sozinho na sala, sentado confortavelmente no chão, apenas aguardando. E então a espera tinha terminado. Uma multidão voltou junta ao mesmo tempo, fazendo barulho no corredor, como uma manada ansiosa. Reacher percebeu as batidas e os passos. Em seguida, a porta se abriu e o homem de cabelos grisalhos e óculos entrou na sala. Ele manteve um dos pés perto do batente e inclinou o peso para dentro formando um ângulo.

— Hora de conversar — disse ele.

Caçada às Cegas

Os dois agentes recém-formados vieram em seguida e assumiram posição como uma escolta. Reacher hesitou por um instante, depois se levantou e se afastou do canto.

— Quero fazer um telefonema — disse ele.

O homem de cabelos grisalhos fez um sinal negativo com a cabeça.

— Mais tarde — respondeu. — Antes a conversa, tudo bem?

Reacher deu de ombros. O problema em ter seus direitos violados era que alguém precisava testemunhar que isso acontecesse para que significasse alguma coisa. Alguém tinha que ver acontecer. E os dois jovens agentes não estavam vendo nada. Ou talvez estivessem vendo o próprio Moisés descer do Monte Sinai e ler a Constituição inteira entalhada em grandes blocos de pedra. Talvez fosse isso que eles jurariam ter visto depois.

— Então vamos — disse o homem grisalho.

Reacher foi conduzido para fora até o corredor cinza, no qual havia um grande grupo à sua espera. A mulher estava lá, e também o sujeito ruivo de bigode, o homem mais velho e hipertenso e o homem mais novo de rosto magro e sem paletó. Todos estavam falando em voz baixa. Era tarde da noite, mas todos estavam extremamente empolgados. Estavam alertas, leves com a embriaguez do *progresso*. Era uma sensação que Reacher reconhecia. Era uma sensação que tinha vivenciado mais vezes do que gostaria de se lembrar.

Mas eles estavam divididos. Havia claramente duas equipes. Havia tensão entre elas. Tornou-se óbvio quando andaram. A mulher se enfiou à esquerda dele, e o ruivo e o hipertenso ficaram perto dela. Essa era uma equipe. À sua direita, estava o homem com o rosto fino. Ele era a segunda equipe, sozinho, superado em números e insatisfeito com isso. Reacher sentiu a mão dele perto do cotovelo, como se estivesse pronto para agarrar seu prêmio.

Eles andaram por um corredor cinza e estreito e deram numa sala cinza com uma grande mesa que ocupava a maior parte do espaço. A mesa era curvada nos dois lados maiores e tinha corte reto nas laterais menores. Num dos lados maiores, em oposição à porta, estavam sete cadeiras plásticas

alinhadas, bem espaçadas entre si, com a curva da beirada da mesa concentrando todas elas em direção a uma única cadeira idêntica disposta no centro exato do lado oposto.

Reacher fez uma pausa. Não era muito difícil descobrir qual cadeira era a sua. Ele fez a curva em volta da extremidade da mesa e se sentou. A cadeira era frágil. As pernas se curvaram sob o seu peso e o plástico se enterrou no músculo abaixo das escápulas. A sala era de blocos de concreto, pintada de cinza como a primeira, mas o teto tinha acabamento. Havia telhas acústicas manchadas numa estrutura empenada. Havia trilhos aparafusados no teto, com grandes luminárias em formato de lata viradas para baixo na direção dele. O tampo da mesa era de mogno barato, com laqueado grosso e verniz brilhoso. A luz incidia no verniz e refletia atingindo-o nos olhos.

Os dois agentes recém-formados haviam tomado posição encostados às paredes na extremidade oposta da mesa, como sentinelas. Os paletós deles estavam abertos e seus coldres de ombro estavam visíveis. As mãos estavam juntas e tranquilas na linha da cintura, cabeça virada, observando-o. De frente para ele, as duas equipes estavam se formando. Sete cadeiras, cinco pessoas. O homem grisalho assumiu a cadeira central. A luz atingiu seus óculos e os transformou em espelhos foscos. Ao lado direito dele estava o homem hipertenso, e, ao lado deste, estava a mulher; e ao lado dela, o ruivo. O homem de rosto magro sem paletó estava sozinho na cadeira situada no meio dos três da esquerda. Um interrogatório desigual, com inquiridores curvados para a frente na direção dele, indistintos pelo brilho ofuscante das luzes.

O homem grisalho se inclinou para a frente, deslizando seus antebraços na madeira lustrosa, reivindicando a autoridade. E, de modo subconsciente, separando as facções à esquerda e à direita.

— Temos discutido a seu respeito — disse ele.

— Estou detido? — perguntou Reacher.

O homem fez um gesto negativo com a cabeça.

— Não, ainda não.

Caçada às Cegas 35

— Então posso ir embora?

O homem olhou por cima dos óculos.

— Bem, preferimos que você fique aqui, para que possamos manter tudo isso civilizado por um tempo.

Houve um longo momento de silêncio.

— Então, faça com que seja civilizado — disse Reacher. — Meu nome é Jack Reacher. Quem diabos é você?

— O quê?

— Vamos nos apresentar. É isso que as pessoas civilizadas fazem, certo? Elas se apresentam. Depois elas podem conversar educadamente sobre os Yankees ou o mercado de ações, ou o que seja.

Mais silêncio. Então, o homem assentiu.

— Meu nome é Alan Deerfield — disse. — Diretor-assistente do FBI. Chefio o escritório regional de Nova York.

Em seguida ele virou a cabeça para a direita e olhou de frente o ruivo na extremidade da fila e aguardou.

— Agente especial Tony Poulton — disse o ruivo, e olhou para a esquerda.

— Agente especial Julia Lamarr — disse a mulher, e olhou para a esquerda.

— Agente superintendente Nelson Blake — disse o homem da hipertensão arterial. — Nós três viemos para cá do Quantico. Chefio a unidade de Crimes em Série. Os agentes especiais Lamarr e Poulton trabalham lá comigo. Viemos aqui conversar com você.

Houve uma pausa e o homem chamado Deerfield se virou para o outro lado e olhou para o homem à esquerda.

— Agente superintendente James Cozo — disse o homem. — Crime Organizado, aqui da cidade de Nova York, trabalhando em redes de extorsão.

Mais silêncio.

— Satisfeito agora? — perguntou Deerfield.

Reacher apertava os olhos contra a luz. Eles estavam todos olhando para ele. O ruivo, Poulton. A mulher, Lamarr. O hipertenso, Blake. Todos eles da unidade de Crimes em Série lá do Quantico. *Aqui para falar com ele.* Depois Deerfield, o chefe da agência de Nova York, um peso pesado. Depois o sujeito magro, Cozo, do Crime Organizado, *trabalhando em redes de extorsão.* Ele olhou devagar da esquerda para a direita e da direita para a esquerda e terminou de volta em Deerfield. Depois, fez que sim.

— Está bem — disse. — É um prazer conhecer todos vocês. E quanto aos Yankees? Acham que eles precisam negociar jogadores?

Cinco pessoas diferentes o encarando, cinco diferentes expressões de irritação. Poulton virou o rosto como se tivesse sido esbofeteado. Lamarr bufou, um som de desdém saiu de seu nariz. Blake mordeu os lábios e ficou mais vermelho. Deerfield esbugalhou os olhos e suspirou. Cozo olhou de lado para Deerfield, tentando persuadi-lo a intervir.

— Não vamos conversar sobre os Yankees — disse Deerfield.

— E quanto à Dow Jones? Acha que vamos ter alguma grande quebra em breve?

Deerfield balançou a cabeça negativamente.

— Não dê uma de engraçadinho, Reacher. Neste momento, sou seu melhor amigo.

— Não, Ernesto A. Miranda é meu melhor amigo — disse Reacher. — Miranda contra o Arizona, decisão da Corte Suprema em junho de 1966. Eles disseram que os direitos garantidos pela quinta emenda de Miranda foram violados porque os policiais não o alertaram que ele podia ficar em silêncio e arranjar um advogado.

— E daí?

— E daí que vocês não podem conversar comigo até que leiam meus Direitos de Miranda. E, por consequência, não podem conversar comigo de qualquer maneira porque minha advogada pode levar algum tempo para chegar aqui e daí ela não vai me deixar conversar com vocês mesmo quando ela estiver falando.

Os três agentes da unidade de Crime em Série mostravam um sorriso largo. Como se Reacher estivesse ocupado provando algo para eles.

— Sua advogada é Jodie Jacob, certo? — perguntou Deerfield. — Sua namorada.

— O que sabe sobre minha namorada?

— Sabemos tudo sobre sua namorada — disse Deerfield. — Do mesmo modo que sabemos tudo sobre você também.

— Então por que precisam conversar comigo?

— Ela está no Spencer Gutman, certo? — disse Deerfield. — Grande reputação como advogada. Eles estão falando em sociedade com ela, sabia disso?

— Foi o que fiquei sabendo.

— Talvez muito em breve.

— Foi o que fiquei sabendo — repetiu Reacher.

— Conhecer você não vai ajudá-la, porém. Você não é bem o marido ideal para uma sócia de um escritório de advocacia, é?

— Não sou nenhum tipo de marido.

Deerfield sorriu.

— Força de expressão. Mas Spencer Gutman é um empreendimento conservador, gente de muita cautela. Eles levam essas coisas em consideração, sabe? E é um escritório de advocacia, certo? Renomado no mundo dos serviços bancários, mas sem muita experiência em direito penal. Tem certeza de que a quer como advogada? Numa situação como essa?

— Que situação?

— Na situação em que você se encontra.

— Em que situação me encontro?

— Ernesto A. Miranda era um idiota, sabia disso? — disse Deerfield.

— Com alguns parafusos a menos. É por isso que a droga do Juiz foi tão condescendente com ele. Ele era retardado. Precisava de proteção. Você é idiota, Reacher? É retardado?

— Provavelmente, para estar aguentando essa merda.

— De qualquer forma, direitos são para culpados. Você está se acusando de alguma coisa?

Reacher fez que não.

— Não estou dizendo nada. Não tenho nada a dizer.

— O velho Ernesto acabou na cadeia assim mesmo, sabia? As pessoas tendem a se esquecer disso. Foi feito um novo julgamento e o condenaram mesmo assim. Ele ficou preso por cinco anos. Depois, sabe o que lhe aconteceu?

Reacher encolheu os ombros. Não disse nada.

— Eu estava trabalhando em Phoenix na época. — disse Deerfield. — Lá no Arizona. Detetive de Homicídios da cidade. Pouco antes de entrar para o FBI. Janeiro de 1976, recebemos uma chamada para ir a um bar. Algum merdinha caído no chão, com uma faca enfiada até o cabo. O famoso Ernesto A. Miranda em pessoa, com sangue escorrendo para todo lado. Ninguém se mostrou muito disposto a chamar uma ambulância. O sujeito morreu minutos depois que chegamos lá.

— E daí?

— E daí que é melhor parar de desperdiçar meu tempo, pois já gastei uma hora fazendo esses caras pararem de brigar por sua causa. E daí que agora você me deve uma. E daí que vai responder minhas perguntas, e eu lhe digo quando e se você precisa da porra de um advogado.

— Sobre o que são as perguntas?

Deerfield sorriu.

— Sobre o que são as perguntas? Coisas das quais precisamos saber. É isso.

— Quais coisas vocês precisam saber?

— Precisamos saber se estamos interessados em você.

— Por que estariam interessados em mim?

— Responda às perguntas e descobriremos.

Reacher refletiu. Espalmou as mãos na mesa.

— Tudo bem — disse ele. — Quais são as perguntas?

— Conhece Brewer contra Williams, também? — disse o sujeito chamado Blake. Ele era velho, estava acima do peso e fora de forma, mas sua língua era ágil o bastante.

— Ou Duckworth contra Eagan? — perguntou Poulton.

Reacher olhou para ele. Ele tinha talvez trinta e cinco anos, mas parecia mais jovem, como um desses caras que têm uma aparência jovem a vida toda. Parecia estudante universitário, conservado. Seu terno era de uma cor horrenda sob a luz laranja, e seu bigode parecia falso, como se estivesse preso com cola.

— Conhece Illinois e Perkins? — perguntou Lamarr.

Reacher olhou para os dois.

— Que diabos é isso? Faculdade de Direito?

— E quanto a Minnick contra o Mississippi? — perguntou Blake.

Poulton sorriu.

— McNeil e Wisconsin?

— Arizona e Fulminante? — perguntou Lamarr.

— Você sabe que casos são esses? — perguntou Blake.

Reacher procurava o truque, mas não conseguia encontrá-lo.

— Mais decisões da Suprema Corte — disse ele. — Posteriores a Miranda. Brewer foi em 1977, Duckworth em 1989, Perkins e Minnick em 1990, McNeil e Fulminante em 1991; todas modificando e reafirmando a decisão original de Miranda.

Blake assentiu.

— Muito bem.

Lamarr se inclinou para a frente. A luz se dispersou do tampo brilhante da mesa e iluminou seu rosto cadavérico.

— Conheceu Amy Callan muito bem, não é? — perguntou ela.

— Quem? — disse Reacher.

— Você ouviu, seu canalha.

Reacher a fitou. Depois, uma mulher chamada Amy Callan veio à mente, por tempo o suficiente para permitir que um sorriso satisfeito se instalasse no rosto ossudo de Lamarr.

— Mas não gostava muito dela, não é? — disse ela.

Houve silêncio. Que cresceu em torno dele.

— Tudo bem, minha vez — disse Cozo. — Para quem você trabalha?

Reacher desviou o olhar devagar para a direita e o repousou em Cozo.

— Não trabalho para ninguém — disse ele.

— *Nada de disputa territorial conosco* — citou Cozo. — Conosco é plural. Mais de uma pessoa. Quem faz parte do "conosco", Reacher?

— Não existe ninguém.
— Conversa-fiada, Reacher. Petrosian tentou coagir o dono do restaurante, mas você já estava lá. Quem mandou você?

Reacher não disse nada.

— E quanto a Caroline Cooke? — disse Lamarr. — Você a conhecia também, certo?

Reacher se virou devagar para encará-la. Ela ainda estava sorrindo.

— Mas também não gostava dela, não é? — disse ela.
— Callan e Cooke — repetiu Blake. — Desista, Reacher, conte desde o princípio, está bem?

Reacher olhou para ele.

— Desistir do quê?

Mais silêncio.

— Quem mandou você ao restaurante? — perguntou Cozo novamente.
— Conte-me agora mesmo, e talvez possamos fazer um acordo.

Reacher se virou para o outro lado.

— Ninguém me mandou a lugar algum.

Cozo fez um sinal de reprovação com a cabeça.

— Conversa-fiada, Reacher. Você mora numa casa de meio milhão de dólares às margens do rio em Garrison e dirige um utilitário esportivo de quarenta e cinco mil dólares que só tem seis meses. E, pelo que a Receita sabe, você não recebeu um centavo sequer nos últimos três anos. E quando alguém queria despachar os melhores capangas de Petrosian para o hospital, mandou você agir. Juntando tudo isso, é óbvio que você trabalha para alguém, e eu quero saber para quem diabos é.

— Não trabalho para ninguém — repetiu Reacher.
— Você age sozinho, certo? — perguntou Blake. — É isso que você está dizendo?

Reacher fez que sim.

— Acho que sim.

Ele virou a cabeça. Blake estava sorrindo, satisfeito.

— Foi o que pensei — disse ele. — Quando saiu do Exército?

Reacher encolheu os ombros.

Caçada às Cegas **41**

— Há cerca de três anos.

— Por quanto tempo serviu lá?

— Minha vida toda. Filho de oficial, depois eu mesmo me tornei oficial.

— Polícia do Exército, certo?

— Era major.

— Medalhas?

— Algumas.

— Estrelas de Prata?

— Uma.

— Histórico impecável, certo?

Reacher não disse nada.

— Não seja modesto — disse Blake. — Conte para nós.

— Sim, meu histórico era bom.

— Então por que deu baixa?

— Isso só diz respeito a mim.

— Tem algo a esconder?

— Você não entenderia.

Blake sorriu.

— Então, três anos. O que você vem fazendo?

Reacher encolheu os ombros novamente.

— Nada de mais. Me divertindo, eu acho.

— Trabalhando?

— Sem muita frequência.

— Só vadiando, certo?

— Acho que sim.

— Fazendo o que para ganhar dinheiro?

— Tinha economias.

— Acabaram há três meses. Verificamos junto ao seu banco.

— Bem, isso acontece com economias, não é?

— Então agora você está vivendo às custas da sra. Jacob, certo? Sua namorada, que também é sua advogada. Como se sente em relação a isso?

Reacher correu os olhos pelo brilho da aliança gasta que apertava o dedo gordo e rosado de Blake.

— Não muito pior que a sua esposa, que vive às suas custas, imagino — disse ele.

Blake grunhiu e fez uma pausa.

— Então você saiu do Exército e desde então não fez nada de mais?

— Exato.

— Quase sempre sozinho.

— Quase sempre.

— Está feliz assim?

— Feliz o bastante.

— Porque você age sozinho.

— Conversa-fiada, ele está trabalhando para alguém — interrompeu Cozo.

— O homem diz que age sozinho, merda — rosnou Blake.

A cabeça de Deerfield virava para a esquerda e para a direita como a de um espectador num jogo de tênis. A luz refletida brilhava nas lentes de seus óculos. Ele ergueu as mãos pedindo silêncio e olhou fixa e silenciosamente para Reacher.

— Fale-me sobre Amy Callan e Caroline Cooke — disse ele.

— O que você quer saber?— perguntou Reacher.

— Você as conhecia, certo?

— Claro, há muito tempo. No Exército.

— Então me fale sobre elas.

— Callan era baixa e morena, Cooke era alta e loura. Callan era sargento. Cooke, tenente. Callan trabalhava no controle de material bélico, Cooke em Planejamentos de Guerra.

— Onde foi isso?

— Callan estava no Fort Withe perto de Chicago, Cooke estava no quartel-general da OTAN na Bélgica.

— Você transou com alguma delas? — perguntou Lamarr.

Reacher se virou para olhá-la.

— Que tipo de pergunta é essa?

— Uma pergunta direta.

— Bem, não, não transei.

Caçada às Cegas

— As duas eram bonitas, né?

Reacher fez que sim.

— Mais bonitas que você, isso com toda certeza.

Lamarr olhou para o outro lado e ficou calada. Blake ficou vermelho como um pimentão e interveio no silêncio.

— Elas se conheciam?

— Duvido. Há um milhão de pessoas no Exército, e elas estavam servindo a seis mil quilômetros de distância em épocas diferentes.

— E não havia relacionamento sexual entre você e nenhuma delas?

— Não, não havia.

— Você chegou a tentar? Com alguma delas?

— Não, não cheguei.

— Por que não? Medo de que elas o rejeitassem?

Reacher fez que não.

— Estava com outra pessoa nas duas ocasiões, e se quiser mesmo saber, uma de cada vez em geral é o bastante para mim.

— Você gostaria de ter transado com elas?

Reacher sorriu, brevemente.

— Consigo pensar em coisas piores.

— Elas teriam aceitado?

— Talvez sim, talvez não.

— Qual o seu palpite?

— Já esteve no Exército?

Blake fez um gesto negativo com a cabeça.

— Então não sabe como é — disse Reacher. — A maioria no Exército transa com qualquer coisa que se mova.

— Então você acha que elas não iam rejeitar você?

Reacher manteve o olhar fixo nos olhos de Blake.

— Não, acho que não teria sido uma preocupação séria.

Houve uma longa pausa.

— Você aprova mulheres nas Forças Armadas? — perguntou Deerfield.

Os olhos de Reacher se moveram até ele.

— O quê?
— Responda à pergunta, Reacher. Você aprova a presença de mulheres nas Forças Armadas?
— Por que não aprovaria?
— Você acha que elas dão bons soldados?
— Pergunta idiota — disse Reacher. — Você sabe que dão.
— Sei?
— Esteve no Vietnã, não foi?
— Estive?
— Claro que esteve — disse Reacher. — Detetive de Homicídios no Arizona em 1976? Ingressado ao FBI logo depois? Não são muitos os que evitaram entrar na guerra que poderiam conseguir isso, não naquela época. Então você fez sua turnê, talvez em 1970 ou 1971. Com olhos assim, não era piloto. Esses óculos provavelmente lhe puseram bem na infantaria. Nesse caso você passou um ano levando bordoada na mata, e cerca de um terço das pessoas que davam as bordoadas eram mulheres. Boas atiradoras, não é? Muito dedicadas, pelo que ouvi falar.

Deerfield assentiu lentamente.

— Então você gosta de soldados mulheres?

Reacher deu de ombros.

— Você precisa de soldados, as mulheres podem fazer o mesmo que qualquer um. Front russo, Segunda Guerra Mundial? As mulheres foram muito bem lá. Já esteve em Israel? Mulheres na linha de frente também, e eu não gostaria de pôr muitas unidades americanas contra as defesas israelenses, pelo menos não se quem fosse vencer tivesse muita importância.

— Então não vê problema algum?

— Pessoalmente, não.

— Você vê problemas de outra natureza que não seja pessoal?

— Há problemas militares, acho — disse Reacher. — Os indícios de Israel mostram que um soldado de infantaria tem dez vezes mais probabilidade de interromper seu avanço e ajudar um colega ferido se o colega for uma mulher em vez de um homem. Retarda o avanço. É preciso treiná-los.

Caçada às Cegas   **45**

— Você não acha que as pessoas devem se ajudar mutuamente? — perguntou Lamarr.

— Com certeza — disse Reacher. — Mas não se houver um objetivo a ser alcançado.

— Quer dizer que se você e eu estivéssemos avançando juntos, ia simplesmente me deixar para trás se eu fosse ferida?

Reacher sorriu.

— No seu caso, sem nem pensar duas vezes.

— Como conheceu Amy Callan? — perguntou Deerfield.

— Tenho certeza de que já sabe — disse Reacher.

— Conte-me assim mesmo. Só para fins de registro.

— Estamos sendo gravados?

— Com certeza.

— Sem ler meus direitos?

— A gravação mostrará que você tem seus direitos na hora que eu disser que você os tem.

Reacher ficou calado.

— Conte-me sobre Amy Callan — repetiu Deerfield.

— Ela me procurou para falar sobre um problema que estava tendo em sua unidade — disse Reacher.

— Que problema?

— Assédio sexual.

— Você foi solidário?

— Sim, fui.

— Por quê?

— Porque nunca sofri abuso por causa do meu sexo. Não via por que ela deveria sofrer.

— Então o que você fez?

— Prendi o oficial que ela estava acusando.

— E o que fez em seguida?

— Nada. Era policial, não promotor. Estava além do meu alcance.

— O que aconteceu?

— O oficial ganhou o caso. Amy Callan deixou o Exército.

— Mas a carreira do oficial foi arruinada mesmo assim.

Reacher fez que sim.

— Sim, foi.

— Como se sentiu com relação a isso?

Reacher encolheu os ombros.

— Confuso, acho. Pelo que sabia, ele era um bom sujeito. Mas no final, acreditei em Callan, não nele. Minha opinião era que ele era culpado. Então, acho que fiquei satisfeito por ele ter ido embora. Mas o ideal é que não fosse assim. Um veredito de inocência não deveria arruinar uma carreira.

— Então você lamentou por ele?

— Não, eu lamentei por Callan. E lamentei pelo Exército. A coisa toda era um caos. Duas carreiras foram arruinadas, quando, o que quer que tenha acontecido, apenas uma devia ter sido.

— E quanto a Caroline Cooke?

— Cooke foi diferente.

— Diferente como?

— Uma época diferente, um lugar diferente. Foi no exterior. Ela estava transando com um coronel. Vinha transando com ele fazia um ano. Parecia consensual para mim. Ela só alegou assédio depois, quando teve a promoção negada.

— Em que isso é diferente?

— As coisas não estavam relacionadas. O homem transava com ela porque ela estava satisfeita em deixar que ele fizesse isso, e não a promoveu porque ela não era boa o bastante no trabalho. Não havia relação entre as coisas.

— Talvez ela considerasse o ano que passou na cama com ele uma barganha implícita.

— Então era uma questão contratual. Como quando uma prostituta leva um calote. Isso não configura assédio.

— Então você não fez nada?

Reacher fez que não.

— Não, eu prendi o coronel, porque na época havia regras. Sexo entre pessoas de hierarquias diferentes era proibido pelas normas em vigor.

— E?

— E ele foi destituído do cargo de forma desonrosa, sua mulher o deixou e ele se matou. E Cooke pediu baixa mesmo assim.

— E o que aconteceu com você?

— Fui transferido do QG da OTAN.

— Por quê? Ficou aborrecido?

— Não, precisavam de mim em outro lugar.

— Precisavam de você? Por que você?

— Porque eu era um bom investigador. Estava sendo desperdiçado na Bélgica. Não acontece nada de mais na Bélgica.

— Você viu muito assédio sexual depois disso?

— Com certeza. Tornou-se uma coisa enorme.

— Muitos homens bons arruinando suas carreiras? — perguntou Lamarr.

Reacher se virou para encará-la.

— Alguns. Virou uma caça às bruxas. A maioria dos casos era genuína, na minha opinião, mas alguns inocentes foram pegos. Muitos relacionamentos sadios foram expostos de uma hora para outra. As regras tinham mudado de repente para eles. Algumas das vítimas inocentes eram homens. Mas algumas mulheres também.

— Um caos, não é? — disse Blake. — Tudo começou com essas mulherzinhas encrenqueiras como Callan e Cooke?

Reacher não disse nada. Cozo tamborilava os dedos no mogno.

— Quero voltar ao assunto de Petrosian — disse ele.

Reacher direcionou o olhar para o outro lado.

— Não há nenhum assunto de Petrosian. Nunca ouvi falar em ninguém chamado Petrosian.

Deerfield bocejou e olhou para o relógio. Ele empurrou os óculos para a testa e esfregou os olhos com os nós dos dedos.

— Já passa de meia-noite, sabia? — disse ele.

— Você tratava Callan e Cooke cordialmente? — perguntou Blake.

Reacher apertou os olhos contra a luz na direção de Cozo e depois se virou para Blake. A luz quente do teto estava refletindo o tom vermelho do mogno e tornando carmim seu rosto inchado.

— Sim, tratava-as com cortesia.

— Você as viu de novo depois que entregou seus casos para o promotor?

— Uma ou duas vezes, acho, de passagem.

— Elas confiavam em você?

Reacher encolheu os ombros.

— Acho que sim. Era meu trabalho levá-las a confiar. Precisei obter todo tipo de detalhe íntimo delas.

— Precisou fazer esse tipo de coisa com muitas mulheres?

— Houve centenas de casos. Tratei algumas dezenas deles, acho, antes que instalassem unidades especiais para lidar com todos eles.

— Então me diga o nome de outra mulher de cujo caso você tenha tratado?

Reacher deu de ombros novamente e vasculhou o passado por uma sucessão de escritórios de climas quentes e frios, grandes e pequenas mesas, sol do lado de fora, frio do lado de dentro, mulheres magoadas e insultadas balbuciando os detalhes de sua traição.

— Rita Scimeca — disse ele. — Ela seria um exemplo aleatório.

Blake fez uma pausa, e Lamarr se abaixou e surgiu com um arquivo grosso que tirou da pasta. Ela o deslizou para o lado. Blake o abriu e folheou as páginas. Percorreu descendo uma longa lista com um dedo grosso e fez um gesto positivo com a cabeça.

— Tudo bem — disse ele. — O que aconteceu com a sra. Scimeca?

— Era tenente Scimeca — disse Reacher. — Fort Bragg. Geórgia. Os rapazes chamaram de trote, ela chamou de estupro em grupo.

— E qual foi o resultado?

— Ela ganhou o caso. Três homens passaram um tempo no xadrez e foram destituídos da força por desonra.

— E o que aconteceu com a tenente Scimeca?

Reacher deu de ombros novamente.

Caçada às Cegas

— A princípio, ela ficou satisfeita. Sentiu que a justiça tinha sido feita. Depois ela achou que o Exército tinha acabado para ela. Pediu baixa.

— Onde ela está agora?

— Não faço ideia.

— Imagine que a visse novamente em algum lugar. Imagine que vocês estivessem em alguma cidade em algum lugar, e você a visse numa loja ou restaurante. O que faria?

— Não faço ideia. Ela provavelmente daria "oi", acho. Talvez a gente conversasse por um tempo, tomasse uma bebida ou algo assim.

— Ela ia ficar feliz em ver você?

— Feliz o bastante, acho.

— Porque ela ia se lembrar de você como um sujeito legal?

Reacher fez que sim.

— É uma provação e tanto. Não só o incidente em si, mas o processo posterior também. Então o investigador precisa criar um laço. O investigador precisa ser um amigo e um suporte.

— Assim a vítima se torna sua amiga?

— Se fizer a coisa certa, sim.

— O que ia acontecer se você batesse à porta da tenente Scimeca?

— Não sei onde ela mora.

— Imagine que soubesse. Ela ia deixar você entrar?

— Não sei.

— Ela ia reconhecer você?

— Provavelmente.

— E ia se lembrar de você como amigo.

— Acho que sim.

— Então você bate à porta dela, ela deixa você entrar, certo? Ela ia abrir a porta e ver seu velho amigo, então, deixaria você entrar na hora, ofereceria um café ou alguma outra coisa. Conversariam por um tempo, contariam as novidades desde os velhos tempos.

— Talvez — disse Reacher. — Provavelmente.

Blake fez que sim e parou de falar. Lamarr pôs a mão no braço dele, e ele se curvou para ouvir enquanto ela sussurrava no ouvido dele. Ele

fez que sim novamente e se virou para Deerfield e sussurrou de volta. Deerfield olhou para Cozo. Os três agentes do Quantico se recostaram na cadeira enquanto faziam isso, apenas um movimento imperceptível, mas com linguagem corporal suficiente para dizer *Tudo bem, estamos interessados*. Cozo olhou de volta para Deerfield alarmado. Deerfield inclinou-se para a frente, olhando diretamente para Reacher por trás dos óculos.

— Esta é uma situação muito confusa — disse ele.

Reacher não respondeu nada. Apenas permaneceu sentado aguardando.

— O que aconteceu exatamente no restaurante? — perguntou Deerfield.

— Nada — disse Reacher.

Deerfield reprovou com a cabeça.

— Você está sob vigilância. Meu pessoal vem seguindo você há uma semana. Os agentes especiais Poulton e Lamarr se juntaram a eles esta noite. Eles viram tudo.

Reacher olhou para ele.

— Vocês vêm me seguindo há uma semana?

Deerfield fez que sim.

— Oito dias, na verdade.

— Por quê?

— Vamos chegar lá mais tarde.

Lamarr se mexeu e abaixou novamente até sua pasta. Ela puxou outro arquivo. Abriu-o e tirou um maço de papéis. Havia quatro ou cinco folhas presas com um clipe. Elas estavam cheias de impressões densas. Ela sorriu friamente para Reacher, virou as folhas e as deslizou pela mesa até ele. O movimento fez o ar separá-las. O clipe se arrastou na madeira e parou exatamente em frente a ele. Nas folhas, Reacher era mencionado como *o indivíduo*. Elas eram uma lista de tudo que ele tinha feito e onde havia estado nos oito dias anteriores. Elas eram completas até o último segundo e precisas até os mínimos detalhes. Reacher desviou o olhar delas para o rosto sorridente de Lamarr e fez um aceno de cabeça.

Caçada às Cegas 51

— Bem, os perseguidores do FBI são obviamente muito bons — disse ele. — Nem por um momento percebi.

Houve silêncio.

— Então o que aconteceu no restaurante? — perguntou Deerfield novamente.

Reacher pausou. *Sinceridade é a melhor política*, pensou. Ele olhou. Engoliu em seco. Depois fez um aceno de cabeça para Blake, Lamarr e Poulton.

— Esses especialistas da faculdade de Direito chamam isso de *estado de necessidade*, acho. Cometi um crime menor para impedir que um mais grave acontecesse.

— Estava agindo sozinho? — perguntou Cozo.

Reacher fez que sim.

— Sim, estava.

— Então o que era *nada de disputa territorial conosco*?

— Queria ser convincente. Queria que Petrosian levasse a sério, quem quer que ele seja. Como se ele estivesse lidando com outra organização.

Deerfield inclinou-se por toda a mesa e recuperou o registro da vigilância de Lamarr. Ele percorreu as páginas.

— Aqui não há nenhum contato com ninguém a não ser a sra. Jodie Jacob. Ele não está administrando uma rede de extorsão. E quanto ao registro das ligações?

— Vocês estão grampeando meu telefone? — perguntou Reacher.

Deerfield fez que sim.

— Vasculhamos seu lixo também.

— O registro de chamadas é claro — disse Poulton. — Ele não falou com ninguém a não ser a sra. Jacob. Ele vive uma vida tranquila.

— É verdade, Reacher? — perguntou Deerfield. — Você vive uma vida tranquila?

— Normalmente, sim — disse Reacher.

— Então você agia sozinho — disse Deerfield. — Apenas um cidadão preocupado. Nenhuma ligação com gangues, nenhuma instrução por telefone.

Ele se voltou para Cozo, com um olhar interrogativo.
— Está satisfeito com isso, James?
Cozo encolheu os ombros e assentiu.
— Vou ter de ficar, acho.
— Cidadão preocupado, certo, Reacher? — disse Deerfield.
Reacher fez que sim. Não disse nada.
— Pode provar isso para a gente? — perguntou Deerfield.
Reacher encolheu os ombros.
— Eu poderia ter tomado as armas deles. Se tivesse alguma conexão, eu teria feito isso. Mas não o fiz.
— Não, você as deixou na caçamba de lixo.
— Desmontei-as primeiro.
— Com areia nos mecanismos. Por que fez isso?
— Para que ninguém pudesse achá-las e usá-las.
Deerfield assentiu.
— Um cidadão preocupado. Viu uma injustiça e quis corrigi-la.
Reacher assentiu de volta.
— Acho que sim.
— Alguém tem que fazer isso, não é?
— Acho que sim — repetiu Reacher.
— Você não gosta de injustiça, não é?
— Acho que não.
— E você sabe a diferença entre o certo e o errado.
— Espero que sim.
— Não precisa da intervenção das autoridades estabelecidas, porque pode tomar suas próprias decisões.
— Normalmente, sim.
— Confiante quanto ao seu próprio código moral.
— Acho que sim.
Houve silêncio. O olhar de Deerfield atravessou a claridade.
— Então por que roubou o dinheiro deles? — perguntou ele.
Reacher deu de ombros.
— Espólios de guerra, acho. Como um troféu.

Caçada às Cegas **53**

Deerfield assentiu.

— Parte do código, certo?

— Acho que sim.

— Você age de acordo com suas próprias regras, certo?

— Normalmente, sim.

— Não ia assaltar uma velhinha, mas tudo bem tirar dinheiro de uma dupla de homens cruéis.

— Acho que sim.

— Quando eles saem do que é aceitável para você, eles levam o que for preciso, certo?

— Certo.

— Um código pessoal.

Reacher deu de ombros novamente. Não disse nada. O silêncio cresceu.

— Sabe alguma coisa sobre perfis criminais? — perguntou Deerfield de repente.

Reacher pausou.

— Só o que leio nos jornais.

— É uma ciência — disse Blake. — Desenvolvemos no Quantico, ao longo de muitos anos. A agente especial Lamarr atualmente é o nosso expoente máximo. O agente especial Poulton é seu assistente.

— Analisamos cenas de crime — disse Lamarr. — Analisamos os indicadores psicológicos ocultos e descobrimos que tipo de personalidade poderia ter cometido o crime.

— Estudamos as vítimas — disse Poulton. — Descobrimos a quem elas poderiam ter sido especialmente vulneráveis.

— Que crimes? — perguntou Reacher. — Que cenas?

— Seu canalha — disse Lamarr.

— Amy Callan e Caroline Cooke — disse Blake. — As duas são vítimas de homicídio.

Reacher arregalou os olhos para ele.

— Callan foi a primeira — disse Blake. — *Modus operandi* muito característico, mas um assassinato é apenas um assassinato, certo? Então Cooke foi morta. Exatamente com o mesmo *modus operandi*. Isso configura uma situação de crime em série.

— Procuramos algum vínculo entre as vítimas — disse Poulton. — Não foi difícil encontrar. Reclamantes de assédio no Exército que pedem baixa em seguida.

— Extrema organização na cena do crime — disse Lamarr. — Indicativa de precisão militar, talvez. Um *modus operandi* bizarro, codificado. Nada deixado para trás. Nenhuma pista de nenhum tipo. O criminoso era claramente uma pessoa precisa, e claramente alguém familiarizado com os procedimentos investigativos. Talvez um bom investigador ele mesmo.

— Sem entrada forçada em nenhuma das habitações — disse Poulton.

— A entrada do assassino na casa foi permitida nos dois casos pelas vítimas, sem fazer perguntas.

— Então o assassino era alguém que as duas conheciam.

— Alguém em quem as duas confiavam — disse Poulton.

— Como uma visita amigável — disse Lamarr.

Houve silêncio na sala.

— É o que ele era — disse Blake. — Uma visita. Alguém que elas consideravam um amigo. Alguém com quem elas tinham um laço.

— Um amigo em visita — disse Poulton. — Ele bate na porta, elas abrem, eles dizem *oi, que bom rever você*.

— Ele entra — diz Lamarr. — Bem assim.

Houve silêncio na sala.

— Exploramos o crime, pelo aspecto psicológico — disse Lamarr. — Por que essas mulheres deixaram alguém tão furioso a ponto de matá-las? Então, procuramos um homem do Exército com algum acerto de contas pendente. Talvez alguém escandalizado pela ideia de mulheres desagradáveis arruinando as carreiras de bons soldados, e depois pedindo baixa do mesmo jeito. Mulheres frívolas, levando bons homens ao suicídio.

— Alguém com uma clara noção de certo e errado — disse Poulton. — Alguém confiante o bastante em seu próprio código moral para consertar essas injustiças com as próprias mãos. Alguém satisfeito em agir sem que as autoridades devidas atrapalhem, sabe como é?

Caçada às Cegas   55

— Alguém que as duas mulheres conheciam — disse Blake. — Alguém que elas conheciam bem o bastante para deixarem entrar em casa sem fazer perguntas, como um velho amigo ou algo assim.

— Alguém decidido — disse Lamarr. — Talvez alguém organizado o bastante para pensar por um segundo e depois comprar um rotulador e um tubo de cola, só para cuidar de um probleminha imprevisto.

Mais silêncio.

— O Exército vasculhou seus computadores — disse Lamarr. — Você tem razão, elas nunca se conheceram. Elas tinham bem poucos conhecidos em comum. Muito poucos. Mas você era um deles.

— Quer saber de um fato interessante? — disse Blake. — Assassinos em série costumavam dirigir fuscas. Quase todos eles. Era insólito. Depois, eles mudaram para minivans. Depois mudaram para utilitários esportivos. Grandes veículos de tração nas quatro rodas, exatamente como o seu. É um indicativo e tanto.

Lamarr se inclinou e puxou um maço de papéis de volta do lugar de Deerfield na mesa. Ela bateu neles com um dedo.

— Eles levam vidas solitárias — disse ela. — Interagem no máximo com mais uma pessoa. Vivem às custas dos outros, geralmente parentes ou amigos, muitas vezes mulheres. Não fazem muitas coisas normais. Não conversam muito no telefone, são caladas e furtivas.

— São entusiastas da aplicação da lei — disse Poulton. — Sabem todo tipo de coisa. Como todo o tipo de caso penal obscuro que defina seus direitos.

Mais silêncio.

— Geração de perfis — disse Blake. — É uma ciência exata. É considerada indício suficiente para conseguir um mandado de prisão na maioria dos estados.

— Nunca falha — disse Lamarr. Ela olhou para Reacher e depois relaxou na cadeira com os dentes acavalados mostrando um sorriso satisfeito. O silêncio se instalou na sala.

— E daí? — disse Reacher.

— E daí que alguém matou duas mulheres — disse Deerfield.
— E?
Deerfield meneou a cabeça para a direita, para o lado de Blake e Lamarr e Poulton.
— E estes agentes acham que foi alguém exatamente igual a você.
— E daí?
— E daí que lhe fizemos todas essas perguntas.
— E?
— E acho que eles estão absolutamente certos. Era alguém exatamente igual a você. Talvez tenha sido *de fato* você.

4

— NÃO, NÃO FUI EU — DISSE REACHER.

Blake sorriu.

— Isso é o que todos dizem.

Reacher olhou fixamente para ele.

— Você está de conversa-fiada, Blake. Tudo que você tem é duas mulheres. A coisa do Exército é provavelmente uma coincidência. Há centenas de mulheres por aí, assediadas fora do Exército, talvez milhares. Por que a pressa em relacionar as coisas?

Blake nada disse.

— E por que um cara como eu? — perguntou Reacher. — Isso é só um palpite também. É a isso que se resume essa merda de geração de perfil, não é? Você diz que um cara como eu cometeu os crimes porque *acha* que foi um cara como eu. Nenhum indício nem coisa nenhuma.

— Não há indícios — disse Blake.
— O homem não deixou nenhum indício — disse Lamarr. — É assim que trabalhamos. O criminoso obviamente era um sujeito esperto, então, procuramos um sujeito esperto. Você está dizendo que não é esperto?
Reacher olhou para ela.
— Há milhares de caras tão espertos quanto eu.
— Não, há milhões, seu canalha convencido — respondeu ela. — Mas então começamos a restringir um pouco. Um sujeito esperto, solitário, do Exército, conhecia as duas vítimas, movimentos não explicados, uma personalidade brutal de justiceiro. Isso restringiu de milhões para milhares, para centenas e dezenas, talvez chegando a se reduzir a você.
Houve silêncio.
— Eu? — perguntou Reacher para ela. — Você é maluca.
Ele se voltou para Deerfield, que estava sentado calado e impassível.
— *Você* acha que fui eu?
Deerfield deu de ombros.
— Bem, se não foi você, foi alguém igualzinho. E eu *sei* que você pôs dois homens no hospital. Você já está bem encrencado por conta disso. Quanto a esse outro assunto, não estou familiarizado com o caso. Mas o FBI confia em seus especialistas. É por isso que os contratamos no final das contas.
— Eles estão errados — disse Reacher.
— Mas você pode provar?
Reacher arregalou os olhos para ele.
— Preciso provar? O que aconteceu com inocente até que se comprove a culpa?
Deerfield apenas sorriu.
— Por favor, vamos ficar na vida real, está bem?
Houve silêncio.
— Datas — disse Reacher. — Me diga as datas e lugares.
Mais silêncio. Deerfield olhava o vazio.
— Callan foi há sete semanas — disse Blake. — Cooke foi há quatro.

Caçada às Cegas

Reacher vasculhava a memória. Quatro semanas atrás tinha sido o início do outono, sete o levava ao final do verão. No final do verão, ele não tinha feito nada. Tinha trabalhado no jardim. Três meses sem controlar o crescimento no jardim mandaram-no para fora todos os dias com foices e enxadas e outras ferramentas com as quais não estava acostumado nas mãos. Ele passava dias seguidos sem sequer ver Jodie. Ela vinha ocupada com casos jurídicos. Jodie havia passado uma semana no exterior, em Londres. Ele não conseguia se lembrar com certeza de que semana tinha sido. Foi um período solitário, com o tempo dele absorvido com derrotar a natureza desenfreada, trinta centímetros de cada vez.

No começo do outono, ele transferiria suas energias para o lado de dentro da casa. Havia coisas a serem feitas. Mas ele as tinha feito todas sozinho. Jodie tinha ficado na cidade, trabalhando para subir na empresa. Houve algumas noites aqui e ali dos dois juntos. Mas isso foi tudo. Nenhuma viagem para lugar nenhum, nenhum ingresso, nenhum registro em hotel, nenhum carimbo no passaporte. Nenhum álibi. Ele olhou para os sete agentes enfileirados de frente para ele.

— Quero a minha advogada agora — disse ele.

As duas sentinelas locais levaram-no de volta para a primeira sala. Seu status tinha mudado. Dessa vez, elas permaneceram do lado de dentro com ele, de pé de cada lado da porta fechada. Reacher se sentou na cadeira plástica de jardim e as ignorou. Ele ouviu o incansável ruído da ventilação dentro da tubulação exposta no telhado e aguardou, sem pensar em nada.

Esperou por quase duas horas. As duas sentinelas ficaram pacientemente perto da porta, sem olhar para ele, sem falar, sem se mover. Ele permaneceu em sua cadeira, recostado, olhando para a tubulação sobre sua cabeça. Havia dois sistemas iguais ali. Um soprava ar fresco para a sala e o outro sugava o ar viciado para fora. O layout era claro. Ele acompanhou as linhas de fluxo com os olhos e imaginou grandes ventiladores lentos do lado de fora do telhado, virando-se lentamente em direções opostas, fazendo o prédio respirar como um pulmão. Imaginou o ar expirado de seu corpo flutuando para o céu da noite de Manhattan e além, em direção ao Atlântico. Ele imaginava as moléculas úmidas vagando e se difundindo na atmosfera, capturadas pela brisa e espiralando para longe. Em duas horas, elas podiam estar a trinta quilômetros da costa. Ou cinquenta. Ou sessenta. Dependeria das condições. Ele não conseguia lembrar se tinha sido uma noite com ventos. Ele achava que não. Recordava o nevoeiro. O ar seria soprado para longe se houvesse um vento razoável. Então era uma noite sem ventos; e, portanto, o ar que expirara estava provavelmente pendente de modo sombrio no ar sobre os lentos ventiladores.

Então surgiram pessoas no corredor do lado de fora, a porta se abriu, as sentinelas saíram e Jodie entrou. Contra as paredes cinzentas, ela resplandecia. Estava num vestido cor de pêssego em tom pastel com um casaco de lã sobre ele, alguns tons mais escuro. Os cabelos ainda estavam mais claros por causa do sol do verão. Seus olhos eram de um azul intenso e sua pele era cor de mel. Era o meio da noite, e ela parecia tão renovada quanto a manhã.

— Oi, Reacher — disse ela.

Ele fez um aceno de cabeça e nada disse. Ele conseguia ver a preocupação no rosto dela. Ela se aproximou, inclinou-se e o beijou nos lábios. Cheirava a flores.

— Você falou com eles? — perguntou ele.

— Não sou a pessoa certa para lidar com isso — disse ela. — Direito financeiro, sim, mas de penal, não faço nenhuma ideia.

Ela aguardou de frente para a cadeira dele, alta e magra, com a cabeça inclinada para um lado, todo seu peso em um dos pés. A cada reencontro, ela parecia mais bonita. Ele se levantou e se alongou, com cansaço.

— Não há nada com que lidar — disse ele.

Ela fez que não.

— Sim, pode ter certeza de que há.

— Não matei mulher nenhuma.

Ela arregalou os olhos para ele.

— É claro que não matou. Sei disso. E *eles* sabem também, ou teriam colocado algemas e bolas de ferro e o levado direito para o Quantico, e não jogado você aqui. Isso deve ser por causa daquela outra coisa. Eles *viram* você fazer aquilo, por dois homens no hospital, debaixo das vistas deles.

Caçada às Cegas 61

— Não é por causa disso. Eles reagiram rápido demais. Isso foi preparado antes mesmo de eu fazer aquilo. E eles não se importam com aquilo. Não estou trabalhando com redes de extorsão. É tudo em que Cozo está interessado, crime organizado.

Ela assentiu.

— Cozo está satisfeito. Talvez mais do que satisfeito. Ele tem dois bandidos a menos na rua, sem custo nenhum para si mesmo. Mas virou um beco sem saída, não percebe? Para convencer Cozo, você teve de se entregar como justiceiro solitário, e quanto mais você se entregava como justiceiro solitário, mais se aproximava do perfil do Quantico. Então, qualquer que tenha sido o motivo pelo qual eles lhe trouxeram, você está começando a confundi-los.

— O perfil é bobagem.

— Eles não pensam assim.

— Tem que ser bobagem. O resultado fui eu.

Ela fez um gesto negativo com a cabeça.

— Não, o resultado foi alguém como você.

— Que seja, eu devia era me mandar daqui.

— Você não pode fazer isso. Está encrencado. Sem contar o resto, eles *viram* você bater naqueles caras, Reacher. Agentes do FBI, a *serviço*, pelo amor de Deus.

— Aqueles caras mereceram.

— Por quê?

— Estavam mexendo com alguém com quem não tinham nada que se meter.

— Está vendo? Agora você está preparando o caso para eles. Um justiceiro com seu próprio código.

Ele deu de ombros e olhou para o outro lado.

— Não sou a pessoa certa para isso — disse ela novamente. — Não trabalho com direito penal. Você precisa de um advogado melhor.

— Não preciso de nenhum advogado — disse ele.

— Reacher, você precisa, sim, de um advogado. Isso com toda a certeza. Essa coisa é para valer. É o *FBI*, caramba.

Ele ficou calado por um longo instante.

— Você precisa levar isso a sério — disse ela.

— Não posso — respondeu ele. — É bobagem. Não matei nenhuma mulher.

— Mas se adequou ao perfil. E agora provar que estão errados vai ser difícil. É sempre difícil provar que algo não é verdade. Então, você precisa de um advogado adequado.

— Eles disseram que estou prejudicando sua carreira. Disseram que não sou um marido ideal para uma sócia empresarial.

— Bem, isso é bobagem também. E mesmo que fosse verdade, eu não me importaria. Não estou dizendo para conseguir outro advogado por minha causa. Estou dizendo por sua causa.

— Não quero *nenhum* advogado.

— Então por que me ligou?

Ele sorriu.

— Achei que você fosse me alegrar.

Ela caiu nos braços dele, esticou-se para cima e o beijou apaixonadamente.

— Amo você, Reacher — disse ela. — Amo de verdade, sabe disso, não é? Mas precisa de um advogado melhor. Eu nem mesmo entendo do que isso se *trata*.

Houve um longo silêncio. Apenas o tremor da ventilação sobre eles, o ligeiro ruído do ar contra o metal, o leve som da passagem do tempo. Ele prestava atenção.

— Eles me deram uma cópia do relatório da vigilância — disse ela.

Ele acenou com a cabeça.

— Achei que fossem dar.

— Por quê?

— Porque isso me elimina da investigação — respondeu ele.

— Como?

— Porque não se trata de duas mulheres — continuou ele.

— Não?

— Não, são *três* mulheres. Tem que ser isso.

Caçada às Cegas

— Por quê?

— Porque quem quer que as esteja matando, está trabalhando de acordo com um cronograma. Percebe isso? Ele está num ciclo de três semanas. Sete semanas atrás, quatro semanas atrás, então a seguinte já aconteceu, na semana passada. Eles me colocaram sob vigilância para me eliminar da investigação.

— Então por que eles lhe arrastaram até aqui? Se você estava eliminado como suspeito?

— Não sei — disse ele.

— Talvez o cronograma tenha se desfeito. Talvez ele tenha parado em dois assassinatos.

— Ninguém para em dois. Se você faz mais que um, faz mais que dois.

— Talvez ele tenha ficado doente e dado um tempo. Podem ser meses antes da próxima.

Ele ficou calado.

— Talvez ele tenha sido preso por outra coisa — disse ela. — Isso acontece, de vez em quando. Algo não relacionado, sabe? Ele pode ficar na cadeia dez anos. Eles nunca vão saber que foi ele. Você precisa de um bom advogado, Reacher. Alguém melhor que eu. Isso não vai ser fácil.

— Era para você me alegrar, sabia disso?

— Não, era para eu lhe dar boa orientação.

Ele olhou para ela, de repente em dúvida.

— Tem outra coisa também — disse ela. — Os dois caras. Você está encrencado por isso, de qualquer maneira.

— Eles deviam era me agradecer.

— Não é assim que funciona — disse ela.

Ele ficou calado.

— Aqui não é o Exército, Reacher — continuou ela. — Você não pode mais simplesmente arrastar alguns caras para trás da oficina de automóveis e bater neles até que aprendam. Aqui é Nova York. É coisa de civis. Eles estão examinando você por algo grave e você não pode simplesmente fingir que não estão.

— Eu não fiz nada.

— Errado, Reacher. Você pôs dois caras no hospital. *Eles viram você fazer isso.* Marginais, não há dúvida, mas há *regras* aqui. Você as transgrediu.

Nesse momento, houve passos no corredor do lado de fora, passos pesados que faziam muito barulho. Talvez três homens, correndo. A porta se abriu. Deerfield entrou na sala. Os dois rapazes locais se aglomeraram do lado dele. Deerfield ignorou Reacher e falou diretamente com Jodie.

— A reunião com seu cliente acabou, sra. Jacob — disse ele.

Deerfield liderou o caminho de volta à sala da mesa comprida. Os dois agentes locais espremeram Reacher entre eles e o seguiram. Jodie saiu da sala e foi atrás dos quatro homens. Ela piscou os olhos na luz forte. Uma segunda cadeira tinha sido colocada no outro lado da sala. Deerfield parou e apontou para a cadeira, em silêncio. Jodie olhou de relance para ele, contornou a mesa e se sentou com Reacher, que lhe apertou a mão por baixo do tampo de mogno lustroso.

Os dois agentes locais assumiram seus postos encostados na parede. Reacher olhava para a frente contra a luz. O mesmo grupo estava alinhado defronte para ele. Poulton, Lamarr, Blake, Deerfield e em seguida Cozo, sentado isolado entre duas cadeiras vazias. Agora havia na mesa um gravador preto, largo e de pouca altura. Deerfield se inclinou para a frente e pressionou o botão vermelho. Ele anunciou a data, a hora e o local. Identificou os nove ocupantes da sala. Dispôs as mãos em frente de si.

— Aqui quem fala é Alan Deerfield, falando ao suspeito Jack Reacher — disse ele. — Você está preso sob as seguintes acusações.

Fez uma pausa.

— Primeira: lesão corporal e roubo qualificado — disse ele. — Contra duas pessoas ainda a serem identificadas precisamente.

James Cozo se inclinou para a frente.

— Segunda: associação a organização criminosa envolvida na prática de extorsão.

Deerfield sorriu.

Caçada às Cegas 65

— Não é obrigado a dizer nada. Tudo que disser será registrado e poderemos usar como prova contra você no tribunal. Você tem direito a ser representado por um advogado. Se não puder pagar, um advogado lhe será fornecido pelo estado de Nova York.

Ele inclinou o corpo para a frente e pressionou o botão de parar do gravador.

— Então, fiz certinho? Já que você é um grande especialista em Miranda?

Reacher não disse nada. Deerfield sorriu de novo e pressionou o botão vermelho e a máquina retornou à operação com um leve ruído.

— Você compreende os seus direitos? — perguntou ele.

— Sim — respondeu Reacher.

— Tem algo a dizer no momento?

— Não.

— Isso é tudo? — perguntou Deerfield.

— Sim — respondeu Reacher.

Deerfield fez um gesto afirmativo.

— Registrado.

Ele se inclinou e apertou a tecla de desligar do gravador.

— Quero uma audiência para tratar da fiança — disse Jodie.

Deerfield fez que não.

— Não é preciso — disse ele. — Vamos dar a ele liberdade provisória, sem fiança, com o compromisso de comparecer em juízo.

Silêncio na sala.

— E quanto à outra questão — perguntou Jodie. — As mulheres?

— Essa investigação está em andamento — disse Deerfield. — Seu cliente está liberado.

5

ELE SAIU DE LÁ UM POUCO DEPOIS DAS TRÊS DA manhã. Jodie estava agitada, dividida entre ficar com ele e voltar ao escritório para terminar seu serão. Ele a convenceu a se acalmar e voltar ao trabalho. Um dos rapazes locais levou-a de carro até Wall Street. Eles devolveram a Reacher seus pertences, exceto o maço de notas roubadas. Depois, o outro rapaz local o levou de volta a Garrison, com o pé na tábua. Foram noventa e três quilômetros em 47 minutos. Uma luz vermelha no painel conectada ao acendedor de charuto por um fio piscou por todo o caminho. Os faróis atravessaram velozes o nevoeiro. Era uma noite escura e fria, e as estradas estavam úmidas e escorregadias. O homem não disse nada. Apenas dirigiu e parou bruscamente, no final do acesso de veículos de Reacher em Garrison e partiu de novo assim que a porta do

Caçada às Cegas

carona se fechou. Reacher observou a luz piscante desaparecer na névoa do rio e se virou para entrar em casa.

Ele herdara o imóvel de Leon Garber, pai de Jodie e seu antigo comandante. Foi uma semana repleta de grandes surpresas, boas e ruins, no início daquele verão. Reencontrar Jodie, que esteve casada e se divorciou, descobrir que o velho Leon havia morrido, descobrir que a casa era sua. Ele estava apaixonado por Jodie há quinze anos, desde que a havia conhecido numa base nas Filipinas. Ela tinha quinze anos e, de um modo espetacular, estava no auge da condição de mulher, mas era filha de seu comandante, e ele reprimira seus sentimentos como um segredo envolto em culpa e nunca os deixou aflorar. Ele achava que eles seriam uma traição contra ela e Leon, e trair Leon era a última coisa que faria, porque entre os homens, Leon era um príncipe sem sofisticação; ele o amava como se este fosse seu *próprio* pai. O que lhe fazia sentir que Jodie era sua irmã, e não há cabimento em se sentir dessa maneira em relação à irmã.

Então o acaso o trouxe ao enterro de Leon, e ele havia reencontrado Jodie, e eles tinham brigado de um modo tenso por alguns dias antes que ela admitisse que sentia exatamente as mesmas coisas e vinha escondendo seus sentimentos pelas mesmíssimas razões. Foi algo absolutamente inesperado, a felicidade de um raio de sol surgindo em meio a um céu nublado naquela semana de verão cheia de grandes surpresas.

Reencontrar Jodie foi a boa surpresa e a morte de Leon, a surpresa ruim; não havia dúvida quanto a isso; porém, herdar a casa era ao mesmo tempo bom e ruim. Era uma excelente propriedade avaliada em meio milhão de dólares que se erguia orgulhosamente nas proximidades do rio Hudson em frente a Academia Militar dos Estados Unidos, e era uma moradia confortável, mas representava um grande problema. Ela o *ancorava* de um jeito profundamente desconfortável para ele. Ficar parado o desconcertava. Tinha se mudado com tanta frequência na vida que passar muito tempo seguido em qualquer lugar que fosse o deixava confuso. E ele nunca tinha morado numa casa própria antes. Alojamentos, pensões e hotéis eram seu *habitat*. Estava em seu sangue.

E a ideia da propriedade o preocupava. Sua vida inteira, ele nunca tinha tido pertences além dos que lhe coubessem nos bolsos. Quando garoto, tivera uma bola de beisebol e pouco mais. Como adulto, ele passara sete anos inteiros sem possuir absolutamente nada exceto um par de calçados que ele preferia aos oferecidos pelo Departamento de Defesa. Depois, uma mulher lhe deu uma carteira com um compartimento plástico transparente onde pôs a própria fotografia. Ele perdeu contato com a mulher e jogou fora a fotografia, mas guardou a carteira. Então, passou os seis anos seguintes de sua vida no Exército com apenas os sapatos e a carteira. Depois de dar baixa, ele acrescentou uma escova de dente à lista. Era uma coisa plástica que se dobrava no meio e se prendia com um clipe em seu bolso, como uma caneta. Ele tinha um relógio de pulso de procedência do Exército, que se tornou dele quando não o pediram de volta. E isso era tudo. Sapatos nos pés, a roupa do corpo, notas pequenas nas calças, notas grandes na carteira, uma escova de dente no bolso e um relógio no pulso.

Agora ele tinha uma casa. E uma casa é uma coisa complicada. Uma coisa grande, complicada e física. Começava no porão. O porão era um espaço imenso e escuro com piso e paredes de concreto e vigas de sustentação expostas como ossos. Havia encanamento, fios e máquinas lá embaixo. Havia uma fornalha. Enterrado em algum lugar do lado de fora, estava um tanque de óleo. Havia um poço d'água. Grandes tubulações atravessavam a parede até a fossa séptica. Tudo era parte de uma máquina complexa e interdependente, e ele não sabia como aquilo funcionava.

Lá em cima parecia mais normal. Havia uma imensidão de quartos, todos esfarrapados e desleixados de um jeito simpático. Mas todos guardavam segredos. Alguns interruptores não funcionavam. Uma das janelas estava emperrada. O fogão era difícil demais de mexer. O lugar inteiro rangia e rilhava à noite, não deixando que ele esquecesse que era real, que estava lá e era preciso pensar a respeito.

E uma casa tem uma existência que vai além do aspecto físico. É também uma coisa burocrática. Alguma coisa chegou pelo correio sobre *título de propriedade*. Era preciso cogitar a contratação de um seguro.

Caçada às Cegas

Impostos. Imposto municipal, escolar, inspeção, avaliação. Havia uma taxa de coleta de lixo a ser paga. E algo sobre uma entrega agendada de propano. Ele mantinha toda essa correspondência numa gaveta na cozinha. A única coisa que comprou para a casa foi um filtro permanente dourado para a velha cafeteira de Leon. Ele achou que era mais fácil do que ter sempre que correr até o mercado para comprar o de papel. Quatro e dez naquela manhã, ele o encheu com café, adicionou água e pôs a máquina para funcionar. Enxaguou uma caneca na pia e a pôs na bancada, pronta. Sentou-se num banco e, apoiado nos cotovelos, observou o líquido escuro espirrar. Era uma máquina antiga, ineficiente, talvez um pouco encrostada por dentro. Geralmente levava cinco minutos para terminar. Em algum momento durante o quarto desses cinco minutos, ele ouviu um carro reduzir a velocidade na estrada. O chiado no asfalto úmido. A fricção dos pneus. *Jodie não aguentou ficar no trabalho*, pensou ele. Essa esperança perdurou por cerca de um segundo e meio, até que o carro fez a curva e a luz vermelha piscante começou a passar rapidamente pela janela de sua cozinha. Ela vinha da esquerda para a direita, da esquerda para a direita, cortando a névoa do rio, e depois morria na escuridão e o ruído do motor desaparecia no silêncio. Portas se abriram e pés tocaram o solo. Duas pessoas. As portas se fecharam. Ele se levantou e apagou a luz da cozinha. Olhou pela janela e viu os dois vultos observando atentamente pela névoa, procurando o caminho que levava à sua porta da frente. Ele se abaixou de volta no banco e ouviu os passos no cascalho. Eles pararam. A campainha tocou.

Havia dois interruptores no corredor. Um deles acionava a luz da varanda. Ele não tinha certeza de qual deles. Ele arriscou e acertou. Viu um brilho pela janela sobre a porta. Abriu a porta. A lâmpada do lado de fora era um refletor feito de vidro grosso tingido de amarelo. Ele lançava um feixe de luz estreito para baixo à direita. A luz atingiu Nelson Blake primeiro e depois as partes do corpo de Julia Lamarr que não estavam à sombra dele. O rosto de Blake não mostrava nada a não ser tensão. O rosto de Lamarr ainda estava cheio de hostilidade e desprezo.

— Ainda está acordado — disse Blake. Uma afirmação, não uma pergunta.

Reacher fez que sim.

— Se é assim, entrem — disse ele.

Lamarr fez um sinal negativo com a cabeça. Seus cabelos foram apanhados pela luz amarela.

— Preferimos não entrar — respondeu ela.

Blake mexeu os pés.

— Tem algum lugar onde possamos ir? Tomar um café da manhã?

— Às quatro e meia da manhã? — disse Reacher. — Por aqui, não.

— Podemos conversar no carro? — perguntou Lamarr.

— Não — respondeu Reacher.

Um impasse. Lamarr desviou o olhar e Blake mexia os pés.

— Entrem — repetiu Reacher. — Acabei de fazer café.

Ele se afastou, de volta para cozinha. Puxou a porta do armário e achou duas outras canecas. Lavou-as na pia e ouviu o ranger do piso do corredor quando Blake entrou. Depois, ouviu os passos mais leves de Lamarr, e o som da porta se fechando atrás dela.

— Café é tudo que tenho — disse ele. — Infelizmente, não tenho leite nem açúcar em casa.

— Puro está ótimo — disse Blake

Ele estava na entrada da cozinha, andando de lado, ficando perto do hall de entrada, sem querer atravessar o batente. Lamarr estava se movendo ao lado dele, olhando em volta da cozinha com uma curiosidade declarada.

— Nada para mim — disse ela.

— Beba um pouco de café, Julia — disse Blake. — Foi uma noite longa.

O jeito que ele disse estava entre uma ordem e uma preocupação paternalista. Reacher olhou para ele, surpreso, e encheu as três canecas. Ele pegou a própria e se inclinou de volta na bancada, esperando.

— Precisamos conversar — falou Blake.

— Quem é a terceira mulher? — perguntou Reacher.

— Lorraine Stanley. Ela era sargento-intendente.

Caçada às Cegas

— Onde?

— Ela trabalhava em algum lugar em Utah. Foi encontrada morta na Califórnia, nesta manhã.

— Mesmo *modus operandi*?

Blake assentiu.

— Idêntico nos mínimos detalhes.

— Mesmo histórico?

Blake assentiu novamente.

— Reclamante de assédio, ganhou o caso, mas deu baixa mesmo assim.

— Quando?

— A coisa do assédio foi há dois anos, ela deu baixa há um ano. Então, de três temos três. Daí a coisa do Exército não ser uma coincidência, acredite.

Reacher bebericou seu café. Tinha gosto de café fraco e velho. Era óbvio que a máquina estava toda encrostada com resíduos minerais. Provavelmente, havia algum procedimento para limpá-la.

— Nunca ouvi falar dela — disse ele. — Nunca servi em Utah.

Blake fez um aceno de cabeça.

— Tem algum lugar em que a gente possa conversar?

— Estamos conversando aqui, não estamos?

— Algum lugar em que a gente possa se sentar?

Reacher acenou com a cabeça, saiu da bancada e caminhou até a sala de estar. Ele colocou sua caneca na mesa lateral, puxou para cima as cortinas, revelando a noite negra do lado de fora. As janelas davam para o oeste sobre o rio. Levaria horas até que o sol subisse o bastante para iluminar o céu.

Havia três sofás num retângulo em volta de uma lareira fria cheia das cinzas do inverno anterior; as últimas labaredas alegres de que o pai de Jodie tinha desfrutado. Blake se sentou de frente para a janela e Reacher se sentou de frente para ele e observava Lamarr enquanto esta lutava com a saia curta e se sentava de frente para a lareira. A pele dela era da mesma cor das cinzas.

— Continuamos confiando no nosso perfil — disse ela.
— Bem, bom para vocês.
— Era alguém exatamente igual a você.
— Acha que é plausível? — perguntou Blake.
— O que é plausível? — Reacher perguntou de volta.
— Que o criminoso possa ser um soldado?
— Está me perguntando se um soldado pode ser um assassino?
Blake assentiu.
— Tem opinião quanto a isso?
— Minha opinião é que esta é uma pergunta bem idiota. É como perguntar se um jóquei sabe cavalgar.

Houve silêncio. Apenas um baque abafado no porão quando a fornalha acendeu e, em seguida, estalos rápidos quando as tubulações de vapor se aqueceram, expandiram-se e roçaram contra as vigas do piso sob os pés deles.

— Então você era um suspeito plausível — disse Blake. — Até os dois primeiros.

Reacher não disse nada.
— Daí a vigilância — continuou Blake.
— Isso é um pedido de desculpas? — perguntou Reacher.
Blake assentiu.
— Acho que sim.
— Então por que me trouxe para ser interrogado se já sabia que não era eu?
Blake parecia sem jeito.
— Acho que queríamos mostrar algum progresso.
— Você mostra progresso trazendo o cara errado para interrogatório? Isso não me convence.
— Já pedi desculpas — disse Blake.
Mais silêncio.
— Você tem alguém que conhecia todas as três? — perguntou Reacher.
— Ainda não — disse Lamarr.
— Estamos pensando que talvez o contato pessoal prévio não seja tão significativo — disse Blake.

Caçada às Cegas   73

— Vocês pensavam que sim há algumas horas. Estavam me dizendo como eu era esse grande amigo delas, que se, batesse na porta delas, elas me deixariam entrar.

— Não você — disse Blake. — Alguém como você, foi tudo. E agora estamos pensando que talvez tenhamos cometido um erro. Esse cara está matando de acordo com uma categoria, certo? Reclamantes de assédio sexual que dão baixa depois. Então talvez ele não seja um conhecido delas, talvez esteja apenas numa *categoria* conhecida delas. Como a polícia do Exército.

Reacher sorriu.

— Então agora você acha que fui eu de novo?

Blake fez que não.

— Não, você não estava na Califórnia.

— Resposta errada, Blake. Não fui eu porque não sou um assassino.

— Nunca matou ninguém? — disse Lamarr, como se soubesse a resposta.

— Só os que precisavam morrer.

Ela sorriu de volta.

— Como eu disse, continuamos confiando em nosso perfil. Algum canalha que se acha dono da verdade, igualzinho a você.

Reacher viu Blake olhar para ela, meio em apoio, meio em desaprovação. A luz da cozinha vinha do corredor atrás dela, transformando seus cabelos ralos num fino halo, fazendo com que ela parecesse a cabeça da morte. Blake moveu-se para a frente no assento, tentando assim chamar a atenção de Reacher.

— O que estamos dizendo é que possivelmente esse sujeito seja ou tenha sido um policial do Exército.

Reacher desviou o olhar de Lamarr e deu de ombros.

— Tudo é possível — disse ele.

Blake concordou.

— E, sabe, nós meio que entendemos que sua lealdade às Forças Armadas talvez torne isso difícil de aceitar.

— Na verdade, o bom senso torna isso difícil de aceitar.

— De que maneira?

— Porque você parece achar que confiança e amizade são importantes para o *modus operandi* de alguma maneira. E ninguém nas Forças Armadas confia nos policiais. Ou gosta muito deles, como é o meu caso.

— Você nos disse que Rita Scimeca se lembraria de você como amigo.

— Eu era diferente. Me esforçava. Não havia muitos que faziam isso.

Silêncio novamente. A cerração do lado de fora era densa e embaçada, como um lençol sobre a casa. A água que passava com força pelos radiadores fazia muito barulho.

— Temos um *plano de ação* — disse Blake. — Como diz Julia, confiamos nas nossas técnicas, e, do modo que interpretamos, há envolvimento do Exército. A categoria de vítima é muito restrita para que isso seja aleatório.

— E daí?

— Geralmente, o FBI e as Forças Armadas não se dão muito bem.

— Bem, isso, sim, é uma grande surpresa. Com *quem* é que vocês se dão bem?

Blake concordou. Ele vestia um terno caro que nunca tinha sido lavado desde que fora comprado. Ele o deixava incomodado, como um técnico de futebol estudantil no dia dos ex-alunos.

— Ninguém se dá bem com ninguém — respondeu ele. — Você sabe como é toda aquela rivalidade. Quando estava no Exército, você chegou a cooperar com agências civis?

Reacher não disse nada.

— Então você sabe como é — repetiu Blake. — As Forças Armadas odeiam o FBI, o FBI odeia a CIA, todo mundo odeia todo mundo.

Houve silêncio.

— Por isso precisamos de um intermediário — disse Blake.

— Um o quê?

— Um consultor. Alguém que nos ajude.

Reacher deu de ombros.

— Não conheço ninguém para tal. Já estou fora há muito tempo.

Silêncio. Reacher bebeu o resto do café e colocou a caneca vazia sobre a mesa.

Caçada às Cegas

— Você podia fazer isso — disse Blake.

— Eu?

— Sim, você. Ainda sabe como as coisas funcionam por lá, não é?

— De jeito nenhum.

— Por que não?

Reacher fez um gesto negativo com a cabeça.

— Porque eu não quero.

— Mas *poderia* fazer isso.

— Poderia, mas não vou.

— Temos o seu histórico. Era um investigador e tanto.

— Isso é passado.

— Talvez ainda tenha amigos lá, pessoas que se lembrem de você. Talvez pessoas que lhe devam favores.

— Talvez sim, talvez não.

— Você podia nos ajudar.

— Talvez eu até possa, mas não vou.

Ele se inclinou para trás no sofá, abriu os braços sobre a parte superior das almofadas e esticou as pernas.

— Você não sente nada? — perguntou Blake. — Pela morte dessas mulheres? Coisas como essa não deviam acontecer, não é?

— Há um milhão de pessoas no Exército — disse Reacher. — Fiquei lá durante treze anos. O contingente durante esse período foi de quantos? Talvez o dobro? Então, dois milhões de pessoas estavam comigo lá. É lógico que algumas delas seriam mortas, como outras ganhariam na loteria. Não posso me preocupar com todas elas.

— Você conhecia Callan e Cooke. Gostava delas.

— Gostava de Callan.

— Então nos ajude a pegar seu assassino.

— Não.

— Por favor.

— Não.

— Estou pedindo sua ajuda.

— Não.

— Seu canalha — disse Lamarr.

Reacher olhou para Blake.

— Você acha mesmo que eu ia querer trabalhar com ela? E será que ela não consegue pensar em mais nada para me xingar sem ser *canalha*?

— Julia, sirva-se um pouco mais de café — disse Blake.

Ela ficou vermelha e apertou os lábios, mas se levantou do sofá e andou até a cozinha. Blake chegou para a frente no assento e passou a falar em voz baixa.

— Ela está muito nervosa — disse ele. — Você podia lhe dar um desconto.

— Eu? — disse Reacher. — Por que diabos devia fazer isso? Ela está sentada aqui tomando meu café e me xingando.

— A categoria de vítima é bem específica nesse caso, certo? E talvez menor do que você pensa. Reclamantes de assédio sexual que em seguida dão baixa? Você disse centenas, talvez milhares, mas o Departamento de Defesa diz que só há noventa e uma mulheres que se encaixam nesses parâmetros.

— E daí?

— Achamos que o sujeito talvez queira eliminar cada uma delas. Presumimos que assim o fará, até que seja pego. Se for pego. E ele já fez três vítimas.

— E daí?

— A irmã de Julia é uma das outras oitenta e oito.

Silêncio de novo, fora os ruídos vindos da cozinha.

— E daí que ela está preocupada — continuou Blake. — Não exatamente em pânico, acho, porque uma em oitenta e oito não é grande probabilidade, mas é ruim o bastante para que ela encare tudo de maneira muito pessoal.

Reacher assentiu, devagar.

— Então ela não deveria estar trabalhando no caso — disse ele. — Está envolvida demais.

Blake deu de ombros.

Caçada às Cegas 77

— Ela insistiu. Era uma decisão minha. Estou satisfeito com ela. A pressão pode produzir resultados.

— Não com ela. Ela é completamente descontrolada.

— Ela é minha principal analista de perfis. Ela está conduzindo esse caso com eficácia. Então, preciso dela, esteja envolvida ou não. E ela precisa de você como intermediário, e eu preciso de resultados, então, você precisa lhe dar um desconto.

Ele se recostou na cadeira e olhou para Reacher. Um velho gordo, desconfortável em seu terno, suando no frio da noite, com algo de intransigente no rosto. *Preciso de resultados.* Reacher não tinha problema com pessoas que precisavam de resultados. Mas ele não disse nada. Houve um longo silêncio. Logo após, Lamarr voltou da cozinha, carregando a jarra de café da máquina. Seu rosto estava pálido de novo. Ela havia recuperado a compostura.

— Continuo confiando no meu perfil — disse ela. — O sujeito é alguém igualzinho a você. Talvez alguém que conheceu. Talvez alguém com quem tenha trabalhado.

Reacher ergueu os olhos para olhá-la.

— Lamento por sua situação pessoal.

— Não preciso da sua solidariedade. Preciso pegar o cara.

— Bem, boa sorte.

Ela se inclinou e despejou o café na caneca de Blake, e, em seguida, andou até a de Reacher.

— Obrigado — disse ele.

— Você vai nos ajudar? — perguntou ela.

Ele fez um sinal negativo com a cabeça.

— Não.

Houve silêncio.

— E quanto a um papel de consultor? — perguntou Blake. — Apenas dar seu parecer? Subsídios mantidos em sigilo?

Reacher fez que não de novo.

— Não, não estou interessado.

— E quanto a algo completamente passivo? — perguntou Blake. — Só uma reunião para trocar ideias? Achamos que você pode ser próximo do sujeito. Pelo menos próximo ao *tipo* de sujeito.

— Não é a minha praia — disse Reacher.

Houve silêncio.

— Você concordaria em ser hipnotizado? — perguntou Blake.

— Hipnotizado? Por quê?

— Talvez você pudesse relembrar algo que fora esquecido. Sabe, algum homem fazendo alguma ameaça, algum comentário adverso. Algo a que você não tenha prestado muita atenção na época. Pode ser que você lembre. Talvez nos ajude a juntar as peças.

— Vocês ainda fazem hipnose?

— Às vezes — disse Blake. — Pode ajudar. Julia é uma especialista. Seria ela quem faria.

— Nesse caso, não, obrigado. Ela pode me fazer andar pelado pela Quinta Avenida.

Silêncio novamente. Blake desviou o olhar, depois virou novamente.

— Pela última vez, Reacher — disse ele. — O FBI está pedindo sua ajuda. Empregamos consultores o tempo todo. Você receberia um pagamento e tudo mais. Sim ou não?

— Foi por isso que me trouxe para interrogatório, não foi?

Blake fez que sim.

— Funciona às vezes.

— Como?

Blake fez uma pausa, depois decidiu responder. Reacher viu um homem preparado para ser franco, mas empenhado em ser persuasivo.

— Mexe com as pessoas — disse Blake. — Sabe, faz com que elas pensem que são o principal suspeito; depois, quando dizemos que elas não são, a mudança de estado emocional pode levá-las a sentir uma espécie de gratidão para conosco. Fazer com que queiram nos ajudar.

— É essa a sua experiência?

Blake fez que sim novamente.

— Funciona, na maior parte das vezes.

Reacher deu de ombros.

— Nunca estudei muito sobre psicologia.

— Psicologia é o nosso negócio, por assim dizer — disse Blake.

— Meio cruel, não acha?

— O FBI faz o que precisa fazer.

— Evidente.

— Então, é sim ou não?

— Não.

Silêncio na sala.

— Por que não?

— Porque a mudança de estado emocional não funcionou comigo, acho.

— Podemos ter um motivo formal, para constar?

— A sra. Lamarr é o motivo formal. Ela me enche o saco.

Blake abriu as mãos, sem ação.

— Mas ela só está enchendo o seu saco para realizar o trabalho da mudança de estado emocional. É uma técnica.

Reacher fez uma careta.

— Bem, ela é um pouco convincente demais — disse ele. — Tire-a do caso e posso pensar a respeito.

Lamarr fez cara feia, e Blake fez um gesto negativo com a cabeça.

— Não vou fazer isso — disse ele. — É decisão minha e não vou receber ordens.

— Então minha resposta é não.

Silêncio. Os cantos da boca de Blake viraram para baixo.

— Conversamos com Deerfield antes de vir aqui — disse ele. — Você pode compreender que façamos isso, certo? Como uma cortesia? Ele nos autorizou a dizer que Cozo vai retirar a acusação de extorsão se você decidir cooperar.

— Não estou preocupado com a acusação de extorsão.

— Devia estar. Redes de extorsão são nojentas, sabia? Arruínam negócios, arruínam vidas. Se os scripts comportamentais de Cozo estiverem corretos, algum júri local de comerciantes de Tribeca vai odiar você.

— Não estou preocupado com isso — disse Reacher de novo. — Vou eliminar isso num segundo. Eu acabei com isso, lembra? Não fui eu quem começou. Vou parecer Robin Hood para um júri de comerciantes de Tribeca.

Blake assentiu, curvou a cabeça e limpou os lábios com os dedos.

— O problema é que pode ser mais que uma acusação de extorsão. Um desses caras está em estado crítico. Acabamos de receber a informação do hospital Bellevue. Traumatismo craniano. Se ele morrer, vai ser uma acusação de homicídio.

Reacher riu.

— Boa tentativa, Blake. Mas ninguém está com traumatismo craniano esta noite. Acredite em mim. Se eu quisesse fraturar o crânio de alguém, saberia como fazer. Não aconteceria por acidente. Então, diga logo o restante delas.

— O restante do quê?

— Das grandes ameaças. O FBI faz o que precisa, certo? Vocês estão dispostos a tomar medidas duvidosas. Então, me diga quais são as outras grandes ameaças que vocês têm armadas para mim.

— Queremos apenas que você coopere.

— Sei disso. Quero ouvir até onde vocês estão dispostos a chegar.

— Vamos até onde for preciso. Somos o FBI, Reacher. Estamos sob pressão. Não vamos perder tempo. Não temos tempo a perder.

Reacher provou seu café. Tinha um gosto melhor do que quando ele o preparou. Talvez ela tenha usado mais pó. Ou menos.

— Então me dê as más notícias.

— Auditoria da Receita.

— Você acha que estou preocupado com uma auditoria da Receita? Não tenho nada a esconder. Se eles acharem alguma renda que esqueci, vou ficar muito agradecido, só isso. O dinheiro até viria em boa hora.

— Da sua namorada também.

Reacher riu de novo.

— Jodie é uma advogada de Wall Street, pelo amor de Deus. Grande firma, quase uma sócia. Ela vai dar um nó na Receita sem fazer nenhum esforço.

Caçada às Cegas

— Estamos falando sério, Reacher.

— Não, até agora não estão, não.

Blake olhou para o chão.

— Cozo tem homens na rua, trabalhando à paisana. Petrosian vai perguntar quem acertou seus rapazes na noite passada. Os rapazes de Cozo podem deixar escapar o seu nome.

— E daí?

— Eles podem contar a ele onde você mora.

— E isso devia me deixar com medo? Olha para mim, Blake. Cai na real. Deve haver talvez dez pessoas no planeta de quem preciso ter medo. É extremamente improvável que esse sujeito Petrosian seja uma delas. Daí, se ele quiser vir aqui me pegar, vou mandá-lo de volta para a cidade numa caixa, rio abaixo.

— Ouvi falar que é um sujeito durão.

— Tenho certeza de que é. Mas será que é durão o bastante?

— Segundo Cozo, ele tem uma perversão. Suas execuções sempre envolvem algum tipo de elemento sexual. E os cadáveres são sempre exibidos de um modo explícito, nus, mutilados, é muito bizarro. Homens ou mulheres, ele não se importa. Deerfield nos contou isso tudo. Conversamos com ele a respeito.

— Vou me arriscar.

Blake assentiu.

— Achamos que você diria isso. Somos bons em julgar caráter. É nosso negócio, de certa forma. Então, nos perguntamos como reagiria a outra coisa. Digamos que não seja *o seu* nome e endereço que Cozo deixe vazar para Petrosian? E se for o nome e endereço de sua namorada?

6

— O QUE VOCÊ VAI FAZER? — PERGUNTOU Jodie.

— Não sei — respondeu Reacher.

— Não acredito que eles estejam agindo assim.

Eles estavam na cozinha de Jodie, quatro andares acima da Broadway, em Manhattan. Blake e Lamarr tinham-no deixado em Garrison e vinte minutos de inquietação mais tarde ele tinha chegado de carro ao sul da cidade. Jodie veio para casa às seis da matina procurando café da manhã e uma ducha, e o encontrou esperando em sua sala de estar.

— Eles falam sério?

— Não sei. Provavelmente.

— Merda, não consigo acreditar nisso.

Caçada às Cegas 83

— Estão desesperados — disse ele. — E são arrogantes. E gostam de vencer. E são uma elite. Junte tudo isso, e é assim que eles se comportam. Já vi isso antes. Alguns dos nossos homens eram iguaizinhos. Eles fazem o que for preciso.

— Quanto tempo você tem?

— Preciso ligar para eles até às oito. Com uma resposta.

— O que vai fazer?

— Não sei — repetiu ele.

O casaco dela estava sobre as costas de uma cadeira da cozinha. Ela andava de um lado para o outro, nervosa, usando seu vestido cor de pêssego. Ela estava acordada e alerta há vinte e três horas, mas não havia nada que indicasse isso fora uma leve coloração azul nos cantos dos olhos.

— Eles não podem sair dessa impunes, podem? — perguntou ela. — Talvez não estejam falando sério.

— Talvez não — disse ele. — Mas é um jogo, certo? Uma aposta. De um jeito ou de outro, vamos nos preocupar com isso. Para sempre.

Ela se deixou cair numa cadeira e cruzou as pernas. Pôs a cabeça para trás e balançou os cabelos até que eles caíssem atrás dos ombros. Ela era tudo que Julia Lamarr não era. Um alienígena vindo do espaço sideral poderia categorizá-las como *mulheres*, com as mesmas partes nas mesmas quantidades, cabelos, olhos, boca, braços e pernas, mas uma era um sonho; a outra, um pesadelo.

— Isso foi longe demais — disse ele. — Tudo minha culpa. Estava enrolando os dois, porque não gostei dela nem um pouco, desde o início. Então, pensei em brincar com eles um pouco, continuar nisso e, no fim, aceitar. Mas eles vieram com essa antes que eu pudesse chegar nesse ponto.

— Então faça com que reconsiderem. Comece de novo. Coopere.

Ele fez que não.

— Não, me ameaçar é uma coisa. Ameaçar *você* é passar demais dos limites. Se estão dispostos a *pensar* em algo assim, que vão para o inferno.

— Mas eles falavam sério mesmo? — perguntou ela novamente.

— É mais seguro presumir que sim.

Ela concordou.

— Então estou com medo. E acho que ficaria com um pouco de medo, mesmo que eles retirassem o que disseram.

— Exato — disse ele. — O que está feito está feito.

— Mas por quê? Por que estão tão desesperados? Por que as ameaças?

— Pelo histórico — disse ele. — Você sabe como é. Todo mundo odeia todo mundo. Blake me disse isso. E é verdade. Os policiais do Exército não moveriam uma palha para ajudar o Quantico. Por causa do Vietnã. Seu pai poderia ter lhe contado tudo a respeito. Ele é um exemplo.

— O que aconteceu em relação ao Vietnã?

— Havia um princípio prático; os que tentavam escapar das convocações para a guerra eram problema do FBI, e os desertores eram problema nosso. Categorias diferentes, certo? E sabíamos como lidar com desertores. Alguns deles foram para o xadrez, mas outros receberam um carinho especial. A selva não era muito divertida para os soldados da infantaria, e os armazéns de recrutamento não estavam exatamente transbordando, lembra? Então, os policiais do Exército acalmavam os bons e os mandavam para casa, mas nove em cada dez vezes o FBI os prendia novamente, a caminho do aeroporto. Isso enlouquecia os policiais do Exército. Hoover era insuportável. Era uma disputa de território como você nunca viu. O resultado foi que um sujeito perfeitamente sensato como Leon quase não falava mais como o FBI. Não aceitava ligações, não se esforçava para abrir a correspondência.

— E ainda é assim?

Ele fez que sim.

— As instituições têm boa memória. É como se tivesse sido ontem. Não esquecem e não perdoam.

— Mesmo que mulheres estejam em perigo?

Ele encolheu os ombros.

— Ninguém jamais disse que o modo de pensar das instituições é racional.

— Então eles precisam mesmo de alguém?

— Se quiserem chegar a algum lugar.

Caçada às Cegas 85

— Mas por que você?

— Por muitos motivos. Estive envolvido em alguns dos casos, eles podiam me encontrar, eu tinha uma patente alta o bastante para saber onde e a quem procurar, alta o bastante para que a geração atual provavelmente ainda me deva alguns favores.

Ela acenou com a cabeça.

— Juntando tudo isso, eles provavelmente falam sério.

Ele não disse nada.

— Então, o que vamos fazer?

Ele fez uma pausa.

— Podíamos pensar de forma criativa — disse ele no silêncio.

— Como?

— Você podia vir comigo.

Ela fez um gesto negativo com a cabeça.

— Eles não iam me *deixar* ir com você. E não posso, de qualquer maneira. Podem ser semanas, não é? Preciso trabalhar. A decisão sobre a sociedade está chegando.

Ele concordou.

— Podíamos fazer de outra forma.

— Tudo bem, como?

— Eu podia eliminar Petrosian.

Ela arregalou os olhos para ele. Não disse nada.

— Não haveria mais ameaças — disse ele. — Eles perderiam o trunfo.

Ela dirigiu seu olhar para o teto, e depois fez que não novamente, devagar.

— Temos uma coisa na firma — disse ela. — Chamamos de regra do e-então-o-que-mais. Imagine que tenhamos algum sujeito falido que estamos procurando. Às vezes, vasculhamos e descobrimos que ele tem algum fundo escondido sobre o qual não está nos dizendo. Ele o está escondendo de nós. Está trapaceando. A primeira coisa que fazemos é dizer *e então o que mais?* O que mais ele está fazendo? O que mais ele tem?

— E daí?

— E daí que o que eles estão fazendo de verdade com isso? Talvez não tenha a ver com as mulheres. Talvez se trate de Petrosian. Ele

é presumivelmente um sujeito esperto e escorregadio. Talvez não haja nada para pegá-lo. Nenhuma prova, nenhuma testemunha. Talvez Cozo esteja usando Blake e Lamarr para conseguir que você pegue Petrosian. Eles fizeram o seu perfil, não foi? Psicológico? Sabem como você pensa. Sabem como você reage. Sabem que se usaram Petrosian para me ameaçar, seu primeiro pensamento será pegar Petrosian. Então, ele estaria fora das ruas sem um julgamento que eles provavelmente não conseguiriam ganhar de qualquer maneira. E nada pode ser rastreado até o FBI. Talvez estejam usando você como um assassino por encomenda. Como um míssil teleguiado ou algo assim. Eles dão corda e você vai.

Ele não disse nada.

— Ou talvez seja outra coisa — continuou ela. — Esse cara que está matando essas mulheres parece bem inteligente também, certo? Nenhum indício em nenhum lugar? Parece que vai ser um caso difícil de provar. Então talvez a ideia seja que você o elimine. Pode não haver provas suficientes para satisfazer o tribunal, mas pode haver o bastante para satisfazer você. Nesse caso, você o apaga em nome das mulheres que conheceu. Trabalho feito, barato e rápido, nada rastreável. Eles o estão usando como uma bala mágica. Eles disparam aqui em Nova York e ela acerta o alvo em qualquer lugar a qualquer hora.

Reacher permaneceu calado.

— Talvez você nunca tenha sido um suspeito — disse ela. — Talvez eles nem estejam procurando um assassino. Talvez eles estejam procurando alguém disposto a *matar* um assassino.

Houve silêncio na sala. Do lado de fora, os sons da rua no início da manhã começavam. Era um amanhecer cinza-escuro, e o tráfego estava começando a intensificar.

— Podem ser as duas coisas — disse Reacher. — Petrosian e esse outro cara.

— Eles são pessoas espertas — disse Jodie.

Ele concordou com a cabeça.

— Com toda certeza são.

— Então o que vai fazer?

— Não sei. Tudo que sei é que não posso ficar na sede do Quantico e deixar você aqui sozinha na mesma cidade que Petrosian. Simplesmente não posso fazer isso.

— Mas talvez eles não estejam falando sério. Será que o FBI faria mesmo uma coisa dessas?

— Você está andando em círculos. A resposta é que simplesmente não sabemos. E a isso se resume a questão. É esse o efeito que eles queriam. Apenas *não saber* é o bastante, não é?

— E se você não for?

— Então ficarei aqui e protegerei você cada minuto de cada dia até que a gente fique tão aborrecido com isso a ponto de eu ir atrás de Petrosian de qualquer jeito, não importando se eles estavam brincando ou não no início.

— E se você for?

— Eles me mantêm colaborando com a ameaça contra você. E na opinião deles, *colaborar* significa o quê? Posso parar depois de encontrar o cara? Ou eles querem que eu vá até o fim e o apague?

Pessoas inteligentes — disse ela novamente.

Por que eles não me pediram sem rodeios?

Eles não podem simplesmente *pedir*. Seria cem por cento ilegal. E você não deve fazer isso de qualquer maneira.

— Não posso?

— Não, nem Petrosian, nem o assassino. Não devia fazer nenhuma das coisas que eles querem.

— Por que não?

— Porque aí eles vão ter você na palma da mão, Reacher. Dois homicídios, agindo como justiceiro, com o *consentimento* do FBI? Debaixo do nariz deles? O FBI teria você na *palma da mão* pelo resto da sua vida.

Ele apoiou as mãos na esquadria da janela e olhou a rua abaixo.

— Você está numa senhora enrascada — disse ela. — Nós dois estamos.

Ele não disse nada.

— Então o que vamos fazer? — perguntou ela.

— Vou pensar — disse ele. — Tenho até às oito horas.

Ela concordou com a cabeça.

— Bem, pense com cuidado. Não faça nada de que a gente venha a se arrepender.

Jodie voltou ao trabalho. O caminho para a sociedade na firma a chamava. Reacher sentou-se sozinho no apartamento dela e pensou muito durante trinta minutos, e depois ficou no telefone durante outros vinte. Blake dissera *talvez haja pessoas que ainda lhe devam favores*. Depois, às cinco para as oito ele ligou para o número que Lamarr tinha lhe dado. Ela atendeu no primeiro toque.

— Eu aceito — disse ele. — Não estou satisfeito com isso, mas vou fazer.

Houve uma breve pausa. Ele imaginou aqueles dentes acavalados, exibidos num sorriso.

— Vá para casa e pegue uma mochila — disse ela. — Busco você em duas horas exatas.

— Não, estou indo ver Jodie. Encontro você no aeroporto.

— Não vamos de avião.

— Não vamos?

— Não, eu não viajo de avião. Vamos de carro.

— Para Virgínia? Quanto tempo isso vai levar?

— Cinco, seis horas.

— Seis horas? Num carro com você? Merda, não vou fazer isso.

— Você vai fazer o que lhe mandarem, Reacher. Garrison, em duas horas.

O escritório de Jodie ficava no quadragésimo andar de uma torre de sessenta andares em Wall Street. O hall dispunha de segurança 24 horas e Reacher tinha um cartão de acesso da empresa de Jodie que lhe permitia entrar, de dia ou à noite. Ela estava sozinha em sua mesa, revendo as informações da manhã dos mercados em Londres.

— Você está bem? — perguntou ele.

Caçada às Cegas 89

— Cansada — respondeu ela.

— Você devia voltar para casa.

— Até parece, como se eu fosse conseguir dormir.

Ele andou até a janela e olhou do lado de fora uma nesga do céu que se iluminava.

— Relaxe — disse ele. — Não há nada com que se preocupar.

Ela não respondeu.

— Decidi o que fazer — disse ele.

Ela fez um gesto negativo com a cabeça.

— Bem, não me conte. Não preciso saber.

— Vai dar tudo certo. Eu prometo.

Ela permaneceu sentada, quieta, por um instante, e depois foi se juntar a ele na janela. Mergulhou o rosto no peito de Reacher e o abraçou com força, com a bochecha contra a camisa dele.

— Se cuida — disse ela.

— Vou me cuidar — respondeu ele. — Não se preocupe.

— Não faça nenhuma besteira.

— Não se preocupe — repetiu ele.

Ela virou o rosto para cima e eles se beijaram. Ele fez com que fosse um beijo longo e intenso, imaginando que aquela sensação precisaria ter efeito prolongado para ele.

Ele dirigiu mais rápido do que o normal e estava de volta em casa dez minutos antes que as duas horas de Lamarr terminassem. Pegou sua escova de dente dobrável no banheiro e a prendeu no bolso interno. Parafusou a porta do porão e desligou o termostato. Fechou todas as torneiras com força e trancou a porta da frente. Desconectou o telefone no gabinete e saiu pela cozinha.

Andou até o final do jardim em meio às árvores e olhou o rio embaixo. Estava cinza e corria lento, ladeado pela névoa da manhã como um edredom. Na margem oposta, as folhas estavam começando a mudar de cor gradualmente; do verde gasto, passando pelo marrom e chegando ao laranja-claro. Mal se podia ver os prédios da Academia Militar de West Point.

O sol estava chegando sobre a aresta do telhado dele, mas era fraco, sem nenhum calor. Ele andou de volta à casa, fez o contorno na garagem e saiu pelo acesso de veículos. Curvou-se para vestir o casaco e saiu para a rua. Não olhou para a casa atrás de si. *Longe dos olhos, longe do coração.* Era assim que ele queria. Ele atravessou o acostamento e ficou próximo à caixa de correio, observando a estrada, à espera.

7

LAMARR CHEGOU EXATAMENTE NA HORA EM UM novo Buick Park Avenue com pintura reluzente e placas da Virgínia. Ela estava sozinha e parecia minúscula dentro dele. Ela reduziu a velocidade até parar, pressionou um botão e o porta-malas se abriu. Havia uma placa de cromo com a inscrição *Supercharged* na tampa do porta-malas, indicando que o veículo dispunha de um supercompressor. Reacher fechou o compartimento, abriu a porta do passageiro e entrou.

— Onde está sua bolsa de viagem? — perguntou ela.
— Não tenho bolsa — disse ele.

Ela pareceu perplexa por um segundo. Depois, desviou o olhar dele como se estivesse enfrentando uma dificuldade social e desceu a rua devagar. Ela parou no primeiro cruzamento, em dúvida.

— Qual é o melhor caminho para o sul? — perguntou ela.

— Avião — respondeu ele.

Ela desviou o olhar novamente e virou à esquerda, afastando-se do rio. Depois virou novamente à esquerda, o que a pôs em direção ao norte na Route 9.

— Vou pegar a interestadual 84 em Fishkill — disse ela. — Sigo para o oeste até a Thruway, depois sul até Palisades e pego a Garden State.

Ele ficou calado. Ela olhou de relance para ele.

— Tanto faz — disse ele.

— Só estou puxando assunto.

— Não precisa.

— Você não está cooperando muito.

Ele deu de ombros.

— Você me disse que queria minha ajuda com o Exército, não com a geografia básica dos Estados Unidos.

Ela ergueu as sobrancelhas e fez com a boca uma forma como se estivesse decepcionada, mas não surpresa. Ele virou para o outro lado e viu a paisagem de sua janela. Estava quente dentro do carro. Ela tinha ajustado o aquecedor para alta temperatura. Ele se inclinou e virou seu lado uns três graus para baixo.

— Quente demais — disse ele.

Ela não comentou. Apenas continuou dirigindo em silêncio. A I-84 os fez atravessar o rio Hudson e seguir por Newburgh. Depois, ela virou para o sul na Thruway e jogou o corpo para trás no banco, como se estivesse se instalando para a viagem.

— Você nunca viaja de avião? — perguntou ele.

— Eu viajava há alguns anos — disse ela. — Mas agora não posso.

— Por que não?

— Fobia — disse ela simplesmente. — Fico aterrorizada, só isso.

— Está levando sua arma? — perguntou ele.

Ela levantou a mão do volante e puxou para trás a aba de sua jaqueta. Ele viu as correias de um coldre de ombro, duras, marrons e reluzentes, fazendo uma curva próximo aos seios dela.

— Estaria disposta a usar?

Caçada às Cegas 93

— É claro, se for necessário.

— Então você é idiota de ter medo de viajar de avião. Andar de carro e participar de tiroteios tem uma probabilidade um milhão de vezes maior de matar você.

Ela fez que sim.

— Acho que entendo isso, quanto ao aspecto estatístico.

— Então o seu medo é irracional.

— Acho que sim — disse ela.

Houve silêncio. Apenas o barulho do motor.

— O FBI tem muitos agentes irracionais? — perguntou ele.

Ela não respondeu. Apenas enrubesceu levemente sob a palidez. Ele estava sentado em silêncio, observando a estrada se desenrolar à frente. Depois ele começou a se sentir mal por importuná-la. Ela estava sob pressão, que vinha de mais de um lado.

— Sinto muito por sua irmã — disse ele.

— Por quê? — perguntou ela.

— Bem, sei que está preocupada com ela.

Ela mantinha os olhos na estrada.

— Blake lhe contou isso? Enquanto eu fazia o café?

— Ele mencionou.

— Não é minha irmã, na verdade, é filha do meu padrasto — respondeu ela. — E qualquer preocupação que eu tenha com a situação dela é estritamente profissional, está bem?

— Parece que vocês duas não se dão bem.

— Parece? Por quê? Deveria me importar mais só porque estou próxima de uma das vítimas potenciais?

— Você esperava que eu me importasse mais. Esperava que *eu* estivesse pronto para vingar Amy Callan, só porque a conhecia e gostava dela.

Ela fez que não.

— Isso foi o Blake. Eu esperava que se importasse de qualquer maneira, como ser humano, só que no seu caso não esperava de verdade, porque seu perfil corresponde ao do próprio assassino.

— Seu perfil está errado. Quanto mais cedo aceitar isso, mais cedo vai pegar o cara.

— O que *você* sabe sobre perfis.

— Nadinha. Mas não matei essas mulheres, e também não teria matado. Portanto, vocês estão desperdiçando seu tempo procurando um cara como eu, porque sou justamente o tipo errado de cara para procurar. É questão de lógica, certo? Mostrada pelos fatos.

— Você gosta de fatos?

Ele fez que sim.

— Muito mais do que gosto de conversa-fiada.

— Está bem, experimente estes fatos — disse ela. — Acabei de pegar um assassino no Colorado, sem jamais sequer ter estado lá. Uma mulher foi estuprada e assassinada em sua casa, pancadas na cabeça com um instrumento contundente, deixada de costas com o rosto coberto com um pano. Um crime sexual violento, cometido espontaneamente, sem forçar a entrada, sem dano ou desordem na casa. A mulher era inteligente, jovem e bonita. Concluí que o criminoso era um homem local, mais velho, que morava a curta distância, conhecia a vítima, tinha estado na casa muitas vezes antes, ficou atraído sexualmente pela vítima, mas foi incompetente ou reprimido para comunicar isso a ela da forma adequada.

— E?

— Enviei esse perfil e o departamento de polícia local fez uma prisão dentro de uma hora. O sujeito confessou imediatamente.

Reacher concordou com a cabeça.

— Ele trabalhava com reparos domésticos. Matou-a com seu martelo.

Pela primeira vez em trinta minutos, os olhos dela saíram da estrada. Ela olhou para ele.

— Não é possível que saiba disso. Não chegou aos jornais ainda.

Ele deu de ombros.

— Um palpite baseado em informações. O pano sobre o rosto significa que ela o conhecia e ele a conhecia, e ele estava envergonhado de deixá-la descoberta. Provavelmente fez com que sentisse remorso, talvez como se ela estivesse o observando do além-túmulo ou algo assim. Esse tipo de

Caçada às Cegas

raciocínio semifuncional é indicativo de um baixo QI. Não haver entrada à força e a falta de desordem na casa implicam que ele estava familiarizado com o lugar. Ele havia estado lá muitas vezes antes. Fácil o bastante de descobrir.

— Por que fácil?

— Porque que tipo de homem com QI baixo vinha visitando uma menina inteligente e bonita muitas vezes antes? Tinha de ser um jardineiro ou um faz-tudo. Provavelmente não um jardineiro, porque eles trabalham do lado de fora e tendem a vir em grupos de dois pelo menos. Então imaginei um faz-tudo, provavelmente perturbado pela juventude e beleza dela. Um dia ele não consegue mais aguentar, faz algum tipo de investida atrapalhada, ela fica encabulada, ela o rejeita, talvez até mesmo tenha rido dele, ele perde o controle, a estupra e mata. Ele é um faz-tudo, traz suas ferramentas consigo, está acostumado a usá-las, ele usaria um martelo para uma coisa dessas.

Lamarr ficou calada, enrubescendo de novo sob a palidez.

— E você chama isso de perfil criminal? — perguntou Reacher. — É apenas bom senso.

— Esse foi um caso muito simples — disse ela baixinho.

Ele riu.

— Vocês são pagos para isso? Fazem faculdade e tudo mais?

Eles entraram em Nova Jersey. O asfalto melhorou e os canteiros no acostamento ficaram mais bem-cuidados, como sempre acontece. Todo estado põe muito empenho nos primeiros quilômetros de suas rodovias, para levar as pessoas a pensar que estão entrando num lugar melhor, saindo de um pior. Reacher se perguntava por que eles não se empenhavam nos *últimos* quilômetros em vez disso. Dessa forma, você sentiria falta do lugar que estava deixando.

— Precisamos conversar — disse Lamarr.

— Ótimo. Conte-me sobre a faculdade.

— Não vamos conversar sobre faculdade.

— Por que não? Conte-me sobre Fundamentos da Geração de Perfil. Você passou?

— Precisamos discutir os casos.

Ele riu.

— Você fez mesmo faculdade?

Ela fez que sim.

— Indiana State.

— Psicologia?

Ela fez um sinal negativo com a cabeça.

— Então o que foi? Criminologia?

— Paisagismo, se quer mesmo saber. Meu treinamento profissional foi na Academia do FBI, no Quantico.

— Paisagismo? Não admira que o FBI tenha agarrado você com tanta pressa.

— Era relevante. Ensina a ver o quadro geral e a ser paciente.

— E como fazer as coisas crescerem. Pode ser útil, para matar o tempo enquanto a besteirada dos perfis não levam a lugar nenhum.

Ela ficou calada de novo.

— Então há muitos paisagistas fóbicos irracionais no Quantico? Algum entusiasta de bonsai que tenha medo de aranhas? Criadores de orquídeas que não pisam em rachaduras nas calçadas?

A palidez dela estava aumentando.

— Espero que esteja muito orgulhoso de si, Reacher, fazendo piadas enquanto mulheres estão morrendo.

Ele ficou calado e olhou para fora da janela. Ela estava dirigindo rápido. A estrada estava molhada e havia nuvens cinzentas à frente. Eles estavam indo em direção a uma tempestade no sul.

— Então me conte sobre os casos — disse ele.

Ela agarrou o volante e usou a alavanca para ajustar sua posição no assento.

— Você conhece o grupo de vítimas — disse ela. — Muito específico, certo?

Ele fez que sim.

— Aparentemente, sim.

Caçada às Cegas 97

— Os locais são obviamente aleatórios. Ele está perseguindo vítimas específicas e vai onde for preciso. As cenas de crime todas foram as residências das vítimas, até agora. As residências têm sido basicamente variadas. Casas de uma única família em todos os casos, mas com vários graus de isolamento.

— Bons lugares, no entanto.

Ela olhou para ele. Ele sorriu.

— O Exército as pagou, não foi? Quando elas deram baixa. Eles chamam de prevenção contra escândalo. Uma boa soma de dinheiro, como essa, uma oportunidade para se estabelecer depois de alguns anos sem filhos, elas provavelmente compraram boas casas.

Ela assentiu enquanto dirigia.

— Sim, e todas em bairros residenciais, até agora.

— Faz sentido — disse ele. — Elas querem comunidade. E quanto a maridos e famílias?

— Callan era separada, sem filhos. Cooke tinha namorados, sem filhos. Stanley era solitária, sem vínculos.

— Investigou o marido de Callan?

— Obviamente. Em qualquer homicídio, a primeira coisa que fazemos é investigar a família. Em qualquer mulher casada, investigamos o marido. Mas ele tinha um álibi, nada suspeito. E depois com Cooke, o padrão se tornou claro. Por isso, sabíamos que não era um marido nem namorado.

— Não, acho que não era.

— O primeiro problema é como ele entra. Não há entrada forçada. Ele simplesmente entra pela porta.

— Acha que houve vigilância primeiro?

Ela encolheu os ombros.

— Três vítimas não é um número grande, por isso sou cautelosa em tirar conclusões. Mas, sim, acho que ele deve tê-las vigiado. Ele precisava de que elas estivessem sozinhas. Ele é eficiente e organizado. Não acho que ele deixaria nada ao sabor do acaso. Mas não superestime a vigilância. Ficaria óbvio rapidinho que elas ficavam sozinhas durante o dia.

— Algum indício de uma tocaia? Guimbas de cigarro e latas de refrigerante empilhadas debaixo de uma árvore próxima?

Ela fez que não com a cabeça.

— Esse sujeito não deixa indício de nada.

— Os vizinhos não viram nada.

— Até agora não.

— E todos os três crimes foram executados durante o dia?

— Em horários diferentes, mas todos durante as horas de luz diurna.

— Nenhuma das mulheres trabalhava?

— Como se você trabalhasse. Bem poucos de vocês, ex-militares do Exército, parecem trabalhar. É uma informação que vou arquivar.

Ele acenou com a cabeça e olhou o tempo. O tráfego fluía. A chuva estava a um quilômetro e meio à frente.

— Por que pessoas como vocês não trabalham? — perguntou ela.

— Pessoas *como eu*? — repetiu ele. — No meu caso, porque não consigo encontrar nada que queira fazer. Pensei em paisagismo, mas queria um desafio, não um assunto que eu levaria um segundo e meio para dominar.

Ela ficou calada de novo e o carro entrou assobiando numa parede de chuva. Ela ligou o limpador de para-brisa, acendeu os faróis e reduziu um pouco a velocidade.

— Você vai me insultar o tempo inteiro? — perguntou ela.

— Zombar um pouco de você é um pequeno insulto comparado a como vocês estão ameaçando minha namorada. E com o quanto você está disposta a crer que sou o tipo de cara que poderia matar duas mulheres.

— Então isso é sim ou não?

— É talvez. Acho que um pedido de desculpas vindo de você ajudaria a transformar num não.

— Um pedido de desculpas? Esqueça, Reacher. Confio no meu perfil. Se não foi você, foi algum escroto igualzinho a você.

O céu estava escurecendo e a chuva era intensa. À frente, as luzes de freio estavam brilhando vermelhas através da chuvarada no para-brisa. O tráfego estava se tornando muito vagaroso. Lamarr chegou para a frente no assento e freou bruscamente.

Caçada às Cegas

99

— Merda — disse ela.

Reacher sorriu.

— Divertido, né? E agora seu risco de morrer ou se ferir é dez mil vezes maior do que de avião, com condições como essa.

Ela não respondeu. Ela estava olhando o espelho, preocupada que as pessoas atrás dela tivessem reduzido a velocidade tão bruscamente quanto ela. À frente, as luzes de freio formavam uma corrente vermelha até onde se podia ver. Reacher encontrou a chave elétrica na lateral de seu assento e o estendeu para trás. Ele se esticou e ficou confortável.

— Vou tirar uma soneca — disse ele. — Acorde-me quando chegarmos a algum lugar.

— Ainda não acabamos de conversar — disse Lamarr. — Temos um trato, lembra? Pense sobre Petrosian. Quero saber o que ele está fazendo agora.

Reacher olhou para a esquerda, dirigindo o olhar para trás dela do lado de fora da janela. Manhattan ficava naquela direção, mas ele mal conseguia ver o acostamento oposto da rodovia.

— Está bem, vamos continuar conversando — disse ele.

Ela estava se concentrando, manejando o freio, avançando vagarosamente pelo dilúvio.

— Onde estávamos? — perguntou ela.

— Ele fica de tocaia tempo o suficiente para saber que estão sozinhas, é dia, de alguma forma ele consegue entrar. E depois o quê?

— Depois ele as mata.

— Dentro da casa?

— Achamos que sim.

— Vocês *acham* que sim? Não dá para saber?

— Há muita coisa que não sabemos, infelizmente.

— Que maravilha.

— Ele não deixa indícios — disse ela. — É um problema enorme.

Ele fez que sim.

— Então descreva as cenas de crime para mim. Comece com as plantas nos jardins da frente das casas.

— Por quê? Você acha que isso é importante?
Ele riu.
— Não, só achei que você se sentiria melhor se me contasse alguma coisa que *de fato* soubesse.
— Seu canalha.
O carro avançava lentamente. Os limpadores de para-brisa corriam devagar pelo vidro, de um lado para o outro, de um lado para o outro. Havia luzes vermelhas e azuis piscantes à frente.
— Acidente — disse ele.
— Ele não deixa indícios — disse ela novamente. — Absolutamente nada. Nenhum vestígio, nenhuma fibra, nem sangue, nem saliva, nem impressões digitais, nem DNA, nada de coisa nenhuma.
Reacher enlaçou os braços atrás da cabeça e bocejou.
— Isso é bem difícil de fazer.
Lamarr fez que sim, com os olhos fixos no para-brisa.
— Com certeza, é. Estamos fazendo testes de laboratório que você nem ia acreditar, e ele está passando por todos eles.
— Como uma pessoa faria isso?
— Não sabemos de verdade. Há quanto tempo está nesse carro?
Ele deu de ombros.
— Tenho a impressão de que a maior parte da minha vida.
— Faz cerca de uma hora. A esta altura, suas impressões digitais estão por toda parte, na maçaneta da porta, no painel, na fivela do cinto de segurança, na chave do assento. Pode haver uma dúzia de fios de cabelos seus no suporte de cabeça do assento. Uma tonelada de fibras de suas calças e seu blazer por todo o banco. Areia do seu quintal saindo de seus sapatos para o carpete. Talvez fibras antigas dos seus tapetes de casa.
Ele concordou.
— E estou só sentado aqui.
— Exato. Com a violência associada ao homicídio, toda essa coisa estaria se espalhando por todo o lugar, e sangue talvez, saliva também.
— Então talvez ele não as esteja matando na casa.
— Ele deixa os corpos lá.

Caçada às Cegas

— Então pelo menos ele precisaria arrastá-las de volta para casa.

Ela assentiu.

— Sabemos com certeza que ele passa tempo na casa. Há prova disso.

— Onde ele deixa os corpos?

— No banheiro. Na banheira.

O Buick avançou centímetros do acidente. Uma velha perua estava amassada de frente na traseira de um utilitário exatamente igual ao de Reacher. O para-brisa da perua tinha dois buracos no formato de cabeças. As portas da frente tinham sido abertas com pé de cabra. Uma ambulância estava aguardando para fazer uma manobra em U atravessando a divisória da pista. Reacher virou a cabeça e olhou para o SUV. Não era o dele. Não que ele achasse que podia ser. Jodie não ia dirigir para lugar nenhum. Não se tivesse algum juízo.

— Na banheira? — repetiu ele.

Lamarr fez que sim no volante.

— Na banheira.

— Todas as três? — perguntou ele.

Lamarr assentiu de novo.

— Todas as três.

— Como uma assinatura?

— Isso — disse ela.

— Como ele sabe que todas elas têm banheiras?

— Se você mora numa casa, você tem uma banheira.

— Como você sabe que todas elas moram em casas? Ele não as está selecionando com base em onde moram. É aleatório, não é? Elas podiam morar em qualquer lugar. Como eu moro em hotéis. E alguns deles só têm chuveiros.

Ela olhou para ele.

— Você não mora em hotéis. Você mora numa casa em Garrison.

Ele olhou para baixo, como se tivesse se esquecido disso.

— Bem, agora moro, acho — disse ele. — Mas eu estava na estrada antes. Como ele sabe que essas mulheres não estavam?

— Isso é um dilema — disse ela. — Se elas fossem sem teto, não estariam na lista dele. Quer dizer, para estar na lista dele, elas precisam morar em algum lugar, para que ele possa encontrá-las.
— Mas como ele sabe que todas elas têm banheiras?
Ela deu de ombros.
— Você mora em algum lugar, você tem uma banheira. É preciso ter um conjugado bem minúsculo para ter apenas um chuveiro.
Reacher concordou com a cabeça. Isso não era sua especialidade. Imóveis eram praticamente terreno estrangeiro para ele.
— Está bem, elas estão na banheira.
— Nuas. E suas roupas sumiram.
Ela tinha passado do local do acidente e estava acelerando na chuva. Ela pôs os limpadores de para-brisa em alta velocidade.
— Ele leva as roupas delas com ele — continuou ele. — Por quê?
— Provavelmente como troféu. Levar troféus é um fenômeno muito comum em crimes em série como esses. Talvez seja simbólico. Talvez ele pense que elas ainda deviam estar de uniforme, então ele rouba delas suas roupas civis. E também suas vidas
— Ele leva mais alguma coisa?
Ela balança a cabeça.
— Pelo que sabemos, não. Não havia nada removido de um modo óbvio. Nenhum espaço grande em lugar nenhum. Dinheiro e cartões estão todos onde deviam estar.
— Então ele leva as roupas delas e não deixa nada para trás?
Ela ficou calada por um momento.
— Ele deixa, sim, algo para trás — disse ela. — Ele deixa tinta.
— Tinta?
— Verde camuflagem do Exército. Galões de tinta.
— Onde?
— Na banheira. Ele coloca o corpo nu lá e depois enche a banheira de tinta.
Reacher olhou a chuva além dos limpadores de para-brisa.
— Ele as afoga? Na tinta?

Caçada às Cegas

Ela balança a cabeça.

— Ele não as afoga. Elas já estão mortas. Ele só as cobre com tinta depois.

— Como? Ele as pinta inteiras?

Ela estava pisando fundo, para compensar o tempo perdido.

— Não, ele não as pinta. Ele só enche a banheira de tinta até a borda. Obviamente, ela cobre os corpos.

— Então elas estão flutuando numa banheira cheia de tinta verde?

Ela faz que sim.

— Foi assim que todas elas foram encontradas.

Ele ficou em silêncio. Virou-se e olhou pela janela e ficou calado por muito tempo. Ao oeste, o tempo estava mais limpo. Estava mais claro. O carro se movia rápido. A chuva assobiava sob os pneus e batia no assoalho do carro. Ele olhou perplexo o brilho a oeste e assistiu a estrada interminável se mostrar e percebeu que estava *feliz*. Ele estava indo em direção a algum lugar. Ele estava na estrada. Seu sangue estava agitado como um animal no final do inverno. O velho demônio andarilho estava conversando com ele, baixinho, sussurrando em sua cabeça. *Você está feliz agora*, ele estava dizendo. *Você está feliz, não está? Esqueceu por um momento que está preso em Garrison, não foi?*

— Você está bem? — perguntou Lamarr.

Ele se virou para ela e tentou preencher a mente com o rosto dela, a palidez, os cabelos ralos, os dentes num riso de escárnio.

— Me fale sobre a tinta — disse ele em voz baixa.

Ela olhou para ele, de um modo estranho.

— É tinta base de camuflagem do Exército — disse ela. — Verde fosco. Fabricado em Illinois às centenas de milhares de galões. Produzido em algum momento nos últimos onze anos, porque é um novo processo. Além disso, não conseguimos rastreá-la.

Ele assentiu com a cabeça, de forma vaga. Ele nunca usara a tinta, mas tinha visto um milhão de metros quadrados de coisas revestidos com ela.

— Faz muita sujeira— disse ele.

— Mas as cenas de crime são limpíssimas. Ele não deixa cair uma gota em lugar nenhum.

— As mulheres já estão mortas — disse ele. — Ninguém estava lutando. Nenhuma razão para deixar espirrar nada. Mas isso significa que ele deve carregar a tinta para dentro da casa. O quanto é preciso para encher uma banheira?

— Algo em torno de vinte ou trinta galões.

— Isso é muita tinta. Isso deve significar muita coisa mesmo para ele. Vocês descobriram algum significado para isso?

Ela deu de ombros.

— Na verdade, não, nada além do óbvio significado militar. Talvez remover as roupas civis e cobrir o corpo com a tinta do Exército seja algum tipo de restituição, sabe, colocando-as de volta no lugar a que elas pertencem; na opinião dele, no Exército, onde elas deveriam ter permanecido. Isso as aprisiona, entende. Em algumas horas, a superfície forma uma camada. Ela fica dura, e o que está por baixo ganha consistência de geleia. Deixadas por tempo suficiente, acho que a banheira inteira poderia ficar sólida, com elas dentro dela. Como as pessoas que colocam os sapatos de bebê num cubo de acrílico.

Reacher olhou para a frente pelo para-brisa. O horizonte estava iluminado. Eles estavam deixando o mau tempo para trás. À direita, a Pensilvânia se mostrava verde e ensolarada.

— A tinta é uma coisa danada — disse ele. — Vinte ou trinta galões? Isso é uma carga grande para ficar carregando por aí. Implica um grande veículo. Muita exposição para obtê-lo. Exposição só para levar para dentro da casa. Muito visível. Ninguém viu nada?

— Nós averiguamos de porta em porta. Ninguém relatou nada.

Ele acenou com a cabeça, devagar.

— A tinta é a chave. De onde ele a tira?

— Não fazemos ideia. O Exército não está sendo muito prestativo.

— Não estou surpreso. O Exército odeia vocês. E é embaraçoso. Faz com que seja provável que seja um soldado em serviço. Quem mais poderia conseguir essa quantidade de tinta de camuflagem?

Caçada às Cegas

Ela não respondeu. Apenas dirigiu, rumo ao sul. A chuva tinha acabado e os limpadores de para-brisa estavam guinchando no vidro seco. Ela os desligou com um pequeno movimento decidido do pulso. Ele passou a pensar num soldado em algum lugar, enchendo latas de tinta. Noventa e uma mulheres na sua lista, algum processo mental distorcido reservando vinte ou trinta galões para cada uma delas. Um total potencial de dois mil, dois mil e quinhentos galões. Toneladas de tinta. Caminhões cheios. Talvez ele fosse intendente.

— Como ele as está matando? — perguntou ele.

Ela deslizou as mãos para segurar com mais firmeza o volante. Engoliu em seco e manteve os olhos na estrada.

— Não sabemos — disse ela.

— Vocês não *sabem*? — repetiu ele.

Ela fez um gesto negativo com a cabeça.

— Elas só estão mortas. Não conseguimos descobrir como.

8

O TOTAL HÁ NOVENTA E UMA, E VOCÊ PRECISA
matar seis delas ao todo, que são mais três, então, o que
faz agora? Você se mantém pensando e planejando, é isso.
Pensar, pensar, pensar, é o que você faz. Porque tudo se
baseia no pensamento. Você precisa superar todos eles
quanto ao intelecto. As vítimas e os investigadores. Níveis e
mais níveis de investigadores. Mais e mais investigadores o
tempo inteiro. Policiais locais, estaduais, o FBI, os especialistas contratados
pela agência. Novos prismas, novas abordagens. Você sabe que eles estão lá.
Estão procurando por você. Vão encontrar, se conseguirem.

Os investigadores são durões, mas as mulheres são fáceis. Provavelmente
tão fáceis quanto você esperava. Não há excesso de confiança ali. Nenhum
mesmo. As vítimas caem exatamente como imaginou. Você planejou
com empenho e antecedência, e o planejamento foi perfeito. Elas atendem

a porta, deixam você entrar, caem nessa. Elas estão tão dispostas a cair
nessa que praticamente se oferecem. São tão estúpidas que merecem. E não
é difícil. Não, não é nada difícil. É meticuloso, é o que isso é. É como tudo o
mais. Se você planejar adequadamente, se pensar em detalhes, se se preparar
corretamente, se ensaiar, então é fácil. É um processo técnico, exatamente
como pensou que seria. Como uma ciência. Não dá para ser nada além disso.
Você faz isso e depois aquilo, e então, está terminado, com você a salvo. Mais
três. É tudo. Isso bastará. A parte difícil já era. Mas você continua pensando.
Pensar, pensar, pensar. Deu certo uma, duas, três vezes, mas você sabe que
na vida não existem garantias. Sabe disso melhor do que ninguém. Então,
continua pensando, porque a única coisa que pode lhe derrotar é sua própria
autossatisfação.

— Você não sabe *como?* — repetiu Reacher.

Lamarr estava sobressaltada. Ela olhava fixamente para a frente, cansada, compenetrada, agarrando o volante, dirigindo como uma máquina.

— Sabe o quê?— perguntou ela.

— Como elas morreram.

Ela suspirou e fez que não.

— Não, não mesmo.

Ele olhou para ela.

— Tudo bem?

— Não pareço bem?

— Você parece exausta.

Ela bocejou.

— Estou um pouco cansada, acho. Foi uma noite longa.

— Bem, se cuide.

— Está se preocupando comigo agora?

Ele fez um gesto negativo com a cabeça.

— Não, estou preocupado comigo mesmo. Você pode cair no sono e nos tirar da estrada.

Ela bocejou de novo.

— Nunca aconteceu.

Ele desviou o olhar. Deu por si dedilhando a tampa do *air-bag* em frente ao banco do carona.

— Estou bem — disse ela. — Não se preocupe.

— Por que não sabe como elas morreram?

Ela deu de ombros.

— Você era um investigador. Você via gente morta.

— E daí?

— O que você procurava?

— Feridas, lesões.

— Certo — disse ela. — Alguém está com o corpo cheio de buracos de bala, você conclui que morreu disso. A cabeça de alguém é esmagada, você chama de trauma com objeto contundente.

— Mas?

— Essas três estavam em banheiras cheias de tinta, certo? Os homens da cena do crime tiram os corpos, e os legistas os limpam e eles não encontram nada.

— Nada mesmo?

— Nada óbvio, não a princípio. Então eles procuram mais e, ainda assim, não acham nada. Eles sabem que elas não se afogaram. Quando eles as abrem, não encontram água nem tinta nos pulmões. Então, eles procuram ferimentos externos, microscópicos, mas não conseguem encontrar nada.

— Nem marcas hipodérmicas? Hematomas?

Ela fez que não com a cabeça.

— Nadinha. Mas lembre-se de que elas estão cobertas de tinta. E que os aparatos militares não passariam em muitos testes do Departamento de Planejamento Urbano e Habitação. Cheios de todos os tipos de substâncias químicas e bastante corrosivos. Eles danificam a pele após a morte. É plausível que o dano da tinta possa estar obscurecendo algumas marcas pequenas. Mas o que as tiver matado foi muito sutil. Nada grosseiro.

— E quanto a dano interno?

Ela fez que não novamente.

Caçada às Cegas 109

— Nada. Nenhum ferimento subcutâneo, nem dano a órgãos, nadinha de nada.

— Veneno?

— Não. O conteúdo no estômago está bem. Elas não ingeriram a tinta. O toxicológico não deu absolutamente nada.

Reacher meneou a cabeça, devagar.

— Nenhuma agressão sexual tampouco, acho, porque Blake ficou feliz que tanto Callan e Cook teriam dormido comigo se eu quisesse. O que significa que o criminoso não estava sentindo nenhum ressentimento de ordem sexual, portanto, nada de estupro, do contrário, vocês estariam procurando alguém que tivesse sido rejeitado por elas em alguma ocasião.

Lamarr concordou com a cabeça.

— Esse é o nosso perfil. Sexualidade não é uma questão. A nudez faz parte da humilhação, pensamos. Punição. A coisa toda se trata de punição, represália ou algo assim.

— Estranho — disse Reacher. — Isso decididamente nos leva a um soldado. Mas é uma forma muito pouco militar de matar alguém. Soldados atiram, esfaqueiam, espancam ou estrangulam. Eles não fazem coisas sutis.

— Não sabemos bem o que ele fez.

— Mas não há raiva nisso, não é? Se esse cara está a fim de dar o troco, onde está a raiva? Parece muito frio e calculista.

Lamarr bocejou e concordou com a cabeça, tudo ao mesmo tempo.

— Isso me perturba também. Mas analise a categoria da vítima. O que mais poderia ser o motivo? E se concordamos quanto ao motivo, o que mais o criminoso poderia ser além de um soldado furioso?

Eles ficaram em silêncio. Os quilômetros passavam. Lamarr segurava o volante, os finos tendões dos seus pulsos estavam protuberantes como cordas. Reacher observava a estrada passar, e tentava não se sentir feliz com isso. Depois Lamarr bocejou de novo, e ela o viu olhar severamente para ela.

— Estou bem — disse ela.

Ele olhou para ela, por bastante tempo com um olhar duro.
— Estou bem — repetiu ela.
— Vou dormir por uma hora — disse ele. — Tente não me matar.

Quando ele acordou, eles ainda estavam em Nova Jersey. O carro estava silencioso e confortável. O motor era um ronco longínquo e havia um ligeiro ruído dos pneus, um rumor grave. O vento sussurrava de leve. O tempo estava nublado. Lamarr estava rígida de exaustão, agarrando o volante, olhando a estrada com olhos vermelhos, sem piscar.
— Devíamos parar para almoçar — disse ele.
— Muito cedo.
Ele verificou seu relógio. Era uma da tarde.
— Não banque a heroína. Você precisa pôr para dentro uma xícara de café.
Ela hesitou, pronta para aumentar. Então, desistiu. Seu corpo de repente ficou mole, e ela bocejou novamente.
— Está bem — disse ela. — Vamos parar.
Ela dirigiu por um quilômetro e meio e seguiu pela margem até uma área de descanso numa clareira dentre as árvores além do acostamento. Estacionou o carro numa vaga, desligou o motor e eles permaneceram sentados no súbito silêncio. O lugar era igual a centenas de outros nos quais Reacher estivera: arquitetura federal sem ostentação dos anos 1950 colonizada pelos restaurantes de *fast-food* que se instalavam atrás de balcões discretos e espalhavam suas mensagens com anúncios berrantes.
Ele saiu primeiro e esticou o corpo comprimido no ar frio e úmido. O tráfego da rodovia rugia atrás dele. Lamarr estava inerte no carro, por isso ele caminhou até o banheiro. Depois, ela não se encontrava em lugar nenhum que pudesse ser vista, daí ele caminhou para dentro do prédio e entrou na fila para comprar um sanduíche. Ela se juntou a ele no minuto seguinte.
— Você não devia fazer isso — disse ela.
— Fazer o quê?
— Sair da minha vista.

Caçada às Cegas   111

— Por que não?

— Porque temos regras para pessoas como você.

Ela disse isso sem nenhum sinal de suavidade ou humor. Ele deu de ombros.

— Está bem, da próxima vez que for ao banheiro convidarei você para entrar comigo.

Ela não sorriu.

— Basta me dizer, eu espero do lado de fora.

A fila andou para a frente e ele mudou sua escolha de queijo para caranguejo, porque achava que seria mais caro e presumia que ela fosse pagar. Ele acrescentou um copo de 600 ml de café preto e um donut. Encontrou uma mesa enquanto ela mexia na bolsa. Em seguida, ela se juntou a ele e ele ergueu o café numa brinde irônico.

— Um brinde a alguns dias de diversão juntos — disse ele.

— Vai ser mais do que alguns dias — respondeu ela. — Vai ser pelo tempo que for necessário.

Ele tomou um gole do café e pensou no tempo.

— Qual o sentido do ciclo de três semanas? — perguntou ele.

Ela havia escolhido queijo em pão integral e estava tirando uma migalha do canto da boca com o mindinho.

— Não temos certeza absoluta — disse ela. — Três semanas é um intervalo ímpar. Não é lunar. Não há significado no calendário para três semanas.

Ele fez o cálculo na cabeça.

— Noventa e um alvos, um a cada três semanas, ele levaria cinco anos e três meses para terminar. É um projeto bem longo.

Ela concordou com a cabeça.

— Achamos que isso prova que o ciclo é imposto por algo externo. Presumivelmente, ele trabalharia mais rápido, se pudesse. Então, achamos que ele está num padrão de trabalho de três semanas. Talvez ele trabalhe duas semanas e folgue uma. Ele passa a semana de folga de tocaia, se organizando e depois as matando.

Reacher viu sua oportunidade. Concordou.

— É possível — disse ele.

— Então que tipo de militar trabalha nesse tipo de esquema?

— Regular assim? Talvez alguém dos serviços de emergência, duas semanas de prontidão, uma semana de descanso.

— Quem está em emergência?

— Fuzileiros Navais, alguns da infantaria — respondeu ele.

Então ele engoliu.

— E alguns das Forças Especiais.

Aguardou para ver se ela mordia a isca.

Ela assentiu.

— As Forças Especiais conhecem meios sutis de matar, não é?

Ele começou o sanduíche. O caranguejo poderia bem ser atum.

— Meios silenciosos, meios desarmados, meios improvisados, acho. Mas não sei quanto a meios *sutis*. A questão é a ocultação, certo? As Forças Especiais estão interessadas em que pessoas morram, com certeza, mas não se importam em deixar alguém confuso depois sobre como eles fizeram.

— Então o que está dizendo?

Ele abaixou o sanduíche.

— Estou dizendo que não faço ideia de quem está fazendo isso, ou por quê, ou como. E não entendo como deveria. Você é a grande especialista aqui. Foi você quem estudou paisagismo na faculdade.

Ela parou, com o sanduíche no meio do caminho.

— Precisamos que contribua mais que isso, Reacher. E você sabe o que faremos se não conseguirmos.

— Sei o que vocês dizem que vão fazer.

— Vai arriscar achando que não faríamos?

— Se ela se ferir, sabe o que vou fazer com você, não sabe?

Ela sorriu.

— Está me ameaçando, Reacher? Ameaçando uma agente federal? Você acaba de violar a lei novamente. Artigo 18, parágrafo A-3, inciso 4702. Agora você está mesmo *acumulando* acusações contra si, com toda certeza.

Caçada às Cegas

Ele desviou o olhar e não respondeu.

— Mantenha-se alerta e tudo vai ficar bem — disse ela.

Ele bebeu o restante da xícara e olhou para ela pela borda.

Um olhar fixo e neutro.

— A ética está incomodando você nisso? — perguntou ela.

— Existe ética nisso? — perguntou ele de volta.

Então, o rosto dela mudou. Um toque de embaraço tomou-lhe o semblante. Um toque de suavidade. Ela assentiu.

— Sei como é, costumava me incomodar também. Não conseguia acreditar quando saí da Academia. Mas o FBI sabe o que está fazendo. Aprendi isso bem rápido. É uma coisa prática. É questão de promover o bem maior para o maior número de pessoas. Precisamos de cooperação, pedimos primeiro, mas é melhor você acreditar que nos certificamos de que vamos obtê-la.

Reacher não disse nada.

— É uma política na qual acredito agora — disse Lamarr. — Mas quero que saiba que usar sua namorada como ameaça não foi ideia minha.

Reacher não disse nada.

— Isso foi o Blake — disse ela. — Não vou criticá-lo por isso, mas eu não seguiria por esse caminho.

— Por que não?

— Porque não precisamos de *mais* mulheres em perigo.

— Então por que deixou que ele fizesse isso?

— Deixei? Ele é meu chefe. E isso é aplicação da lei. Ênfase em aplicação. Mas preciso que saiba que não teria sido o meu modo de agir. Porque precisamos conseguir trabalhar juntos.

— Isso é um pedido de desculpas?

Ela não disse nada.

— É? Finalmente?

Ela fez uma careta.

— É o mais perto disso que vai conseguir de mim, acho.

Reacher deu de ombros.

— Está bom, que seja.

— Amigos agora? — perguntou ela.
— Nunca seremos amigos — respondeu Reacher. — Pode esquecer isso.
— Você não gosta de mim — disse ela.
— Quer que eu seja franco com você?
Ela deu de ombros.
— Na verdade não, acho. Só quero que me ajude.
— Serei um intermediário — disse ele. — Foi com isso que concordei. Mas você precisa me contar o que quer.
Ela assentiu.
— As Forças Especiais me parecem uma ideia promissora. A primeira coisa que você vai fazer é investigá-las.
Ele desviou o olhar, e cerrou os dentes para evitar sorrir. Até agora, tudo bem.

No fim das contas, eles passaram uma hora inteira na parada de descanso. Conforme o tempo passava, Lamarr começava a relaxar. Depois, ela pareceu relutante a voltar para a estrada.
— Quer que eu dirija? — perguntou Reacher.
— É um carro do FBI — disse ela — Você não tem permissão.
Mas a pergunta a pôs de volta na estrada. Ela apanhou a bolsa e se levantou da mesa. Reacher jogou o lixo fora e se juntou a ela na porta. Eles andaram de volta para o Buick em silêncio. Ela deu partida no motor, saiu devagar da vaga e se misturou ao tráfego da rodovia.
O murmúrio do motor voltou, e o leve ruído da estrada e da corrente de ar, e dentro de um minuto era como se eles nunca tivessem parado. Lamarr estava na mesma posição, com as costas retas e tensas atrás do volante, e Reacher estava esparramado à direita dela, observando a vista passar rapidamente.
— Conte-me sobre sua irmã — disse ele.
— É filha do meu padrasto.
— Não importa, fale-me sobre ela.
— Por quê?
Ele deu de ombros.

— Você quer que eu ajude, preciso de contexto. Coisas como onde ela serviu, o que aconteceu com ela, coisas assim.

— Ela era uma menina rica em busca de aventura.

— Aí ela ingressou no Exército?

— Ela acreditava nas propagandas. Já viu uma dessas, nas revistas? Eles fazem com que pareça duro e glamoroso.

— Ela é durona?

Lamarr fez que sim.

— Ela tem muita força física, sabe? Ela adorava toda aquela coisa, escalada, bicicleta, esqui, trilhas, windsurfe. Ela achava que o Exército se resumiria a descer picos de rapel com uma faca entre os dentes.

— E não era?

— Você sabe muito bem que não era. Não naquela época, não para uma mulher. Elas a puseram num batalhão de transporte, fizeram que dirigisse um caminhão.

— Porque ela não deu baixa, se era rica?

— Porque ela não é do tipo que desiste. Ela se saiu muito bem no treinamento básico. Ela persistia para conseguir algo melhor.

— E?

— Ela se reuniu com um babaca de um coronel cinco vezes, tentando fazer algum progresso. Ele sugeriu que se ela ficasse nua durante a sexta entrevista, isso podia ajudá-la.

— E?

— Ela o acusou. Com isso, eles deram para ela a transferência que queria. Unidade de apoio próximo da infantaria, o mais perto da ação que uma mulher chegaria.

— Mas?

— Você sabe como funciona, não é? Rumores? Onde há fumaça, há fogo? A suposição era que ela havia *mesmo* transado com o cara, sabe, muito embora ela o tenha desmascarado e ele tenha sido desligado, o que torna a hipótese completamente ilógica. No final, ela não conseguia suportar os murmúrios e finalmente deu baixa.

— E o que ela está fazendo agora?

— Nada, a não ser sentir pena de si mesma.

— Você é íntima dela?

Ela fez uma pausa.

— Não muito, para ser sincera — disse ela. — Não como talvez gostaria de ser.

— Você gosta dela?

Lamarr fez uma careta.

— Por que não gostaria? Ela é muito simpática. Uma ótima pessoa, na verdade. Mas, desde o início, cometi erros. Lidei com as coisas de um modo completamente errado. Era jovem, meu pai havia morrido, éramos muito pobres, esse homem rico se apaixonou por minha mãe e acabou me adotando. Estava cheia de ressentimento de que estivesse sendo resgatada, acho. Então, achei que isso não significava que eu tinha de cair de amores por *ela*. Ela é só *a filha do marido da minha mãe*, eu dizia para mim mesma.

— Você nunca superou isso?

Ela fez que não.

— Não totalmente. A culpa é minha, eu admito. Minha mãe morreu cedo, o que levou a me sentir um pouco isolada e sem jeito. Não lidei bem com as coisas. Daí agora ela é basicamente uma mulher legal que conheço. Como um conhecido próximo. Acho que nós duas nos sentimos assim. Mas no pouco que nos vemos, nos entendemos.

Ele assentiu.

— Se eles são ricos, você também é?

Ela olhou para o lado. Sorriu. Os dentes acavalados brilharam, brevemente.

— Por quê? — disse ela. — Você gosta de mulheres ricas? Ou talvez ache que mulheres ricas não deveriam trabalhar? Ou talvez *nenhuma* mulher devesse?

— Estou apenas puxando assunto.

Ela sorriu de novo.

— Sou mais rica do que você pensa. Meu padrasto tem muito dinheiro. E ele é muito justo conosco, muito embora eu não seja realmente filha dele e ela seja.

Caçada às Cegas

— Sorte a sua.

Ela fez uma pausa.

— E vamos ser muito mais ricas em breve — disse ela. — Infelizmente, ele está muito doente. Vem lutando contra o câncer há dois anos. Velho durão, mas agora vai morrer. Então, há uma boa herança a caminho para nós.

— Lamento que ele esteja doente — falou Reacher.

Ela concordou.

— Sim, também lamento. É triste.

Houve silêncio. Apenas o sussurrar dos quilômetros que passavam sob as rodas.

— Você alertou sua irmã? — perguntou Reacher.

— Não é minha irmã, é filha do meu padrasto.

Ele olhou para ela.

— Por que você sempre enfatiza que ela não é sua irmã?

Ela encolheu os ombros ao volante.

— Porque Blake vai me tirar do caso se achar que estou envolvida demais. E não quero que isso aconteça.

— Não quer?

— É claro que não quero. Alguém próximo a você está encrencado, você quer cuidar disso pessoalmente, não é?

Reacher desviou o olhar.

— É melhor você acreditar que sim — disse ele.

Ela ficou calada por um momento.

— E a questão familiar é muito delicada para mim — disse ela. — Todos esses erros do passado ficam me perseguindo. Quando minha mãe morreu, eles poderiam ter se afastado, mas eles simplesmente *não* o fizeram. Eles ainda me tratavam da maneira mais correta, por todo o tempo, muito amorosos, muito generosos, muito justos e iguais, e quanto mais eles fazem isso, mais me sinto culpada por ter bancado a Cinderela no começo.

Reacher não disse nada.

— Você acha que estou sendo irracional de novo — disse ela.

Ele não disse nada. Ela dirigia, com os olhos fixos no para-brisa.

— Cinderela — disse ela. — Embora você provavelmente me chamaria de irmã feia.

Ele não respondeu nada. Apenas continuou a observar a estrada

— Não importa, você a alertou? — perguntou ele novamente.

Ela o olhou de lado e ele a viu se transportar de volta ao presente.

— Sim, é claro que a alertei — respondeu. — Logo que Cooke esclareceu o padrão, liguei para ela. Ela deve estar em segurança. Passa muito tempo no hospital com o pai, e quando está em casa, ninguém atravessa a porta; recomendação minha. Ninguém mesmo, pessoa alguma, não importa quem seja.

— Ela entendeu a situação?

— Certifiquei-me de que sim.

Ele assentiu.

— Está bem, ela está segura o bastante. Restam apenas oitenta e sete mulheres com as quais nos preocupamos.

Depois de Nova Jersey vieram os cento e vinte e nove quilômetros de Maryland, que foram percorridos em uma hora e vinte minutos. Estava chovendo de novo, escurecera antes da hora. Depois, eles circundaram o Distrito de Columbia, entraram em Virgínia e se acomodaram para os sessenta e quatro quilômetros finais da I-95 até o Quantico. Os prédios da cidade se afastavam atrás dele conforme a floresta se aproximava à frente. A chuva parara. O céu ficara mais claro. Lamarr dirigiu rápido, depois diminuiu de repente e saiu da rodovia, entrando numa estrada sem sinalização que fazia um caminho sinuoso pelas árvores. O asfalto era bom, mas as curvas eram muito fechadas. Depois de oitocentos metros, havia uma clareira organizada com veículos militares estacionados e cabanas pintadas de verde-escuro.

— Fuzileiros Navais — disse ela. — Eles nos deram 24 hectares para a nossa base.

Ele sorriu.

— Não é como eles interpretam. Eles acham que vocês os roubaram.

Caçada às Cegas 119

Mais curvas, mais oitocentos metros, e outra clareira apareceu. Mesmos veículos, mesmas cabanas, mesma tinta verde.

— Tinta base de camuflagem — disse Reacher.

Ela assentiu.

— Tétrico.

Mais curvas, mais duas clareiras, no total, três quilômetros dentro da floresta. Reacher chegou para a frente no assento e prestou atenção. Ele nunca tinha estado no Quantico antes. Estava curioso. O carro fez uma curva acentuada, passou pelas árvores e parou a curta distância de uma barreira do ponto de controle. Havia uma cancela listrada de vermelho e branco atravessando a via e uma cabana de sentinela feita de vidro à prova de balas. Um guarda armado se apresentou. Sobre seu ombro, à distância havia um longo aglomerado de edificações baixas cor de mel, e alguns prédios mais altos e largos que figuravam entre elas. Os prédios estavam isolados em gramados ondulantes. Os gramados estavam impecáveis e a forma como as edificações baixas se espalhavam na direção deles significava que seu arquiteto não tinha se preocupado em consumir espaço. O lugar parecia muito tranquilo, como um campus de universidade ou uma sede corporativa, exceto pelo perímetro de arame farpado e o guarda armado.

Lamarr tinha baixado o vidro e estava vasculhando sua bolsa à procura da identificação. O homem claramente sabia quem ela era, mas normas são normas e ele precisava ver o documento. Ele fez um sinal afirmativo com a cabeça assim que a mão dela saiu da bolsa. Depois, voltou seu olhar para Reacher.

— Você deve ter papelada sobre ele — disse Lamarr.

O homem fez novo sinal com a cabeça.

— Sim, o sr. Blake cuidou disso.

Ele voltou à sua cabana e saiu com um crachá de plástico laminado preso numa corrente. Ele o entregou pela janela e Lamarr o passou. Tinha o nome de Reacher e sua velha fotografia de serviço. Em toda a extensão havia uma impressão superposta com um V vermelho-claro.

— V de visita — disse Lamarr. — Você deve usá-lo o tempo todo.
— Ou então? — perguntou Reacher.
— Ou então você leva um tiro. E não estou brincando.

O guarda estava de volta à sua cabana, erguendo a cancela. Lamarr fechou o vidro e acelerou. A estrada subia as ondulações e revelava estacionamentos nas decidas. Reacher conseguia ouvir tiros. O disparo seco de pistolas pesadas, talvez a cento e oitenta metros de distância nas árvores.

— Prática de tiro — disse Lamarr. — Acontece o tempo inteiro.

Ela estava animada e alerta. Como se a proximidade da nave-mãe pudesse reavivá-la. Reacher conseguia entender como isso acontecia. O lugar inteiro era impressionante. Ele se aninhava numa cavidade natural, profunda na floresta, a quilômetros de distância da civilização. A impressão era a de um lugar isolado e secreto. Fácil ver como ele podia fazer crescer um espírito de lealdade feroz nas poucas pessoas com sorte o bastante para conseguir permissão para entrar ali.

Lamarr dirigiu devagar sobre quebra-molas até um estacionamento em frente ao prédio maior. Ela foi devagar até uma vaga e desligou o motor. Verificou o relógio.

— Seis e dez — disse ela. — Isso é bem devagar. Culpa do mau tempo, acho eu, e também ficamos parados tempo demais para almoçar.

Silêncio no carro.

— E agora? — perguntou Reacher.

— Agora, tratemos de trabalhar.

As portas de vidro plano na frente do prédio se abriram e Poulton saiu. O homenzinho ruivo de bigode. Ele estava usando um paletó novo. Azul-escuro, com uma camisa social branca e uma gravata cinza. A nova cor deixava-o menos insignificante. Mais formal. Ele ficou parado por um instante, correu os olhos pelo estacionamento e depois se dirigiu ao carro. Lamarr saiu para encontrá-lo. Reacher ficou sentado, sem se mexer e aguardou. Poulton deixou que Lamarr tirasse a própria bolsa da mala. Era um porta-terno da mesma imitação de couro preto que sua pasta.

— Vamos, Reacher — chamou ela.

Caçada às Cegas

Ele abaixou a cabeça e deslizou a corrente com o crachá em volta do pescoço. Abriu a porta e saiu. Estava frio e ventava. A brisa carregava o som de folhas secas esvoaçantes e disparos de armas de fogo.

— Traga sua bagagem — gritou Poulton.

— Não tenho — respondeu Reacher.

Poulton olhou para Lamarr, e ela lhe dirigiu um olhar do tipo *tive que aguentar isso o dia todo*. Em seguida, eles se viraram juntos e andaram até o prédio. Reacher olhou para o céu e os seguiu. O chão ondulado lhe dava uma nova vista a cada passo. A terra caía à esquerda dos prédios, e ele viu pelotões de aspirantes andando determinadamente, ou correndo em grupos, ou marchando para fora da floresta com espingardas. As roupas que usavam pareciam ser moletons azul-escuros com FBI bordado em amarelo na frente e nas costas, como se fosse uma etiqueta de grife ou equipe de beisebol. Para seu olhar militar, tudo isso parecia incorrigivelmente civil. Depois ele percebeu, com um pequeno arrepio de vergonha que, em parte, era porque muitas das pessoas que caminhavam, corriam e carregavam as armas eram mulheres.

Lamarr abriu a porta de vidro plano e entrou. Poulton aguardava Reacher no umbral.

— Vou lhe mostrar seu quarto — disse ele. — Você pode guardar suas coisas.

De perto, à luz do dia, ele parecia mais velho. Havia leves linhas em seu rosto, que mal se podia ver, como se um homem de quarenta anos estivesse vestindo a pele de um de vinte.

— Não tenho nada — disse Reacher para ele. — Acabei de lhe dizer isso.

Poulton hesitou. Obviamente havia um itinerário. Um cronograma a ser seguido.

— Vou lhe mostrar mesmo assim — continuou ele.

Lamarr saiu com sua bolsa e Poulton levou Reacher até um elevador. Eles foram juntos até o terceiro andar e saíram num corredor silencioso com carpete fino no chão e tecido gasto nas paredes.

Poulton andou até uma porta, tirou uma chave do bolso e a abriu. No seu interior havia um quarto de hotel comum. Entrada estreita, banheiro à direita, armário à esquerda, cama *queen*, mesa e duas cadeiras, decoração sem graça.

Poulton ficou do lado de fora no corredor.

— Esteja pronto às dez.

A porta se fechou. Não havia maçaneta do lado dentro. Não era bem um quarto de hotel comum. A vista da janela dava para a floresta, mas a janela não abria. A estrutura estava soldada e o pegador tinha sido removido. Havia um telefone na mesa de cabeceira. Ele o pegou e ouviu o som de discagem. Apertou nove e ouviu um pouco mais. Discou o número do escritório particular de Jodie. Deixou tocar dezoito vezes antes de tentar o apartamento dela. A secretária eletrônica atendeu. Ele tentou o celular dela. Estava desligado.

Pôs seu casaco no armário e tirou a escova de dente do bolso, estendendo-a. Colocou-a dentro de um copo na cômoda do banheiro. Lavou o rosto na pia e deu um jeito nos cabelos. Depois se sentou na beirada da cama e aguardou.

9

OITO MINUTOS MAIS TARDE, ELE OUVIU UMA chave na fechadura, ergueu os olhos e aguardou, esperando ver Poulton à porta. Mas não era Poulton. Era uma mulher. Ela parecia ter dezesseis anos. Tinha cabelos longos claros num rabo de cavalo frouxo. Dentes brancos num rosto aberto e bronzeado. Olhos azuis brilhantes. Trajava um terno masculino, com muitos ajustes para poder caber. Uma camisa branca e uma gravata. Sapatos pretos pequenos com saltos baixos. Tinha um metro e oitenta de altura, com membros longos, e era muito elegante. Um verdadeiro espetáculo. E sorria para ele.

— Oi — disse ela.

Reacher não respondeu. Só olhou fixamente para ela. O rosto dela ficou tenso e o sorriso ficou um pouco sem jeito.

— Então, você quer fazer as PFs agora mesmo?

— As o quê?

— As PFs. Perguntas frequentes.

— Não tenho certeza se tenho alguma pergunta.

— Ah, tudo bem.

Ela sorriu de novo, aliviada. Isso lhe deu um ar franco e inocente.

— Quais são as perguntas frequentes?

— Ah, sabe, as coisas que a maioria dos novatos por aqui me pergunta. É muito tedioso mesmo.

Ela falava sério. Dava para perceber. Mas ele perguntou assim mesmo:

— Que tipo de coisa?

Ela fez uma careta, resignada.

— Meu nome é Lisa Harper — respondeu ela. — Tenho vinte e nove anos (sim, é verdade), sou de Aspen, Colorado, tenho um metro e oitenta e cinco de altura (sim, é verdade), estou no Quantico há dois anos, sim, namoro homens, não, eu me visto assim porque gosto, não, não sou casada, não, não tenho namorado no momento e não, não quero jantar com você esta noite.

Ela terminou com outro sorriso e ele retribuiu.

— Bem, que tal amanhã? — perguntou ele.

Ela fez um sinal negativo com a cabeça.

— Tudo que você precisa saber é que sou uma agente do FBI, a serviço.

— Fazendo o quê?

— Vigiando você — disse ela. — Onde você for, eu vou. Você foi classificado como SD, status desconhecido, talvez amigável, talvez hostil. Geralmente, isso significa um acordo entre réu e promotoria, uma transação penal contra o crime organizado, sabe, um sujeito dedurando os chefes. Útil para nós, mas nada confiável.

— Não sou do crime organizado.

— Nosso arquivo diz que pode ser.

— Então o arquivo está enganado.

Ela assentiu, e sorriu de novo.

Caçada às Cegas 125

— Eu procurei sobre Petrosian separadamente. Ele é sírio. Portanto, seus rivais são chineses. E *eles* nunca empregam ninguém, a não ser outros chineses. Seria nada plausível que usassem um branco anglo-saxão como você.

— Você argumentou isso com alguém?

— Tenho certeza de que já sabem. Estão só tentando fazer você levar a ameaça a sério.

— Devo levar a sério?

Ela fez que sim. Parou de sorrir.

— Sim, deve — disse ela. — Deve pensar com muito cuidado sobre Jodie.

— Jodie está no arquivo?

Ela fez que sim novamente.

— Tudo está no arquivo.

— Então por que não tenho maçaneta na porta do meu quarto? Meu arquivo mostra que não sou o criminoso.

— Porque somos muito cautelosos e seu perfil é muito ruim. O criminoso vai se revelar muito parecido com você.

— Você analisa perfis também?

Ela fez que não. O rabo de cavalo se mexeu com ela.

— Não, estou a serviço. Designada pela duração da operação. Mas ouço atentamente. Ouça e aprenda, certo? Vamos.

Ela segurou a porta, que se fechou suavemente atrás dele enquanto caminhavam até outro elevador. Este tinha botões para cinco pisos subterrâneos alinhados abaixo de três, dois e um. Lisa Harper pressionou o botão de baixo. Reacher ficou parado ao lado dela e tentou não sentir seu perfume. O elevador parou com um solavanco e a porta deslizou, revelando um corredor cinza que brilhava com a luz fluorescente.

— Chamamos este lugar de Bunker — falou Harper. — Costumava ser nosso abrigo antinuclear. Agora é CC.

— Não cheira nada bem mesmo — disse Reacher.

— Ciência Comportamental. E essa piada é velha.

Ela o guiou pela direita. O corredor era estreito e limpo, mas não limpo como uma área pública. Era um local em funcionamento. Cheirava levemente a suor, café velho e substâncias químicas de escritório. Havia quadros de avisos nas paredes e pilhas aleatórias de caixas de papelão nos cantos. Na parede esquerda, havia uma fila de portas.

— Aqui — direcionou Harper.

Ela o parou em frente a uma porta com um número, esticou a mão e bateu à porta. Depois, levou a mão à maçaneta e a abriu para ele.

— Vou ficar aqui fora — disse ela.

Ele entrou e viu Nelson Blake atrás de uma mesa abarrotada num pequeno escritório desarrumado. Havia mapas e fotografias cuidadosamente presas com fita nas paredes. Pilhas de papel em toda parte. Nenhuma cadeira de visitante. Blake estava de cara fechada. Seu rosto estava vermelho pela pressão arterial e pálido pelo estresse, tudo ao mesmo tempo. Ele estava assistindo a uma televisão sem som. Estava sintonizada no canal de política. Um homem de camisa social estava lendo algo para um comitê. A legenda dizia *Diretor do FBI*.

— Audiência de orçamento — murmurou Blake. — Vendendo a droga do nosso peixe.

Reacher não disse nada. Blake manteve os olhos na televisão.

— A reunião sobre o caso será em dois minutos — continuou ele. — Portanto, ouças as regras. Considere-se algo entre um convidado e um prisioneiro aqui, está certo?

Reacher fez que sim.

— Harper já me explicou isso.

— Está bem. Ela fica com você, o tempo inteiro. Tudo que fizer, a qualquer lugar que vá, você será supervisionado por ela. Mas não entenda mal. Você ainda é o parceiro de Lamarr, só que ela fica por aqui, porque não viaja de avião. E vai precisar andar por aí um pouco. Em virtude disso, precisamos ficar de olho em você, por isso, Harper também vai. O único momento em que você fica sozinho é quando está trancado em seu quarto. Seus deveres são o que Lamarr lhe disser que são. Deve usar sua identificação o tempo inteiro.

Caçada às Cegas 127

— Está bem.

— E não se engrace com Harper. Apesar da boa aparência, quando alguém começa a mexer com ela, vira uma megera dos infernos, entendeu?

— Entendi.

— Mais alguma coisa?

— Meu telefone está grampeado?

— É claro que está.

Blake mexeu nos papéis como se dedilhasse um violão. Passou um dos seus grossos dedos por uma folha impressa.

— Você acaba de ligar para sua namorada; a linha particular do escritório, apartamento e celular. Ninguém atendeu.

— Onde ela está?

Blake encolheu os ombros.

— Por que diabos eu devia saber?

Depois ele vasculhou a pilha de papéis na mesa e encontrou um grande envelope marrom, que estendeu a Reacher.

— Com os cumprimentos de Cozo — disse ele.

Reacher pegou o envelope. Estava rígido e pesado. Continha fotografias. Oito. Eram fotos coloridas em papel brilhante, de oito por dez polegadas. Fotografias da cena do crime. Elas pareciam material de uma revista pornográfica barata, excluindo o fato de que as mulheres estavam todas mortas. Os corpos estavam exibidos em imitações frouxas de páginas centrais. Elas estavam mutiladas. Faltavam pedaços. Coisas tinham sido inseridas nelas, aqui e ali.

— Trabalho de Petrosian — disse Blake. — Esposas, irmãs e filhas de pessoas que o irritaram.

— Então, como é possível que ele ainda esteja à solta?

Houve silêncio por um segundo.

— Há provas e *provas*, certo? — disse Blake.

Reacher fez que sim.

— Então, onde está Jodie?

— Por que diabos eu devia saber? — repetiu Blake. — Não temos nenhum interesse nela enquanto você cooperar. Não a estamos seguindo.

Petrosian pode achá-la sozinho, se chegarmos nesse ponto. Não vamos entregá-la a ele. Isso seria ilegal, não é?
— Também seria ilegal quebrar o seu pescoço.
Blake fez um aceno de cabeça.
— Pare com as ameaças, está bem? Não está em condição para isso.
— Sei que essa coisa toda foi ideia sua.
Blake fez um gesto negativo com a cabeça.
— Não estou preocupado com você, Reacher. No fundo, você acha que é uma pessoa boa. Vai me ajudar, e depois vai se esquecer de mim por completo.
Reacher sorriu.
— Achei que seus analistas de perfis tinham de ser perspicazes de verdade.

Três semanas é um intervalo bem complicado, e foi exatamente por isso que você o encolheu. Ele não tem nenhum significado óbvio. Eles vão enlouquecer tentando entender um intervalo de três semanas. Vão ter que investigar bem fundo antes de perceber o que você está fazendo. Fundo demais. Mas, quanto mais perto eles chegarem, menos significado terá. O intervalo não leva a lugar nenhum. Por isso, o intervalo garante sua segurança.

Mas ele precisa ser mantido? Talvez. Um padrão é um padrão. Precisa ser uma coisa muito regrada. Muito precisa. Porque é isso que eles estão esperando. Adesão rígida a um padrão. É típico neste tipo de caso. O padrão protege você. É importante. Por isso, deve ser mantido. Mas, por outro lado, talvez não devesse. Três semanas é um intervalo bem longo. E bem tedioso. Assim, talvez você deva acelerá-lo. Mas qualquer coisa menor que isso pode ser muito apertado, considerando o trabalho exigido. Assim que um fosse concluído, o seguinte precisaria ser preparado. Uma esteira. Trabalho difícil, com um cronograma apertado. Não é todo mundo que conseguiria fazer. Mas você consegue, é claro.

A conferência sobre o caso ocorreu numa sala comprida e baixa, localizada um andar acima do escritório de Blake. Havia um forro marrom-claro nas paredes, gasto e embranquecido no lugar no qual as pessoas tinham

Caçada às Cegas 129

se apoiado ou esfregado. Uma parede comprida, contendo quatros nichos aprofundados, com persianas e iluminação simulando janelas, muito embora a sala ficasse quatro andares no subsolo. Havia uma televisão sem volume instalada alto na parede, com a audiência sobre o orçamento sendo exibida para ninguém. Havia uma mesa longa feita de madeira cara, cercada de cadeiras baratas dispostas em ângulos de quarenta e cinco graus de modo que elas ficassem de frente para a cabeceira da mesa, atrás da qual havia um grande quadro-negro sem nada escrito encostado na parede. O quadro-negro era novo em folha, como se tivesse vindo de uma universidade bem provida de equipamentos. O lugar inteiro era abafado, tranquilo e isolado, como um local no qual trabalho sério é feito, um auditório de pós-graduação.

Harper conduziu Reacher até um assento na extremidade oposta do quadro-negro. Os fundos da sala. Ela se sentou um assento mais próximo da ação, de modo que ele tinha que olhar por sobre os ombros dela. Blake pegou a cadeira mais próxima do quadro. Poulton e Lamarr vieram juntos, carregando arquivos, entretidos numa conversa em voz baixa. Nenhum deles olhou para lugar nenhum a não ser para Blake. Ele aguardou até que a porta se fechasse atrás deles e, em seguida, se levantou e virou o quadro-negro.

O lado superior direito estava ocupado por um grande mapa dos Estados Unidos, pontilhado por uma floresta de bandeiras. Noventa e uma, adivinhou Reacher, sem tentar contar todas elas. A maioria delas era vermelha, mas três eram pretas. Na mesma altura do mapa, à esquerda, estava uma fotografia colorida de oito por dez polegadas, cortada e ampliada de um instantâneo casual tirado com uma lente barata para uma película granulada. Mostrava uma mulher, apertando os olhos contra o sol e sorrindo. Ela estava em seus vinte anos e era bonita, um rosto feliz, rechonchudo, enquadrado pelos cabelos castanhos encaracolados.

— Lorraine Stanley, senhoras e senhores — disse Blake. — Falecida recentemente em San Diego, Califórnia.

Debaixo do rosto sorridente havia mais fotografias de oito por dez, presas com alfinetes numa sequência cuidadosa. A cena do crime. Eram fotografias mais nítidas. Profissionais. Havia um plano geral de uma pequena casa em estilo espanhol tirada da rua. Um close-up da porta da frente. Fotos amplas de um corredor, uma sala de estar, da suíte. Do banheiro da suíte. A parede de trás era toda espelhada sobre pias lado a lado. O fotógrafo estava refletido no espelho, uma pessoa grande envolta num macacão de nylon branco, com uma touca de chuveiro na cabeça, luvas de látex nas mãos, uma câmera no olho, o halo brilhante da luz estroboscópica captado pelo espelho. Havia um chuveiro à direita, e uma banheira à esquerda. A banheira era baixa, com uma borda larga. Estava cheia de tinta verde.

— Ela estava viva há três dias — disse Blake. — A vizinha a viu levar o lixo para o meio-fio, às oito e quarenta e cinco da manhã, hora local. Ela foi encontrada ontem, por sua faxineira.

— Temos o horário da morte? — perguntou Lamarr.

— Aproximado — disse Blake. — Em algum momento, dois dias depois.

— Os vizinhos não viram nada?

Blake fez que não com a cabeça.

— Ela levou a lata de lixo de volta para dentro, no mesmo dia. Ninguém viu mais nada depois disso.

— *Modus operandi*?

— Exatamente idêntico aos dois primeiros.

— Indícios?

— Nadinha até agora. Eles ainda estão procurando, mas não estou otimista.

Reacher se concentrava na foto do corredor. Era um espaço comprido e estreito que levava até a entrada da sala de estar, de volta aos quartos. À esquerda, havia uma prateleira estreita na altura da cintura, abarrotada de minúsculos cactos em vasos de cerâmica. À direita, havia mais prateleiras estreitas, fixas na parede em alturas aleatórias e com comprimentos também aleatórios. Elas estavam cheias de ornamentos de cerâmica pequenos. A maior parte deles como bonecas, pintadas em cores brilhantes para representar vestimentas nacionais ou regionais. O tipo de coisa que uma pessoa compra quando está sonhando em ter uma casa própria.

Caçada às Cegas

— O que fez a faxineira? — perguntou ele.

Blake atravessou a mesa com o olhar.

— Gritou um pouco, acho, e depois chamou a polícia.

— Não, antes disso. Tinha sua própria chave?

— É óbvio que sim.

— Ela foi direto para o banheiro?

Blake parecia perplexo e abriu um arquivo. Folheou-o e encontrou uma cópia de fax de um relatório de entrevista.

— Sim, foi. Ela coloca produtos no vaso sanitário, deixa-os agindo por um tempo enquanto trabalha no resto da casa, volta para o banheiro por último.

— Então ela encontrou o corpo imediatamente, antes de fazer qualquer limpeza?

Blake fez que sim.

— Está bem — disse Reacher.

— Está bem o quê?

— Qual a largura desse corredor?

Blake virou e examinou a foto.

— Um metro? É uma casa pequena.

Reacher fez um gesto de cabeça.

— Está bem.

— Está bem o quê?

— Cadê a violência? Cadê a raiva? Ela atende a porta, esse homem de algum jeito a força a voltar pelo corredor, daí à suíte, até o banheiro, e depois carrega trinta galões de tinta para dentro atrás dela, e ele não derruba nada dessas prateleiras.

— E daí?

Reacher deu de ombros.

— Parece tranquilo à beça para mim. Eu não conseguiria lutar com alguém por esse corredor sem derrubar todas essas coisas. De jeito nenhum. Nem você conseguiria.

Blake fez um sinal negativo com a cabeça.

— Ele não entra em nenhuma luta corporal. Os laudos médicos mostram que as mulheres provavelmente nem são tocadas. É uma cena tranquila porque *não* há nenhuma violência.

— Você está satisfeito com isso? Em relação ao perfil? Um soldado irado buscando vingança e punição, mas sem tumulto?

— Ele as *mata*, Reacher. Do modo como vejo, isso já é vingança o suficiente.

Houve silêncio. Reacher deu de ombros de novo.

— Que seja então.

Blake o encarou do outro lado da mesa.

— Você faria diferente?

— Com certeza. Imagine que você continue me irritando e eu vá atrás de você; não consigo me imaginar sendo gentil nisso. Provavelmente, ia esbofeteá-lo um pouco. Talvez muito. Se estivesse furioso com você, eu teria que fazer isso, não é? É isso que gente furiosa faz.

— E daí?

— E quanto à tinta? Como ele a traz para a casa? Devíamos ir a uma loja e dar uma olhada no que são trinta galões. Ele deve ter um carro estacionado do lado de fora durante vinte, trinta minutos pelo menos. Como ninguém vê? Um carro estacionado ou um furgão ou caminhão?

— Ou um utilitário esportivo bem parecido com o seu.

— Talvez totalmente idêntico ao meu. Mas como ninguém vê?

— Não sabemos — disse Blake.

— Como ele as mata sem deixar nenhuma marca?

— Não sabemos.

— Tem muita coisa que vocês não sabem, né?

Blake concordou com a cabeça.

— Sim, espertinho. Mas estamos trabalhando nisso. Temos dezoito dias. E com um gênio como você nos ajudando, estou certo de que é tudo de que vamos precisar.

— Vocês têm dezoito dias se ele mantiver seu intervalo — disse Reacher.

— Imagine que não?

— Ele vai manter.

Caçada às Cegas 133

— É o que você espera.

Silêncio novamente. Blake olhou para a mesa, e depois para Lamarr.

— Julia?

— Continuo confiando no meu perfil — disse ela. — Neste momento, estou interessada nas Forças Especiais. Eles folgam uma semana a cada três. Vou mandar Reacher fuçar por lá.

Blake assentiu, tranquilizado.

— Tudo bem, onde?

Lamarr olhou para Reacher, aguardando. Ele olhou para as três bandeiras negras no mapa.

— A localização geográfica está espalhada por todo canto — disse ele. — O posto deste cara pode ser em qualquer lugar dos Estados Unidos.

— E então?

— Então Fort Dix seria o melhor lugar para começar. Tem um sujeito que conheço lá.

— Quem?

— Um sujeito chamado John Trent — respondeu Reacher. — É um coronel. Se alguém estiver disposto a me ajudar, pode ser ele.

— Fort Dix — disse Blake. — Isso fica em Nova Jersey, certo?

— Ficava da última vez que fui lá — disse Reacher.

— Está bem, espertinho — disse Blake. — Vamos ligar para esse coronel Trent e providenciar isso.

Reacher assentiu.

— Não se esqueça de mencionar meu nome em voz alta, e muitas vezes. Ele não vai se interessar a não ser que faça isso.

Blake fez que sim.

— Foi exatamente para isso que o trouxemos para a equipe. Você vai com Harper, amanhã bem cedo.

Reacher assentiu e olhou direto para o belo rosto de Lorraine Stanley para conseguir não sorrir.

Sim, talvez seja a hora de preparar uma surpresa. Talvez encurtar o intervalo só um pouquinho. Talvez encurtar muito. Talvez cancelá-lo completamente.

Isso realmente iria desconcertá-los. Isso os mostraria como eles sabem pouco. Manter todo o resto igual, mas alterar o intervalo. Tornar tudo um pouco imprevisível. Que tal isso? Você precisa pensar bastante.

Ou talvez demonstrar um pouco de raiva. Porque é disso que se trata, certo? Raiva e justiça. Talvez seja a hora de deixar isso um pouco mais claro, um pouco mais óbvio. Talvez seja a hora de tirar as luvas. Um pouco de violência nunca fez mal a ninguém. E um pouco de violência poderia tornar a próxima um pouco mais interessante. Talvez muito mais interessante. Você precisa pensar nisso também.

Então, o que vai ser? Um intervalo mais curto? Ou mais evidências na cena do crime? Ou as duas coisas? Que tal as duas coisas? Pense, pense, pense.

Lisa Harper conduziu Reacher até o térreo e para o lado de fora no frio de depois das seis da tarde. Ela o conduziu por um caminho de concreto impecável até o prédio ao lado. Havia luzes na altura dos joelhos ladeando o caminho, a um metro de distância, já acesas para enfrentar a penumbra do anoitecer. Harper andava a passos exageradamente largos. Reacher não tinha certeza se ela estava tentando acompanhar os dele, ou se era algo que tinha aprendido num curso de boas maneiras. Fosse o que fosse, deixava-a muito elegante. Ele deu por si se perguntando qual seria a aparência dela se estivesse correndo. Ou deitada, sem roupa.

— O restaurante fica aqui — disse ela.

Ela estava à frente dele diante de outro conjunto de portas de vidro. Ela empurrou uma, abrindo-a, e aguardou até que ele entrasse

— À esquerda — disse ela.

Havia um longo corredor e, no final dele, o alarido e o cheiro de um refeitório. Ele andou à frente dela. Estava um forno dentro do prédio. Ele conseguia senti-la ao seu lado.

— Pois bem, sirva-se — continuou ela. — O FBI está pagando.

O restaurante tinha um salão com dois andares, muito iluminado, com cadeiras moldadas de compensado em mesas lisas. Havia um balcão de serviço num dos lados. Uma fila de funcionários, aguardando com bandejas nas mãos. Grandes grupos de *trainees* em moletons azul-escuros, separados por agentes sêniores em ternos, sozinhos ou em duplas. Reacher foi para o fim da fila, com Harper a seu lado.

A fila avançou, e um sujeito espanhol alegre com um crachá serviu-lhe um bife de filé mignon do tamanho de um livro. Ele avançou e recebeu legumes e batatas fritas do próximo garçom. Encheu um copo de café na garrafa térmica de metal. Pegou talheres e um guardanapo e olhou em volta, à procura de uma mesa.

— Do lado da janela — disse Harper.

Ela o conduziu até uma mesa para quatro, que estava vazia. A luz brilhante da sala fazia com que parecesse escuro do lado de fora. Ela pôs sua bandeja na mesa e tirou o paletó, colocando-o nas costas da cadeira. Ela não era magra, mas sua altura fazia com que parecesse muito esbelta. Sua camisa era de algodão fino, e ela não estava usando nada por baixo. Isso era bem claro. Ela desabotoou os punhos e enrolou as mangas até os cotovelos, uma de cada vez. Os antebraços eram lisos e morenos.

— Bom bronzeado — disse Reacher.

Ela suspirou.

— Perguntas frequentes de novo — disse ela. — Sim, é por todo o corpo, e não, não tenho intenção de provar.

Ele sorriu.

— Estava só puxando assunto — falou ele.

Ela olhou diretamente para ele.

— Falarei sobre o caso — disse. — Se quiser conversar.

— Não sei muito sobre o caso. Você sabe?

Ela fez que sim.

— Sei que quero que esse homem seja pego. Essas mulheres foram muito corajosas ao enfrentar o problema como enfrentaram.

— Parece a voz da experiência.

Ele cortou o bife e o provou. Estava muito bom. Pagara quarenta dólares por coisa pior em restaurantes da cidade.

— É a voz da covardia — explicou ela. — Não enfrentei. Não ainda.

— Você está sendo assediada?

Ela sorriu.

— Está brincando?

Depois ficou vermelha.

— Quer dizer, posso dizer isso sem parecer metida ou coisa assim?

Ele sorriu de volta.

— É, no seu caso, acho que pode.

— Não é nada muito sério — disse ela. — Só conversa, sabe, comentários. Perguntas cheias de segundas intenções e insinuações. Ninguém disse que eu devia dormir com ele para ganhar uma promoção ou coisa assim. Mas ainda assim me afeta. Por isso que me visto assim agora. Estou tentando defender um ponto de vista, sabe. Sou igual a eles, na verdade.

Ele sorriu de novo.

— Mas piorou, não foi?

Ela fez que sim.

— Piorou. Muito.

Ele não respondeu.

— Não sei por quê.

Ele olhou para ela sobre a borda do copo. Camisa social de algodão egípcio, branca, colarinho de trinta e três centímetros, gravata azul bem-feita subindo levemente sobre os pequenos seios soltos, calças de homem com grandes pences para moldá-las à pequena cintura. Rosto bronzeado, dentes brancos, belas bochechas, olhos azuis, longos cabelos louros.

— Tem uma câmera no meu quarto? — perguntou ele.

— Uma o quê?

— Uma câmera — repetiu ele. — Sabe, vigilância por vídeo.

— Por quê?

— Estou só pensando se esse é um plano B. Caso Petrosian não funcione do jeito desejado.

— O que quer dizer?

— Por que não é Poulton que está cuidando de mim? Ele não parece ter muito que fazer.

— Não estou entendendo.

Caçada às Cegas

— Está sim. Foi por isso que Blake designou você, não foi? Para que pudesse ficar bem próxima de mim? Toda essa coisa de garotinha confusa e vulnerável? *Não sei por quê?* Então talvez se Blake quisesse parar de tagarelar sobre Petrosian, ele teria outra coisa com que me chantagear, como uma boa ceninha íntima, você e eu no meu quarto, num belo vídeo que ele possa dizer que vai mandar para Jodie.

Ela ficou vermelha.

— Eu não faria uma coisa dessas.

— Mas ele lhe pediu para fazer, não foi?

Ela ficou calada por um longo tempo. Reacher desviou o olhar e bebeu o resto do café, olhando para seu próprio reflexo no copo.

— Ele praticamente me desafiou a tentar — disse ele. — Disse que você fica uma fera se alguém tenta lhe seduzir.

Ela ficou calada.

— Mas eu não ia cair nessa de qualquer jeito — continuou ele. — Porque não sou burro. Mas não vou dar mais nenhuma munição para eles.

Ela ficou calada por mais um minuto. Então, olhou para ele e sorriu.

— Então podemos relaxar? — disse ela. — Deixar isso para lá.

Ele fez que sim.

— Claro, vamos relaxar. Vamos deixar isso para lá. Você pode vestir de novo seu paletó agora. Pode parar de me mostrar seus peitos.

Ela ficou vermelha de novo.

— Tirei porque estava com calor. Foi só por isso.

— Está bem, não estou reclamando.

Ele desviou o olhar de novo e observou a escuridão pela janela.

— Quer sobremesa? — perguntou ela.

Ele se virou de novo e fez que sim.

— E mais café.

— Fique aqui. Vou buscar.

Ela andou de volta para o balcão de serviço. A sala parecia ficar silenciosa. Todos os olhos estavam nela. Ela voltou com uma bandeja com dois *sundaes* e duas xícaras de café. Cem pessoas a observaram pelo caminho.

— Peço desculpas — disse Reacher.

Ela se curvou e deixou a bandeja na mesa.
— Pelo quê?
Ele deu de ombros.
— Por olhar você do jeito que venho olhando, acho. Você deve estar de saco cheio disso. Todo mundo olhando você o tempo inteiro.
Ela sorriu.
— Olhe para mim o quanto quiser, e vou olhá-lo de volta, porque você também não é a coisa mais feia que já vi. Mas não passa disso, está bem?
Ele sorriu de volta.
— Combinado.
O sorvete estava excelente, com bastante calda quente de chocolate. O café, forte. Se ele estreitasse os olhos e ignorasse o resto da sala, poderia comparar esse lugar em categoria ao Mostro's.
— O que as pessoas fazem aqui à noite? — perguntou ele.
— A maioria vai para casa — disse Harper. — Mas não você. Você volta para seu quarto. Ordens de Blake.
— Estamos seguindo ordens de Blake agora?
Ela sorriu.
— Algumas delas.
Ele assentiu.
— Está bem, então vamos.

Ela o deixou ao lado da porta sem a maçaneta. Ele ficou parado ali, no quarto, e ouviu os passos se distanciarem no carpete do lado de fora. Em seguida, o baque da porta do elevador e o som dele descendo. O andar ficou silencioso. Ele andou até a mesa de cabeceira e discou o número do telefone do apartamento de Jodie. A secretária eletrônica entrou. Ele ligou para o escritório dela. Ninguém atendeu. Tentou o celular dela. Estava desligado.

Ele andou até o banheiro. Alguém havia suplementado sua escova de dente com um tubo de creme dental e uma lâmina descartável com uma lata de espuma para barbear. Havia um frasco de xampu na beirada da banheira. Havia sabonete na saboneteira. Toalhas brancas felpudas no

Caçada às Cegas 139

suporte. Ele tirou as roupas e as pendurou atrás da porta. Pôs o chuveiro na posição quente e entrou debaixo da água.

Ficou ali por dez minutos, depois, desligou a água. Enxugou-se com a toalha. Andou nu até a janela e puxou as cortinas. Deitou-se na cama e analisou o teto. Encontrou a câmera. A lente era um tubo preto do diâmetro de uma moeda, encaixada numa fissura na moldura onde a parede encontrava o teto. Ele se virou novamente para o telefone. Discou todos os mesmos números de novo. O apartamento dela. Entrou a secretária eletrônica. O escritório dela. Ninguém atendia. O celular. Desligado.

10

ELE DORMIU MAL, ACORDOU SOZINHO ANTES DAS seis da manhã e rolou para o lado da mesa de cabeceira. Acendeu a luz e verificou o horário exato em seu relógio. Estava com frio. Passara frio a noite inteira. Os lençóis estavam engomados, e as superfícies brilhosas puxavam o calor de sua pele.

Esticou-se até o telefone e discou o número do apartamento de Jodie. Entrou a secretária eletrônica. Ninguém atendia no escritório dela. O celular estava desligado. Ele manteve o telefone colado ao ouvido por muito tempo, ouvindo a operadora lhe dizer isso, vez após outra. Depois desligou e pulou para fora da cama.

Andou até a janela e abriu as cortinas com um puxão. A vista dava para o oeste e ainda estava escuro do lado de fora. Talvez o sol estivesse nascendo atrás dele, do outro lado do prédio. Talvez não tivesse nascido

Caçada às Cegas

141

ainda. Ele podia ouvir os sons distantes da chuva pesada nas folhas secas. Deu as costas e andou até o banheiro.

Fez suas necessidades e se barbeou devagar. Passou quinze minutos no chuveiro com a água o mais quente que conseguia aguentar, aquecendo-se. Em seguida, lavou o cabelo com o xampu do FBI e se secou com a toalha. Carregou suas roupas para fora do vapor e se vestiu de pé, ao lado da cama. Abotoou a camisa e pendurou sua identificação em volta do pescoço. Ele achou que serviço de quarto era algo improvável, então, apenas se sentou para aguardar.

Esperou por 45 minutos. Houve uma batida educada na porta, seguida pelo som de uma chave entrando na fechadura. Depois, a porta se abriu e Lisa Harper estava ali, iluminada pelo brilho do corredor às suas costas. Ela estava sorrindo, de um jeito travesso. Ele não fazia ideia do motivo.

— Bom dia — disse ela.

Ele ergueu a mão em resposta. Não disse nada. Ela trajava outro terno. Este era cinza-escuro, com uma camisa branca e uma gravata vermelha. Uma paródia exata do uniforme não oficial do FBI, mas muito pano tinha sido cortado dele para que vestisse bem. Seus cabelos estavam soltos. Eram ondulados e pendiam nas partes da frente e detrás do ombro, muito compridos. Pareciam dourados na luz do corredor.

— Precisamos ir — disse ela. — Reunião de café da manhã.

Ele tirou o casaco do armário enquanto passava. Desceram juntos até o hall e pararam nas portas. Estava chovendo bastante do lado de fora. Ele puxou a gola para cima e a seguiu. A luz tinha mudado do negro para cinza. A chuva era fria. Ela desceu correndo o caminho, e ele a seguiu um passo atrás, observando-a correr. Era elegante correndo.

Lamarr, Blake e Poulton os estavam aguardando no restaurante. Ocupavam três das cinco cadeiras em volta da mesa de quatro lugares ao lado da janela. Eles o observavam cuidadosamente se aproximar. Havia uma jarra de café com leite no centro da mesa, cercada por canecas de cabeça para baixo. Uma cesta de açúcar em pacotinhos e potinhos de creme. Uma pilha de colheres. Guardanapos. Uma cesta de donuts. Uma pilha de jornais do dia. Harper puxou uma cadeira e ele se espremeu ao lado dela.

Lamarr o estava observando com algo nos olhos. Poulton desviou o olhar. Blake parecia estar se divertindo, de um jeito sarcástico.

— Pronto para botar a mão na massa? — perguntou ele.

Reacher fez que sim.

— Com certeza, depois de tomar um pouco de café.

Poulton virou as canecas e Harper serviu.

— Ligamos para Fort Dix ontem à noite — disse Blake. — Falamos com coronel Trent. Ele disse que lhe daria o dia de hoje inteiro.

— Isso deve ser suficiente.

— Ele parece gostar de você.

— Não, ele me deve uma, o que é diferente.

Lamarr concordou.

— Bom. Você precisa explorar isso. Sabe o que está procurando, não é? Concentre-se nas datas. Encontre alguém cujas datas de folga coincidam. Meu palpite é que ele está agindo no final da semana. Talvez não exatamente no último dia, porque precisa voltar à base e se acalmar depois.

Reacher sorriu.

— Grande dedução, Lamarr. Você é paga para isso?

Ela só olhou para ele e sorriu de volta, como se soubesse algo que ele não sabia.

— Que foi? — perguntou ele.

— Apenas seja cortês em suas palavras — disse Blake. — Tem algum problema com o que ela está sugerindo?

Reacher deu de ombros.

— Se fizermos isso considerando apenas datas, vamos conseguir talvez mil nomes.

— Então restrinja um pouco. Peça Trent para fazer a correspondência cruzada dos dados das mulheres. Encontre alguém que tenha servido com uma delas.

— Ou que tenha servido com um dos homens que foram dispensados — disse Poulton.

Reacher sorriu de novo.

— A capacidade cerebral em volta dessa mesa é um espetáculo. Pode deixar um homem bastante intimidado.

— Tem ideias melhores, espertinho? — perguntou Blake.

— Sei o que vou fazer.

— Bem, só não se esqueça de quem está no comando, está bem? Muitas mulheres em perigo, uma delas é a sua.

— Vou tomar conta disso.

— Então vá andando.

Harper pegou a deixa e se levantou. Reacher saiu devagar do assento e a seguiu. Os três na mesa o observaram sair, com algo nos olhos. Harper o estava esperando na porta do restaurante, olhando para ele, observando-o se aproximar, sorrindo para ele. Ele parou ao lado dela.

— Por que está todo mundo olhando para mim? — perguntou ele.

— Verificamos a fita — disse ela. — Sabe, a fita de vigilância.

— E daí?

Ela não quis responder. Ele lembrou seu tempo no quarto. Tomou banho duas vezes, andou um pouco, puxou as cortinas, dormiu, abriu as cortinas, andou um pouco mais. Isso foi tudo.

— Não fiz nada — disse ele.

Ela mostrou um sorriso mais aberto.

— É, não fez.

— Então qual é o problema?

— Bem, sabe, parece que você não trouxe nenhum pijama.

Um homem da oficina trouxe um carro até as portas e deixou-o com o motor ligado. Harper observou Reacher entrar e tomou assento do motorista. Eles trafegaram pela chuva, passaram o posto de controle, pelo perímetro dos Fuzileiros Navais, até a I-95. Ela acelerou para o norte pela chuva fina e depois de quarenta minutos em alta velocidade, virou para o leste, atravessando o sul de Washington, D.C. Andou rápido por mais dez minutos e fez uma curva brusca à direita no portão norte da Base da Força Aérea Andrews.

— Eles nos designaram o avião da empresa — disse ela.

Duas verificações de segurança depois, eles estavam no pé de uma escada para cabine de um Learjet sem identificação. Eles saíram do carro na pista e entraram no avião. Ele começou a taxiar antes que eles tivessem sequer colocado os cintos de segurança.

— Deve ser meia hora até Dix — disse Harper.

— McGuire — corrigiu Reacher. — Dix é uma base dos Fuzileiros Navais. Vamos aterrissar na Base da Força Aérea McGuire.

Harper parecia preocupada.

— Eles me disseram que íamos direto para lá.

— Vamos. É o mesmo lugar. Nomes diferentes, só isso.

Ela fez uma careta.

— Esquisito. Acho que não entendo os militares.

— Bem, não se sinta mal quanto a isso. Não entendemos vocês também.

Eles chegaram ao acesso da pista trinta minutos depois com os movimentos abruptos e fortes que um avião a jato pequeno faz no ar turbulento. Havia nuvens por quase todo o caminho, depois a pista subitamente ficava visível. Estava chovendo em Nova Jersey. Céu nublado e chuva pesada. Uma base da força aérea já é um lugar cinza, e o tempo não estava ajudando em nada. A pista de McGuire era ampla e longa o bastante para permitir que aviões de transporte gigantes decolem com dificuldade, e o Learjet tocou o solo e parou usando menos de um quarto de seu comprimento, como um beija-flor pousando numa rodovia interestadual. Ele fez uma curva, taxiou e parou novamente num canto distante da pista. Um Chevrolet verde fosco estava correndo na chuva para encontrá-lo. Quando os degraus da cabine desceram, o motorista estava aguardando embaixo. Era um tenente da Marinha, de talvez vinte e cinco anos, e estava ficando molhado.

— Major Reacher? — perguntou ele.

Reacher fez que sim.

— E esta é Agente Harper, do FBI.

O tenente a ignorou completamente, como Reacher sabia que ele faria.

— O coronel está aguardando, senhor — disse ele.

Caçada às Cegas

— Então vamos. Não podemos deixar o coronel esperando, não é?

Reacher sentou-se no banco do carona do Chevrolet e Harper no banco de trás. Eles saíram de McGuire e foram até Dix, seguindo estradas estreitas com meios-fios caiados de branco, passando por blocos de armazéns e alojamentos. Pararam num aglomerado de escritórios de alvenaria a um quilômetro e meio da pista de McGuire.

— A porta fica à esquerda, senhor.

O homem aguardou no carro, como Reacher sabia que ele faria. Reacher saiu e Harper o seguiu, ficando próxima do ombro dele, tentando se proteger da chuva. O vento soprava os pingos na horizontal. O prédio de escritórios tinha um grupo de três portas não identificadas no centro de uma parede de tijolo aparente. Reacher escolheu a porta esquerda e conduziu Harper para dentro de uma antessala espaçosa cheia de escrivaninhas e arquivos de metal. Era tudo limpo de maneira antisséptica e obsessivamente organizado e iluminado, com luzes brilhantes na escuridão da manhã. Três sargentos trabalhavam em mesas separadas. Um deles ergueu os olhos e apertou um botão em seu telefone.

— Major Reacher está aqui, senhor — disse ele ao telefone.

Houve um momento de pausa e, em seguida, a porta da antessala se abriu e um homem saiu. Ele era alto, com a constituição de um galgo, cabelos pretos curtos que ficavam grisalhos nas laterais. Ele tinha a mão estendida, pronta a ser apertada.

— Olá, Reacher — disse John Trent.

Reacher cumprimentou com a cabeça. Trent devia a segunda metade de sua carreira a um parágrafo que Reacher tinha omitido de um relatório oficial dez anos antes. Trent presumira que o parágrafo estava escrito e pronto. Ele tinha vindo ver Reacher, não para implorar sua exclusão, nem para barganhar, nem oferecer propina, mas apenas para explicar, de oficial para oficial, como ele cometera o erro. Simplesmente porque ele precisara que Reacher compreendesse que tinha sido um erro, não havia intenção de fazer mal nem desonestidade. Ele saíra sem pedir nada, e depois se sentou quieto e aguardou a guilhotina. Ela nunca veio. O relatório foi publicado e o parágrafo não fazia parte dele. O que Trent não sabia era que Reacher nunca o escrevera. Agora, dez anos tinham se passado, e os dois homens não tinham se falado desde então. Não até a manhã anterior, quando Reacher fez a primeira de suas chamadas urgentes do apartamento de Jodie.

— Olá, coronel — disse Reacher. — Esta é a agente Harper, do FBI.

Trent foi mais educado do que seu tenente. Sua patente significava que ele precisava ser. Ou talvez ele apenas ficasse mais impressionado com louras altas encharcadas e vestidas como homens. De qualquer forma, ele apertou a mão dela. E também segurou a mão dela por mais tempo do que o necessário. E talvez tenha sorrido, apenas levemente.

— É um prazer conhecê-lo, coronel — falou Harper. — E agradeço antecipadamente.

— Ainda não fiz nada — disse Trent.

— Bem, sempre ficamos gratos por cooperação onde quer que a consigamos, senhor.

Trent soltou a mão.

— Que é um número estritamente limitado de lugares, suspeito.

— Menos lugares do que gostaríamos — disse ela. — Considerando que estamos todos do mesmo lado.

Trent sorriu novamente.

— Esse é um conceito interessante — disse ele. — Farei o que puder, mas a cooperação será limitada. Como tenho certeza de que você previu. Vamos examinar registros de pessoal e listagens de logística militar que não estou disposto a compartilhar com você. Reacher e eu faremos isso sozinhos. Há questões de segurança nacional e militares em risco. Você vai ter que esperar aqui.

— O dia inteiro?

Trent fez que sim.

— Pelo tempo que for preciso. Está satisfeita com isso?

Estava claro que ela não estava. Ela olhou para o chão e não disse nada.

— Vocês não deixariam que eu visse dados confidenciais do FBI — disse Trent. — Digo, vocês não gostam muito mais de nós do que nós gostamos de vocês, não é?

Caçada às Cegas

147

Harper olhou em volta da sala.

— Meu trabalho é vigiá-lo.

— Compreendo isso. O sr. Blake me explicou seu papel. Mas você ficará bem aqui, do lado de fora do meu escritório. Há apenas uma porta. O sargento lhe fornecerá uma mesa.

Um sargento se apresentou sem ser chamado e mostrou-lhe uma escrivaninha vazia com uma vista clara da porta do escritório interno. Ela se sentou devagar, insegura.

— Você vai ficar bem aí — disse Trent. — Isso pode nos tomar algum tempo. É um negócio complicado. Tenho certeza de que sabe como é a burocracia.

Então ele conduziu Reacher até o escritório e fechou a porta. Era uma sala grande, janelas em duas paredes, estantes, arquivos, uma escrivaninha de madeira grande, cadeiras de couro confortáveis. Reacher sentou-se em frente à escrivaninha e se recostou na cadeira.

— Dê dois minutos, tudo bem? — disse ele.

Trent assentiu.

— Leia isso. Pareça ocupado.

Ele estendeu um arquivo grosso numa pasta verde esmaecida que tirou de uma pilha alta. Reacher a abriu e se curvou para examiná-la. Havia um gráfico complicado nela, detalhando os requisitos de combustível de aviação projetados para o período dos próximos seis meses. Trent andou de volta até a porta. Escancarou-a.

— Sra. Harper — chamou ele. — Posso lhe oferecer uma xícara de café?

Reacher olhou por sobre os ombros dele e a viu olhando para dentro, captando com o olhar as cadeiras, a mesa, a pilha de arquivos.

— Estou bem, por enquanto — gritou ela de volta.

— Está bem — disse Trent. — Se precisar de alguma coisa, basta dizer ao sargento.

Ele fechou a porta novamente. Andou até a janela, Reacher tirou seu crachá e o deixou sobre a mesa. Levantou-se. Trent correu o trinco da janela e a abriu o máximo possível.

— Você não nos deu muito tempo — sussurrou ele. — Mas acho que podemos começar.

— Eles caíram na mesma hora — sussurrou Reacher de volta. — Muito mais rápido do que pensei que fosse acontecer.

— Mas como sabia que teria companhia?

— Espere o melhor, prepare-se para o pior. Você sabe como é.

Trent assentiu. Enfiou a cabeça para fora da janela e conferiu os dois lados.

— Tudo bem, vá em frente — disse ele. — E boa sorte, meu amigo.

— Preciso de uma arma — sussurrou Reacher.

Trent olhou para ele e balançou a cabeça com firmeza.

— Não — disse ele. — Isso eu não posso fazer.

— Você tem que fazer. Preciso de uma arma.

Trent fez uma pausa. Ele estava agitado. Ficando nervoso.

— Jesus, está bem, uma arma — disse ele. — Mas sem munição. Já estou arriscando demais com essa coisa.

Ele abriu uma gaveta e tirou uma Beretta 9 mm. A mesma arma que os homens de Petrosian carregavam, só que Reacher podia ver que essa tinha o número de série intacto. Trent tirou o pente e pôs as balas de volta na gaveta, uma a uma.

— Sem barulho — sussurrou Reacher, aflito.

Trent assentiu e pôs de volta o pente na empunhadura. Entregou a arma a Reacher, com o cabo virado para ele. Reacher a pegou e colocou no bolso do casaco. Sentou-se no parapeito da janela. Virou-se e girou as pernas para fora.

— Tenha um bom dia — sussurrou.

— Você também. Se cuida — sussurrou de volta Trent.

Reacher sustentou seu corpo com as mãos e caiu no chão. Ele estava num beco estreito. Ainda estava chovendo. O tenente estava aguardando no Chevrolet, a dez metros de distância, com o motor ligado. Reacher correu para o carro e, antes que a porta se fechasse, ele já estava em movimento. O quilômetro e meio de volta para McGuire levou pouco mais de um minuto. O carro correu sobre a pista e se encaminhou direto para um

Caçada às Cegas

helicóptero da Marinha, cuja porta estava aberta e as hélices giravam velozes. As gotas de chuva em suspensão no ar formavam desenhos em espiral.

— Obrigado, rapaz.

Ele saiu do carro, atravessou a rampa do helicóptero e a subiu no escuro. A porta se fechou zunindo atrás dele e o ruído do motor cresceu para um rugido. Ele sentiu a máquina sair do chão e dois pares de mãos o pegaram e o acomodaram em seu assento. Ele afivelou o cinto e um fone de ouvido foi lançado para ele. Ele o colocou e o chiado do rádio começou ao mesmo tempo em que as luzes internas se acenderam. Ele viu que estava sentado numa cadeira de lona entre dois tripulantes da Marinha.

— Estamos indo para o heliporto da Guarda Costeira no Brooklyn — gritou o piloto. — O mais perto que podemos ir sem preencher um plano de voo, e preencher um plano de voo não está no cronograma hoje, tudo bem?

Reacher apertou com o dedo seu microfone.

— Está bom para mim, pessoal. E obrigado.

— O coronel deve lhe dever um favor e tanto — falou o piloto.

— Não, ele só gosta de mim — disse Reacher.

O homem riu, e o helicóptero balançou no ar e se estabilizou para uma viagem ruidosa.

11

O HELIPORTO DA GUARDA COSTEIRA NO BROOKLYN está situado na costa leste do parque Floyd Bennett Field, de frente para uma ilha em Jamaica Bay chamada Ruffle Bar, exatamente sessenta milhas náuticas ao norte e ao leste de McGuire. O piloto da Marinha manteve o pé no pedal barulhento por todo o tempo e fez a viagem em 37 minutos. Ele aterrissou num círculo com uma imensa letra H pintada e deixou os motores em marcha lenta.

— Você tem quatro horas — disse ele. — Se demorar mais que isso, vamos embora daqui e você fica por sua conta, está bem?

— Tudo bem— respondeu Reacher.

Ele desprendeu a correia que o prendia, retirou o fone de ouvido e desceu a rampa enquanto ela se abria. Havia um sedã azul-escuro com identificação da Marinha aguardando no asfalto com o motor ligado e a porta do carona aberta.

Caçada às Cegas 151

— Você é Reacher? — gritou o motorista.

Reacher fez que sim e entrou ao lado dele. O homem pisou no acelerador.

— Sou da reserva da Marinha — explicou ele. — Estamos ajudando o coronel. Um pouco de cooperação entre forças.

— Eu agradeço — disse Reacher.

— Imagina — disse o homem. — Então, para onde estamos indo?

— Manhattan. Rumo a Chinatown. Sabe onde fica?

— Se sei? Como lá três vezes por semana.

Ele pegou a Flatbush Avenue e a ponte de Manhattan. O tráfego estava leve, mas o transporte por terra ainda parecia muito lento, depois do Learjet e do helicóptero. Foram trinta minutos antes que Reacher chegasse a algum lugar próximo de onde queria estar. Um oitavo de seu tempo disponível tinha passado. O homem saiu do acesso da ponte e parou próximo a um hidrante.

— Vou ficar esperando bem aqui — disse ele. — De frente para o outro sentido, exatamente daqui a três horas. Então não se atrase, está bem?

Reacher fez que sim.

— Não vou me atrasar — disse ele.

Ele saiu e bateu duas vezes no teto do carro. Atravessou a rua e se dirigiu para o sul. Estava frio e úmido em Nova York, mas não estava chovendo. Não havia sol também; apenas uma luz lúgubre e vaga no céu. Ele interrompeu a caminhada e ficou parado por um momento. Estava a vinte minutos do escritório de Jodie. Começou a caminhar novamente. Eram vinte minutos que ele não tinha. *Prioridades primeiro.* Essa era sua regra. E talvez eles estivessem vigiando a casa dela. Ele não poderia ser visto hoje em Nova York de maneira alguma. Balançou a cabeça e caminhou. Forçou-se a se concentrar. Olhou para o relógio. Era o fim da manhã e ele começou a se preocupar que estivesse adiantado demais. Por outro lado, ele poderia estar controlando corretamente o tempo. Não havia jeito de saber. Ele não tinha nenhuma experiência nisso.

Depois de cinco minutos, ele parou de andar de novo. Se alguma rua lhe serviria, era essa. Ela estava ladeada de restaurantes chineses, amontoados, com fachadas berrantes nas cores vermelha e amarela. Havia uma floresta de placas com ideogramas orientais. Em todo o lugar, desenhos de templos com telhados curvados para cima. As calçadas estavam cheias. Caminhões de entrega estacionavam em fila dupla a curta distância dos carros. Caixas de legumes e tambores de óleo empilhados no meio-fio. Ele percorreu a rua duas vezes, de cima a baixo, inspecionando cuidadosamente o terreno, conhecendo-o. Olhando os becos. Depois, tocou a arma no bolso e passou a andar novamente, procurando alvos. Eles estariam por ali em algum lugar. Se ele não tivesse chegado cedo demais. Ele se encostou a uma parede e observou. Eles estariam em pares. Dois deles, juntos. Ele observou por um longo tempo. Havia muitas pessoas em pares, mas não eram as pessoas certas. Não eram eles. Nenhum deles. Ele tinha chegado cedo demais.

Olhou rápido o relógio e viu o tempo passar. Afastou-se da parede e passou a andar novamente. Olhava as entradas à medida que passava. Nada. Observava os becos. Nada. O tempo passava. Ele andou uma quadra para o sul e uma quadra para oeste e tentou outra rua. Nada. Ele esperou numa esquina. Ainda nada. Ele foi por outra quadra para o sul, outra quadra para oeste. Nada. Ele se encostou a uma árvore fina e esperou, com o relógio em seu pulso batendo como uma máquina. Nada. Ele andou de volta até seu ponto de partida, encostou-se à parede e observou o grupo do almoço crescer até o auge. Depois ele o observou reduzir. De repente mais pessoas saíam dos restaurantes que entravam. O tempo dele se esvaía com elas. Ele andou até o final da rua. Verificou o relógio novamente. Tinha ficado esperando duas horas inteiras. Restava-lhe uma hora.

Nada aconteceu. O grupo do almoço diminuiu até se reduzir a nada, e a rua ficou tranquila. Caminhões chegavam, paravam, descarregavam, saíam novamente. Uma chuva fina começou e parou. Nuvens baixas se moviam pelo céu estreito. O tempo passava. Ele andou para o leste e para o sul. Nada lá. Voltou e subiu um lado da rua e desceu pelo outro. Esperou na esquina. Verificou o relógio seguidamente. Restavam-lhe quarenta minutos. Depois trinta. Depois vinte.

Caçada às Cegas

Foi então que ele os viu. E de repente compreendeu por que foi nesse momento e não antes. Eles vinham esperando o fluxo de caixa da hora do almoço ser guardado organizadamente nas caixas registradoras. Havia dois homens. Chineses, é claro, jovens, cabelos pretos brilhantes e longos sobre os ombros. Eles usavam calças escuras e casacos leves, com cachecóis no pescoço, como um uniforme.

Estavam muito visíveis. Um carregava uma mochila e o outro carregava um caderno com uma caneta presa no espiral. Entravam num restaurante de cada vez, devagar e descontraidamente. Em seguida, saíam novamente, com um dos rapazes fechando o zíper da mochila e outro anotando algo no caderno. Um restaurante, depois dois, três, quatro. Quinze minutos tinham ido embora. Reacher observava. Ele atravessou a rua e andou à frente deles. Esperou perto de uma porta de restaurante. Observou-os entrar. Observou quando eles se aproximaram de um velho na caixa registradora. Eles só ficaram parados. Não disseram nada. O velho pôs a mão na gaveta da caixa registradora e tirou um maço de notas dobradas. A quantia combinada, pronta e à espera. O homem com o caderno pegou o dinheiro, entregou ao parceiro e escreveu algo no caderno enquanto o dinheiro desaparecia na mochila.

Reacher deu um passo à frente, onde um beco estreito separava dois prédios. Ele se enfiou ali e aguardou encostado na parede, onde eles não o veriam até que fosse tarde demais. Verificou o relógio. Ele tinha menos de cinco minutos. Cronometrou os dois homens na cabeça. Criou uma imagem mental de seu passo preguiçoso e complacente. Seguiu o ritmo deles na mente. Aguardou. Aguardou. Depois saiu do beco e deu de frente com eles. Eles tropeçaram nele. Reacher agarrou um pedaço de casaco em cada mão, inclinou-se para trás, girou-os num semicírculo potente e os lançou de costas no muro do beco. O homem em sua mão direita percorreu o arco maior, por isso, bateu com mais força, e voltou mais para a frente. Reacher acertou-o em cheio com o cotovelo quando ele avançava vindo da parede, e ele caiu no chão. Não se levantou novamente. Ele era o homem com a mochila.

O outro homem deixou cair o caderno e tentou pegar algo no bolso, mas Reacher tinha sacado a Beretta de Trent primeiro. Ele ficou próximo e a segurou num ângulo baixo, bem no fim do casaco, direcionada ao joelho do homem.

— Seja esperto, está bem? — disse ele.

Ele se abaixou com o lado esquerdo do corpo e deslizou o ferrolho. O som foi abafado pelo pano de seu casaco, mas para seu ouvido treinado soava obviamente vazio. Nenhum clique final da cápsula sendo encaixada. Mas o chinês não percebeu. Muito tonto. Muito chocado. Ele só se pressionou contra o muro como se tentasse atravessá-lo. Pôs todo seu peso num dos pés, preparando-se inconscientemente para a bala que explodiria sua perna.

— Está cometendo um erro, cara — sussurrou ele.

Reacher fez um gesto negativo com a cabeça.

— Não, nós estamos fazendo um *lance*, seu babaca.

— *Nós* quem?

— Petrosian — disse Reacher.

— Petrosian? Você está de brincadeira.

— De jeito nenhum — disse Reacher. — Estou falando sério. Muito sério. Esta rua é de Petrosian agora. A partir de hoje. A partir de agora. Toda esta rua. A rua inteira. Você entendeu isso?

— Esta rua é nossa.

— Não é mais. É de Petrosian. Ele está assumindo o controle. Quer perder uma perna discutindo isso?

— Petrosian? — repetiu o sujeito.

— Acredite — disse Reacher, e bateu nele na barriga. O sujeito se curvou para a frente e Reacher deu-lhe uma coronhada sobre a orelha e o largou organizadamente em cima de seu parceiro. Ele apertou o gatilho para liberar o ferrolho e pôs a arma de volta no bolso. Pegou a mochila e a enfiou embaixo do braço. Saiu do beco e virou na direção norte.

Já estava atrasado. Se o relógio dele estivesse atrasado um minuto e o do homem da Marinha um minuto adiantado, então o encontro já era. Mas ele não correu. Correr na cidade chamaria atenção demais. Ele andou

Caçada às Cegas

o mais rápido que pôde. Dando um passo para o lado a cada três passos para a frente, desviando de obstáculos pela calçada. Ele virou numa esquina e viu o carro azul, com a inscrição USNR discretamente pintada na lateral, indicando a reserva da marinha dos Estados Unidos. Ele o viu se afastar do meio fio. E avançar para o fluxo do tráfego. Nessa hora, ele correu.

Ele chegou onde o carro tinha estacionado quatro segundos depois que ele tinha partido. Agora ele estava três carros à frente de Reacher, acelerando para pegar o sinal aberto. Ele olhou para o sinal. A luz mudou para vermelho. O carro acelerou mais. Então, o sujeito se acovardou e pisou no freio. O carro se moveu com barulho e parou trinta centímetros dentro da faixa de pedestres. Os pedestres vieram com um enxame na frente do carro. Reacher respirou novamente e correu até o cruzamento e abriu a porta do carona. Deixou-se cair no assento, ofegante. O motorista fez um aceno de cabeça para ele. Não disse uma palavra. Não ofereceu nenhum tipo de pedido de desculpas por não aguardar. Reacher não esperava desculpas. Quando a Marinha diz três horas, isso quer dizer três horas. Cento e oitenta minutos, nem um segundo a mais, nem um segundo a menos. *O tempo e a maré não esperam por ninguém.* A Marinha foi construída com base em bobagens como essa.

A viagem de volta até o escritório de Trent na Dix foi o exato oposto da jornada de ida. Trinta minutos de carro pelo Brooklyn, o helicóptero aguardando, o voo barulhento de volta para McGuire, o tenente no Chevrolet de apoio esperando no asfalto. Reacher passou o voo contando o dinheiro na mochila. Havia um total de mil e duzentos dólares ali, seis maços dobrados de duzentos cada. Deu o dinheiro para os tripulantes do avião de carga para a festa da unidade. Rasgou a mochila nas costuras e jogou os pedaços pela escotilha, dois mil pés acima de Lakewood, Nova Jersey.

Ainda chovia em Dix. O tenente o levou de volta ao beco e ele andou até a janela de Trent e bateu no vidro de leve. Trent a abriu, e ele pulou a janela de volta para o escritório.

— Está tudo bem? — perguntou ele.

Trent fez que sim.

— Ela ficou apenas sentada lá fora, parecia uma estátua, o dia inteiro. Deve estar muito impressionada com nossa dedicação. Passamos o horário de almoço trabalhando.

Reacher concordou e entregou de volta a arma vazia. Tirou o casaco. Sentou-se em sua cadeira. Passou a identificação em volta do pescoço e pegou um arquivo. Trent tinha movido a pilha da direita para a esquerda do outro lado da mesa, como se ela tivesse sido examinada minuciosamente.

— Deu certo? — perguntou Trent.

— Acho que sim. O tempo vai dizer, não é?

Trent assentiu e olhou o tempo lá fora. Ele estava inquieto. Tinha ficado preso no escritório o dia inteiro.

— Deixe-a entrar, se quiser — disse Reacher. — Agora o show já acabou.

— Você está todo molhado — contestou Trent. — O show não vai estar acabado até você se secar.

Levou vinte minutos para secar. Ele usou o telefone de Trent e ligou para os números de Jodie. A linha particular do escritório, o apartamento, o celular. Ninguém atendeu, ninguém atendeu, desligado. Ele olhou para a parede. Depois leu um arquivo não confidencial sobre métodos propostos para fazer os fuzileiros navais receberem correspondências se tiverem de servir no Oceano Índico. O tempo que passou nele o deixou abaixado na cadeira e o deixou com um olhar vítreo no rosto. Quando Trent finalmente abriu a porta e Harper conseguiu sua segunda espiada do dia, ele estava caído e inerte. Exatamente como um homem depois de um dia árduo de lidar com papéis.

— Algum progresso? — perguntou ela.

Ele ergueu os olhos e suspirou para o teto.

— Talvez.

— Seis horas seguidas, você deve ter chegado a algum lugar.

— Talvez — repetiu ele.

Houve silêncio por um momento.

— Tudo bem, então vamos — disse ela.

Ela se levantou atrás da mesa e se alongou. Pôs os braços bem acima da cabeça, com as mãos espalmadas, tentando alcançar o teto. Algum tipo de coisa de ioga. Ela jogou a cabeça para trás, inclinou-a e os cabelos caíram em cascata nas costas. Três sargentos e um coronel a olhavam fixamente.

— Então vamos — disse Reacher.

— Não esqueça suas anotações — disse Trent.

Ele lhe entregou uma folha de papel. Havia uma lista de trinta nomes impressos nela. Provavelmente a equipe de futebol americano do ensino médio de Trent. Reacher pôs a lista no bolso, vestiu o casaco e apertou a mão de Trent. Caminhou pela antessala e para fora, na chuva, e ficou lá, respirando por um segundo como um homem que tivesse ficado sentado o dia todo. Depois Harper indicou o carro do tenente para a viagem de volta para o Learjet.

Blake, Poulton e Lamarr estavam aguardando por eles na mesma mesa no restaurante do Quantico. Estava escuro do lado de fora, mas agora a mesa estava posta para o jantar, não para o café da manhã. Havia uma jarra de água e cinco copos, sal e pimenta, garrafas de molho de carne. Blake ignorou Reacher e olhou para Harper, que fez um sinal de cabeça de volta para ele, como para tranquilizá-lo. Blake parecia satisfeito.

— Então já achou nosso criminoso? — perguntou ele.

— Talvez — disse Reacher. — Tenho trinta nomes. Pode ser um deles.

— Então vejamos.

— Ainda não. Preciso de mais.

Blake olhou para ele.

— Bobagem que precisa de mais. Precisamos colocar vigilância nesses caras.

Reacher fez um gesto negativo com a cabeça.

— Não é possível. Esses homens estão em lugares que vocês não podem ir. Mesmo que queiram um mandado para esses caras, vão precisar ir ao Secretário de Defesa, depois de terem ido ao juiz. E a Defesa vai direto ao comandante-chefe, que era o presidente da última vez que chequei, então, vão precisar de bem mais do que posso lhes dar agora.

— Então o que está dizendo?
— Estou dizendo para deixarmos as coisas assentarem um pouco.
— Como?
Reacher deu de ombros.
— Quero ir ver a irmã de Lamarr.
— A filha do meu padrasto.
— Por quê? — perguntou Blake.
Reacher queria dizer *porque estou só matando tempo, babaca, e prefiro fazer isso na estrada a ficar preso aqui dentro*, mas ele fez uma cara séria e deu de ombros de novo.
— Porque precisamos pensar além do óbvio — respondeu ele. — Se este homem está matando com base numa categoria, precisamos saber por quê. Ele não pode estar furioso com uma categoria inteira dessa maneira. Uma das mulheres deve ter acendido uma centelha. Depois ele deve ter transferido sua fúria do pessoal para o geral, não é? Então quem foi? A irmã de Lamarr pode ser um bom lugar para começar a perguntar. Ela conseguiu uma transferência entre unidades. Duas unidades muito diferentes. Isso dobra os contatos potenciais, em termos de perfil.
Pareceu profissional o bastante. Blake assentiu.
— Tudo bem — disse ele. — Vamos providenciar isso. Você vai amanhã.
— Onde ela mora?
— No estado de Washington — disse Lamarr. — Em algum lugar próximo de Spokane, acho.
— Você acha? Não sabe?
— Nunca estive lá — respondeu ela. — E com toda certeza não tenho tempo de férias suficiente para dirigir todo o caminho de ida e volta.
Reacher assentiu. Voltou-se para Blake.
— Você devia estar protegendo essas mulheres — disse ele.
Blake suspirou com pesar.
— Faça as contas, pelo amor de Deus. Oitenta e oito mulheres, e não sabemos qual será a próxima, faltam dezessete dias, *se* ele mantiver seu

ciclo, três agentes a cada vinte e quatro horas, isso é mais de cem mil horas-homem, em locais aleatórios, por todo o país. Simplesmente não podemos fazer isso. Não temos agentes para isso. Alertamos os departamentos de polícia locais, é claro, mas o que *eles* podem fazer? Como nos limites de Spokane, Washington, por exemplo, o departamento de polícia local é provavelmente um homem e um pastor alemão. Eles passam lá de carro, de tempos em tempos, acho, mas isso é tudo que temos.

— Você também alertou as mulheres?

Blake parecia envergonhado e fez um gesto negativo com a cabeça.

— Não podemos. Se não podemos protegê-las, não podemos alertá-las. Porque o que estaríamos dizendo com isso? Vocês estão em perigo, mas lamento meninas, estão por sua conta? Não se faz uma coisa dessas.

— Precisamos pegar esse sujeito — disse Poulton. — Essa é a única maneira certa de ajudar essas mulheres.

Lamarr concordou.

— Ele está à solta em algum lugar. Precisamos capturá-lo.

Reacher olhou para eles. Três psicólogos. Eles estavam tentando explorar o lado emocional. Tentando fazer com que parecesse um desafio. Ele sorriu.

— Entendi a mensagem.

— Está bem, você vai para Spokane amanhã — disse Lamarr. — Enquanto isso, vou trabalhar um pouco mais nos arquivos. Você vai analisá-los depois de amanhã. Isso lhe dá o que você conseguiu com Trent, mais as coisas que obtiver em Spokane, mais o que já temos. Aí vamos esperar que você tenha um progresso considerável.

Reacher sorriu novamente.

— Seja como for, Lamarr.

— Então coma e vá pra cama — disse Blake. — É um longo caminho até Spokane. Começará cedo amanhã. Harper vai com você, é claro.

— Pra cama?

Blake ficou envergonhado novamente.

— Para Spokane, seu babaca.

Reacher concordou.

— Que seja, Blake.

O problema era que, de fato, *era* um desafio. Ele estava preso em seu quarto, deitado sozinho na cama, olhando acima o olho cego da câmera escondida. Mas ele não a estava vendo. Seu olhar tinha se dissolvido como antes, tornando-se um borrão. Um borrão *verde*, como se os Estados Unidos inteiros tivessem desaparecido e retornado a campos e florestas, os prédios tivessem sumido, as estradas, sumido, os barulhos e a população também, exceto por um homem, em algum lugar. Reacher olhava fixo para o borrão silencioso, cento e cinquenta quilômetros, mil e quinhentos quilômetros, cinco mil quilômetros, seu olhar vagava para o norte e para o sul, leste e oeste, olhando para a leve sombra, esperando o movimento súbito. *Ele está à solta, em algum lugar. Precisamos pegar esse sujeito.* Ele está andando por aí agora mesmo, ou dormindo, ou planejando, ou executando, e pensando ser praticamente o homem mais esperto de todo o continente.

Bem, quanto a isso, veremos, pensou Reacher. Ele ficou agitado. Precisava se envolver de verdade. Ou talvez não. Era uma grande decisão à espera de ser tomada, mas ainda não havia resolução. Ele rolou na cama e fechou os olhos. Ele podia pensar nisso mais tarde. Ele podia tomar a decisão amanhã. Ou depois de amanhã. Quando quisesse.

A decisão tinha sido tomada. Sobre o intervalo. O intervalo era coisa do passado. Hora de acelerar as coisas um pouco. Três semanas era tempo demais para esperar agora. Nesse tipo de coisa, você deixa a ideia crescer dentro de você, olha para ela, a considera, vê seu valor, percebe sua atração, e a decisão, no fim das contas, é tomada por você, não é? Não dá para colocar o gênio de volta na garrafa depois que ele sai. E esse gênio está do lado de fora. Completamente do lado fora. Em atividade. Daí você segue adiante com ele.

12

ÃO HOUVE REUNIÃO DE CAFÉ DA MANHÃ NO DIA seguinte. O dia começou muito cedo. Harper abriu a porta antes mesmo que Reacher estivesse completamente vestido. Ele tinha colocado as calças e estava alisando as dobras da camisa com a palma contra o colchão.

— Adorei essas cicatrizes — disse ela.

Ela se aproximou, olhando para a barriga dele sem disfarçar a curiosidade.

— Como foi que ganhou esta? — perguntou ela, apontando para o lado direito do corpo dele.

Ele olhou para baixo. O lado direito da barriga dele tinha uma rastro violento de pontos no formato de uma estrela distorcida. Ela formava uma protuberância sobre a parede do músculo, branca e raivosa.

— Foi minha mãe quem fez — disse ele.

— Sua *mãe*?

— Fui criado por ursos-pardos. No Alasca.

Ela revirou os olhos, depois os moveu para cima, para o lado esquerdo do peito dele. Havia um buraco de bala calibre .38 ali, perfurado bem no músculo peitoral. Faltava um pouco de pelo em volta dele. Era um buraco grande. Ela poderia esconder o dedo mindinho nele, até a primeira falange.

— Cirurgia exploratória — disse ele. — Verificaram se eu tinha coração.

— Você está alegre esta manhã — disse ela.

Ele fez que sim.

— Estou sempre alegre.

— Já conseguiu falar com a Jodie?

Ele fez um gesto negativo com a cabeça.

— Não tentei mais desde ontem.

— Por que não?

— Perda de tempo. Ela não está lá.

— Está preocupado?

Ele deu de ombros.

— Ela já é crescidinha.

— Se souber alguma coisa, eu lhe conto.

Ele fez um sinal com a cabeça.

— É bom mesmo.

— De verdade, o que causou? — perguntou ela. — As cicatrizes?

Ele desabotoou a camisa.

— Na barriga foram fragmentos de bomba — disse ele. — No peito, levei um tiro.

— Vida dramática.

Ele tirou seu paletó do armário.

— Na verdade, não. Bem normal para um soldado. Um soldado que tenta evitar violência física é como um contador tentando evitar fazer cálculos.

— É por isso que você não se importa com aquelas mulheres?

Caçada às Cegas

163

Ele olhou para ela.

— Quem disse que não me importo?

— Achei que ficaria mais nervoso com isso.

— Ficar nervoso não vai levar a lugar nenhum.

Ela fez uma pausa.

— Então o que vai?

— Trabalhar com as pistas, o mesmo de sempre.

— Não há nenhuma pista. Ele não deixa pista nenhuma.

Ele sorriu.

— Só isso já é uma pista, não acha?

Ela usou a chave dela do lado de dentro e abriu a porta.

— Isso é como falar por enigmas — disse ela.

Ele encolheu os ombros.

— Melhor do que falar *bobagem*, como eles fazem lá embaixo.

O mesmo homem da oficina trouxe o mesmo carro até as portas. Dessa vez ele ficou no banco do motorista, sentado com as costas retas no banco como um diligente chofer. Ele os levou de carro para o norte na I-95 até o National Airport. O sol ainda não tinha raiado. Havia um brilho minguado no céu em algum lugar a quatrocentos e oitenta quilômetros a leste, percorrendo toda a distância pelo Oceano Atlântico. A única outra iluminação vinha de mil faróis fluindo em direção ao norte para o trabalho. Os faróis eram em grande parte de carros antigos. Antigos, logo, baratos, portanto, propriedade de pessoas de baixa renda que pretendiam chegar a suas mesas uma hora antes dos chefes, de modo que pudessem causar uma boa impressão e conseguir promoções, e, imediatamente após, pudessem dirigir carros mais novos para trabalhar e chegar uma hora mais tarde. Reacher se sentou e observou seus rostos envolvidos por sombras enquanto o motorista do FBI passava rápido por eles, um por um.

Dentro do terminal do aeroporto, estava razoavelmente agitado. Homens e mulheres vestindo capas de chuva escuras andavam rapidamente de um lado para o outro. Harper pegou duas passagens de classe econômica no balcão da United e caminharam até o check-in.

— Um pouco de espaço entre as poltronas seria bom — disse ela para o homem atrás do balcão.

Ela usou sua carteira do FBI como documento com foto. Ela a sacou como um jogador de pôquer que estivesse completando um flush. O homem apertou algumas teclas e conseguiu um *upgrade*. Harper sorriu, como se estivesse genuinamente surpresa.

A classe executiva estava meio vazia. Harper pegou um assento do corredor, encurralando Reacher contra a janela como um prisioneiro. Ela se esticou. Estava usando o terceiro terno diferente, este era listrado num cinza suave. O paletó se abriu e mostrou uma sugestão de mamilo por baixo da camisa, e nenhum coldre de ombro.

— Deixou a arma em casa? — perguntou Reacher.

Ela fez que sim.

— Não vale a pena a chateação. As companhias aéreas exigem muita papelada. Um homem de Seattle vem nos encontrar. A prática padrão é que ele traga uma sobressalente, caso precisemos de uma. Mas não vamos precisar, não hoje.

— Assim você espera.

Ela concordou.

— Assim espero.

Eles taxiaram e decolaram com um minuto de antecedência. Reacher puxou a revista e começou a folheá-la. Harper havia aberto a bandeja, pronta para o café da manhã.

— O que quis dizer? — perguntou ela. — Quando disse que só isso já era uma pista?

Ele forçou a mente para uma hora atrás e tentou se lembrar.

— Apenas pensei em voz alta, acho — disse ele.

— Pensou no quê?

Ele deu de ombros. Podia matar o tempo.

— A história da ciência. Coisas assim.

— Isso é relevante?

— Estava pensando em impressões digitais. Há quanto tempo temos isso?

Ela fez uma careta.

— Muito, acho.

— Desde a virada do século XX?

Ela assentiu.

— Provavelmente.

— Está bem, cem anos — disse ele. — Esse foi o primeiro grande teste forense, certo? Provavelmente, começaram a usar microscópios por volta da mesma época. E, desde então, inventaram todo tipo de coisa. DNA, espectrometria de massa, fluorescência. Lamarr disse que vocês têm testes nos quais eu não acreditaria. Aposto que podem encontrar uma fibra de tapete, dizer onde e quando alguém o comprou, que tipo de pulga saltitava sobre ele, de que tipo de cachorro a pulga saiu. Provavelmente lhe diriam o nome do cachorro e a marca da ração que ele comia de manhã.

— E daí?

— Testes impressionantes, não é?

Ela concordou.

— Coisa de ficção científica, né?

Ela concordou de novo.

— Está bem — disse ele. — Testes impressionantes de ficção científica. Mas esse sujeito matou Amy Callan e derrotou todos eles, não foi?

— Foi.

— Então, como se chama esse tipo de sujeito?

— Como?

— Um sujeito muito esperto, é o que ele é.

Ela fez uma careta.

— Entre outras coisas.

— Com certeza, muitas outras coisas, mas não importa o resto, um sujeito muito esperto. Depois ele fez de novo, com Cooke. Agora como o chamamos?

— Como?

— Um sujeito muito, *muito* esperto. Uma vez pode ser sorte. Duas, ele é bom à beça.

— E daí?
— Depois ele fez *mais uma vez*, com Stanley. Agora, de que o chamamos?
— Um sujeito muito, muito, muito esperto?
Reacher fez que sim.
— Exatamente.
— E daí?
— E daí que essa é a pista. Estamos procurando um sujeito muito, muito, muito esperto.
— Acho que já *sabemos* disso.
Reacher fez um gesto negativo com a cabeça.
— Acho que não sabem. Não estão incluindo isso como um fator relevante.
— Em que sentido?
— Pensem vocês. Sou apenas um garoto de recados. Vocês do FBI devem fazer todo o trabalho difícil.

A comissária saiu da cozinha do avião com o carrinho de café da manhã. Era a classe executiva, logo, a comida era razoável. Reacher sentiu o cheiro de bacon, ovos, salsicha e café forte. Ele destravou sua bandeja. A cabine estava meio vazia; logo, ele conseguiu que a moça lhe desse dois cafés da manhã. Duas refeições da companhia aérea foram um lanche prazeroso. Ela entendeu rápido e manteve o copo de café dele cheio.

— Como não estamos incluindo isso como um fator relevante? — perguntou Harper.
— Descubra sozinha — disse Reacher. — Não estou com um ânimo de ajudar.
— É por que ele não é um soldado?
Ele se virou para encará-la.
— Essa é ótima. Concordamos que ele é um sujeito muito esperto, então você diz *bem, então ele obviamente não é um soldado*. Muito obrigado, Harper.
Ela desviou o olhar, encabulada.

Caçada às Cegas 167

— Desculpe. Não quis dizer isso. Só não consigo perceber como não estamos incluindo isso como fator relevante.

Ele não disse nada em resposta. Só bebeu o resto do café e pulou por sobre as pernas dela para ir ao banheiro. Quando ele voltou, ela ainda parecia arrependida.

— Me diga — disse ela.

— Não.

— Você devia, Reacher. Blake vai me perguntar sobre seu comportamento.

— Meu comportamento? Diga a ele que meu comportamento é que se alguém tocar num fio de cabelo de Jodie, vou arrancar as pernas dele e bater nele com elas até a morte.

Ela assentiu.

— Você realmente fala sério, não é?

Ele assentiu de volta.

— Pode apostar que sim.

— É isso que não compreendo. Por que você não se sente um pouco do mesmo jeito quanto a essas mulheres? Você gostava de Amy Callan, certo? Não do mesmo jeito que de Jodie, mas gostava dela.

— Também não entendo você. Blake queria usar você como uma prostituta e você está agindo como se ele ainda fosse o seu melhor amigo.

Ela encolheu os ombros.

— Ele estava desesperado. Ele fica assim. Está sob muito estresse. Ele recebe um caso como esse e fica desesperado para desvendá-lo.

— E você admira isso?

Ela fez que sim.

— Claro que admiro. Admiro sua dedicação.

— Mas disso você não compartilha. Ou teria dito *não* para ele. Teria me seduzido e gravado, para o bem da causa. Então talvez seja você que não se importa o bastante com essas mulheres.

Ela ficou calada por um tempo.

— Era imoral. Me incomodou.

Ele assentiu.

— E ameaçar Jodie era imoral também. Incomodou a *mim*.
— Mas não estou deixando meu incômodo obstruir o caminho da justiça.
— Bem, eu estou. E estou cagando e andando para se você não gosta disso.

Eles não trocaram palavras por todo o caminho até Seattle. Cinco horas em silêncio. Reacher estava à vontade o bastante com isso. Ele não era um sujeito compulsivamente sociável. Ele ficava mais feliz quando não falava. Não via nada de estranho nisso. Não havia nenhuma tensão. Ele apenas ficava sentado lá, sem falar, como se estivesse fazendo a viagem sozinho.

Harper estava mais perturbada por isso. Ele percebia que ela estava preocupada. Ela era como a maioria das pessoas. Bastava colocá-la ao lado de alguém que conhecesse, e ela achava que tinha de conversar. Para ela, não era natural não conversar. Mas ela não cedeu. Cinco horas sem uma única palavra.

Essas cinco horas foram reduzidas a duas pelos relógios da Costa Oeste. Ainda era hora do café da manhã quando pousaram. Os terminais do Sea-Tac estavam cheios de pessoas começando seus dias. O desembarque tinha motoristas em escalão segurando placas. Havia um sujeito num terno escuro, gravata listrada, cabelos curtos. Ele não tinha placa, mas era ele o homem que os esperava. Ele bem podia ter FBI tatuado na testa.

— Lisa Harper — disse ele. — Sou da base de Seattle.

Eles apertaram as mãos.

— Este é Reacher — apresentou ela.

O agente de Seattle o ignorou completamente. Reacher sorriu por dentro. *Touché*, pensou. Mas depois o homem poderia tê-lo ignorado assim mesmo ainda que fossem melhores amigos, porque ele estava bastante preocupado em prestar muita atenção ao que estava debaixo da camisa de Harper.

— Vamos voar até Spokane — disse ele. — A companhia de táxi-aéreo nos deve alguns favores.

Ele tinha um carro do FBI estacionado na faixa de reboque. Ele o usou para dirigir um quilômetro e meio em volta da estrada perimetral até a Aviação Geral, que era uma área de dois hectares de asfalto cheio de aviões parados, todos eles pequenos monomotores ou bimotores. Havia um agrupamento de cabanas com placas de baixo orçamento anunciando transporte e aulas de voo. Um homem os encontrou do lado de fora de uma das cabanas. Ele vestia um uniforme genérico de piloto e os conduziu até um Cessna branco de seis lugares. Foi uma caminhada média atravessando a plataforma de estacionamento. O outono no Nordeste tinha luz mais clara do que em Washington, D.C., mas era igualmente frio.

O interior do avião era praticamente do mesmo tamanho do Buick de Lamarr e bem mais espartano. Mas parecia limpo e bem conservado, e os motores deram partida ao primeiro toque no botão. Ele taxiou até a pista com a mesma sensação de tamanho minúsculo que Reacher tinha sentido no Learjet em McGuire. Ele se enfileirou atrás de um 747 com destino a Tóquio da maneira como um camundongo se enfileira atrás de um elefante. Em seguida, aumentou a potência do motor e estava fora do chão em segundos, voando em círculo para o leste, estabilizando-se em velocidade de cruzeiro a mil pés de altura.

O indicador de velocidade mostrava mais de cento e vinte nós, e o avião voou por duas horas inteiras. O assento estava apertado e desconfortável, e Reacher se arrependeu de não ter pensado numa forma melhor de desperdiçar seu tempo. Ela ia passar quatorze horas no ar, todas num único dia. Talvez ele devesse ter ficado e trabalhado nos arquivos com Lamarr. Ele imaginava um recinto silencioso em algum lugar, como uma biblioteca, uma pilha de papéis, uma cadeira de couro. Depois ele imaginou a própria Lamarr, olhou para Harper, e achou que talvez tivesse escolhido a opção certa no fim das contas.

O aeródromo em Spokane era um lugar moderno e modesto, maior do que ele esperava. Havia um carro do FBI aguardando na pista, identificável mesmo a mil pés de altura, um sedã escuro em boas condições com um homem de terno encostado no para-lama.

— Do escritório regional de Spokane — disse o homem de Seattle.

O carro se moveu até onde o avião parou e eles estavam na estrada vinte segundos depois que o piloto desligou o motor. O homem do escritório regional tinha o endereço de destino escrito num bloco preso em seu para-brisa com uma ventosa. Ele parecia saber onde era o lugar. Dirigiu dezesseis quilômetros para o leste em direção à faixa mais estreita de território de Idaho e virou ao norte, em uma estrada de pequena largura que dava nas colinas. O terreno era moderado, mas havia montanhas gigantes à meia distância. A neve reluzia nos picos. A estrada tinha um prédio a cada quilômetro e meio mais ou menos, separados por densa floresta e ampla campina. A densidade demográfica não era encorajadora.

O próprio endereço poderia ter sido a casa principal de um velho rancho de criação de gado, vendido há muito tempo e reformado por alguém que buscava o sonho de morar no campo, mas sem esquecer a estética da cidade. Estava enquadrado num pequeno terreno delimitado por cercas novas. Do lado de fora das cercas estava o pasto, e dentro das cercas a mesma grama fora fertilizada e cortada até formar uma fina relva. Havia árvores no perímetro, contorcidas pelo vento. Havia um pequeno celeiro com portas de garagem parafusadas na lateral e um caminho que se desviava do acesso de veículos até a porta da frente. A estrutura inteira ficava próxima à estrada e de sua própria cerca, como uma casa no subúrbio que fica próxima aos vizinhos, mas esta não fica perto de nada. O objeto mais próximo feito pelo homem estava a pelo menos um quilômetro e meio de distância ao norte ou ao sul, talvez trinta quilômetros de distância ao leste ou oeste.

Os homens do escritório regional permaneceram no carro. Harper e Reacher saíram e ficaram se alongando no acostamento. Depois, o motor se desligou atrás deles, e o silêncio aterrador do campo vazio caiu sobre os dois como um fardo. Havia murmúrios, assobios e ecos em seus ouvidos.

— Eu me sentiria melhor se ela morasse num apartamento na cidade — disse Reacher.

Harper concordou.

Caçada às Cegas 171

— Com porteiro.

Não havia portão. A cerca da propriedade simplesmente terminava em cada lado da boca do acesso de veículos. Eles andaram juntos em direção à casa. O acesso de veículos era de xisto, barulhento de um jeito tranquilizante, pelo menos. Havia uma brisa leve. Reacher podia ouvi-la nos fios de eletricidade. Harper parou na porta da frente. Não havia campainha, apenas uma grande aldrava de ferro no formato da cabeça de um leão com um anel pesado preso nos dentes. Havia um olho mágico em formato de olho de peixe sobre ele. O olho mágico era novo. Havia serragem de madeira limpa onde a broca tinha lascado a pintura. Harper agarrou o anel de ferro e bateu duas vezes. O anel ressoou na madeira. O som era alto e grave e reverberou por sobre o campo. Ecoou segundos mais tarde vindo das colinas.

Não houve resposta. Harper bateu novamente. O som retumbou. Eles aguardaram. Houve um estalo de assoalhos dentro da casa. Passos. O som se aproximou sem que nada se visse e parou atrás da porta.

— Quem é? — chamou uma voz. Uma voz de mulher, apreensiva.

Harper enfiou a mão no bolso e retirou seu distintivo. Estava preso num pedaço de couro, o mesmo tipo de escudo dourado sobre dourado que Lamarr tinha pressionado contra a janela do carro de Reacher. A águia na parte superior, com a cabeça inclinada para a esquerda. Ela o segurou para cima, a quinze centímetros do olho mágico.

— FBI, senhora — anunciou ela. — Ligamos para a senhora ontem, marcamos hora.

A porta se abriu com o estalo de dobradiças antigas e revelou um hall de entrada com uma mulher. Ela estava segurando a maçaneta, sorrindo de alívio.

— Julia me deixou tão nervosa — disse ela.

Harper sorriu de volta com empatia e se apresentou, depois apresentou Reacher. A mulher apertou as mãos de ambos.

— Alison Lamarr — disse ela. — Muito prazer em conhecê-los.

Ela foi na frente, para dentro da casa. O hall era quadrado e quase tão grande como um quarto, com paredes e piso em madeira de pinho antiga que fora cortada e encerada com uma cor nova, um tom mais escuro que o dourado no distintivo de Harper. Havia cortinas de guingão amarelo de padronagem xadrez. Sofás com travesseiros de penas. Lampiões a querosene antigos adaptados para lâmpadas elétricas.

— Posso oferecer a vocês um café? — perguntou Alison Lamarr.

— Estou bem, obrigada — disse Harper.

— Sim, por favor — disse Reacher.

Ela os guiou pela cozinha, que tomava um quarto do primeiro andar, na parte traseira. Era um espaço atraente, de piso encerado, polido até brilhar, armários novos em madeira, sem ostentação, um grande fogão, uma série de máquinas reluzentes para lavar roupa e louça, dispositivos elétricos na bancada, mais guingão amarelo nas janelas. Uma reforma cara, imaginou ele, mas destinada a impressionar apenas a proprietária.

— Creme e açúcar? — perguntou ela.

— Só café puro — disse ele.

Ela era de meia altura, morena, e andava com o gingado de uma mulher em forma, musculosa. Seu rosto era franco e amistoso, bronzeado como se ela morasse ao ar livre e suas mãos estavam gastas, como se tivesse instalado sua própria cerca sozinha. Ela cheirava a perfume cítrico e estava vestida em brim limpo e cuidadosamente passado. Usava botas de caubói com enfeites e solas limpas. Dava a impressão de que tinha caprichado para receber visitas.

Ela se serviu de café de uma máquina numa caneca. Entregou a caneca a Reacher e sorriu. O sorriso era uma mistura de coisas. Talvez ela estivesse solitária. Mas isso provava que não havia relação de sangue com sua irmã de criação. Era um sorriso prazeroso, interessado, amistoso, sorria de um jeito que Julia Lamarr não fazia ideia de que existia. Chegava a seus olhos, que eram escuros e límpidos. Reacher era um conhecedor de olhos, e ele avaliava que esses dois eram mais do que aceitáveis.

— Posso dar uma olhada em volta? — perguntou ele.

— Verificação de segurança? — disse ela.

Ele fez que sim.

— Acho que sim.

Caçada às Cegas

— Fique à vontade.

Ele levou consigo seu café. As duas mulheres permaneceram na cozinha. A casa tinha quatro quartos no primeiro andar, entrada, cozinha, sala de visitas, sala de estar. O lugar inteiro era construído com madeira sólida. As reformas foram de excelente qualidade. Todas as janelas eram duplas e novas, com proteção contra temporais em armações de madeira pesada. O tempo estava frio o bastante para que as telas tivessem sido retiradas e fossem guardadas. Cada janela tinha uma chave. A porta da frente era original, pinho antigo, cinco centímetros de largura com efeito envelhecido, parecendo aço. Grandes dobradiças e um modelo de fechadura externa de ferro fundido. Havia um corredor nos fundos com uma porta de semelhante espessura e aspecto de época. Mesma fechadura.

Do lado de fora havia canteiros de plantas espessas com espinhos que ele imaginava terem sido escolhidas por sua resistência ao vento, mas serviam bem ao propósito de impedir que alguém ficasse tentando entrar pelas janelas. Havia uma porta de ferro do porão com um grande cadeado atrelado aos pegadores. A garagem era um celeiro satisfatório, de manutenção não tão boa quanto a da casa, mas não a ponto de estar caindo aos pedaços. Havia um Cherokee novo estacionado nela e uma pilha de caixas de papelão provando que as reformas tinham sido recentes. Havia uma máquina de lavar roupas nova, ainda na caixa. Uma bancada com serras e furadeiras elétricas armazenadas organizadamente numa prateleira sobre ela.

Ele voltou para a casa e subiu as escadas. As mesmas janelas do resto do lugar. Quatro quartos. O de Alison era claramente o dos fundos, à esquerda, de frente para o campo vazio até onde os olhos conseguiam ver. Ficava escuro nas manhãs, mas os crepúsculos eram espetaculares. Havia um novo banheiro social, roubando espaço do quarto ao lado. Ele tinha um vaso sanitário, uma pia e um chuveiro. E uma banheira.

Ele desceu até a cozinha. Harper estava à janela, olhando a vista. Alison Lamarr estava sentada à mesa.

— Tudo bem? — perguntou ela.

Reacher fez que sim.

— Parece bom para mim. Você mantém as portas fechadas?

— Agora, sim. Julia reclamou muito sobre isso. Tranco as janelas, tranco as portas, uso o olho mágico, pus o número da polícia na discagem rápida.

— Então você deve ficar bem — disse Reacher. — Esse cara não gosta de derrubar portas, ao que parece. Não abra para ninguém, e nada pode dar errado.

Ela concordou.

— Foi o que imaginei. Você precisa me fazer perguntas agora?

— Foi por isso que me mandaram aqui, acho.

Ele se sentou ao lado dela. Concentrado nas máquinas brilhantes do outro lado da sala, tentando desesperadamente pensar em algo inteligente para dizer.

— Como está seu pai? — perguntou ele.

— É isso que quer saber?

Ele deu de ombros.

— Julia mencionou que ele estava doente.

Ela concordou, surpresa.

— Ele está doente há dois anos. Câncer. Agora está morrendo. Quase morto, só resistindo dia após dia. Está no hospital em Spokane. Vou lá todas as tardes.

— Sinto muito.

— Julia devia aparecer. Mas ela fica sem jeito com ele.

— Ela não viaja de avião.

Alison fez uma careta.

— Ela podia superar isso, só uma vez em dois anos. Mas ela fica toda perturbada com essa coisa de segunda família, como se realmente importasse. Para mim, ela é minha irmã, pura e simplesmente. E irmãs cuidam uma da outra, não é? Ela devia saber disso. Ela vai se tornar minha única parente. Vai ser a pessoa viva mais próxima de mim, pelo amor de Deus.

—- Bem, sinto muito quanto a isso também.

Ela encolheu os ombros.

Caçada às Cegas

— Neste momento, isso não é tão importante. Como posso ajudá-lo?

— Você tem alguma ideia de quem esse cara possa ser?

Ela sorriu.

— Essa é uma pergunta bem básica.

— É uma questão fundamental. Tem algum palpite?

— É algum homem que pensa que é aceitável assediar mulheres. Ou talvez *não exatamente* aceitável. Pode ser algum cara que só pensa que os efeitos colaterais devem ser mantidos em segredo.

— E existe essa opção? — perguntou Harper. Ela se sentou ao lado de Reacher.

Alison olhou para ela.

— Não sei ao certo. Não tenho certeza de que haja algum denominador comum. Ou você se cala ou acaba se tornando um escândalo público.

— Você procurou o denominador comum?

Ela fez um gesto negativo com a cabeça.

— Sou a prova viva do que acontecia. Só que fiquei furiosa. Não havia denominador comum *ali*. Pelo menos, eu não conseguia ver nenhum.

— Quem era o cara? — perguntou Reacher.

— Um coronel chamado Gascoigne — disse ela. — Ele sempre vinha com a conversa-fiada de ir falar com ele se algo estivesse me incomodando. Fui falar com ele depois de ter sido transferida de função. Encontrei-o cinco vezes. Não estava defendendo a causa feminista ou algo assim. Não era uma coisa política. Só queria algo mais interessante para fazer. E francamente achava que o Exército estava desperdiçando um bom soldado Porque eu era boa.

Reacher assentiu.

— Então o que foi que aconteceu com Gascoigne?

Alison suspirou.

— Não previ — disse ela. — A princípio, achei que ele estivesse só de brincadeira.

Ela fez uma pausa. Desviou o olhar.

— Ele disse que eu devia tentar da próxima vez sem o meu uniforme — continuou ela. — Achei que ele estivesse marcando um encontro, sabe,

encontrá-lo na cidade, algum bar, fora do serviço, à paisana. Mas depois ele deixou claro que não, ele queria dizer ali mesmo no escritório, sem as roupas.

Reacher fez um sinal com a cabeça.

— Não é uma sugestão muito legal.

Ela fez outra careta.

— Bem, ele levou a este ponto de maneira bem devagar, como se estivesse brincando a respeito, a princípio. Era como se estivesse flertando. Eu quase não *percebi*, sabe? Tipo, ele é um homem, sou uma mulher, não é uma grande surpresa, é? Mas ele percebeu claramente que eu não estava entendendo a mensagem, então, do nada, ele se tornou obsceno. Ele descrevia o que eu teria de fazer, sabe? Um pé em cada canto da mesa, mãos atrás da cabeça, sem se mover por trinta minutos. Depois me curvar, sabe? Como num filme pornô. Foi então que percebi *de verdade*, furiosa, tudo numa fração de segundo, e simplesmente perdi o controle.

Reacher fez um sinal com a cabeça.

— E você o denunciou?

— Claro que sim.

— Como ele reagiu?

Ela sorriu.

— Mais do que qualquer outra coisa, ele ficou confuso. Tenho certeza de que era algo que tinha feito muitas vezes antes e saído ileso. Acho que ficou meio surpreso de que as regras tivessem mudado para ele.

— Ele poderia ser o assassino?

Ela fez um gesto negativo com a cabeça.

— Não. Esse sujeito é implacável, não é? Gascoigne não era assim. Era um homem velho e triste. Cansado e ineficiente. Julia diz que esse cara é excêntrico. Não consigo imaginar Gascoigne tendo esse tipo de *iniciativa*, sabe?

Reacher assentiu novamente.

— Se o perfil da sua irmã estiver correto, esse é provavelmente um homem de algum ponto no passado.

Caçada às Cegas 177

— Certo — disse Alison. — Talvez não relacionado a nenhum incidente específico. Talvez algum tipo de observador distante, que se tornou um vingador.

— Se o perfil de Julia estiver correto — repetiu Reacher.

Houve um curto silêncio.

— Um grande *se* — disse Alison.

— Você tem dúvidas?

— Você sabe que tenho — respondeu ela. — E sei que você tem também. Porque nós dois sabemos as mesmas coisas.

Harper chegou para a frente no assento.

— Do que vocês estão falando?

Alison fez uma pausa.

— Simplesmente não consigo imaginar um soldado se dando a todo esse *trabalho*, não por essa questão. Simplesmente não funciona assim. O Exército muda as regras *o tempo inteiro*. Volte cinquenta anos e tudo bem atormentar negros, depois não mais. Era aceitável atirar em bebês amarelos, depois, não mais. Um milhão de coisas assim. Centenas de homens foram presos um depois do outro, por algum novo crime inventado. Truman integrou o Exército, e ninguém começou a matar os negros que registravam reclamações. Isso é algum tipo de reação *nova*. Não consigo entender.

— Talvez haja algo mais elementar na oposição entre homens e mulheres — falou Harper.

Alison concordou.

— Talvez seja isso. Realmente não sei. Mas no final das contas, como diz a Julia, o grupo alvo é muito específico, *tem* que ser um soldado. Quem mais conseguiria sequer nos *identificar*? Mas é um soldado muito estranho, isso com toda a certeza. Diferente de qualquer um que eu tenha conhecido.

— Mesmo? — disse Harper. — Ninguém mesmo? Nenhuma ameaça, nenhum comentário, enquanto tudo estava acontecendo?

— Nada significativo. Nada mais do que a conversa-fiada casual. Nada de que eu me lembre. Cheguei a viajar de avião até o Quantico e deixar

Julia me hipnotizar, para o caso de haver algo escondido profundamente, mas ela disse que não revelei nada.

Silêncio novamente. Harper limpou migalhas imaginárias da mesa e fez um sinal com a cabeça.

— Tudo bem. Viagem perdida, não é?

— Lamento, pessoal — disse Alison.

— Nada nunca é perdido — disse Reacher. — Negativas podem ser úteis também. E o café estava ótimo.

— Quer mais?

— Não, ele não quer, não — respondeu Harper. — Precisamos voltar.

— Tudo bem.

Ela se levantou e os seguiu para a saída da cozinha. Atravessou o hall e abriu a porta da frente.

— Não deixe ninguém entrar — disse Reacher.

Alison sorriu.

— Não pretendo.

— Falo sério — disse Reacher. — Ao que parece, não há força envolvida. O sujeito simplesmente entra. Então talvez você o conheça. Ou seja, algum tipo de trapaceiro, com algum tipo de desculpa plausível. Não caia nessa.

— Não pretendo — repetiu ela. — Não se preocupe comigo. E me ligue se precisar de alguma coisa. Durante as tardes, estarei no hospital, pelo tempo que for preciso, mas qualquer outro horário é bom para mim. E boa sorte.

Reacher seguiu Harper pela porta da frente, até o caminho de xisto. Eles ouviram a porta se fechar atrás deles, e, depois, o som estridente do giro da fechadura.

O homem do escritório local do FBI economizou para eles duas horas de voo indicando que eles podiam embarcar em Spokane até Chicago e depois fazer uma escala para Washington. Harper fez o procedimento com as passagens e descobriu que ficavam mais caras, que era provavelmente o motivo do setor de viagens de Quantico não ter reservado assim desde

Caçada às Cegas 179

o princípio. Mas ela mesma autorizou a quantia extra e decidiu discutir depois. Reacher a admirava por isso. Ele gostava de impaciência e não estava interessado em mais duas horas no Cessna. Então eles mandaram o homem de Seattle voltar para o oeste sozinho e embarcaram num Boeing para Chicago. Dessa vez não houve *upgrade* porque o avião só tinha classe econômica. Ele os pôs bem perto um do outro, cotovelos e coxas se tocando o tempo inteiro.

— Então, o que você acha? — perguntou Harper.

— Não sou pago para achar — disse Reacher. — Na verdade, até agora não estou sendo pago. Sou um consultor. Assim, você me faz perguntas e eu as respondo.

— Eu fiz uma pergunta. Perguntei o que você acha.

Ele deu de ombros.

— Acho que é um grande grupo alvo e três delas estão mortas. Vocês não podem protegê-las, mas se as outras oitenta e oito fizerem o que Alison Lamarr está fazendo, elas devem ficar bem.

— Você acha que trancar portas é suficiente para deter esse homem?

— Ele escolhe seu próprio *modus operandi*. Ao que parece, não toca em nada. Se elas não abrirem a porta para ele, o que ele vai fazer?

— Talvez mudar seu *modus operandi*.

— Caso isso aconteça, vocês vão pegá-lo, porque ele vai acabar deixando algumas provas concretas.

Ele se virou para olhar pela janela.

— É isso? — disse Harper. — Devíamos apenas dizer às mulheres para trancar as portas?

Ele assentiu.

— Acho que deviam alertá-las, sim.

— Isso não leva à captura do criminoso.

— Vocês não podem capturá-lo.

— Por que não?

— Por causa dessa bobagem de perfis. Não estão levando em conta o quanto ele é inteligente.

Ela fez um gesto negativo com a cabeça.

— Sim, estamos. Vi o perfil. Ele diz que se trata de alguém muito inteligente. E perfis funcionam, Reacher. Essas pessoas tiveram alguns êxitos espetaculares.

— Entre quantos fracassos?

— O que quer dizer?

Reacher se virou novamente para encará-la.

— Imagine que estou na posição de Blake. Ele é de fato um detetive de homicídios em âmbito nacional, certo? Consegue ouvir sobre tudo. Então, imagine que eu seja ele, sendo notificado sobre cada homicídio nos Estados Unidos. Imagine que todas as vezes eu dissesse que o suspeito provavelmente era um homem branco, de trinta e cinco anos, perna de madeira, pais divorciados, que dirige uma Ferrari azul. Todas as vezes. Mais cedo ou mais tarde, eu teria razão. A lei das médias funcionaria para mim. Então eu poderia gritar, *ei, eu tinha razão*. Contanto que permanecesse calado sobre as dez mil vezes em que estive errado. Minha imagem fica muito boa, né? Dedução impressionante.

— Isso não é o que Blake está fazendo.

— Não é? Você já leu coisas sobre a unidade dele?

Ela fez que sim.

— É claro que li. Foi por isso que me candidatei a esta tarefa. Há todo tipo de livros e artigos.

— Também os li. Capítulo um, caso de sucesso. Capítulo dois, caso de sucesso. E assim por diante. Nenhum capítulo sobre todas as vezes em que eles estavam errados. Faz com que me pergunte quantas vezes teriam sido. Meu palpite é que foram muitas vezes. Vezes demais para querer escrever sobre elas.

— Então o que você está querendo dizer?

— Estou querendo dizer que uma abordagem dispersa sempre vai deixar uma boa impressão, contanto que você dirija os holofotes para os sucessos e varra os fracassos para debaixo do tapete.

— Não é isso que eles estão fazendo.

Ele concordou.

Caçada às Cegas 181

— Não, não é. Não exatamente. Eles não estão apenas adivinhando. Estão tentando trabalhar com os dados. Mas não é uma ciência exata. Não é rigorosa. E eles são uma unidade dentre muitas, lutando por status, financiamento e posição. Você sabe como as organizações funcionam. Eles têm as audiências de orçamento agora. O primeiro, o segundo e o terceiro dever é proteger a si mesmos contra os cortes anunciando seus sucessos e escondendo os fracassos.

— Então você acha que o perfil não serve para nada?

Ele fez que sim.

— Sei que não serve para nada. Ele tem falhas internas. Ele faz duas afirmações incompatíveis.

— Que afirmações são essas?

Ele fez um gesto negativo com a cabeça.

— Não há trato, Harper. Não até que Blake peça desculpas por ter ameaçado Jodie e tire Julia Lamarr do caso.

— Por que ele faria isso? Ela é a melhor analista de perfis que ele tem.

— Exato.

O homem da oficina estava no National Airport em Washington, D.C. para buscá-los. Era tarde quando eles chegaram de volta ao Quantico. Julia Lamarr os encontrou, sozinha. Blake estava numa reunião de orçamento. Poulton já tinha ido para casa.

— Como estava ela? — perguntou Lamarr.

— Sua irmã?

— Filha do meu padrasto.

— Ela estava bem — respondeu Reacher.

— Como é a casa dela?

— Segura — disse ele. — Bem trancada, como o Fort Knox.

— Mas isolada, não é?

— Muito isolada — disse ele.

Ela fez que sim. Ele aguardou.

— Então ela está bem? — disse ela.

— Ela quer que você a visite — respondeu ele.

Ela fez um gesto negativo com a cabeça.
— Não posso. Ia precisar de uma semana para chegar lá.
— Seu pai está morrendo.
— Meu padrasto.
— Que seja. Ela acha que você devia ir até lá.
— Não posso — repetiu ela. — Ela ainda está igual?
Reacher deu de ombros.
— Não sei como ela era antes. Só a conheci hoje.
— Vestida como um caubói, bronzeada, bonita e com jeito de esportista?
— Acertou.
Ela fez que sim, de modo vago.
— Diferente de mim.
Ele a examinou. Seu terno preto barato estava empoeirado e amassado, e ela estava pálida, magra e rígida. A boca estava virada para baixo. Os olhos estavam vazios.
— É, diferente de você — disse ele.
— Eu lhe disse — disse ela. — Sou a irmã feia.
Ela saiu andando sem falar mais nada. Harper levou-o até o restaurante e eles cearam juntos. Depois, ela o acompanhou até o quarto dele, e trancou-o lá dentro sem dizer uma palavra. Ele ouviu o som dos passos dela diminuir no corredor, despiu-se e tomou um banho. Depois, ele deitou na cama, pensando, com esperança. E aguardando. Acima de tudo, aguardando. Aguardando a manhã.

13

MANHÃ VEIO, MAS ERA A MANHÃ ERRADA. ELE soube disso assim que chegou ao restaurante. Ele já estava acordado e aguardando trinta minutos antes de Harper aparecer. Ela destrancou a porta e entrou de um jeito casual, com aparência elegante e renovada, usando o mesmo terno do primeiro dia. Estava na cara que ela possuía três ternos e os vestia num revezamento rígido. Três ternos eram o bastante, imaginou ele, considerando o provável salário dela. Eram três ternos a mais do que ele tinha, porque era um salário inteiro a mais do que ele tinha.

Eles desceram juntos pelo elevador e andaram entre os prédios. O campus inteiro estava muito silencioso, com jeito de fim de semana. Ele percebeu que era domingo. O tempo estava melhor. Não estava mais quente, mas o sol tinha saído e não chovia. Teve esperanças, por um momento, de que isso fosse um sinal de que este era seu dia. Mas não era. Ele soube disso assim que entrou no restaurante.

Blake estava na mesa perto da janela, sozinho. Havia uma jarra de café, três canecas com a boca virada para baixo, uma cesta de creme e açúcar, outra de pães doces e *donuts*. A má notícia era a pilha de jornais de domingo, abertos, lidos e espalhados, com o *Washington Post* e o *USA Today*, e, pior de tudo, o *The New York Times* bem visíveis ali. O que significava que não havia notícia de Nova York. O que significava que ainda não tinha funcionado, o que significava que ele teria de continuar esperando até que funcionasse.

Com três pessoas na mesa em vez de cinco, havia mais espaço para os cotovelos. Harper sentou-se em frente a Blake, e Reacher se sentou em frente a ninguém. Blake tinha uma aparência envelhecida, cansada e muito tensa. Ele parecia doente. O sujeito era um infarto iminente. Mas Reacher não sentiu nenhuma empatia por ele. Blake tinha violado as regras.

— Hoje você trabalha nos arquivos — disse Blake.

— Tanto faz — disse Reacher.

— Eles estão atualizados com o material de Lorraine Stanley. Então, você precisa passar o dia de hoje analisando-o e pode nos informar suas conclusões na reunião matinal de amanhã. Entendido?

Reacher fez que sim.

— Perfeitamente.

— Algo de imediato que eu deva saber?

— O que de imediato?

— Conclusões iniciais. Já tem alguma ideia?

Reacher olhou para Harper. Era esse o ponto em que um agente leal informaria seu chefe sobre suas objeções. Mas ela não disse nada. Só ficou olhando para baixo e se concentrou em mexer o café.

— Deixe-me ler os arquivos — disse ele. — É cedo demais para dizer qualquer coisa agora.

Blake assentiu.

Caçada às Cegas 185

— Temos dezesseis dias. Precisamos começar a fazer algum progresso significativo.

Reacher assentiu de volta.

— Entendi. Talvez amanhã a gente tenha algumas boas notícias.

Blake e Harper olharam para ele como se tivesse dito uma coisa esquisita. Depois, pegaram o café, os pães doces, os donuts e partes dos papéis e demoraram-se ali, como se tivessem tempo a perder. Era domingo e a investigação estava parada. Isso estava claro. Reacher reconheceu os sinais. Por mais urgente que uma coisa seja, chega um ponto em que não se tem mais lugares para ir. A urgência se extingue e você fica sentado no mesmo lugar como se tivesse todo o tempo do mundo, enquanto o mundo continua enfurecido à sua volta.

Depois do café da manhã, Harper o levou para uma sala praticamente igual a que ele imaginara enquanto chacoalhava no Cessna. Ficava acima do térreo, era silenciosa, cheia de leves mesas de carvalho e confortáveis cadeiras almofadadas com superfície de couro. Havia uma parede com janelas e o sol brilhava do lado de fora. A única coisa negativa era que uma das mesas continha uma pilha de arquivos de trinta centímetros de altura. Eram pastas azul-escuras com a inscrição FBI impressa em letras amarelas.

A pilha estava dividida em três maços, cada um deles preso com um elástico grosso. Ele os depositou na mesa, lado a lado. Amy Callan, Caroline Cooke, Lorraine Stanley. Três vítimas, três maços. Ele verificou o relógio. Dez e vinte e cinco. Um início tardio. O sol estava esquentando a sala. Ele sentiu preguiça.

— Você não tentou ligar para Jodie — disse Harper.

Ele fez um gesto negativo com a cabeça e não disse nada.

— Por que não?

— Não adianta. Está na cara de que ela não está lá.

— Talvez ela tenha ido para sua casa. Onde o pai dela morava.

— Talvez — disse ele. — Mas duvido. Ela não gosta de lá. Muito isolado.

— Você tentou ligar?

Ele fez um gesto negativo com a cabeça.

— Não.

— Está preocupado?

— Não posso me preocupar com algo que não posso mudar.

Ela nada disse. Houve silêncio. Ele puxou um arquivo.

— Você lê essas coisas? — perguntou ele.

Ela assentiu.

— Todas as noites. Leio os arquivos e os sumários.

— Alguma coisa neles?

Ela olhou para os maços, cada um deles com dez centímetros de altura.

— Muita coisa.

— Algo importante?

— Isso você decide — disse ela.

Ele fez que sim, com relutância e puxou o elástico do arquivo de Callan, retirando-o. Abriu o arquivo. Harper tirou o paletó e sentou-se de frente para ele. Arregaçou as mangas da camisa. O sol estava incidindo diretamente atrás dela e tornava sua camisa transparente. Ele conseguia ver a curva externa do seio dela. Ela se avolumava levemente na tira de seu coldre de ombro e abaixava em sua cintura lisa. E se movia levemente quando ela falava.

— Ao trabalho, Reacher — disse ela.

Esta é a hora tensa. Você passa de carro, nem devagar, nem rápido, olha cuidadosamente, mantém-se na estrada um pouco, depois para, faz a curva e volta. Estaciona no meio-fio, deixando o carro na direção certa. Desliga o motor. Tira as chaves e as coloca no bolso. Veste suas luvas. Está frio do lado de fora, logo, as luvas vão ter uma aparência normal.

Você sai do carro. Não se mexe por um instante, ouvindo com atenção e, depois, faz um círculo completo, devagar, novamente de olho. Esta é hora tensa. Este é o momento em que você deve decidir: desistir ou prosseguir.

Caçada às Cegas

Pense, pense, pense. Você mantém as coisas sem emoção. É só uma avaliação operacional, no fim das contas. Seu treinamento ajuda.

Você decide prosseguir. Fecha a porta do carro, sem fazer ruído. Anda até o acesso de veículos. Anda até a porta. Você bate. Fica imóvel lá. A porta se abre. Ela deixa você entrar. Ela está feliz em ver você. Um pouco surpresa, a princípio, depois, encantada. Ela não vê você há séculos, desde outra vida. Vocês conversam por um momento. Você continua conversando, até que o momento seja certo. Você conhece o momento, quando ele chega. Você continua conversando.

Chega o momento. Você fica imóvel por um instante, testando-a. Passa a agir. Você explica que ela tem de fazer exatamente o que lhe disser. Ela concorda, é claro, porque não tem escolha. Você diz a ela que gostaria que parecesse que ela está se divertindo enquanto faz. Você explica que isso tornará a coisa toda mais prazerosa para você. Ela assente com alegria, disposta a agradar. Ela sorri. O sorriso é forçado e artificial, o que estraga de certa forma as coisas, mas não pode ser evitado. Alguma coisa é melhor que nada.

Você faz com que ela lhe mostre o banheiro social. Ela fica parada lá como um corretor de imóveis, mostrando-o. A banheira é boa. É como muitas banheiras que você já viu. Você diz a ela para trazer a tinta para dentro. Você a supervisiona por todo o caminho. São necessárias cinco viagens, para dentro e para fora da casa, subindo e descendo as escadas. Há muita coisa para carregar. Ela está respirando de modo pesado com a exaustão. Está começando a suar, muito embora o tempo no outono seja frio. Você lhe lembra sobre o sorriso. Ela o coloca de volta no lugar. Parece mais uma careta.

Você lhe diz para encontrar algo para abrir as tampas das latas. Ela assente feliz e lhe conta sobre uma chave de fenda na gaveta da cozinha. Você anda com ela. Ela abre a gaveta e encontra a chave de fenda. Você caminha com ela de volta para o banheiro. Você lhe diz para remover as tampas, uma a uma. Ela está calma. Ela se ajoelha ao lado da primeira lata. Põe a ponta da chave de fenda debaixo da borda de metal da tampa e move-a suavemente para cima. Ela trabalha nela num círculo. A tampa se abre, com um sopro. O cheiro químico da tinta preenche o ar.

Ela prossegue, então, com a próxima lata. Depois a próxima. Ela está trabalhando duro. Trabalhando veloz. Você diz a ela para ter cuidado. Qualquer sujeira que haja, ela será punida. Você lhe diz para sorrir. Ela sorri. Ela trabalha. A última tampa sai.

Você puxa o saco de lixo dobrado do bolso. Diz para ela colocar as roupas dela lá. Ela fica confusa. Que roupas? As roupas que você está vestindo, você diz. Ela faz que sim e ri. Tira os sapatos. O peso deles estica a sacola dobrada. Ela está usando meias. Ela as retira e as joga na sacola. Desabotoa o jeans. Pula de um pé para o outro, tirando a calça. Ela vai para a sacola. Ela desabotoa a camisa, mexe os ombros para retirá-la e a deixa cair na sacola. Ela leva a mão às costas e mexe no fecho do sutiã. Depois, o retira. Seus seios estão balançando livres. Ela corre a calcinha para baixo, faz uma bola com ela e o sutiã e os joga na sacola. Está nua. Você diz para ela sorrir.

Você a manda carregar a sacola até a porta da frente. Anda atrás dela. Ela escora a sacola na porta. Você a leva de volta para o banheiro. Você a manda esvaziar as latas na banheira, devagar, cuidadosamente, uma a uma. Ela se concentra, com a língua entre os dentes. As latas são pesadas e ruins de carregar. A tinta é viscosa. Tem um cheiro forte. A tinta corre devagar para dentro da banheira. O nível da tinta vai subindo, verde e oleoso.

Você diz a ela que ela fez um bom trabalho. Que está feliz. A tinta está na banheira e não há pingos em lugar nenhum. Ela sorri, encantada pelo elogio. Então, você diz a ela que a próxima parte é mais difícil. Ele precisa levar as latas vazias de volta para onde as pegou. Mas agora ela está nua. Então, precisa se certificar de que ninguém a veja. E precisa correr. Ela faz que sim com a cabeça. Você diz a ela que as latas estão vazias, pesam menos e, por isso, ela pode carregar mais em cada viagem. Ela faz que sim de novo. Ela entende. Ela as entrelaça nos dedos, cinco latas vazias em cada mão. Ela as carrega para baixo. Você manda que ela espere. Abre a porta suavemente e verifica. Olha e ouve. Você a manda sair. Ela percorre todo o caminho até lá e recoloca as latas. Ela corre por todo o caminho de volta, com os seios balançando. Está frio do lado de fora.

Você diz a ela para ficar parada e prender a respiração. Você lembra a ela sobre o sorriso. Ela balança a cabeça, como quem pede desculpas e volta *com a careta. Você a leva para cima até o banheiro. A chave de fenda ainda está no chão. Você a pede para pegá-la. Você lhe diz para deixar marcas no rosto com ela. Ela está confusa. Você explica. Arranhões profundos são suficientes, você lhe diz. Três ou quatro deles. Profundos o suficiente para sangrar. Ela sorri e faz que sim com a cabeça. Ergue a chave de fenda. Arranha de cima para baixo no lado esquerdo do rosto, com a lâmina virada de forma que afunde a ponta. Uma linha vermelha arroxeada aparece, com dez centímetros de comprimento. Faça a próxima com mais força, você diz. Ela faz que sim. A próxima linha sangra. Bom, você diz. Faça outra. Ela arranha outra. E mais outra. Bom, você diz. Agora, faça a última com muita força. Ela faz que sim e sorri. Arrasta a lâmina de cima para baixo. A pele se rasga. O sangue jorra. Boa garota, você diz.*

Ela ainda está segurando a chave de fenda. Você lhe diz para entrar na banheira, devagar e com cuidado. Ela coloca o pé direito dentro da banheira. Depois o esquerdo. Ela está de pé na tinta, que vai até suas canelas. Você lhe diz para se sentar, devagar. Ela se senta. A tinta ultrapassa a cintura dela. Está tocando a parte inferior dos seios. Você lhe diz para deitar, devagar e com cuidado. Ela escorrega para dentro da tinta. O nível se eleva, cinco centímetros abaixo da borda da banheira. Agora você sorri. Exatamente como tinha de ser.

Você lhe diz o que fazer. Ela não compreende a princípio, porque é uma coisa muito estranha de se pedir. Você explica com cuidado. Ela faz que sim. Os cabelos dela estão espessos com a tinta. Ela escorrega para baixo. Agora, apenas seu rosto está visível. Ela inclina a cabeça para trás. Seus cabelos flutuam. Ela usa os dedos para ajudá-la. Eles estão brilhosos e pingam de tinta. Ela faz exatamente o que lhe foi mandado. Ela acerta de primeira. Os olhos dela se abrem com o pânico, e então ela morre.

Você espera cinco minutos, apenas se inclinando sobre a banheira, sem tocar em nada. Depois, você faz a única coisa que ela não pode fazer por si mesma. Isso deixa tinta na sua luva direita. Em seguida você pressiona a testa dela para baixo com a ponta de um dedo e ela escorrega para baixo da superfície. Você tira sua luva direita. Verifica a esquerda. Está bem. Você põe sua mão direita no bolso por segurança e a mantém lá. Essa é a única vez que suas impressões digitais ficam expostas.

Você carrega a luva suja na mão esquerda e desce as escadas em silêncio. Joga a luva no saco de lixo com as roupas dela. Abre a porta. Ouve e observa. Carrega o saco para fora. Vira e fecha a porta atrás de si. Caminha pelo acesso de veículos até a estrada. Faz uma parada atrás do carro e joga a luva limpa também no saco. Abre a tampa da mala e coloca o saco dentro da mala. Abre a porta e entra suavemente atrás do volante. Tira as chaves do bolso e dá partida no motor. Afivela o cinto e verifica o espelho. Dirige para longe, nem devagar nem rápido.

O arquivo de Callan começava com um resumo de sua carreira militar. A carreira tivera quatro anos de duração e o resumo, quarenta e oito linhas de texto. O próprio nome de Reacher era mencionado uma vez, relacionado ao desastre do final. Ele descobriu que se lembrava dela muito bem. Ela fora uma mulher pequena, curvilínea, alegre e feliz. Ele imaginava que ela tinha integrado o Exército sem nenhuma ideia clara do *porquê*. Havia um tipo definido de pessoa que segue o mesmo caminho. Talvez por ser de uma grande família, não se sentir mal em dividir, bom em esportes e com petente nos estudos sem ser erudito, esse grupo fosse simplesmente levado a isso. Eles veem como uma extensão do que já sabem. Provavelmente não se veem como combatentes, mas sabem que, para cada pessoa que segura uma arma, o Exército oferece cem outros nichos nos quais há ofícios a serem aprendidos e qualificações a serem obtidas.

Callan tinha passado o treinamento básico e ido direto para os almoxarifados e arsenais militares. Em vinte meses, ela se tornou sargento. Mexia com papéis e enviava remessas por todo o mundo mais ou menos como seus contemporâneos no país, exceto que as suas eram armas e cartuchos em vez de tomates, sapatos ou automóveis. Ela trabalhou em Fort Withe, perto de Chicago, num armazém coberto de cheiro de óleo lubrificante, para limpeza de armas e de barulho de caminhões chacoalhando. Tinha ficado contente a princípio, mas depois a brincadeira ficou pesada demais, e o capitão e o major tinham começado a passar dos limites, falar obscenidades e buscar contato físico. Ela não era nenhuma puritana, mas as apalpadelas e os olhares lascivos por fim a levaram à sala de Reacher.

Em seguida, depois de dar baixa, foi para Flórida, para um balneário no Atlântico a sessenta quilômetros ao norte, onde já não era caro demais. Ela se casou lá, separou-se lá, viveu lá por um ano, e morreu lá. O arquivo estava cheio de anotações e fotografias sobre onde e quase nada sobre como. A casa dela era moderna e se encolhia sob um telhado laranja. As fotografias da cena do crime não mostravam nenhum dano a nenhuma das portas ou janelas, nem desordem no interior da casa. Mostravam um banheiro de azulejos brancos com uma banheira cheia de tinta verde e uma forma indeterminada brilhosa flutuando nela.

A autópsia não mostrou coisa alguma. A tinta era projetada para ser resistente e à prova d'água e tinha uma estrutura molecular projetada para se apegar e penetrar qualquer coisa em que fosse aplicada. Ela cobria cem por cento da área externa do corpo e tinha penetrado nos olhos, nariz, boca e garganta. Removê-la causava a remoção da pele. Não havia indício de hematomas ou trauma. A toxicologia era clara. Nenhuma injeção de fenol no coração. Nem embolia gasosa. Há muitas formas inteligentes de matar uma pessoa — e os legistas da Flórida conheciam todas — e eles não conseguiram encontrar nenhum indício de nenhuma delas.

— E então? — disse Harper.

Reacher deu de ombros.

— Callan tinha sardas. Me lembro disso. Um ano no sol da Flórida, ela deve ter ficado com uma ótima aparência.

— Você gostava dela?

Ele fez que sim.

— Ela era gente boa.

O terço final do arquivo era uma das análises forenses mais exaustivas de cena de crime que ele já tinha visto. A análise era microscópica, literalmente. Cada partícula de poeira ou fibra na casa dela tinha sido aspirada e analisada. Mas não havia indício de nenhum intruso. Nem o menor sinal.

— Um sujeito muito esperto — disse Reacher.

Harper não disse nada em resposta. Ele empurrou a pasta de Callan para um lado e abriu a de Cooke. Ela seguia o mesmo formato de estrutura narrativa condensada. Cooke era diferente de Callan num ponto: era óbvio que ela havia mirado o Exército desde o início. O avô e o pai tinham sido militares, o que cria uma espécie de aristocracia, do modo como certas famílias interpretam as coisas. Ela havia identificado o conflito entre seu gênero e sua escolha de carreira muito cedo, e havia anotações sobre suas exigências para integrar o Corpo de Treinamento de Oficiais da Reserva no ensino médio. Tinha começado suas batalhas cedo.

Tinha sido aspirante a oficial e começou como segundo-tenente. Foi direto para Planejamentos de Guerra, que é onde as pessoas inteligentes perdem tempo presumindo que enquanto a onça bebe água, seus amigos permanecem seus amigos e seus inimigos permanecem seus inimigos. Tinha sido promovida a primeiro-tenente, assumido um posto na OTAN em Bruxelas e começado um relacionamento com seu coronel. Quando não foi promovida a capitã, registrou uma reclamação contra ele.

Reacher lembrava bem. Não houve assédio, certamente não no sentido que Callan tinha suportado. Nenhum estranho a tinha beliscado, apertado ou feito gestos lascivos para ela com canos de arma lubrificados. Mas as regras tinham mudado, de modo que dormir com alguém que se comandava não era mais permitido, então o coronel de Cooke foi demitido e depois se matou. Ela pediu baixa e viajou de volta da Bélgica até uma casa de campo ao lado do lago, em New Hampshire, onde, por fim, foi encontrada morta numa banheira cheia de tinta que se solidificava.

Os legistas de New Hampshire e os cientistas forenses contaram a mesma história que seus colegas da Flórida haviam contado: não havia história. As anotações e as fotografias eram as mesmas, embora diferentes. Uma casa cinza, de cedro, cercada de árvores, uma porta não violada, um interior sem desordem, a decoração rústica do banheiro dominada pelo conteúdo verde denso da banheira. Reacher folheou o arquivo e fechou a pasta.

— O que você acha? — perguntou Harper.

— Acho que a tinta é esquisita — respondeu Reacher.

— Por quê?

Ele deu de ombros.

Caçada às Cegas 193

— É tão *circular*, não é? Ela elimina os indícios nos corpos, o que reduz o risco, mas conseguir a tinta e transportá-las aumenta o risco.

— E é como uma pista deliberada — disse Harper. — Realça o motivo. É uma confirmação conclusiva de que é um homem do Exército. É como uma zombaria.

— Segundo Lamarr, isso tem importância psicológica. Ela diz que ele as está tentando reaver para as Forças Armadas.

Harper concordou.

— Ao tirar as roupas delas também.

— Mas se as odeia tanto a ponto de matá-las, por que ele ia querer reavê-las?

— Não sei. Com um homem assim, como saber como ele pensa?

— Lamarr acha que sabe como ele pensa — disse Reacher.

O arquivo de Lorraine Stanley era o último dos três. Sua história era similar a de Callan, porém mais recente. Ela era mais nova. Tinha sido sargento, a base da hierarquia numa instalação de intendência gigantesca em Utah, a única mulher no lugar. Ela tinha sido importunada desde o primeiro dia. Sua competência tinha sido questionada. Uma noite seu alojamento foi invadido e todas as suas calças da farda foram roubadas. Ela se apresentou para o serviço na manhã seguinte vestindo a saia do uniforme. Na noite seguinte, toda a sua roupa íntima foi roubada. Na manhã seguinte, ela estava vestindo a saia e nada por baixo. Seu tenente a convocou em sua sala. Mandou que ela ficasse de pé descansando no meio da sala, a trinta centímetros de distância de um grande espelho disposto no chão, enquanto gritava com ela por causa de uma confusão burocrática. Toda a folha de pagamento entrava e saía da sala o tempo inteiro, dando uma boa espiada no reflexo no espelho. O tenente terminou no xadrez, e Stanley acabou servindo fora mais um ano, depois foi morar sozinha e morreu sozinha em San Diego, na pequena casa mostrada nas fotografias da cena do crime, na qual os legistas e peritos forenses não encontraram absolutamente nada.

— Quantos anos você tem? — perguntou Reacher.

— Eu? — questionou Harper. — Vinte e nove. Já lhe contei isso. Faz parte das perguntas frequentes.
— Do Colorado, não é?
— Aspen.
— Tem família?
— Duas irmãs, um irmão.
— Mais velhos ou mais novos?
— Todos mais velhos. Sou a caçula.
— Pais vivos?
— Meu pai é farmacêutico, minha mãe o ajuda.
— Vocês tiravam férias quando eram crianças?
Ela fez que sim.
— Claro. Grand Canyon, Painted Desert, tudo isso. Teve um ano que acampamos em Yellowstone
— Foram para lá de carro, não é?
Ela fez que sim de novo.
— Claro. Uma grande van cheia de crianças, tipo de coisa de família feliz. Por que tantas perguntas?
— Com relação às viagens, do que você se lembra?
Ela fez uma careta.
— Elas não terminavam nunca.
— Exato.
— Exato o quê?
— Este país é muito grande.
— E daí?
— Caroline Cooke foi morta em New Hampshire e Lorraine Stanley foi morta três semanas depois em San Diego. Isso é o mais distante possível não é? Talvez cinco mil e seiscentos quilômetros de estrada. Talvez mais.
— Ele está viajando de carro?
Reacher fez que sim.
— Ele tem centenas de galões de tinta para carregar por aí.
— Talvez ele tenha um estoque escondido em algum lugar.
— Isso torna as coisas piores. A menos que esse depósito calhasse de ser numa linha reta entre o lugar em que ele está sediado agora,

New Hampshire *e* o Sul da Califórnia, ele teria de fazer um retorno para buscar a tinta. Isso acrescentaria distância, talvez muita distância.

— E daí?

— E daí que ele tem uma viagem de cinco mil ou seis mil e quinhentos quilômetros pela estrada além do tempo de vigilância de Lorraine Stanley. Será que ele conseguiria fazer isso numa semana?

Harper franziu a testa.

— Digamos setenta a noventa quilômetros por hora.

— Uma média que ele não ia conseguir manter. Ele teria de passar por cidades rurais e por estradas em construção. E ele não ultrapassaria o limite de velocidade. Um homem meticuloso assim não ia arriscar que algum policial rodoviário viesse farejar de perto seu veículo. Centenas de galões de tinta base de camuflagem levantariam alguma suspeita hoje em dia, não é?

— Então digamos que sejam cem horas na estrada.

— Pelo menos. Mais um dia ou dois de vigilância quando ele chega lá. Isso dá mais de uma semana, em termos práticos. São dez ou onze dias. Talvez doze.

— E daí?

— Me diga você.

— Não é um homem que trabalha em turnos de duas semanas de trabalho com uma semana de folga.

Reacher fez que sim.

— Não, não é.

Eles saíram e circundaram o bloco em que ficava o restaurante. O tempo tinha se estabilizado no que o outono deve ser. O ar estava cinco graus mais quente, mas ainda era revigorante. Os gramados eram verdes e o céu era de um azul impressionante. A umidade tinha ido embora e as folhas nas árvores ao redor pareciam secas e dois tons mais claras.

— Estou com vontade de ficar aqui fora — falou Reacher.

— Você precisa trabalhar — disse Harper.

— Li a droga dos arquivos. Lê-los de novo não vai me ajudar em nada. Preciso pensar um pouco.
— Você pensa melhor ao ar livre?
— Geralmente, sim.
— Está bem, venha para o campo de tiro. Preciso receber a qualificação para pistola.
— Você ainda não tem essa qualificação?
Ela sorriu.
— Claro que tenho. Precisamos refazer todos os meses. São as regras.
Eles pegaram sanduíches no restaurante e comeram enquanto andavam. O campo de tiro estava silencioso como um dia de domingo, um grande espaço do tamanho de um rinque de hóquei, com altos muros de terra em três lados. Havia seis baias de tiro separadas, feitas de paredes de concreto até a altura dos ombros, percorrendo todo o caminho até seis alvos distintos. Os alvos eram de papel pesado, presos em estruturas de aço. Cada papel estava impresso com uma imagem de um criminoso inclinada para baixo, com anéis de mira que radiavam de seu coração. Harper se identificou para o chefe do campo de tiro e lhe entregou sua arma. Ele a carregou com seis cartuchos e entregou-a de volta, junto com dois conjuntos de protetores de ouvidos.
— Fique na baia três — disse ele.
A baia três ficava no centro. Havia uma linha preta pintada no chão de concreto.
— Vinte e dois metros — disse Harper.
Ela ficou de frente para o alvo e pôs os protetores auditivos no lugar. Ergueu a arma com as duas mãos. As pernas estavam separadas e os joelhos, levemente curvados. O quadril estava para a frente e os ombros, para trás. Ela lançou os seis tiros numa série, com meio segundo de intervalo entre eles. Reacher observou os tendões da mão dela. Eles estavam apertados, mexendo o cano para cima e baixo ligeiramente a cada vez que ela apertava o gatilho.
— Caminho livre — disse ela.
Ele olhou para ela.

*Caçada às Cegas*197

— Isso significa que você vai até o alvo — disse ela.

Ele esperava ver os tiros organizados numa linha vertical de talvez trinta centímetros de comprimento, e, quando, chegou ao fim da baia, foi exatamente o que encontrou. Havia dois buracos no coração, dois no anel seguinte e dois no anel que liga a garganta ao estômago. Ele desprendeu o papel e trouxe-o de volta.

— Dois cincos, dois quatros, dois três — disse ela. — Vinte e quatro pontos. Passei raspando.

— Você devia usar mais o braço esquerdo — disse ele.

— Como?

— Segure todo o peso com a esquerda, e só use a direita para puxar o gatilho.

Ela fez uma pausa.

— Mostra para mim — disse ela.

Ele ficou perto, atrás dela, e se esticou com o braço esquerdo. Ela ergueu a arma à direita e ele segurou a mão dela com a sua.

— Relaxe o braço — disse ele. — Deixe que eu fico com o peso.

Os braços dele eram longos, mas os dela também eram. Ela se mexeu para trás e se pressionou com força contra ele. Ele se inclinou para a frente. Descansou o queixo no lado da cabeça dela. Os cabelos dela cheiravam bem.

— Tudo bem, deixa solto — disse ele.

Ela apertou o gatilho na câmera vazia algumas vezes. A boca do cano estava firme como uma rocha.

— Parece bom — disse ela.

— Vá pegar mais uns cartuchos.

Ela se separou dele, andou de volta até o cubículo do chefe do campo de tiro e pegou outro pente, parcialmente carregado com seis. Ele mudou para a baia seguinte, na qual havia um novo alvo. Ela o encontrou lá e se aninhou de volta contra ele, erguendo a mão da arma. Ele se aproximou, segurou a mão dela e ficou com o peso. Ela se inclinou para trás contra ele. Deu dois tiros. Ele viu os tiros aparecerem no alvo, talvez uns dois centímetros de distância do anel central.

— Viu só? — disse ele. — Deixe que a esquerda faça o trabalho.

— Isso parece discurso político.

Ela ficou onde estava, inclinada para trás encostada nele. Ele podia sentir o subir e descer da respiração dela. Ele saiu de trás dela, e ela tentou de novo, sozinha. Dois tiros, rápidos. As cápsulas soaram no concreto. Dois outros buracos apareceram no anel do coração. Havia um grupo de quatro, bem próximos, no formato de diamante que um cartão de visita poderia cobrir.

Ela assentiu.

— Quer os dois últimos?

Ela ficou próxima e entregou a ele a pistola, com o cabo virado para ele. Era uma SIG-Sauer, idêntica a que Lamarr tinha apontado para a cabeça dele durante a viagem de carro até Manhattan. Ele ficou de costas para o alvo e sentiu o peso da arma na mão. Depois, girou de repente e atirou as duas balas, uma em cada olho do alvo.

— É assim que eu faria — disse ele. — Se estivesse bem furioso com alguém, é isso que eu ia fazer. Não ia mexer com uma droga de banheira e vinte galões de tinta.

Eles encontraram Blake no caminho de volta à biblioteca. Ele parecia desmotivado e agitado ao mesmo tempo. Havia preocupação em seu rosto. Ele tinha um novo problema.

— O pai de Lamarr morreu — disse ele.

— Padrasto — disse Reacher.

— Que seja. Ele morreu, hoje cedo. O hospital de Spokane ligou procurando por ela. Agora preciso ligar para a casa dela.

— Transmita as nossas condolências — falou Harper.

Blake fez que sim de um jeito vago e foi embora.

— Ele devia tirá-la do caso — disse Reacher.

Harper fez que sim.

— Talvez sim, mas não vai. E de qualquer maneira, ela não ia concordar. O trabalho é tudo que ela tem.

Caçada às Cegas 199

Reacher não disse nada. Harper abriu a porta e o conduziu de volta à sala com as mesas de carvalho, as cadeiras de couro e os arquivos. Reacher se sentou e verificou o relógio. Três e vinte. Talvez mais duas horas de devaneio e quem sabe depois ele poderia comer e escapar para a solidão de seu quarto.

Foram três horas, no fim das contas. E não de devaneio. Ele se sentou e ficou olhando o vazio e pensando muito. Harper o observava, ansiosa. Ele pegou as pastas de arquivo e as organizou na mesa. A de Callan embaixo, à direita. A de Stanley embaixo, à esquerda. A de Cooke em cima à direita, e olhou para elas, refletindo sobre as localizações geográficas novamente. Ele se inclinou para trás e fechou os olhos.

— Está fazendo algum progresso? — perguntou Harper.

— Preciso da lista das noventa e uma mulheres — disse ele.

— Tudo bem — respondeu ela.

Ele aguardou com os olhos fechados e ouviu quando ela saiu da sala. Aproveitou o calor e o silêncio por um longo momento até ela estar de volta. Ele abriu os olhos e a viu se inclinando sobre ele, lhe entregando outro arquivo azul grosso.

— Lápis — disse ele.

Ela recuou até uma gaveta, encontrou um lápis e rolou-o pela mesa até ele. Ele abriu o novo arquivo e começou a ler. O primeiro item era uma impressão do Departamento de Defesa, quatro páginas grampeadas, noventa e um nomes em ordem alfabética. Ele reconheceu alguns deles. Rita Scimeca estava lá, a mulher que ele mencionara para Blake. Ela estava ao lado de Lorraine Stanley. Em seguida, havia uma lista correspondente com os endereços, a maioria deles obtida pela empresa de seguro de saúde do Departamento da Reserva ou por instruções de encaminhamento de correspondência. Scimeca morava no Oregon. Havia um maço grosso de informações de histórico. Relatórios de inteligência depois da baixa no Exército, extensas para algumas das mulheres, esboçadas para outras, mas tudo suficiente para uma conclusão básica. Reacher folheou de frente para trás as páginas e passou a trabalhar com o lápis; vinte minutos mais tarde somou as marcas que fez.

— Eram onze mulheres — disse ele. — Não noventa e uma.
— Eram? — disse Harper.
Ele fez que sim.
— Onze — repetiu ele. — Oito restantes, não oitenta e oito.
— Por quê?
— Por muitos motivos. Noventa e um sempre foi um número absurdo. Quem iria ter como alvo sério noventa e uma mulheres? Cinco anos e três meses? Não dá para acreditar. Um homem esperto assim reduziria a algo factível, como onze.
— Mas como?
— Limitando-se ao que é plausível. Uma subcategoria. O que mais Callan, Cooke e Stanley têm em comum?
— O quê?
— Elas eram sozinhas. De forma certa e inequívoca. Solteiras ou separadas, com casas nos subúrbios ou no campo.
— E isso é crucial?
— É claro que é. Pense no *modus operandi*. Ele precisa de algum lugar tranquilo, solitário e isolado. Sem interrupções. E nenhuma testemunha. Ele tem de levar toda aquela tinta para a casa. Então, olhe para essa lista. Há mulheres casadas, mulheres com bebês recém-nascidos, mulheres que moram com a família, com os pais, mulheres em apartamentos e condomínios, em fazendas, e até em comunidades, mulheres que voltaram para a faculdade. Mas ele quer mulheres que moram sozinhas, em casas.

Harper fez um gesto negativo com a cabeça.

— Há mais de onze desse tipo. Fizemos a pesquisa. Acho que são mais de trinta. Cerca de um terço.

— Mas vocês precisaram verificar. Estou falando de mulheres que obviamente moram sozinhas e isoladas. À primeira vista. Porque temos de presumir que o sujeito não tem ninguém fazendo a pesquisa para ele. Ele está trabalhando sozinho, em segredo. Tudo que ele tem é esta lista para estudar.

— Mas esta é a *nossa* lista.

Caçada às Cegas

— Não de modo exclusivo. É dele, também. Toda essa informação veio direto dos militares, certo? Eles tinham essa lista antes de vocês.

A sessenta e nove quilômetros de distância ao norte, ligeiramente a leste, a mesma exata lista estava estendida, aberta numa mesa polida num pequeno escritório sem janelas na escuridão do interior do Pentágono. Era duas xerox mais nova que a versão de Reacher, mas, fora isso, idêntica. Todas as mesmas páginas estavam lá. E elas tinham onze marcas nelas, em onze nomes. Não marcas apressadas, feitas a lápis, como Reacher tinha rabiscado, mas sublinhados cuidadosos, feitos com caneta-tinteiro e uma régua de borda chanfrada mantida à distância do papel para que a tinta não borrasse.

Três dos onze nomes tinham um segundo risco sobre si.

A lista estava enquadrada na mesa pelos antebraços uniformizados do ocupante do escritório. Eles estavam retos sobre a madeira, e os punhos estavam inclinados para cima para manter as mãos fora da superfície. A mão esquerda segurava uma régua. A mão direita segurava uma caneta. A mão esquerda se moveu e colocou a régua de modo exatamente horizontal ao longo da linha de tinta sob um quarto nome. Em seguida, ela se moveu para cima um pouco e descansou sobre o nome. A mão direita se moveu e a caneta marcou uma linha grossa atravessando o nome. Por fim, a caneta se ergueu da página.

— Então, o que fazemos a respeito? — perguntou Harper.

Reacher se recostou e fechou os olhos novamente.

— Acho que vocês deviam arriscar — disse ele. — Acho que deviam ficar de tocaia nas oito sobreviventes vinte e quatro horas por dia, e acho que o sujeito vai cair nos braços de vocês dentro de dezesseis dias.

Ela parecia em dúvida.

— Uma aposta e tanto — falou ela. — É muito tênue. Você está adivinhando o que ele pensa quando olha a lista.

— Acham que sou representativo do sujeito. Então, o que eu imagino deve ser o que ele imagina, não é?

— E se você estiver errado?
— Em oposição a quê? Ao progresso que vocês estão fazendo?
Ela ainda parecia em dúvida.
— Está bem, acho que é uma teoria válida. Mas talvez eles já tenham pensado nisso.
— Quem não arrisca não petisca, não é?
Ela ficou calada por um instante.
— Está bem, fale com Lamarr, amanhã bem cedo
Ele abriu os olhos.
— Você acha que ela vai estar aqui?
Harper fez que sim.
— Ela vai estar aqui.
— Não vai haver um enterro para o pai dela?
Harper fez que sim de novo.
— Vai haver um enterro, é claro. Mas ela não vai. Ela deixaria de ir ao *próprio* enterro num caso como este.
— Tudo bem, mas você fala, e fale com Blake. Mantenha isso longe de Lamarr.
— Por quê?
— Porque é óbvio que a irmã dela mora sozinha, lembra? Então, as probabilidades subiram para oito para um. Blake vai ter de tirá-la do caso agora.
— Se ele concordar com você.
— Ele deveria.
— Talvez ele concorde. Mas não vai tirá-la do caso.
— Ele deveria.
— Talvez, mas não vai.
Reacher deu de ombros.
— Então não se dê ao trabalho de dizer nada a ele. Estou só perdendo tempo aqui. O cara é um idiota.
— Não diga isso. Você precisa cooperar. Pense em Jodie.
Ele fechou os olhos de novo e pensou em Jodie. Ela parecia muito distante. Ele pensou nela por um longo tempo.
— Vamos comer — disse Harper. — Depois eu falo com Blake.

Caçada às Cegas 203

• • •

A sessenta e nove quilômetros de distância ao norte, ligeiramente a leste, a pessoa uniformizada olhava o papel, sem se mexer. Havia um olhar em seu rosto, apropriado para alguém fazendo pequeno progresso por um empreendimento complicado. Então, houve uma batida na porta.

— Espere — gritou.

Desceu a régua na madeira com um estalido, tampou a caneta e a prendeu no bolso, dobrou a lista, abriu uma gaveta em sua mesa e a deixou escorregar para dentro, colocando um livro por cima como peso. O livro era a Bíblia, na tradicional versão do rei Jaime, encadernada com couro negro de bezerro. A pessoa pôs a régua reta sobre a Bíblia e empurrou a gaveta, fechando-a. Tirou as chaves do bolso e trancou-a. Pôs as chaves de volta no bolso, mexeu sua cadeira e endireitou o uniforme.

— Entre — gritou.

A porta se abriu, um cabo entrou e cumprimentou.

— O carro já está aqui, Coronel — disse ele.

— Está bem, cabo — respondeu.

O céu sobre o Quantico ainda estava limpo, mas a temperatura do ar estava despencando a caminho de uma noite gelada. A escuridão vinha do leste, por trás dos prédios. Reacher e Harper andaram em silêncio, e as luzes ao longo do caminho se acenderam em sequência, seguindo os passos deles, como se ao passarem eles acionassem a energia. Eles comeram sozinhos, numa mesa para dois numa parte diferente do restaurante. Voltaram andando ao prédio principal atravessando a escuridão total. Pegaram o elevador, e ela destrancou a porta com a chave.

— Obrigado por sua opinião — disse.

Ele não disse nada.

— E obrigado pelas instruções com a pistola — continuou.

Ele fez um aceno com a cabeça.

— O prazer foi meu.

— É uma boa técnica.

— Um velho sargento instrutor me ensinou.

Ela sorriu.

— Não, não a técnica de tiro. A técnica da instrução.

Ele fez mais um aceno, lembrando-se das costas delas pressionadas contra o peito dele, o quadril preso contra o dele, os cabelos em seu rosto, seu tato, seu cheiro.

— Mostrar é sempre melhor que falar, acho — disse ele.

— Sem comparação — respondeu ela.

Ela fechou a porta, e ele a ouviu se distanciar.

14

ELE ACORDOU CEDO, ANTES DE O DIA CLAREAR. Ficou à janela por um tempo, enrolado numa toalha, olhando a escuridão no lado de fora. Estava frio novamente. Ele se barbeou e tomou uma ducha. O frasco de xampu do FBI estava pela metade. Vestiu-se de pé ao lado da cama. Tirou seu casaco do armário e o vestiu. Voltou ao banheiro e prendeu sua escova de dente no bolso interno. Só por via das dúvidas, caso hoje fosse o dia.

Sentou-se na cama com o casaco enrolado em volta de si e aguardou Harper. Mas quando a chave entrou na fechadura e a porta se abriu, não era Harper quem estava parada lá. Era Poulton. Ele mantinha deliberadamente o rosto sem expressão, e Reacher sentiu a primeira onda de triunfo.

— Onde está Harper? — perguntou ele.
— Fora do caso — disse Poulton.

— Ela falou com Blake?
— Na noite passada.
— E?
Poulton deu de ombros.
— E nada.
— Vocês estão ignorando minha opinião?
— Não está aqui para dar *opinião*.
Reacher assentiu.
— Tudo bem. Pronto para o café da manhã?
Poulton assentiu de volta.
— Claro.

O sol estava vindo do leste e enchia o céu de cor. Não havia nuvens. Nenhuma umidade. Nenhum vento. Era uma caminhada prazerosa pela penumbra do início do dia. O lugar parecia agitado novamente. Segunda-feira de manhã, o começo de uma nova semana. Blake estava na mesa de sempre no restaurante, perto da janela. Lamarr estava sentada com ele. Ela estava vestindo uma blusa preta no lugar de seu bege usual. Estava ligeiramente esmaecida, como se tivesse sido lavada repetidas vezes. Havia café na mesa, canecas e leite, açúcar e donuts. Mas nenhum jornal

— Lamento pelas notícias de Spokane — disse Reacher.

Lamarr fez que sim, silenciosamente.

— Ofereci a ela um tempo de folga — disse Blake. — Ela tem direito à licença de luto.

Reacher olhou para ele.

— Você não precisa se explicar para mim.

— Em meio à vida, está a morte — disse Lamarr. — Isso é algo que se aprende bem depressa por aqui.

— Você não vai ao enterro?

Lamarr pegou uma colher de chá e equilibrou-a em seu indicador. Olhou para embaixo dela.

— Alison não me ligou — disse ela. — Não sei como serão os preparativos.

Você não ligou para ela?

Caçada às Cegas

Ela deu de ombros.

— Eu me sentiria uma intrometida.

— Acho que Alison não concordaria com isso.

Ela o olhou diretamente.

— Mas eu simplesmente não sei.

Houve silêncio. Reacher virou uma caneca e se serviu de café.

— Precisamos tratar do trabalho — disse Blake.

— Você não gostou da minha teoria? — perguntou Reacher.

— É um palpite, não uma teoria — disse Blake. — Todos podemos dar palpites o quanto quisermos. Mas não podemos virar as costas para oitenta mulheres só porque gostamos de adivinhações.

— Elas iam notar a diferença? — perguntou Reacher.

Ele tomou um longo gole de café e olhou os donuts. Eles estavam enrugados e duros. Provavelmente, eram de sábado.

— Então, você não vai dar atenção? — perguntou ele.

Blake deu de ombros.

— Levei um pouco em consideração.

Bom, então leve um pouco mais. Porque a próxima mulher que morrer será uma das que marquei, e isso vai ficar na sua cabeça.

Blake não disse nada, e Reacher empurrou a cadeira de volta.

— Quero panquecas — disse ele. — Não gostei da cara desses donuts.

Ele se levantou antes que eles pudessem fazer alguma objeção e andou para o centro do salão. Parou na primeira mesa em que havia um *The New York Times*. Pertencia a um homem sozinho. Ele estava lendo o caderno de esportes. O primeiro caderno estava descartado à esquerda. Reacher o pegou. A matéria que ele esperava estava bem ali, na primeira página, na metade inferior.

— Posso pegar isso emprestado? — perguntou ele.

O homem com interesse em esportes fez que sim sem o olhar. Reacher enfiou o jornal embaixo do braço e andou até o balcão de atendimento. O café da manhã estava disposto como um bufê. Ele se serviu de uma pilha de panquecas e oito fatias finas de bacon. Adicionou calda até formar uma

poça no prato. Ele precisaria da nutrição. Ele tinha uma longa viagem pela frente e provavelmente faria a primeira parte a pé.

Ele voltou à mesa e se abaixou sem jeito para descer o prato sem derramar a calda nem deixar o jornal cair. Escorou o jornal na frente do prato e começou a comer. Depois fingiu perceber a manchete.

— Ora, veja só isso — disse ele, de boca cheia.

A manchete dizia *Guerra de Gangues Explode na Baixa Manhattan Deixando Seis Mortos*. A matéria recontava uma disputa territorial breve e mortal entre duas redes de extorsão rivais, uma delas supostamente chinesa, a outra supostamente síria. Armas automáticas e machetes tinham sido usadas. A contagem de corpos era de quatro contra dois a favor dos chineses. Entre os quatro mortos no lado sírio estava o suposto líder da gangue, um criminoso chamado Almar Petrosian. Havia declarações do Departamento de Polícia de Nova York e do FBI, uma reportagem histórica sobre os cem anos de redes de extorsão na cidade de Nova York, as sociedades secretas chinesas e a luta entre os diferentes grupos étnicos para manter seus negócios que, segundo a reportagem, chegavam a bilhões de dólares em todo o país.

— Ora, veja só isso — repetiu Reacher.

Eles já tinham visto aquilo. Isso era claro. Todos desviaram o olhar dele. Blake estava olhando pela janela as faixas de alvorada no céu. Poulton tinha os olhos fixos na parede preta. Lamarr ainda estava estudando sua colher de chá.

— Cozo ligou para você para confirmar? — perguntou Reacher.

Ninguém disse nada, o que significava o mesmo que um sim. Reacher sorriu.

— A vida não presta, não é? — disse ele. — Vocês conseguem uma conexão comigo, e de repente a conexão não existe mais. O destino é uma coisa engraçada, né?

— Destino — repetiu Blake.

— Então me deixe esclarecer uma coisa — disse Reacher. — Harper não quis cooperar com a coisa de *femme fatale*, e agora Petrosian está morto, logo, vocês não têm mais cartas na mão. E não estão ouvindo uma palavra

Caçada às Cegas 209

do que estou dizendo mesmo, então, existe alguma razão para que eu não deva sair andando daqui?

— Muitas — disse Blake.

Houve silêncio.

— Nenhuma delas boa o bastante — disse Reacher.

Ele se levantou e se afastou novamente da mesa. Ninguém tentou impedi-lo. Ele saiu do restaurante pelas portas de vidro até o frio da alvorada e começou a andar.

Ele caminhou até a guarita no perímetro passou por baixo da barreira e deixou seu passe de visitante na estrada. Caminhou, virou a esquina e entrou no território do Corpo dos Fuzileiros Navais. Ele se manteve no meio da pista e chegou à primeira clareira depois de oitocentos metros. Havia um grupo de veículos e vários vigias silenciosos. Eles o deixaram passar. Andar era incomum, mas não era ilegal. Ele chegou à segunda clareira trinta minutos depois de ter deixado o restaurante. Ele a atravessou e continuou em frente.

Ele ouviu o carro atrás de si cinco minutos mais tarde. Parou, virou-se e o aguardou. O carro chegou perto o bastante para que ele pudesse ver através do clarão de suas luzes em movimento. Era Harper, como ele tinha esperado. Ela estava sozinha. Ela ficou ao lado dele e baixou o vidro do carro.

— Oi, Reacher — disse ela.

Ele acenou com a cabeça. Não disse nada.

— Quer uma carona? — perguntou ela.

— Saindo ou voltando?

— Para onde você quiser.

— A entrada para a I-95 está bom. Sentido norte.

— De carona?

Ele fez que sim.

— Não tenho dinheiro para pegar um avião.

Ele entrou ao lado dela e ela partiu acelerando suavemente, dirigindo-se à saída. Ela estava com seu segundo terno e seus cabelos estavam soltos. Eles se esparramavam sobre seus ombros.

— Eles disseram para você me trazer de volta? — perguntou ele.
Ela fez um gesto negativo com a cabeça.
— Concluíram que você é inútil. Não tem nada para contribuir, foi o que disseram.
Ele sorriu.
— Então agora devo ficar todo inflamado de indignação e voltar correndo para lá e provar que estão errados?
Ela sorriu de volta.
— Algo por aí. Eles passaram dez minutos discutindo a melhor abordagem. Lamarr decidiu que deviam apelar para o seu ego.
— É isso que acontece quando você é uma psicóloga que estudou paisagismo na faculdade.
— Acho que sim.
Eles seguiram, pelas curvas arborizadas, passando pela última clareira do território dos Fuzileiros Navais.
— Mas ela tem razão — disse ele. — Não tenho nada para contribuir. Ninguém vai pegar esse cara. Ele é esperto demais. Esperto demais para mim, isso com toda a certeza.
Ela sorriu novamente.
— Um pouco de psicologia de sua parte também? Tentando ir embora com a consciência limpa?
Ele fez um gesto negativo com a cabeça.
— Minha consciência está sempre limpa.
— Está limpa no caso de Petrosian?
— Por que não estaria?
— Foi a maior coincidência, não acha? Eles ameaçam você com o Petrosian e ele morre em três dias.
— Pura coincidência.
— É, coincidência. Sabe que não contei a eles que estava *do lado de fora* da sala do Trent o dia inteiro?
— Por que não?
— Estava tirando o meu da reta.
Ele olhou para ela.

Caçada às Cegas

— E o que tem a ver a sala do Trent?

Ela deu de ombros.

— Não sei. Mas não gosto de coincidências.

— Elas acontecem de vez em quando.

— Ninguém no FBI gosta de coincidências.

— E daí?

Ela deu de ombros novamente.

— Então eles podem, sabe como é, fuçar. Pode tornar as coisas difíceis para você mais tarde.

Ele sorriu de novo.

— Essa é a fase dois da abordagem, né?

Ela sorriu de volta, e depois o sorriso explodiu numa risada.

— É, a fase dois. Ainda tem umas dez delas pela frente. Algumas são muitas boas. Você quer ouvir todas?

— Na verdade, não. Não vou voltar. Eles não estão dando ouvidos.

Ela fez que sim e continuou a dirigir. Pararam antes de um cruzamento com uma estrada interestadual, e depois subiram voando para o norte.

— Vou levar você até a próxima — disse ela. — Ninguém usa essa, fora o pessoal do FBI. E nenhum deles vai lhe dar carona.

Ele acenou com a cabeça.

— Obrigado, Harper.

— A casa de Jodie — disse ela. — Liguei para o escritório de Cozo. Ao que parece eles montaram uma pequena vigilância. Ela não tem estado lá. Voltou esta manhã, de táxi. Dava a impressão de que vinha do aeroporto. Parece que está trabalhando de casa hoje.

Ele sorriu.

— Está bem, então agora com certeza estou saindo daqui.

— Precisamos de sua opinião, sabe.

— Eles não estão dando ouvidos.

— Precisa fazer com que ouçam — disse ela.

— Essa é a fase três?

— Não, essa sou eu. Falo sério.

Ele ficou calado por um longo momento. Depois acenou com a cabeça.

— Então por que eles se *recusam* a ouvir?

— Orgulho, talvez — disse ela.

— Eles precisam da opinião de alguém — disse ele. — Isso com certeza. Mas não a minha. Não tenho os recursos. E não tenho a autoridade.

— Para fazer o quê?

— Para tirar das mãos deles. Eles estão desperdiçando tempo com essa merda de perfil. Não vai levá-los a lugar algum. Eles precisam trabalhar com as pistas.

— Não há nenhuma pista.

— Há, sim. A inteligência do sujeito. E a tinta, as localizações geográficas, e como as cenas de crime são tranquilas. Tudo isso são pistas. Eles deviam trabalhar com elas. Elas precisam significar alguma coisa. Começar com o motivo é começar do jeito errado.

— Vou passar isso.

Ela saiu da rodovia e parou na rua que fazia o cruzamento.

— Você vai se encrencar? — perguntou ele.

— Por fracassar em trazer você de volta? — disse ela. — Provavelmente.

Ele ficou calado. Ela sorriu.

— Essa era a fase dez — disse ela. — Vou ficar muito bem.

— Espero que sim — disse ele, e saiu do carro. Andou para o norte atravessando a rua até a subida e ficou completamente sozinho, observando o carro deslizar por sob a ponte e fazer o retorno para o sul.

Um caroneiro com um metro e noventa e seis de altura e pesando 104 quilos não está no ápice da aceitabilidade para caronas fáceis. Em geral as mulheres não param para ele, porque veem nele uma ameaça. Os homens podem ficar tão nervosos quanto elas. Mas Reacher tinha tomado banho, estava barbeado e limpo e vestido de forma discreta. Isso aumentava as probabilidades e havia caminhos o bastante nas estradas com motoristas

Caçada às Cegas

grandes e confiantes, de modo que ele estava de volta à cidade de Nova York em sete horas desde que partiu.

Ele ficou calado pela maior parte das sete horas, em parte porque os caminhões eram barulhentos demais para conversar, e em parte porque ele não estava com vontade de falar. O velho diabinho vagabundo estava sussurrando para ele novamente. *Onde você está indo?* De volta para Jodie, é claro. *Está bom, espertinho, mas o que mais? Que cargas d'água além disso? Trabalho no quintal da casa? Pintar a droga das paredes?* Ele se sentou ao lado de uma sucessão de motoristas simpáticos e sentiu sua breve excursão insatisfatória rumo à liberdade perder a força. Ele trabalhava para esquecer isso e sentia que tinha conseguido. Sua viagem final foi num caminhão de legumes de Nova Jersey que fazia entregas em Greenwich Village. Seguiu barulhento pelo Holland Tunnel. Ele saiu e caminhou o último quilômetro e meio na Canal Street e na Broadway, por todo o caminho até o apartamento de Jodie, concentrando-se firmemente em seu desejo de vê-la.

Ele tinha sua própria chave para o hall dela; ele subiu pelo elevador e bateu na porta. O olho mágico ficou escuro e claro novamente. A porta se abriu e lá estava ela, de jeans e camiseta, alta, magra e cheia de vida. Ela era a coisa mais bonita que ele já tinha visto. Mas não estava sorrindo para ele.

— Oi, Jodie — disse ele.

— Tem um agente do FBI na minha cozinha — respondeu ela.

— Por quê?

— Por quê? — repetiu ela. — Me diga você.

Ele a seguiu para dentro do apartamento, até a cozinha. O homem do FBI era um jovem baixo com um pescoço grosso. Terno azul, camisa branca, gravata listrada. Ele estava com um celular colado ao rosto, relatando a chegada de Reacher para outra pessoa.

— O que você quer? — Reacher lhe perguntou.

— Quero que aguarde aqui, senhor — disse o sujeito. — Cerca de dez minutos, por favor.

— Do que se trata?

— Vai descobrir, senhor. Dez minutos, é tudo.

Reacher sentiu vontade de sair, só para ser do contra, mas Jodie se sentou. Havia alguma coisa no rosto dela. Algo entre preocupação e irritação. O *The New York Times* estava aberto na bancada. Reacher o olhou.

— Está bem — disse ele. — Dez minutos.

Ele se sentou também. Eles aguardaram em silêncio. Foi mais próximo de quinze minutos do que de dez. Então o interfone soou, e o homem do FBI se mexeu para atender. Ele apertou o botão para abrir a porta e saiu até o corredor. Jodie ficou sentada parada e passiva, como uma visita em seu próprio apartamento. Reacher ouviu o zunido do elevador. Ele o ouviu parar. Ouviu a porta do apartamento se abrir. Ouviu passos no chão de bordo.

Alan Deerfield entrou na cozinha. Ele vestia uma capa de chuva escura com a gola virada para cima. Ele andava com energia e tinha cascalho da calçada nas solas do sapato e isso o tornava barulhento e invasivo.

— Tenho seis cadáveres na minha cidade — disse ele. Ele viu o *Times* na bancada, andou até ele e o dobrou para revelar a manchete. — Então, naturalmente, tenho algumas perguntas.

Reacher olhou para ele.

— Que perguntas?

Deerfield olhou de volta.

— Perguntas delicadas.

— Então as faça.

Deerfield fez que sim com a cabeça.

— A primeira pergunta é para a sra. Jacob.

Jodie se mexeu na cadeira. Não ergueu os olhos.

— Qual é a pergunta? — disse ela.

— Onde esteve nos últimos dias?

— Fora da cidade — respondeu ela. — A negócios.

— Onde fora da cidade?

— Londres. Reunião com cliente.

— Você tem clientes em Londres?

Jodie ainda estava olhando para o chão.

— Temos clientes em toda parte. Principalmente em Londres.

Caçada às Cegas

Deerfield assentiu.

— Viajou de Concorde?

Ela ergueu os olhos.

— Viajei, sim, na verdade.

— Bem rápido, né?

Jodie fez que sim.

— Rápido o bastante.

— Mas caro.

— Acho que sim.

— Mas vale a pena para um sócio num negócio importante.

Jodie olhou para ele.

— Não sou sócia.

Deerfield sorriu.

— Melhor ainda, não é? Eles colocam uma advogada associada num Concorde, isso deve significar alguma coisa. Deve significar que gostam de você. Deve significar que vai ser sócia muito em breve. Se nada acontecer e atrapalhar.

Jodie nada disse em resposta.

— Então, Londres — disse Deerfield. — Reacher sabia que você estava lá, certo?

Ela fez um gesto negativo com a cabeça.

— Não, não contei a ele.

Houve uma pausa.

— Viagem agendada? — perguntou Deerfield.

Jodie fez um gesto negativo novamente.

— De última hora.

— E Reacher não ficou sabendo?

— Já lhe contei isso.

— Está bem — disse Deerfield. — Quem manda é a informação, é o que costumo dizer.

— Não preciso dizer a ele aonde vou.

Deerfield sorriu.

— Não estou falando sobre quais informações fornece a Reacher. Estou falando quais informações eu tiro de uma situação. Nesse momento estou entendendo que ele não sabia onde você estava.

— E daí?

— Isso devia tê-lo deixado preocupado. E não o deixou. Bem depois de chegar ao Quantico, ele estava tentando falar com você por telefone. Escritório, casa, celular. Naquela noite, a mesma coisa de novo. Ligando, ligando, ligando, não conseguia falar com você. Um homem preocupado.

Jodie olhou para Reacher. Com preocupação em seu rosto, talvez um pequeno pedido de desculpas.

— Eu devia ter contado a ele, acho.

— Isso é decisão sua. Não fico por aí dizendo às pessoas como devem levar seus relacionamentos. Mas o interessante é que depois ele parou de ligar para você. De repente, não ligou mais. Agora, por que isso? Será que descobriu que estava segura lá em Londres?

Ela começou a responder, e depois parou.

— Vou tomar isso como um "não" — disse Deerfield. — Você estava preocupada com Petrosian, então, disse às pessoas no escritório para ficarem de boca fechada sobre onde estava. Assim, pelo que Reacher sabia, você estava bem aqui na cidade. Mas ele de repente não está mais preocupado. Não sabe que você está sã e salva em Londres, mas talvez saiba que você está sã e salva por causa de outro motivo, como por saber que Petrosian não vai estar em circulação por muito tempo.

Os olhos de Jodie estavam de volta ao chão.

— Ele é um sujeito inteligente — disse Deerfield. — Meu palpite é que ele chamou algum colega para mexer no ninho de marimbondos aqui em Chinatown, e depois se sentou e aguardou que as sociedades secretas chinesas fizessem o que sempre fazem quando alguém começa a se meter com elas. E ele acha que está a salvo. Ele sabe que nunca encontraremos seu colega, e acha que esses chineses não vão nos dizer nadica, nem em um milhão de anos, e ele sabe que, no exato momento em que o velho Petrosian recebeu a notícia de presente através de uma faca, ele estava trancado no quarto no Quantico. Um sujeito inteligente.

Caçada às Cegas 217

Jodie não disse nada.

— Mas também um sujeito muito confiante — continuou Deerfield. — Ele parou de ligar para você dois dias antes de Petrosian bater as botas.

Houve silêncio na cozinha. Deerfield se voltou para Reacher.

— Então, acertei na mosca? — perguntou ele.

Reacher deu de ombros.

— Por que alguém deveria estar se preocupando com Petrosian?

Deerfield sorriu.

— Ah, é claro, podemos conversar sobre isso. Nunca admitiremos que Blake disse uma palavra a você sobre esse assunto. Mas como disse à sra. Jacob, a informação é quem manda. Só queria ter cem por cento de certeza de que sei com que estou lidando aqui. Se você provocou, talvez eu lhe dê um tapinha nas costas por um trabalho bem-feito. Mas, se por acaso, houve uma briga genuína, precisamos saber.

— Não sei do que você está falando — disse Reacher.

— Então por que parou de ligar para a sra. Jacob?

— Isso só diz respeito a mim.

— Não, diz respeito a todo mundo — falou Deerfield. — Certamente diz respeito à sra. Jacob, não é? E diz respeito a mim também. Então, me diz. E não vá achar que está livre ainda, Reacher. Petrosian era um merdinha, com certeza, mas ainda é um homicídio e podemos construir um motivo muito bom para você, de qualquer maneira, baseado no que foi observado por duas testemunhas de credibilidade numa noite dessas no beco. Podemos chamar isso de uma conspiração com pessoas desconhecidas. Com uma preparação cuidadosa do caso, você pode ficar preso dois anos, só aguardando o julgamento. Os jurados podem absolvê-lo no final, mas, também, quem pode saber com certeza o que os jurados podem fazer?

Reacher não disse nada. Jodie se levantou.

— Está na hora de você ir embora, sr. Deerfield — disse ela. — Ainda sou a advogada dele, e este é um local inadequado para essa conversa.

Deerfield assentiu devagar e olhou em volta da cozinha, como se a estivesse vendo pela primeira vez.

— É, com certeza, sra. Jacob — disse ele. — Então, talvez a gente tenha de continuar essa conversa em algum outro lugar mais adequado, no futuro. Talvez amanhã, talvez na semana que vem, talvez no ano que vem. Como o sr. Blake afirmou, sabemos onde vocês dois moram.

Ele se virou imediatamente, com o cascalho nos sapatos fazendo barulho no silêncio. Eles ouviram que ele caminhava na sala de estar e ouviram a porta do apartamento se abrir e fechar.

— Então... você executou Petrosian — disse Jodie.

— Nunca nem cheguei perto dele — respondeu Reacher.

Ela fez um gesto negativo com a cabeça.

— Guarde isso para o FBI, está bem? Você preparou ou provocou ou arquitetou ou qualquer que seja a expressão correta. Você o executou, com tanta certeza como se você estivesse bem ao lado dele com uma arma.

Reacher não disse nada.

— E eu lhe disse para não fazer isso — falou ela.

Reacher não disse nada.

— Deerfield sabe que foi você quem fez isso — continuou ela.

— Ele não pode provar.

— Isso não importa — disse ela. — Você não percebe? Ele pode *tentar* provar. E ele não está brincando sobre os dois anos na cadeia. Uma suspeita de briga de gangues? Numa coisa dessas, os juízes vão apoiá-lo até o fim. Vão negar fiança, postergação do julgamento, os promotores vão defender os interesses dele. Não é uma ameaça vazia. Você está nas mãos dele agora. Como eu lhe disse que estaria.

Reacher não disse nada.

— Por que você fez isso?

Ele deu de ombros.

— Por muitas razões. Era preciso.

Houve um longo silêncio.

— Meu pai teria concordado com você? — perguntou Jodie.

— Leon? — disse Reacher. Ele se lembrou das fotografias no pacote de Cozo. As fotografias do trabalho manual de Petrosian. As mulheres

Caçada às Cegas   219

mortas, exibidas como páginas centrais de revistas masculinas. Com partes faltando e coisas inseridas.

— Você está brincando? Leon teria concordado comigo desde o início.

— E você teria ido em frente e feito o que fez?

— Provavelmente.

Ela assentiu.

— É, ele provavelmente concordaria. Mas preste atenção à sua volta, está bem?

— Prestar atenção a quê?

— A tudo. O que você vê?

Ele olhou em volta.

— Um apartamento.

Ela assentiu.

— Meu apartamento.

— E daí?

— Eu cresci aqui?

— É claro que não.

— Então, onde foi que cresci?

Ele deu de ombros.

— Por toda parte, em bases do Exército, como eu.

Ela assentiu.

— Onde foi que me conheceu?

— Você sabe onde foi. Em Manila. Na base.

— Se lembra daquela casa?

— Claro que me lembro.

Ela fez que sim.

— Eu também. Era minúscula, cheirava mal e tinha baratas maiores que a palma da minha mão. E sabe de uma coisa? Foi o melhor lugar em que morei quando criança.

— E daí?

Ela estava apontando para a pasta. Era uma pasta de piloto de couro, abarrotada de processos, escorada na parede da porta da cozinha.

— O que é isso?

— Sua pasta.
— Exatamente. Não é um fuzil, não é uma carabina, não é um lança-chamas.
— E daí?
— E daí que moro num apartamento em Manhattan e não num quartel da base e carrego uma pasta em vez de armas.
Ele assentiu.
— Sei disso.
— Mas sabe por quê?
— Porque é o que você quer, acho.
— Exatamente. Porque quero. Foi uma escolha consciente. Minha escolha. Cresci no Exército, igualzinho a você, e poderia ter ingressado se quisesse, que nem você fez. Mas não quis. Quis ir para a faculdade e estudar direito em vez disso. Quis fazer parte de uma firma grande e me tornar sócia. E por que isso?
— Por quê?
— Porque queria viver num mundo com regras.
— Não faltam regras no Exército — disse ele.
— As regras erradas, Reacher. Queria regras civis. Regras *civilizadas*.
— Então o que está dizendo?
— Estou dizendo que deixei o militarismo faz anos e não quero voltar agora.
— Você não está de volta ao Exército.
— Mas você me faz sentir como se eu estivesse. É *pior* do que as Forças Armadas. Essa coisa com Petrosian? Não quero estar num mundo com regras assim. Você sabe que não.
— Então o que eu devia ter feito?
— Não devia ter entrado nisso, para começo de conversa. Aquela noite no restaurante. Você devia ter se afastado e chamado a polícia. É isso que fazemos aqui.
— Aqui?
— No mundo civilizado.

Caçada às Cegas

Ela se sentou no banco da cozinha e inclinou os antebraços na bancada. Afastou os dedos e espalmou as mãos. A bancada estava fria. Era de algum tipo de granito, cinza e brilhante, esmerilhado até revelar minúsculas marcas de quartzo em toda sua superfície. Os cantos e os ângulos eram arredondados, formando quartos de círculo perfeitos Tinha dois centímetros e meio de espessura e, provavelmente, tinha custado muito caro. Era um produto civilizado. Fazia parte daquele mundo no qual as pessoas concordavam em trabalhar quarenta horas, ou cem, ou duzentas, e depois trocar a remuneração que recebiam por instalações que esperavam que fossem deixar suas cozinhas bonitas, dentro de seus edifícios caros reformados bem acima da Broadway.

— Por que parou de me ligar? — perguntou ela.

Ele olhou para as próprias mãos embaixo. Elas estavam sobre o granito polido como as raízes expostas de pequenas árvores.

— Imaginei que estivesse a salvo — disse ele. — Imaginei que estivesse se escondendo em algum lugar.

— Você imaginou — repetiu ela. — Mas não sabia.

— Presumi — disse ele. — Estava cuidando de Petrosian, presumi que você estivesse cuidando de si mesma. Imaginei que nos conhecíamos bem o suficiente para confiar em suposições assim.

— Como se fôssemos camaradas — disse ela baixinho. — Na mesma unidade, um major e um capitão talvez, no meio de alguma missão muito perigosa, confiando inteiramente um no outro para fazer nossos trabalhos distintos adequadamente.

Ele assentiu.

— Exato.

— Mas não sou um capitão. Não estou numa unidade. Sou advogada. Uma advogada em Nova York, completamente sozinha e com medo, envolvida em algo em que não quero me envolver.

Ele assentiu de novo.

— Me desculpe.

— E você não é major — continuou ela. — Não é mais. Você é civil. Precisa entender isso.

Ele assentiu. Em silêncio.

— E esse é o grande problema, não é? — perguntou ela. — Nós dois temos o mesmo problema. Você está me envolvendo em algo em que não quero, e eu estou envolvendo você em algo que você também não quer se envolver. O mundo civilizado. A casa, o carro, morar em algum lugar, fazer coisas comuns.

Ele não disse nada.

— É minha culpa, provavelmente — disse ela. — Eu *queria* essas coisas. Meu Deus, como eu queria. Fica um pouco difícil para que eu aceite que talvez você *não* as queira.

— Quero você — disse ele.

Ela assentiu.

— Sei disso. E eu quero *você*. Você sabe disso também. Mas queremos a vida que cada um de nós leva?

O diabinho vagabundo surgiu na cabeça dele, alegre e gritando como um torcedor de beisebol que vê a bola da vitória voar por sobre as arquibancadas, no finalzinho da partida. *Ela disse! Ela disse! Está aí, às claras. Vá em frente. Agarre a oportunidade de uma vez!*

— Não sei — disse ele.

— Precisamos conversar a respeito — disse ela.

Mas não havia mais conversa a se ter, não naquela hora, porque a campainha do hall começou a soar num agudo insistente, como se alguém estivesse lá embaixo na rua se apoiando no botão. Jodie se levantou e foi até o botão para abrir a porta, e andou até a sala de estar para esperar. Reacher ficou em seu banco no balcão de granito, olhando para as faíscas de quartzo exibidas entre seus dedos. Ele sentiu o elevador chegar e ouviu a porta do apartamento se abrir. Ele ouviu a conversa aflita e passos leves e ágeis pela sala de estar; em seguida, Jodie estava de volta à cozinha, com Lisa Harper de pé a seu lado.

15

HARPER AINDA ESTAVA EM SEU SEGUNDO TERNO e seus cabelos ainda estavam soltos sobre os ombros, mas essas eram as únicas semelhanças com a última vez que ele a havia visto. Sua lentidão de membros longos tinha sido eliminada por algum tipo de tensão febril, e seus olhos estavam vermelhos e inquietos. Ele achou que ela estava o mais perto da aflição que jamais chegaria.

— Que foi? — perguntou ele.
— Tudo — respondeu ela. — Virou tudo uma loucura.
— Onde?
— Em Spokane — falou ela.
— Não — disse ele.
— Sim — disse ela. — Alison Lamarr.
Houve silêncio.

— Merda — murmurou ele.
Harper assentiu.
— É, merda.
— Quando?
— Em algum momento ontem. Ele está acelerando. Ele não se prendeu ao intervalo. O próximo devia ser daqui a duas semanas.
— Como?
— Igual aos outros. O hospital estava ligando porque o pai morreu, e ninguém atendia, então, acabaram ligando para a polícia, e a polícia foi lá e a encontrou. Morta na banheira, na tinta, como as outras.
Mais silêncio.
— Como diabos ele entrou?
Harper fez um gesto negativo com a cabeça.
— Simplesmente passou pela porta.
— Merda, não acredito.
— Eles fecharam o lugar. Estão enviando uma unidade de cena de crime do Quantico.
— Eles não vão achar nada.
Silêncio de novo. Harper olhou em torno da cozinha de Jodie, de um jeito nervoso.
— Blake quer você de volta na equipe — disse ela. — Ele adotou sua teoria completamente. Acredita em você agora. Onze mulheres, não mais noventa e uma.
Reacher arregalou os olhos para ela.
— E o que devo dizer sobre isso? Antes tarde do que nunca?
— Ele quer você de volta — disse Harper de novo. — Isso está ficando fora de controle. Precisamos arrumar uns atalhos com o Exército. E ele acha que você demonstrou talento nisso.
Era a coisa errada a dizer. Caiu na cozinha como um fardo. Jodie desviou o olhar de Harper para a porta da geladeira.
— Você devia ir, Reacher — disse ela.
Ele não respondeu.

Caçada às Cegas

— Vá arrumar uns atalhos — disse ela. — Vá fazer aquilo em que você é bom.

Ele foi. Harper tinha um carro aguardando no meio-fio da Broadway. Era um carro do FBI, emprestado do escritório de Nova York, e o motorista era o mesmo sujeito que o tinha levado de Garrison com uma arma apontada para a cabeça. Mas se o sujeito estava confuso a respeito da mudança recente de status de Reacher, não demonstrou. Apenas acendeu sua luz vermelha e partiu depressa para o oeste, em direção a Newark.

O aeroporto estava uma bagunça. Eles lutaram pela multidão para chegar ao balcão da Continental. A reserva estava vindo direto do Quantico, enquanto eles aguardavam no balcão. Duas passagens na classe econômica. Eles correram até o portão e foram os últimos passageiros a embarcar. A comissária-chefe estava aguardando por eles no final da ponte portátil. Ela os colocou na primeira classe. Em seguida, ela ficou perto deles, usou o microfone e deu as boas-vindas a todos que seguiriam viagem com ela para Seattle-Tacoma.

— Seattle — disse Reacher. — Achei que estávamos indo para o Quantico.

Harper procurou atrás de si a fivela do cinto de segurança e fez um gesto negativo com a cabeça.

— Primeiro, vamos ver a cena do crime. Blake achou que podia ser útil. Vimos o lugar há dois dias. Podemos fazer algumas comparações entre antes e depois. Ele acha que vale a pena tentar. Está bem desesperado.

Reacher assentiu.

— Como Lamarr está encarando as coisas?

Harper deu de ombros.

— Ela não está fora de controle. Mas está bastante tensa. Ela quer assumir o controle total de tudo. Mas não vai se juntar a nós lá. Ainda assim ela não viaja de avião.

O avião estava taxiando, girando em círculos grandes pela pista a caminho da reta de decolagem. Os motores zuniam até ficarem agudos. Havia vibração na cabine.

— Viajar de avião não é problema — disse Reacher.

Harper assentiu.

— Eu sei, cair é que é o problema.

— Segundo as estatísticas, acontece muito raramente.

— Como ganhar na loteria. Mas sempre tem alguém sortudo.

— Que coisa louca não viajar de avião. Num país desse tamanho, é meio limitador, não? Especialmente para uma agente federal. Estou surpreso que eles permitam que ela faça isso sem nenhum problema.

Ela deu de ombros de novo.

— É um problema que eles já conhecem. Eles sempre dão um jeito.

O avião balançou na pista e parou com força nos freios. O barulho do motor cresceu e o avião se moveu para a frente, suavemente primeiro, depois, de forma mais brusca, acelerando o tempo todo. Ele saiu do solo sem causar nenhuma sensação, as rodas subiram com ruído para as baias e, abaixo deles, o chão se inclinou fortemente.

— Cinco horas até Seattle — disse Harper. — Tudo de novo.

— Pensou na localização geográfica? — perguntou Reacher. — Spokane é o quarto canto, certo?

Ela fez que sim.

— Onze locais em potencial, todos aleatórios, e ele pega os quatro mais distantes para seus primeiros quatro ataques. As extremidades do grupo.

— Mas por quê?

Ela fez uma careta.

— Para demonstrar seu alcance.

Ele fez que sim.

— E sua velocidade, talvez. Talvez seja por isso que ele abandonou o intervalo. Para demonstrar sua eficiência. Ele estava em San Diego, uns dias depois, está em Spokane verificando um novo alvo.

— É um sujeito frio.

Reacher assentiu de modo vago.

— Isso com toda certeza. Ele deixa uma cena de crime intacta em San Diego, depois dirige para o norte como um maníaco e deixa o que aposto

Caçada às Cegas

será uma cena intacta em Spokane. Um sujeito bem frio. Queria saber quem diabos ele é.

Harper sorriu, de modo breve e sombrio.

— Todos *nós* queremos saber quem diabos ele é, Reacher. O difícil é descobrir.

Você é um gênio, é isso que você é. Um completo gênio, um prodígio, um talento sobre-humano. Quatro vítimas! Uma, duas, três, quatro. E a quarta foi a melhor de todas. A própria Alison Lamarr! Você fica lembrando isso várias vezes, reproduzindo em sua cabeça como um vídeo, verificando, testando, examinando. Mas também saboreando. Porque esse foi o melhor de todos até agora. O mais divertido, com a maior satisfação. O maior impacto. A cara dela quando abriu a porta! O começo do reconhecimento, a surpresa, as boas-vindas!

Não houve erros. Nenhum. Foi um desempenho impecável, do começo ao fim. Você reproduz suas ações nos mínimos detalhes. Você não tocou nada, não deixou nada para trás. Não trouxe nada para a casa dela exceto sua presença tranquila e sua voz baixa. O terreno ajudou, é claro, isolado no campo, ninguém por quilômetros em volta. Tornou a operação muito segura. Talvez você devesse ter se divertido mais com ela. Podia ter mandado que cantasse. Ou dançasse! Podia ter passado mais tempo com ela. Ninguém podia ouvir nada.

Mas você não fez isso, porque padrões são importantes. Os padrões lhe protegem. Você pratica, ensaia em sua cabeça, confia no familiar. Projetou o padrão para a pior das hipóteses, que era provavelmente a megera da Stanley em seu lote horrível lá em San Diego. Vizinhos por toda a parte! Casinhas de papelão, todas espremidas uma nas outras. Atenha-se ao padrão, essa é a solução. E continue pensando. Pense, pense, pense. Planeje. Mantenha-se planejando. Você fez o número quatro e, claro, tem direito de relembrar por vezes seguidas, de aproveitar por um tempo, de saborear, mas, depois, precisa deixar isso para trás, virar a página e se preparar para o número cinco.

• • •

A comida no avião era adequada para um voo que saiu entre o almoço e o jantar e que estava cruzando todos os fusos horários que o continente tinha a oferecer. A única coisa certa era que não era café da manhã. A maior parte era um pastel de presunto e queijo. Harper não estava com fome, logo, Reacher comeu o dela além do seu próprio. Depois, se abasteceu de café e voltou a pensar. Pensou em Jodie principalmente. *Mas queremos levar a vida um do outro?* Primeiro defina sua vida. A dela era fácil o bastante de definir, pensava ele. Advogada, proprietária, residente, amante, amante de jazz dos anos 1950, amante de arte moderna. Uma pessoa que queria se estabelecer, justamente porque sabia como era estar desenraizada. Se alguém no mundo inteiro devia morar no quarto andar de um velho prédio da Broadway com museus e galerias e adegas em toda a volta, era Jodie.

Mas e quanto a ele? O que o deixava feliz? Estar com ela, obviamente. Não havia dúvida quanto a isso. Ele se lembrava do dia em junho que tinha voltado à vida dela. Só se lembrar dele recriava o exato instante em que ele pôs os olhos nela e entendeu quem ela era. Sentiu uma onda tão poderosa quanto um choque elétrico, vibrando por ele. Ele estava sentindo de novo, só de estar pensando a respeito. Era algo que ele raramente sentira antes.

Raramente, mas não nunca. Tivera a mesma sensação em dias ocasionais desde que deixara o Exército. Ele se lembrava de sair de ônibus em cidades que nunca tinha ouvido falar em estados que nunca visitara. Ele se lembrava da sensação do sol em suas costas e da poeira em seus pés, estradas compridas que se estendiam intermináveis à frente dele. Ele se lembrava de pegar notas de dólar amassadas de seu maço em balcões de hotéis de beira de estrada solitários, da sensação de velhas chaves de latão, do cheiro de mofo de quartos baratos, do som das molas quando ele caía em camas anônimas. De garçonetes curiosas e alegres em velhas lanchonetes. Conversas de dez minutos com motoristas que tinham parado para dar uma carona, minúsculas porções de contato fortuito entre duas pessoas em meio aos bilhões que enchem o planeta. A vida de viajante. Seu charme era grande parte de quem ele era, e ele sentia falta dela quando estava preso em Garrison ou quando buscava abrigo com Jodie. Ele sentia

Caçada às Cegas 229

muita falta. Falta demais. Quase tanta falta quando sentia falta de Jodie nesse momento.

— Progredindo? — perguntou Harper.

— O quê? — disse ele.

— Você estava pensando muito. Com os olhos turvos.

— Estava?

— Então no que estava pensando?

Ele deu de ombros.

— Na escolha entre a cruz e a espada.

Ela olhou para ele.

— Bem, isso não vai nos levar a lugar algum. Então, pense em outra coisa, está bem?

— Está bem — disse ele.

Ele desviou o olhar e tentou tirar Jodie da cabeça. Tentou pensar em outra coisa.

— Vigilância — disse ele subitamente.

— O que tem a vigilância?

— Estamos supondo que o sujeito observa as casas primeiro, não estamos? Pelo menos um dia inteiro? Ele podia já estar escondido em algum lugar, bem quando estávamos lá.

Ela sentiu um tremor.

— É assustador. Mas e daí?

— E daí que você devia checar registros em hotéis, examinar a vizinhança. Fazer o acompanhamento. É assim que vocês vão fazer isso, com trabalho. Não tentando fazer mágica cinco pavimentos abaixo do nível da rua em Virgínia.

— Não *havia* vizinhança. Você conheceu o lugar. Não temos nada com que trabalhar. Vivo dizendo isso a você.

— E eu vivo dizendo que sempre há alguma coisa com que trabalhar.

— É, é, ele é muito esperto, a tinta, as localizações geográficas, as cenas de crime intactas.

— Exato. Não estou brincando. Essas quatro coisas vão levar você até ele, com toda a certeza. Blake foi até Spokane?

Ela fez que sim.

— Vamos encontrá-lo na cena do crime.

— Então ele vai ter de fazer o que eu disser, ou não vou ficar na equipe.

— Não force, Reacher. Você é uma ligação com o Exército, não um investigador. E ele está bem desesperado. Ele pode fazer você ficar na equipe.

— Ele acabou de ficar sem ameaças.

Ela fez uma careta.

— Não conte com isso. Deerfield e Cozo estão trabalhando com aqueles rapazes chineses para implicar você. Vão pedir ao Serviço de Imigração para verificar a existência de imigrantes ilegais, e, dessa forma, vão encontrar uns mil só nas cozinhas dos restaurantes. Com isso, eles vão começar a falar sobre deportações, mas eles também vão mencionar que uma pequena cooperação poderia fazer o problema desaparecer. Com isso, os chefões nas sociedades secretas vão dizer a esses garotos para dizerem o que quisermos. O bem maior para o maior número, não é?

Reacher não respondeu.

— O FBI sempre consegue o que quer — disse Harper.

Mas o problema de ficar relembrando como um vídeo repetidas vezes é que pequenas dúvidas começam a se infiltrar. Você repete vezes seguidas e não consegue se lembrar se realmente fez tudo que devia ter feito. Você se senta lá, completamente só, pensando, pensando, pensando e tudo fica meio indistinto, e quanto mais você se pergunta, menos certeza tem. Um mínimo detalhe. Você fez? Você falou? Você sabe que fez na casa de Callan. Você sabe disso com certeza. E na casa de Caroline Cooke. Sim, sem nenhuma dúvida. Sabe disso com certeza também. E na casa de Lorraine Stanley em San Diego. Mas e quanto à casa de Alison Lamarr? Você fez? Ou mandou que ela fizesse? Você disse? Disse?

Você tem certeza absoluta de que disse, mas talvez isso esteja só nos replays. Talvez isso seja o padrão tendo efeito e fazendo você presumir que algo aconteceu porque sempre tinha acontecido antes. Talvez dessa vez você tenha se esquecido. Você fica com um medo terrível. Fica com a certeza de que se esqueceu. Pensa bastante. E quanto mais pensa a respeito, mais você tem certeza de que não foi você mesmo quem fez. Não dessa vez. Tudo bem, desde que você tenha dito a ela para fazer no seu lugar. Mas você disse? Disse a ela? Você disse as palavras. Talvez não tenha dito. E agora?

Você tenta manter o controle e se acalmar. Uma pessoa com seu talento sobre-humano, insegura e confusa? Que ridículo. Absurdo! Então, trate de tirar isso da cabeça. Mas essa coisa não quer ir embora. Isso te irrita. Cresce e cada vez mais se avoluma. Você acaba em total solidão, suando frio, com certeza absoluta de que cometeu seu primeiro pequeno erro.

O Learjet do FBI tinha transportado Blake e sua equipe de Andrews direto até Spokane, e ele o tinha mandado até Sea-Tac para buscar Harper e Reacher. Estava aguardando na plataforma de estacionamento bem ao lado dos portões da Continental e o mesmo homem de antes partira do escritório regional de Seattle para encontrá-los em frente à ponte telescópica e guiá-los pelas escadas externas em direção à saída. Estava frio e garoava, por isso eles correram para as escadas do Learjet e entraram apressados. Quatro minutos mais tarde, estavam de volta no ar.

A viagem de Sea-Tac para Spokane foi muito mais rápida no Learjet do que tinha sido no Cessna. O mesmo homem do escritório regional no mesmo carro estava aguardando por eles. Ele ainda tinha o endereço de Alison Lamarr escrito no bloco preso em seu para-brisa. Ele os levou de carro pelos quinze quilômetros a leste até Idaho e depois virou ao norte na estrada estreita que sobe as colinas. Depois de quarenta e cinco metros, havia um bloqueio na estrada com dois carros estacionados e fita amarela esticada entre árvores. Acima das árvores, à distância, estavam as montanhas. Chovia, e os picos a oeste estavam cinza; a leste, o sol se inclinava nas beiradas das nuvens e brilhava nos filetes de neve nas altas ravinas.

O homem no bloqueio da estrada enrolou a fita retirando-a das árvores e o carro passou vagarosamente. Ele subiu em frente, passou pelas casas isoladas a cada quilômetro e meio aproximadamente por todo o caminho até a curva antes da casa de Lamarr, onde parou.

— Desse ponto em diante é preciso ir a pé — disse o motorista.

Ele permaneceu no carro, e Harper e Reacher saíram e começaram a andar. O ar estava úmido, repleto de uma espécie de chuvisco suspenso que não era na verdade chuva, mas não era tampouco seco. Eles fizeram a curva e viram a casa à esquerda, bem baixa atrás da cerca, e suas árvores maltratadas pelo vento, com a sinuosa estrada à direita. A estrada estava bloqueada por um grupo desordenado de carros. Havia um carro de polícia com as luzes do teto piscando sem propósito algum, um par de sedãs escuros sem identificação, um Suburban preto com vidro filmado e uma van de legista parada com as portas abertas. Os veículos estavam todos salpicados de gotas de chuva.

Eles se aproximaram mais, a porta do carona no Suburban se abriu e Nelson Blake saiu para encontrá-los. Ele trajava um terno escuro com a gola do paletó virada para cima protegendo-o da umidade. Seu rosto mais cinzento que vermelho, como se o choque tivesse baixado sua pressão arterial. Ele estava todo atarefado. Nada de saudações. Nem pedidos de desculpas, nem comentários casuais. Nada de eu-estava-errado-e-você-certo.

— Não há muito mais que uma hora de luz do sol restante por aqui — disse ele. — Quero que você me informe o que fez anteontem, me diga o que está diferente.

Reacher fez que sim. Ele de repente queria achar algo. Algo importante. Algo crucial. Não para Blake. Para Alison. Ele ficou parado e olhou a cerca, as árvores e o gramado. Eles estavam bem-cuidados. Eram apenas reorganizações triviais de uma parte insignificante da superfície do planeta, mas eram motivadas pelo gosto sincero e o entusiasmo de uma mulher que agora estava morta. Uma coisa que conseguira com seu próprio esforço.

— Quem já esteve lá? — perguntou ele.

— Apenas o sujeito local — disse Blake. — O que a encontrou.

— Mais ninguém?

— Ninguém.

— Nem mesmo vocês ou o legista?

Blake fez um gesto negativo com a cabeça.

Caçada às Cegas

— Queria sua opinião primeiro.

— Então ela ainda está lá dentro?

— Está, infelizmente.

A estrada estava tranquila. Apenas um sopro de brisa nos postes de luz. A luz vermelha e azul da barra de luz do carro patrulha cobria as costas do terno de Blake, de modo rítmico e inútil.

— Está bem — disse Reacher. — O sujeito mexeu em alguma coisa? Blake fez que não novamente.

— Abriu a porta, andou em volta no andar de baixo, subiu, achou o banheiro, saiu novamente, para buscar ajuda. O chefe dele teve o bom senso de impedir que ele voltasse para dentro.

— A porta da frente estava trancada?

— Fechada, mas destrancada.

— Ele bateu?

— Acho que sim.

— Então as impressões digitais dele devem estar no batedor também. E na maçaneta, do lado de dentro.

Blake deu de ombros.

— Não tem importância. Não vai ter apagado as impressões digitais do homem que procuramos, porque ele não deixa impressões digitais.

Reacher assentiu.

— Tudo bem.

Ele passou pelos veículos estacionados e foi em frente, passando pela boca do acesso de veículos. Andou vinte metros subindo a estrada.

— Para onde isso leva? — gritou ele.

Blake estava dez metros atrás dele.

— Pro fim do mundo, provavelmente.

— É estreito, né?

— Já vi mais largas — concedeu Blake.

Reacher caminhou de volta para se juntar a ele.

— Então você devia verificar a lama nos acostamentos, talvez lá em cima na próxima curva.

— Pra quê?

— O homem que procuramos veio da estrada de Spokane, muito provavelmente. Passou pela casa, continuou seguindo, fez o retorno e voltou. Ele queria que seu carro estivesse voltado para a direção correta, antes de entrar e ir ao trabalho. Um homem como esse, pensa sobre o modo de entrar e sair.

Blake assentiu.

— Está bem. Vou pôr alguém para tratar disso. Enquanto isso, me mostre a casa.

Ele gritou instruções para sua equipe e Reacher se juntou a Harper na entrada do acesso de veículos. Eles ficaram parados, aguardando Blake alcançá-los.

— Pois bem, me mostre a casa — disse ele.

— Fizemos uma pausa aqui por um instante — falou Harper. — Era absolutamente silencioso. Depois, caminhamos até a porta e usamos o batedor.

— O tempo estava úmido ou seco? — perguntou Blake a ela.

Ela olhou para Reacher.

— Seco, acho. Um pouco ensolarado. Não estava quente, mas não estava chovendo.

— O acesso de veículos estava seco — disse Reacher. — Não seco pela poeira, mas a umidade tinha penetrado no xisto.

— Então você não deve ter ficado com areia nos sapatos?

— Duvido.

— Está bem.

Eles estavam na porta.

— Coloque isso nos seus pés — disse Blake. Ele puxou um rolo de sacos plásticos grandes do bolso do paletó. Eles colocaram um saco em cada sapato e enfiaram as bordas do plástico para baixo, dentro do couro.

— Ela abriu na segunda batida — contou Harper. — Mostrei para ela meu distintivo no olho mágico.

— Ela estava bem nervosa — disse Reacher. — Nos contou que Julia vinha alertando ela.

Blake assentiu amargamente e cutucou a porta com seu pé ensacado. A porta se abriu com o mesmo rangido de velhas dobradiças que Reacher se lembrava de antes.

— Ficamos parados aqui na entrada — contou Reacher. — Aí ela nos ofereceu café e fomos até a cozinha buscar.

— Alguma coisa diferente aqui? — perguntou Blake.

Reacher olhou em volta. As paredes de pinho, o piso de pinho, as cortinas de guingão amarelo, os velhos sofás, os lampiões a querosene convertidos.

— Nada diferente — disse ele.

— Tudo bem, cozinha — disse Blake.

Eles entraram em fila na cozinha. O piso ainda estava brilhando de encerado. Os armários ainda eram os mesmos, o fogão estava frio e vazio, as máquinas debaixo da bancada eram as mesmas, os dispositivos eletrônicos estavam intactos. Havia louça na pia e uma das gavetas de talheres estava aberta uns dois centímetros.

— A visão é diferente — disse Harper. Ela estava à janela. — É muito mais cinza hoje.

— Louça na pia — disse Reacher. — E aquela gaveta estava fechada.

Eles chegaram todos juntos para perto da pia. Havia um único prato, um copo para água, uma caneca, uma faca e um garfo. Manchas de ovo e farelos de torrada no prato, borra de café na caneca.

— Café da manhã? — disse Blake.

— Ou jantar — respondeu Harper. — Um ovo numa torrada pode ser o jantar para uma mulher solteira.

Blake puxou a gaveta com a ponta dos dedos. Havia um punhado de talheres baratos ali, e ferramentas domésticas sortidas, chaves de fenda pequenas, desbastadores de fios, fita isolante, fusíveis.

— Tudo bem, e depois? — perguntou Blake.

— Fiquei aqui com ela — disse Harper. — Reacher olhou em volta.

— Me mostra — disse Blake.

Ele seguiu Blake de volta ao corredor.

— Verifiquei a sala de estar e a sala de visitas — falei Reacher. — Olhei pela janela. Achei que eram seguras.

Blake assentiu.

— O sujeito não entrou pelas janelas.

— Então eu saí, conferi a área em volta e o celeiro.

— Vamos olhar lá em cima primeiro — disse Blake.

— Está bem.

Reacher foi à frente. Ele tinha muita consciência de onde estava indo. Estava muito consciente de que talvez trinta horas antes o sujeito seguira o mesmo caminho.

— Verifiquei os quartos. Fui para a suíte por último.

— Vamos — disse Blake.

Eles andaram pela extensão da suíte. Pararam na porta do banheiro.

— Vamos — repetiu Blake.

Eles olharam o interior. O lugar estava intocado. Nenhum sinal de que algo jamais tivera acontecido ali, exceto pela banheira. Ela estava sete oitavos cheia de tinta verde, como o formato de uma mulher musculosa, pequena, flutuando um pouco abaixo da superfície, que tinha sido coberta por uma camada plástica viscosa, delineando o corpo dela e a aprisionando lá. Todos os contornos eram visíveis. As coxas, a barriga, os seios. A cabeça, inclinada para trás. O queixo, a testa. A boca, mantida ligeiramente aberta, os lábios repuxados para trás numa minúscula careta.

— Que merda — disse Reacher.

— É, que merda — concordou Blake.

Reacher ficou parado ali e tentou ler os sinais. Tentou *encontrar* os sinais. Mas não havia nenhum. O banheiro estava exatamente igual a antes.

— Alguma coisa?

Ele fez um gesto negativo com a cabeça.

— Não.

— Está bem, vamos examinar o lado de fora.

Eles desceram juntos as escadas, como uma tropa, Harper estava esperando no corredor. Ela olhou para Blake, com expectativa. Blake apenas

Caçada às Cegas

balançou a cabeça, como se estivesse dizendo *não tem nada aqui*. Talvez ele estivesse dizendo *não vá lá em cima*. Reacher o levou para fora pela porta dos fundos até o quintal.

— Verifiquei as janelas pelo lado de fora — disse ele.

— O sujeito não entrou pela droga da janela — disse Blake pela segunda vez. — Ele entrou pela porta.

— Mas como? — perguntou Reacher. — Quando estávamos aqui, você ligou para ela com antecedência, e Harper ficou exibindo o distintivo e gritando *FBI, FBI*, e, ainda assim, ela praticamente se escondeu lá dentro. E depois ela ficou tremendo que nem vara verde quando finalmente abriu a porta. Como esse sujeito conseguiu convencê-la?

Blake deu de ombros.

— Como lhe disse logo no começo, essas mulheres *conhecem* esse sujeito. Elas confiam nele. É algum tipo de velho amigo ou coisa assim. Ele bate à porta, elas verificam quem é no olho mágico, botam um grande sorriso no rosto e abrem a porta imediatamente.

A porta do porão estava intacta. O grande cadeado nos pegadores estava intocado. A porta da garagem no lado do celeiro estava fechada, mas não estava trancada. Reacher guiou Blake para dentro e ficou parado na penumbra. O Cherokee novo estava lá, e as pilhas de caixas de papelão. A grande caixa da máquina de lavar também estava lá, com as abas ligeiramente abertas, a fita adesiva pendente. A bancada estava lá, com as ferramentas elétricas organizadamente dispostas sobre ela. As prateleiras estavam intactas.

— Algo está diferente — disse Reacher.

— O quê?

— Me deixe pensar.

Ele ficou parado ali, abrindo e fechando os olhos, comparando a cena à sua frente com a lembrança em sua cabeça, como se estivesse verificando duas fotografias lado a lado.

— O carro se mexeu — disse ele.

Blake suspirou, como se estivesse decepcionado.

— Era de se esperar. Ela dirigiu até o hospital depois que você saiu.

Reacher assentiu.

— Outra coisa.

— O quê?

— Me deixe pensar.

Foi então que ele percebeu.

— Merda — disse ele.

— O quê?

— Deixei passar. Desculpe, Blake, mas deixei passar.

— Deixou passar o quê?

— A caixa de papelão da máquina de lavar. Ela já tinha uma máquina de lavar. Parecia novinha. Está na cozinha, debaixo da bancada.

— E daí? Ela deve ter sido tirada do papelão. Quando foi instalada.

Reacher fez um gesto negativo com a cabeça.

— Não, dois dias atrás aquela caixa estava nova e selada. Agora está aberta.

— Tem certeza?

— Tenho. A mesma caixa, no mesmo lugar exato. Mas estava selada antes e agora está aberta.

Blake se aproximou da caixa de papelão. Pegou uma caneta no bolso e usou o corpo plástico da caneta para levantar a aba. Olhou fixamente o que viu.

— Essa caixa já estava aqui?

Reacher fez que sim.

— Fechada.

— Como se tivesse sido transportada?

— Sim.

— Está bem — disse Blake. — Agora sabemos como ele transporta a tinta. Ele entrega as antecipadamente em caixas de papelão de máquina de lavar.

Você se senta lá com frio e suando por uma hora e, no final, sabe com certeza que se esqueceu de fechar novamente a caixa de papelão. Você não fechou,

Caçada às Cegas

nem mandou que ela fechasse. Isso agora é um fato, não pode ser negado, e é preciso lidar com isso.

Porque fechar de novo as caixas de papelão garantia certo atraso. Você sabe como os investigadores trabalham. Uma caixa de papelão de eletrodoméstico que acaba de ser entregue na garagem ou no porão não atrairia interesse nenhum. Ficaria no final da lista de prioridades. Seria só mais uma parte das tralhas domésticas normais que se vê em todo lugar. Praticamente invisível. Você é sagaz. Sabe como essas pessoas trabalham. Seu palpite é que os primeiros investigadores sequer a abririam. Era essa sua previsão, e ficou comprovado que teve razão por três vezes seguidas. Lá na Flórida, em New Hampshire, e na Califórnia, essas caixas eram itens no inventário de alguém, mas elas não tinham sido abertas. Talvez muito mais tarde, quando os herdeiros viessem limpar as casas, eles as abririam e encontrariam todas as latas vazias, quando a merda já tinha acertado o ventilador, mas aí seria tarde demais. Um atraso garantido, de semanas ou mesmo meses.

Mas desta vez seria diferente. Eles andariam pela garagem, e as abas da caixa estariam para cima. O papelão faz isso, principalmente numa atmosfera úmida como a que eles têm lá. As abas estariam viradas para fora. Eles olhariam lá dentro e não veriam embalagens de isopor nem esmalte branco brilhante, veriam?

Eles trouxeram as lanternas de arco de xenônio do Suburban e organizaram-nas em volta da caixa de papelão da máquina de lavar como se esta fosse um meteoro vindo do espaço. Eles ficaram ali, inclinados na altura da cintura como se a coisa toda fosse radioativa. Eles olhavam para ela tentando decodificar seus segredos.

Era uma caixa de eletrodoméstico de tamanho normal, construída com papelão marrom resistente, dobrada e grampeada da maneira que caixas de papelão para eletrodomésticos são. O papelão marrom era impresso em tinta preta. O nome do fabricante se destacava em cada um dos quatro lados. Um nome famoso, estilizado e impresso como uma marca registrada. Havia o número do modelo da máquina de lavar embaixo dele, e uma imagem grosseira representando a própria máquina.

A fita vedadora era marrom também. Ela tinha sido cortada ao comprido na parte de cima para permitir que a caixa fosse aberta. Dentro da caixa não havia nada, exceto dez latas de tinta de três galões cada. Elas estavam empilhadas em duas colunas de cinco. As tampas repousavam na parte de cima das latas como se tivessem sido colocadas no lugar depois de usadas. Elas estavam amassadas aqui e ali em volta da circunferência na qual um instrumento tinha sido usado para alavancar as tampas e retirá-las. As bordas das latas tinham uma linha em formato de língua de cor ressecada no lado no qual a tinta tinha sido despejada.

As próprias latas eram cilindros de metal lisos, sem nome de fabricante, sem marca registrada. Nenhuma declaração autoelogiosa sobre qualidade ou durabilidade ou cobertura. Apenas uma pequena etiqueta em estêncil com um número grande e palavras em letras miúdas: Verde/Camu.

— São normais? — perguntou Blake.

Reacher fez que sim.

— Suprimento padrão.

— Quem utiliza?

— Qualquer unidade com veículos. Eles as carregam por aí para pequenos reparos e retoques. Oficinas de veículos usariam tambores maiores e spray.

— Então eles não são raros?

Reacher fez um gesto negativo com a cabeça.

— Muito pelo contrário.

Houve silêncio na garagem.

— Está bem, leve-as para fora — disse Blake.

Um perito usando luvas de látex se inclinou e ergueu as latas da caixa de papelão, uma a uma. Ele as alinhou na bancada de Alison Lamarr. Em seguida, dobrou as abas da caixa de papelão novamente e pôs uma lâmpada para jogar luz no lado de dentro. O fundo da caixa tinha cinco marcas circulares profundas no papelão.

— As latas estavam cheias quando entraram aí — falou o perito.

Blake recuou, para fora do alcance da luz flamejante, para a sombra. Ele virou as costas para a caixa e olhou para a parede.

Caçada às Cegas

— Então como isso chegou aqui? — perguntou ele.

Reacher deu de ombros.

— Como você disse, foi entregue, antecipadamente.

— Não pelo homem.

— Não, ele não viria duas vezes.

— Então por quem?

— Por uma transportadora. O sujeito mandou antecipadamente. FedEx, UPS ou algo assim.

— Mas eletrodomésticos geralmente são entregues pela loja na qual você os compra. Por um caminhão local.

— Não esse — disse Reacher. — Esse não veio de nenhuma loja de eletrodomésticos.

Blake suspirou, como se o mundo tivesse enlouquecido. Depois deu as costas e avançou para a luz novamente. Olhou a caixa. Andou em volta dela. Um lado mostrava dano. Havia um formato, um quadrado malfeito, no qual a superfície do papelão tinha sido rasgada. Era possível ver a camada inferior, crua e exposta. O ângulo das lanternas enfatizava a estrutura corrugada.

— Etiqueta de remessa — disse Blake.

— Talvez um desses envelopinhos plásticos — disse Reacher. — Sabe, *documentos anexos.*

— Então onde está? Quem foi que rasgou? Não foi a transportadora. Eles não rasgam isso.

— Foi o sujeito que rasgou — disse Reacher. — Depois. Para que não possamos rastrear.

Ele fez uma pausa. Ele tinha dito *possamos*. Não *possam*. *Para que não possamos rastrear*. Não *para que vocês não possam rastrear*. Blake tinha notado isso também, e ergueu os olhos.

— Mas como deve acontecer a entrega, para início de conversa? — perguntou ele. — Digamos que você seja Alison Lamarr, sentada em casa, e a UPS ou a FedEx ou alguém aparece com uma máquina de lavar que você nunca encomendou. Você não aceitaria a entrega, aceitaria?

— Talvez tenha vindo enquanto ela não estava em casa — falou Reacher.

— Vai ver chegou quando ela estava no hospital com o pai. Talvez o motorista tenha apenas transportado para a garagem e a deixado lá.

— Ele não ia precisar de uma assinatura?

Reacher deu de ombros novamente.

— Não sei. Nunca recebi uma máquina de lavar. Acho que às vezes não é preciso assinar. O sujeito que enviou provavelmente especificou que não era preciso assinar.

— Mas ela a teria visto bem ali, na primeira vez que foi à garagem depois disso. Assim que guardou o carro, quando voltou.

Reacher fez que sim.

— É, ela deve ter visto. É grande o bastante.

— Então o que aconteceu depois?

— Ela liga para a UPS ou para a FedEx ou quem quer que seja. Talvez ela tenha rasgado o envelope ela mesma, carregando o envelope para casa, até o telefone, para fornecer os detalhes.

— Por que ela não desembalou?

Reacher fez uma careta.

— Ela imagina que não é dela de verdade, por que iria desembalar? Ela só teria o trabalho de embalar de novo.

— Ela mencionou alguma coisa para você ou para Harper? Alguma coisa sobre entregas sem explicação?

— Não, mas também ela pode não ter feito a relação entre as coisas. Confusões acontecem, não é? São parte da vida.

Blake fez que sim.

— Bem, se os detalhes estão na casa, nós vamos encontrar. O pessoal da cena do crime vai passar algum tempo lá, assim que o legista tiver terminado.

— O legista não vai achar nada — disse Reacher.

Blake tinha uma aparência sombria.

— Desta vez, ele vai ter que achar.

— Vocês vão ter que fazer as coisas de um modo diferente — disse Reacher. Ele se concentrou no *vocês*. — Vocês deviam tirar a banheira

Caçada às Cegas

inteira. Levá-la para algum grande laboratório em Seattle. Talvez mandá-la de avião lá para o Quantico.

— Como podemos tirar a banheira inteira?

— Arranque a parede. Tire o telhado, use uma grua.

Blake fez uma pausa e pensou a respeito.

— Acho que podemos fazer isso. Precisaríamos de permissão, é claro. Mas essa deve ser a casa de Julia agora, nessas circunstâncias, certo? Ela é a próxima na sucessão, acredito.

Reacher assentiu.

— Então ligue para ela. Pergunte. Consiga a permissão. E faça com que ela verifique os relatórios de campo dos outros três lugares. Essa coisa da entrega pode ser um procedimento único, mas, se não for, isso muda tudo.

— Muda tudo como?

— Porque significa que não é um homem com tempo de dirigir um caminhão de tinta por toda parte. Significa que pode ser qualquer um, usando as companhias aéreas, chegando e saindo rápido como bem quiser.

Blake retornou ao Suburban para fazer suas ligações, e Harper encontrou Reacher e o levou pelos quarenta e cinco metros subindo a estrada para o lugar no qual os agentes do escritório de Spokane tinham identificado marcas de pneu na lama nos acostamentos. Tinha ficado escuro e eles usavam lanternas. Havia quatro marcas distintas na lama. Estava claro o que tinha acontecido. Alguém tinha atingido de frente o acostamento esquerdo, girado a direção hidráulica, atravessado a estrada de ré, pondo os pneus traseiros no acostamento direito, e, depois, acelerado novamente na direção que tinha vindo. As marcas dos pneus da frente tinham se esfregado formando semicírculos devido à manobra, mas as dos pneus traseiros do outro lado estavam nítidas o bastante. Elas não eram largas nem estreitas.

— Provavelmente um sedã de porte médio — disse um dos homens de Spokane. — Pneus radiais bem novos, talvez um 195/70, talvez aro quatorze. Vamos saber o pneu exato pelo padrão de marca. E mediremos a largura entre as marcas, talvez a gente consiga o modelo exato do carro.

— Acha que é o culpado? — perguntou Harper.

Reacher fez que sim.

— Tem de ser, não é? Pense bem. Qualquer outra pessoa buscando o endereço vê a casa a noventa metros de distância à frente e diminui a velocidade o bastante para verificar a caixa de correio e parar. Mesmo que não faça isso, ele passa alguns metros e volta imediatamente. Ele não ultrapassa quarenta e cinco metros e espera chegar à esquina para virar. Isso era um homem rondando o lugar, observando e mantendo cautela. Foi ele, não há dúvida.

Eles deixaram os homens de Spokane armando tendas miniaturas à prova d'água sobre as marcas e andaram de volta para a casa. Blake estava de pé ao lado do Suburban, aguardando, iluminado por trás pela luz de teto do carro.

— Temos caixas de papelão de eletrodomésticos listadas em todas as três cenas do crime — disse ele. — Nenhuma informação sobre o conteúdo. Ninguém pensou em olhar. Estamos mandando agentes locais de volta para verificar. Pode levar uma hora. E Julia diz que devíamos ir em frente e arrancar a banheira. Vou precisar de alguns engenheiros, acho.

Reacher assentiu de modo vago e fez uma pausa, imobilizado por uma nova linha de pensamento.

— Você devia verificar outra coisa — falou. — Devia obter a lista das onze mulheres, ligar para as sete que ele ainda não atacou e perguntar a elas.

Blake olhou para ele.

— Perguntar o que a elas? *Alô, você ainda está viva?*

— Não, perguntar se elas receberam alguma entrega que não estavam esperando. Qualquer eletrodoméstico que nunca encomendaram. Porque se este cara estiver acelerando, talvez o próximo assassinato já esteja preparado.

Blake olhou para ele um pouco mais, e depois assentiu, voltando para dentro do Suburban e tirando o telefone do carro do suporte.

— Mande o Poulton fazer isso — gritou Reacher. — É muita emoção para Lamarr.

Caçada às Cegas 245

Blake apenas olhou para ele, mas chamou Poulton mesmo assim. Disse a ele o que queria e desligou em um minuto.

— Agora nós esperamos — disse ele.

— Senhor — disse o cabo.

A lista estava na gaveta e a gaveta estava trancada. A pessoa está imóvel na mesa, olhando para a penumbra de sua sala sem janelas, sem se concentrar em nada, pensando muito, tentando se recuperar. A melhor maneira de se recuperar seria falando com alguém. Sabia disso. *Um problema compartilhado é um problema pela metade.* É assim que funciona numa instituição gigante como o Exército. Mas não podia falar com ninguém sobre *aquilo*, é claro. Deu um sorriso amargo. Olhou para a parede e continuou pensando. *Confiança em si mesmo*, é isso que devia ser suficiente. Estava se concentrando tanto em ganhá-la novamente que não deve ter notado a batida na porta. Depois, percebeu que deviam ter sido repetidas batidas e ficou feliz de a lista estar na gaveta, porque quando o cabo por fim entrou, não poderia tê-la escondido. Não poderia ter feito nada. Ele estava apenas imóvel e, evidentemente, atônito, porque imediatamente após o cabo começou a agir com preocupação.

— Coronel — disse ele.

Não houve resposta. Não moveu os olhos da parede.

— Coronel — repetiu o cabo.

Ele mexeu a cabeça, como se ela pesasse uma tonelada. Não disse nada.

— Seu carro está aqui — disse o cabo.

Eles aguardaram uma hora e meia, amontoados dentro do Suburban. A tarde avançou para a noite e esfriou. O orvalho denso da noite obscurecia o lado de fora do para-brisa e das janelas. A respiração embaçava o lado de dentro. Ninguém falava. O mundo em volta deles ficou mais silencioso. Havia um ruído animal esporádico à distância, uivando para eles pelo ar rarefeito da montanha, mas, fora isso, não havia absolutamente mais nada.

— Que lugar para se viver — murmurou Blake.
— Ou morrer — disse Harper.

Por fim, você se recupera, e aí relaxa. Você tem muito talento. Tudo estava assegurado, reforçado duas, três vezes. Você pôs camada sobre camada sobre camada de ocultação. Você sabe como os investigadores trabalham. Sabe que eles não encontrarão nada além do óbvio. Não descobrirão de onde veio a tinta. Ou quem a obteve. Ou quem a entregou. Você sabe que não vão. Sabe como essas pessoas trabalham. E você é muito sagaz para elas. Sagaz demais. Então, você relaxa.

Mas sente certa decepção. Cometeu um erro. E a tinta era muito divertida. E agora você provavelmente não poderá mais usá-la. Mas talvez possa pensar em algo ainda melhor. Porque uma coisa é certa: você não pode parar agora.

O telefone tocou dentro do Suburban. No silêncio, era uma explosão eletrônica em alto volume. Blake tirou-o do suporte. Reacher ouviu o som indistinto de uma voz que falava rápido. Uma voz de homem, não de mulher. Poulton, não Lamarr. Blake ouviu com atenção, com os olhos concentrados no vazio. Depois desligou e olhou o para-brisa
— Que foi? — perguntou Harper.
— Os homens locais voltaram e verificaram as caixas de papelão de eletrodoméstico — disse Blake. — Estavam todas hermeticamente fechadas, como novas. Mas eles as abriram mesmo assim. Dez latas de tinta em cada uma delas. Dez latas vazias. Latas usadas, exatamente como as que achamos.
— Mas as caixas estavam seladas? — perguntou Reacher?
— Foram fechadas novamente — respondeu Blake. — Dava para notar, quando eles olharam atentamente. O homem fechou as caixas novamente, depois.
— Sujeito esperto — disse Harper. — Ele sabia que uma caixa de papelão fechada não ia atrair muita atenção.
Blake assentiu para ela.

Caçada às Cegas

— Um sujeito *muito* esperto. Sabe como nós pensamos.

— Mas agora a esperteza dele não é mais completa — disse Reacher. — Ou não teria se esquecido de fechar essa caixa, não é? Seu primeiro erro.

— Ele tem sido quase perfeito — comentou Blake. — Isso o torna esperto o bastante para mim.

— Nenhuma etiqueta de remessa em lugar nenhum? — perguntou Harper.

Blake fez um gesto negativo com a cabeça.

— Todas elas arrancadas.

— Era de se imaginar — disse ela.

— É mesmo? — perguntou-lhe Reacher. — Então desta vez, por que ele devia se lembrar de arrancar a etiqueta, mas se esqueceu de fechar de novo a caixa?

— Talvez ele tenha sido interrompido aqui — disse ela.

— Como? Aqui não é bem a Times Square.

— Então o que você está dizendo? Você está reconsiderando o quanto ele é esperto? A esperteza dele parecia importante à beça para você antes Você estava usando a esperteza dele para provar que estávamos errados

Reacher olhou para ela e assentiu.

— Sim, vocês estavam todos errados.

Depois, voltou-se para Blake.

— Precisamos mesmo conversar sobre o motivo desse cara.

— Mais tarde — disse Blake.

— Não, agora. É importante.

— Mais tarde — repetiu Blake. — Você ainda não ouviu ainda a boa notícia.

— Que notícia?

— A outra coisinha que você sugeriu.

Silêncio dentro do veículo.

— Merda — disse Reacher. — Alguma das outras mulheres recebeu uma encomenda, não foi?

Blake fez um gesto negativo com a cabeça.

— Errado — disse ele. — *Todas as sete* receberam.

16

— ENTÃO VOCÊS VÃO PARA PORTLAND, OREGON — disse Blake. — Você e Harper.

— Por quê? — perguntou Reacher.

— Para que possam visitar sua velha amiga Rita Scimeca. A tenente sobre a qual nos contou, que foi estuprada em Geórgia. Ela mora perto de Portland, numa cidadezinha a oeste. Ela é uma das onze da sua lista. Você pode chegar lá e verificar o porão dela. Ela disse que tem uma máquina de lavar novinha em folha lá. Dentro de uma caixa.

— Ela a abriu? — perguntou Reacher.

Blake fez um gesto negativo com a cabeça.

— Não, os agentes de Portland verificaram com ela por telefone. Eles disseram a ela para não tocar na caixa. Alguém está a caminho agora mesmo.

— Se o homem ainda estiver na área, Portland pode ser sua próxima parada. É perto o bastante.

— Correto — disse Blake. — É por isso que temos alguém a caminho.

Reacher concordou com a cabeça.

— Então agora vocês as estão protegendo? Como é mesmo aquela coisa que se diz sobre porta arrombada e tranca de ferro?

Blake deu de ombros.

— Mas veja só, com apenas sete vivas, os recursos humanos ficam muito mais viáveis.

Era o humor negro de um policial num carro cheio de policiais, mas ainda assim soou sem graça. Blake corou ligeiramente e desviou o olhar.

— Perder Alison me atinge tanto quanto a qualquer um — disse ele. — Como se fosse da família, sabe?

— Especialmente para a irmã dela, imagino — comentou Reacher.

— Nem me fale — disse Blake. — Ela ficou bastante emocionada quando a notícia chegou. Ficou ofegante. Nunca a vi tão agitada.

— Você devia tirá-la do caso.

Blake fez um gesto negativo com a cabeça.

— Preciso dela.

— Você precisa de alguma coisa, isso, com certeza.

— Nem me fale.

De Spokane até a cidadezinha a leste de Portland eram trezentos e oitenta quilômetros no mapa que Blake lhes mostrou. Eles pegaram o carro que o agente local tinha usado para trazê-los do aeroporto. Ele ainda tinha o endereço de Alison Lamarr escrito à mão na folha de cima do bloco preso ao para-brisa. Reacher olhou para a folha por um segundo. Depois a arrancou, fez uma bola de papel e atirou-a para trás no descanso dos pés do banco traseiro. Encontrou uma caneta no porta luvas e escreveu a rota na folha seguinte. 90 oeste - 395 sul - 84 oeste - 35 sul - 26 oeste. Ele a escreveu em letra grande o bastante para vê-la no escuro quando eles estivessem cansados. Debaixo dos números e letras grandes, ele ainda conseguia ver o endereço de Alison Lamarr, marcado pela pressão da esferográfica do agente regional.

— Digamos que sejam seis horas — disse Harper. — Você dirige três e eu três.

Reacher assentiu. Estava totalmente escuro quando ele deu partida no motor. Ele contornou a rua, de um acostamento ao outro, girando o volante, exatamente como tinha certeza de que o homem tinha feito, mas dois dias antes e cento e oitenta metros ao sul. Rodaram pelas curvas estreitas da descida até a Rota 90 e viraram à direita. Depois que as luzes da cidade já estavam atrás deles, a densidade do tráfego diminuiu e ele engrenou uma viagem rápida para o oeste. O carro era um Buick novo, menor e mais simples que o de Lamarr, talvez um pouco mais rápido por causa disso. Aquele ano deve ter sido o ano da GM no FBI. O Exército tinha feito a mesma coisa. As compras de carros de funcionários giravam estritamente entre GM, Ford e Chrysler, para que nenhuma das montadoras nacionais pudesse ficar irritada com o governo.

A estrada seguia direto para sudoeste por meio de terreno montanhoso. Ele acionou o farol alto e suavizou a velocidade na subida. Harper se esticou à direita dele, com o assento reclinado, e a cabeça virada para ele. Seus cabelos pendiam, brilhando vermelhos e dourados com as luzes vindas do painel. Ele mantinha uma das mãos no volante, e a outra descansava sobre a perna. Ele conseguia ver as luzes no espelho: faróis de halogênio acesos, gingando e balançando a um quilômetro e meio atrás dele. Eles estavam se aproximando, rápidos. Ele acelerou para mais de cento e dez quilômetros.

— O Exército ensina a dirigir rápido assim? — perguntou Harper.

Ele não respondeu. Eles passaram por uma cidade chamada Sprague e a estrada se estreitou. O mapa de Blake mostrara que era reto por todo o caminho até uma cidade chamada Ritzville, a trinta e poucos quilômetros à frente. Reacher acelerou suavemente para cento e trinta quilômetros por hora, mas os faróis atrás dele ainda se aproximavam rapidamente. Um longo momento mais tarde um carro passou veloz por eles, um sedã baixo e comprido, numa manobra ampla, uma corrente de ar turbulenta, quatrocentos metros na pista ao lado. Em seguida ele voltou para a direita e entrou

Caçada às Cegas

à frente como se o Buick do FBI estivesse se movendo vagarosamente num estacionamento.

— *Isso* é que é rapidez — disse Reacher.

— Talvez seja o homem — comentou Harper, sonolenta. — Talvez ele esteja se dirigindo para Portland também. Talvez a gente vá pegá-lo esta noite.

— Mudei de ideia — falou Reacher. — Acho que ele não dirige. Acho que vai de avião.

Mas acelerou suavemente um pouco mais, para manter à vista as luzes de freio distantes.

— E depois? — perguntou Harper. — Ele aluga um carro no aeroporto local?

Reacher assentiu no escuro.

— Esse é meu palpite. Essas marcas de pneu que eles acharam? Tamanho muito padrão. Talvez algum sedã de porte médio genérico do tipo que as locadoras de automóveis têm milhões iguais.

— Arriscado — falou Harper. — O aluguel de carros deixa um rastro de formulários.

Reacher assentiu novamente.

— Comprar passagens de avião também deixa. Mas esse cara é muito organizado. Tenho certeza de que ele tem uma identidade falsa incontestável. Seguir o rastro dos formulários não vai levar ninguém a lugar nenhum.

— Bem, vamos fazer isso de qualquer maneira, eu acho. E isso significa que ele esteve frente a frente com funcionários no balcão de aluguel.

— Talvez não. Talvez ele reserve com antecedência e consiga entrega expressa.

Harper assentiu.

— O homem da entrega o veria, no entanto.

— Brevemente.

A estrada era reta o bastante para ver o carro rápido a um quilômetro e meio de distância. Reacher se surpreendeu passando dos cento e quarenta e cinco quilômetros por hora, mantendo o ritmo atrás dele.

— Quanto tempo leva para matar uma pessoa? — perguntou Harper.
— Depende de como você o fizer — disse Reacher.
— E não sabemos como ele está fazendo.
— Não, não sabemos. Isso é uma coisa que precisamos descobrir. Mas, de qualquer forma, ele é bem calmo e cuidadoso. Nenhuma sujeira em lugar nenhum, nenhuma gota de tinta derramada. Meu palpite é que leve vinte, trinta minutos no mínimo.

Harper assentiu e se esticou. Reacher captou um toque do perfume dela quando ela se mexeu.

— Então pense em Spokane — disse ela. — Ele sai do avião, pega o carro, dirige meia hora até a casa de Alison, passa meia hora lá, dirige meia hora de volta e sai correndo de lá. Ele não ia ficar lá, não é?

— Não perto da cena do crime, acho — disse Reacher.

Então o carro de aluguel pode ser devolvido em menos de duas horas. Devíamos verificar aluguéis muito curtos dos aeroportos locais até as cenas de crime, ver se há um padrão.

Reacher assentiu.

— Sim, vocês devem. É assim que vocês vão apanhá-lo, com trabalho duro.

Harper se mexeu de novo, virando de lado em seu assento.

— Às vezes você diz *nós* e às vezes diz *vocês*. Ainda não se decidiu, mas está amolecendo um pouco, sabia?

— Gostava de Alison, acho, pelo pouco que convivemos.

— E?

— E gosto de Rita Scimeca, também, do que me lembro dela. Não ia querer que nada acontecesse a ela.

Harper esticou o pescoço e observou as luzes de freio a um quilômetro e meio de distância à frente.

— Então não perca esse cara de vista — disse ela.

— Ele viaja de avião — disse Reacher. — Esse não é o sujeito.

• • •

Caçada às Cegas **253**

Não era o sujeito. No limite de Ritzville ele ficou na Rota 90, fazendo a curva para o oeste até Seattle. Reacher enveredou para o sul, entrando na 395, rumo a Oregon. A estrada ainda estava vazia, mas era mais estreita e cheia de curvas, por isso ele aliviou um pouco a urgência de seu ritmo e deixou o carro restabelecer seu curso natural.

— Me fale sobre a Rita Scimeca — disse Harper.

Reacher deu de ombros ao volante.

— Ela era um pouco como Alison Lamarr, acho. Não a mesma aparência, mas causava a mesma impressão. Durona, esportiva, hábil. Nada a perturbava, se me lembro bem. Era segundo-tenente. Ótimo histórico. Ela participava do treinamento de oficiais.

Ele ficou calado. Estava visualizando Rita Scimeca e a imaginando de pé, ombro a ombro com Alison Lamarr. Duas mulheres boas, as melhores que o Exército jamais teria.

— Aí vai outro quebra-cabeça — disse ele. — Como o homem as controla?

— Controla? — repetiu Harper.

Reacher fez que sim.

— Pense bem. Ele entra na casa delas e trinta minutos depois elas estão mortas na banheira, nuas, sem uma marca. Sem perturbação, sem sujeira. Como ele está fazendo isso?

— Apontando uma arma, acho.

Reacher fez um gesto negativo com a cabeça.

— Há duas coisas erradas nisso. Se ele estiver indo de avião, ele não tem uma arma. Não dá para levar uma arma num avião. Você sabe disso, não é? Você não trouxe a sua.

— Se ele estiver indo de avião. Isso é apenas um palpite seu.

— Está bem, mas estava só pensando sobre Rita Scimeca. Ela era uma mulher durona. Ela foi estuprada, e foi por isso que entrou na lista desse cara, acho, porque três homens foram para a prisão e foram dispensados por isso. Mas cinco homens vieram pegá-la naquela noite. Só três deles chegaram a estuprá-la, porque um dos homens teve a bacia quebrada e o outro, os dois braços quebrados. Em outras palavras, ela lutou para diabo.

— E daí?

— E daí que Alison Lamarr não teria feito a mesma coisa? Mesmo que o homem não tivesse uma arma, Alison Lamarr ia ficar submissa e passiva durante trinta minutos inteiros?

— Não sei — duvidou Harper.

— Você a viu. Ela não era nenhuma mocinha acanhada. Ele era do Exército. Treinada na Infantaria. Ou ela teria ficado furiosa e começado uma luta ou teria esperado e tentado acertar o cara em algum momento. Mas ao que parece ela não fez isso. Por que não?

— Eu não sei — repetiu Harper.

— Nem eu — disse Reacher.

— Temos de achar esse cara.

Reacher fez um gesto negativo com a cabeça.

— Vocês não vão achar.

— Por que não?

— Porque vocês estão tão cegos com essa merda de perfil que erraram quanto ao motivo, é por isso.

Harper se virou e olhou pela janela a escuridão que passava.

— Se importa de explicar isso melhor? — perguntou ela.

— Não vou explicar até que consiga que Blake e Lamarr fiquem calados prestando atenção. Só vou dizer uma vez.

Eles pararam para abastecer logo depois de cruzarem o rio Columbia, próximo a Richland. Reacher encheu o tanque e Harper foi ao banheiro. Depois, ela voltou e entrou no carro no lado do motorista, pronta para suas três horas ao volante. Ela deslizou o assento para a frente enquanto ele deslizava o dele para trás. Passou os cabelos para trás dos ombros e ajustou o espelho. Girou a chave, deu partida novamente para o sul e acelerou até atingir uma velocidade estável.

Caçada às Cegas 255

Eles cruzaram o Columbia novamente no lugar em que ele fazia uma curva a oeste e logo depois estavam em Oregon. A I-84 seguia o rio, bem na linha do estado. Era uma rodovia rápida e vazia. À frente, a vastidão da Cordilheira das Cascatas se avolumava invisível na escuridão. As estrelas brilhavam frias e diminutas no céu. Reacher se recostou em seu assento e as observou pela curva da janela lateral, onde ela encontrava o teto. Era quase meia-noite.

— Você precisa conversar comigo — disse Harper. — Ou vou dormir ao volante.

— Você é tão ruim quanto Lamarr — disse Reacher.

Harper sorriu na escuridão.

— Nem tanto.

— É, nem tanto, acho — falou Reacher.

— Mas converse comigo mesmo assim. Por que você deixou o Exército?

— É sobre isso que quer conversar?

— É um assunto, não?

— Por que todo mundo me pergunta isso?

Ela deu de ombros.

— As pessoas são curiosas.

— Por quê? Por que eu não deveria ter deixado o Exército?

— Porque acho que gostava de lá. Como eu gosto do FBI.

— Grande parte era muito irritante.

Ela assentiu.

— Claro. O FBI é muito irritante também. Como um marido, acho. Pontos positivos e negativos, mas eles são meus pontos, sabe o que quero dizer? Você não se divorcia por causa de uma pequena irritação.

— Eles me tiraram de lá numa redução de pessoal — disse ele.

— Não, não foi o que fizeram. Lemos seu histórico. Eles reduziram o pessoal, mas não miraram em você. Você se voluntariou para ir embora.

Ele ficou calado por uns dois ou três quilômetros. Depois assentiu.

— Fiquei com medo — falou.

Ela olhou para ele.

— De quê?
— Gostava do jeito que era. Não queria que mudasse.
— Mudasse para o quê?
— Algo menor, acho. Era uma coisa imensa. Você não faz ideia. Uma coisa que se estende por todo o mundo. Eles iam diminuí-la. Eu teria promoção, então, estaria numa posição mais alta numa organização menor.
— O que há de errado nisso? Peixe grande num lago menor, não é?
— Não queria ser peixe grande — disse ele. — Gostava de ser peixe pequeno.
— Você não era peixe pequeno — disse ela. — Major não é peixe pequeno.
Ele fez que sim.
— Está bem, gostava de ser um peixe de médio porte. Era confortável. Meio anônimo.
Ela fez um gesto negativo com a cabeça.
— Isso não é motivo para dar baixa.
Ele olhou as estrelas acima. Elas estavam paradas no céu, a um bilhão de quilômetros.
— Um peixe grande num lago pequeno não tem para onde nadar — disse ele. — Eu ia ficar no mesmo lugar, por anos. Alguma mesa grande em algum lugar, e depois de cinco anos, outra mesa grande em algum outro lugar. Um sujeito como eu, sem habilidade política, sem formalidades, teria me tornado coronel e nada mais. Teria ficado preso num cargo lá. Poderiam ser quinze ou vinte anos.
— Mas?
— Mas eu queria continuar em frente. Toda a minha vida, eu fui em frente, literalmente. Tinha medo de parar. Não sabia como era ficar preso em algum lugar, mas meu palpite era que eu ia odiar.
— E?
Ele deu de ombros.
— E agora estou preso num lugar.
— E? — repetiu ela.

Ele deu de ombros novamente e não disse nada. Estava quente dentro do carro. Quente e confortável.

— Diga as palavras, Reacher — disse ela. — Ponha para fora. Você está preso num lugar, e?

— E nada.

— Nada, uma ova. E?

Ele respirou fundo.

— E estou tendo problemas com isso.

O carro ficou silencioso. Ela mexeu a cabeça como se entendesse.

— Jodie não quer ficar se mudando por aí, acho.

— Bem, você ia querer?

— Não sei.

Ele fez que sim.

— O problema é que ela *sabe*. Ela e eu crescemos do mesmo jeito, sempre nos mudando, de base para base, em todo o mundo, um mês aqui, seis meses lá. Então ela vive a vida que vive porque se empenhou e a criou para si mesma, porque é exatamente o que ela quer. Ela sabe que é exatamente o que quer porque conhece exatamente como é o oposto disso.

— Ela podia se mudar um pouco. É advogada. Podia mudar de emprego, de vez em quando.

Ele fez um gesto negativo com a cabeça.

— Não é assim que funciona. É questão de carreira. Ela vai ser sócia muito em breve, do jeito que está indo, e, então, provavelmente terá de trabalhar na mesma firma a vida inteira. E de qualquer forma, não estou falando sobre alguns anos aqui, três anos ali, comprar uma casa, vender uma casa. Estou falando sobre se eu acordar no Oregon amanhã e sentir vontade de ir para Oklahoma, ou Texas, ou algum outro lugar, eu simplesmente vou, sem nenhuma ideia de para onde vou no dia seguinte.

— Um andarilho.

— É importante para mim.

— O quão importante?

Ele deu de ombros.

— Não sei exatamente.

— Como você vai descobrir?
— O problema é que *estou* descobrindo.
— Então o que pretende fazer?
Ele ficou calado por mais um quilômetro e meio.
— Não sei — disse ele.
— Você pode se acostumar.
— Pode ser — disse ele. — Mas pode ser que não. Sinto isso no sangue. Como agora, no meio da noite, seguindo pela estrada para algum lugar em que nunca estive, me sinto muito bem. Não posso explicar como me sinto bem.

Ela sorriu.
— Vai ver é a companhia.
Ele sorriu de volta.
— Vai ver é.
— Então vai me contar mais alguma coisa?
— Como o quê?
— Por que estamos errados quanto ao motivo desse homem?
Ele fez um gesto negativo com a cabeça.
— Espere até que vejamos o que vamos encontrar em Portland.
— O que vamos encontrar em Portland?
— Meu palpite é uma caixa de papelão cheia de latas de tinta, sem nenhuma pista de onde veio ou quem a mandou para lá.
— E depois?
— Depois a gente soma dois e dois e chega a quatro. Do modo como vocês estão agindo, não vão chegar a quatro. Vocês estão chegando a um número grande e inexplicável que é muito, muito maior do que quatro.

Reacher estendeu o assento um pouco mais para trás e cochilou pela maior parte da hora final de Harper ao volante. A penúltima perna da viagem os levou ao flanco norte do Monte Hood, na Rota 35. O Buick mudou para a terceira marcha para enfrentar a inclinação, e os sacolejos da transmissão o acordaram novamente. Ele observou pelo para-brisa enquanto a estrada fazia a volta por trás do pico. Depois, Harper encontrou a Rota 26 e virou a oeste para o acesso final, descendo a montanha, até a cidade de Portland.

A paisagem noturna era espetacular. Havia nuvens dispersas no céu, uma lua brilhante e as luzes das estrelas. Havia neve empilhada nas ravinas. O mundo era como uma escultura denteada de aço brilhando abaixo disso tudo.

— Consigo entender a atração da peregrinação — disse Harper. — Com uma vista dessas.

Reacher fez que sim.

— É um planeta muito grande.

Eles passaram por uma cidade que dormia chamada Rhododendron e viram uma placa apontando a cidadezinha de Rita Scimeca à frente, oito quilômetros colina abaixo. Quando chegaram, era quase três da manhã. Havia um posto de gasolina e um armazém na estrada principal. Os dois estavam fechados. Havia uma rua transversal que ia do norte até o sopé da montanha. Harper a apontou com o nariz. A rua transversal tinha transversais próprias também. A de Scimeca era a terceira delas. Ela subia a inclinação rumo ao leste.

A casa dela era fácil de identificar. Era a única na rua com luzes nas janelas. E a única com um sedã do FBI estacionado do lado de fora. Harper parou atrás do sedã e desligou os faróis. O motor morreu com um pequeno tremor e o silêncio os envolveu. A janela traseira do carro do FBI estava coberta de orvalho e havia uma única silhueta de cabeça nela. A cabeça se moveu, a porta do sedã se abriu e um jovem vestindo um terno escuro saiu. Reacher e Harper desafivelaram os cintos e abriram as portas. Saíram e ficaram no ar frio, e a respiração dos dois enevoava o que havia em volta.

— Ela está aqui, sã e salva — contou-lhes o homem. — Mandaram que eu esperasse vocês aqui fora.

Harper assentiu.

— E depois fazer o quê?

— Depois eu espero aqui fora — disse o sujeito. — Vocês é que falam. Estou designado para segurança até que os policiais locais assumam, às oito da manhã.

— Os policiais vão cobrir as vinte e quatro horas do dia? — perguntou Reacher.

O sujeito balançou a cabeça, com tristeza.

— Doze — disse ele. — Eu fico com as noites.

Reacher assentiu. *Bom o bastante*, pensou ele. A casa era uma grande estrutura quadrada com paredes externas cobertas por ripas horizontais, construída de lado para a rua, de modo que oferecesse vista para o oeste. Havia uma varanda generosa com balaustrada de rebuscamento excessivo. A inclinação da rua abriu espaço para uma garagem sob a construção, na parte da frente. A porta da garagem ficava de frente para as laterais da casa, embaixo do espaço em que a varanda terminava. Havia um curto acesso para veículos. Depois o terreno se inclinava para cima, de modo que o resto do porão era enterrado na colina. O terreno era pequeno, cercado por cercas altas de proteção contra tempestades que avançavam morro acima. O jardim estava bem-cuidado, com flores por toda parte, mas a luz prateada da lua lhes tomava a cor.

— Ela está acordada? — perguntou Harper.

O homem local fez que sim.

— Ela está lá esperando vocês.

17

UM CAMINHO DE PEDESTRE SAÍA DO ACESSO DE veículos à esquerda e fazia a volta pela escuridão em torno de algumas plantas que cresciam entre as rochas até uma escada de madeira no centro da varanda. Harper os pulou, mas o peso de Reacher fez os degraus rangerem no silêncio da noite, e antes que o eco do som voltasse das colinas a porta da frente se abriu, e Rita Scimeca estava parada os observando. Ela estava com uma das mãos no lado de dentro da maçaneta e tinha no rosto um olhar atônito.

— Oi, Reacher — disse ela.
— Scimeca — respondeu ele. — Como vai?
Ela usou a mão livre para tirar os cabelos da testa.
— Razoável — falou. — Considerando que são três da manhã e o FBI acaba de me informar que estou numa espécie de lista com dez de minhas irmãs, quatro delas já mortas.

— É seu dinheiro de contribuinte em ação — falou Reacher.
— Por que diabos você está andando com eles?
Ele deu de ombros.
— As circunstâncias não me deixaram muita escolha.
Ela olhou para ele, tomando uma decisão. Estava frio na varanda. O orvalho da noite formava contas nas placas de madeira pintadas. Havia uma névoa fina e baixa no ar. Atrás do ombro de Scimeca as luzes dentro da casa brilhavam quentes e amarelas. Ela olhou para ele por mais um momento.
— Circunstâncias? — repetiu ela.
Ele fez que sim.
— Não me deixaram muita escolha.
Ela fez que sim de volta.
— Bem, seja como for, é bom te ver, eu acho.
— Bom ver você também.
Ela era uma mulher alta. Mais baixa que Harper, mas a maioria das mulheres é. Era do tipo musculosa, não compacta como Alison Lamarr, mas um tipo esbelto de corredora de maratona. Estava vestida em jeans limpos e um suéter deselegante com sapatos bem grandes nos pés. Tinha cabelos castanhos de tamanho médio, que usava em longas franjas sobre os olhos castanhos brilhantes. Tinha rugas em volta de toda a boca. Fazia quase quatro anos desde que ele a vira pela última vez, e ela parecia exatamente quatro anos mais velha.
— Esta é a Agente Especial Lisa Harper — disse ele.
Scimeca deu um aceno de cabeça cauteloso. Reacher observou seus olhos. Se Harper fosse um agente homem, ela a teria lançado para fora da varanda.
— Oi — disse Harper.
— Bem, se é assim, então, entrem — disse Scimeca.
Ela ainda estava segurando a maçaneta. Estava de pé no batente, inclinada para a frente, indisposta a sair. Harper entrou e Reacher a acompanhou. A porta se fechou atrás deles. Eles estavam no corredor de uma casinha aceitável, recém-pintada, bem aparelhada. Muito limpa, obsessivamente

Caçada às Cegas 263

arrumada. Transmitia uma impressão de lar. Quente e aconchegante. Um lugar pessoal. Havia tapetes de lã no chão. Mobília antiga em mogno lustroso. Pinturas nas paredes. Vasos de flores por toda parte.

— Crisântemos — disse Scimeca. — Cultivei-os eu mesma. Gosta deles?

Reacher fez que sim.

— Gosto deles — respondeu ele. — Embora não saiba como se escreve.

— Jardinagem é meu novo hobby — disse Scimeca. — Passei a adotá-lo com entusiasmo.

Então ela apontou para a sala da frente.

— E música — disse ela. — Venha ver.

A sala tinha papel de parede discreto e um piso de madeira polida. Havia um piano de cauda ao fundo, de laca preta brilhante e um nome alemão gravado em latão. Um grande banco foi colocado em frente a ele, de couro preto bonito. A tampa do piano estava levantada e havia uma partitura no suporte sobre o teclado, uma massa densa de notas negras em papel creme pesado.

— Quer ouvir alguma coisa? — perguntou ela

— Claro — disse Reacher.

Ela encaixou o corpo entre o teclado e o banco e se sentou. Descansou as mãos nas teclas e pausou por um instante; em seguida, um acorde triste e atenuado preencheu a sala. Era um som agradável e grave, e ela o modulou para o início de uma marcha fúnebre.

— Sabe alguma coisa mais alegre? — perguntou Reacher.

— Não me sinto alegre — disse ela.

Mas ela mudou a música mesmo assim, para o começo da *Sonata ao Luar*.

— Beethoven — disse ela.

Os arpejos melodiosos preencheram o ar. Ela mantinha o pé no abafador e o som era sufocado e baixo. Reacher olhou as plantas pela janela, à luz da lua tinham cor cinza. A cento e quarenta e cinco quilômetros a oeste estava o mar, vasto e silencioso.

— Assim é melhor — disse ele.

Ela tocou até o fim do primeiro movimento, aparentemente de memória, porque a partitura aberta no suporte estava identificada como Chopin. Ela manteve as mãos nas teclas até que o último acorde morresse no silêncio.

— Bonito — disse Reacher. — Então, você vai bem?

Ela se virou do teclado e fitou os olhos de Reacher.

— Você pergunta se me recuperei de ser estuprada seguidamente por três homens a quem eu devia confiar minha vida?

Reacher fez que sim.

— Algo por aí, acho.

— Achei que tinha me recuperado — falou. — O tanto que esperava me recuperar um dia. Mas agora fico sabendo que algum maníaco está tentando me matar por reclamar disso. Isso enfraquece as coisas um pouquinho, sabe?

— Vamos pegá-lo — disse Harper, no silêncio.

Scimeca apenas olhou para ela.

— Então podemos ver a nova máquina de lavar no porão? — perguntou Reacher.

— No entanto, não é uma máquina de lavar, é? — perguntou Scimeca. — Não que alguém *me diga* alguma coisa.

— É provavelmente tinta — respondeu Reacher. — Em latas. Verde camuflagem, de procedência do Exército.

— Para quê?

— O sujeito a mata, joga na banheira e despeja a tinta sobre você.

— Por quê?

Reacher deu de ombros.

— Boa pergunta. Há um bocado de sabichões trabalhando nisso nesse momento.

Scimeca fez que sim e voltou-se para Harper.

— Você faz parte do grupo dos sabichões?

— Não, senhora. Sou só uma agente — respondeu Harper.

— Você já foi estuprada?

Caçada às Cegas

Harper fez um gesto negativo com a cabeça.

— Não, senhora, não fui.

Scimeca assentiu.

— Bem, não seja — continuou ela. — Esse é meu conselho.

Houve silêncio.

— Isso muda sua vida — continuou Scimeca. — Mudou a minha, isso com toda a certeza. Jardinagem e música, é tudo que tenho agora.

— Bons passatempos — disse Harper.

— Passatempos para ficar em casa — replicou Scimeca. — Ou estou nesta sala ou ao alcance da vista da minha porta da frente. Não saio muito e não encontro pessoas. Então, aceite meu conselho, não deixe isso acontecer com você.

Harper assentiu.

— Vou tentar não deixar.

— Ao porão — disse Scimeca.

Ela saiu da sala na frente até uma porta embaixo da escada. Era uma porta antiga, feita de placas de pinho pintadas muitas vezes. Havia outra escada estreita atrás, que descia até o ar frio que cheirava levemente a gasolina e borracha de pneu.

— Temos de passar pela garagem — disse Scimeca.

Havia um carro novo preenchendo o espaço, um Chrysler sedã, baixo e comprido, de pintura dourada. Eles andavam em fila indiana ao longo da lateral e Scimeca abriu uma porta na parede da garagem. O cheiro de mofo do porão de repente os envolveu. Scimeca puxou uma corda e uma luz forte amarela se acendeu.

— Aqui está — disse ela.

O porão era aquecido por uma fornalha. Tratava-se de um espaço quadrado grande, com prateleiras de armazenamento amplas construídas em todas as paredes. O isolamento de fibra de vidro estava visível entre as vigas do telhado. Havia canos de aquecimento subindo de modo sinuoso pelos assoalhos. Uma caixa de papelão estava isolada no meio do piso, inclinada em relação às paredes, desarrumada em relação às prateleiras ordenadas em volta. Era a mesma caixa. Mesmo tamanho, mesmo papelão marrom, mesma impressão preta, mesma imagem, mesmo nome de fabricante. Estava vedada com fita marrom brilhante e parecia novinha.

— Tem uma faca? — perguntou Reacher.

Scimeca acenou com a cabeça para uma área de trabalho. Havia um painel perfurado aparafusado à parede, e ele estava cheio de ferramentas pendentes em filas organizadas. Reacher pegou com cuidado um estilete para assoalho de um gancho, porque em sua experiência, o gancho geralmente saía com a ferramenta. Mas não este. Ele viu que cada gancho estava preso no painel com um pequeno dispositivo plástico.

Ele voltou para a caixa e cortou a fita. Virou o estilete e usou o cabo para mover as abas para cima. Ele viu cinco círculos de metal brilhando, amarelos. Cinco tampas de latas de tinta, refletindo a luz. Ele enfiou o cabo do estilete debaixo de uma das argolas de arame e levantou uma das latas até o nível dos olhos girando-a na luz. Era uma lata de metal normal, sem enfeites, exceto por uma etiqueta branca pequena impressa com um número longo e as palavras *Verde/Camu*.

— Vimos algumas dessas no nosso tempo — comentou Scimeca. — Não é, Reacher?

Ele fez que sim.

— Algumas.

Ele abaixou a lata de volta na caixa, empurrou as abas para baixo, andou, pendurou o estilete de volta onde estava e olhou para Scimeca do outro lado.

— Quando foi que isso chegou? — perguntou ele.

— Não lembro — disse ela.

— Por alto?

— Não sei — disse ela. — Talvez há uns dois meses.

— Uns dois *meses* — repetiu Harper.

Scimeca fez que sim.

— É o que acho. Não me lembro.

— Você não encomendou, né? — perguntou Reacher.

Scimeca fez um gesto negativo com a cabeça.

Caçada às Cegas 267

— Já tenho uma. Está ali.

Ela apontou. Havia uma área de lavanderia no canto. Lavadora, secadora, pia. Um tapete aspirado no canto. Cestas plásticas brancas e frascos de detergente alinhados precisamente numa bancada.

— De uma coisa assim você ia se lembrar — disse Reacher. — Não ia?

— Presumi que fosse para minha colega de quarto, acho — disse ela.

— Você tem uma colega de quarto?

— Tinha. Ela se mudou, há umas duas semanas.

— E você achou que era dela.

— Fez sentido para mim — disse Scimeca. — Ela está montando uma casa própria, precisa de uma máquina de lavar, não é?

— Mas não perguntou a ela?

— Por que perguntaria? Achei que se não fosse para mim, para quem mais podia ser?

— Então por que ela teria deixado aqui?

— Porque é pesado. Talvez estivesse conseguindo ajuda para mudar. Só passaram umas duas semanas.

— Ela deixou alguma coisa aqui?

Scimeca fez um gesto negativo com a cabeça.

— Essa é a última coisa.

Reacher andou em volta da caixa. Viu o formato quadrado no qual os papéis da entrega tinham sido rasgados.

— Ela arrancou os papéis da entrega — disse ele.

Scimeca fez que sim de novo.

— Era de se esperar, acho. Ela precisa manter suas coisas arrumadas.

Eles ficaram em silêncio, três pessoas em volta de uma caixa de papelão alta, numa luz amarela forte, sombras escuras denteadas.

— Estou cansada — disse Scimeca. — Já terminamos? Quero vocês fora daqui.

— Uma última coisa — falou Reacher.

— O quê?

— Conte à Agente Harper o que você fazia no serviço militar.

— Por quê? O que isso tem a ver?

— Só quero que ela saiba.

Scimeca deu de ombros, confusa.

— Estava nos testes de armamentos.

— Diga a ela o que era isso.

— Testávamos novas armas que chegavam do fabricante.

— E?

— Se elas estiverem de acordo com as especificações, nós as passávamos para os intendentes.

Silêncio. Harper olhou para Reacher, igualmente confusa.

— Está bem — disse ele. — Agora vamos embora daqui.

Scimeca foi à frente, saindo pela porta que dava na garagem. Puxou a corda e apagou a luz. Levou-os passando por seu carro e subindo a escada estreita, para fora no hall de entrada. Ela percorreu o piso e verificou o olho mágico na porta, abrindo-a. O ar do lado de fora estava frio e úmido.

— Tchau, Reacher — disse ela. — Foi bom ver você de novo.

Depois ela se voltou para Harper.

— Você devia confiar nele — falou ela. — Ainda confio, sabe. O que é uma recomendação e tanto, acredite em mim.

A porta da frente se fechou atrás deles enquanto eles desciam o caminho. Eles ouviram o som da fechadura sendo fechada a seis metros de distância. O agente regional os observou entrar no carro. Ainda estava quente do lado de dentro. Harper deu partida no motor e ajustou o aquecedor para a posição "quente", de modo a manter a temperatura de antes.

— Scimeca tinha uma colega de quarto — disse ela.

Reacher assentiu.

— Então sua teoria está errada. Parecia que ela morava sozinha, mas ela não morava. Voltamos à estaca zero.

— Estaca um, talvez. Ainda é uma subcategoria. Tem que ser, ninguém tem como alvo noventa e uma mulheres. É loucura.

— Ao contrário de quê? — disse Harper. — De colocar mulheres mortas numa banheira cheia de tinta?

Reacher assentiu de novo.

— Então, e agora? — perguntou ele.

— De volta para o Quantico — respondeu ela.

Caçada às Cegas

269

• • •

Foram necessárias quase nove horas. Eles foram de carro até Portland, pegaram um jato da Continental em Sea-Tac para Newark, e depois um da United para Washington; um motorista do FBI os encontrou e os levou de carro pelo sul até Virgínia. Reacher dormiu a maior parte do caminho, e as partes em que esteve acordado foram para ele apenas um borrão, devido à fadiga. Ele lutou para ficar alerta enquanto davam voltas pelo território dos Fuzileiros Navais. O guarda do FBI no portão reemitiu seu crachá de visitante. O motorista estacionou em frente às portas principais. Harper foi na frente, e eles pegaram o elevador quatro andares para baixo, até o auditório com as paredes brilhantes, as janelas falsas e as fotografias de Lorraine Stanley presas ao quadro-negro. A televisão estava ligada sem som, mostrando reexibições sobre o dia no congresso. Blake, Poulton e Lamarr estavam na mesa, com pilhas de papel em frente de si. Blake e Poulton pareciam ocupados e estressados. Lamarr estava tão branca quanto o papel à sua frente, com os olhos fundos nas órbitas e um tremor nas pálpebras devido ao estresse.

— Me deixe adivinhar — falou Blake. — A caixa de Scimeca chegou há alguns meses e ela foi meio vaga quanto ao motivo. E não havia papéis da encomenda.

— Ela imaginou que fosse para sua colega de quarto — respondeu Harper. — Ela não mora sozinha. Assim, a lista de onze mulheres não significa nada.

Mas Blake fez um gesto negativo com a cabeça.

— Não, ela significa o que sempre significou — disse ele. — Onze mulheres que *parecem* morar sozinhas para alguém que esteja estudando os papéis. Verificamos com todas as outras no telefone. Oitenta ligações. Dissemos a elas que éramos pessoas dos serviços de atendimento ao cliente com uma transportadora. Levou horas. Mas nenhuma delas sabia nada sobre caixas de papelão inesperadas. Eis aí oitenta mulheres fora do grupo, e onze no grupo, de modo que a teoria do Reacher ainda é válida. A coisa da colega de quarto o surpreendeu, e surpreenderá o sujeito.

Reacher olhou para ele, grato. E um pouco surpreso.
— Ei, crédito a quem merece — explicou Blake.
Lamarr assentiu, se mexeu e escreveu uma anotação no final de uma lista comprida.
— Lamento a sua perda — disse-lhe Reacher.
— Talvez ela pudesse ter sido evitada — respondeu ela. — Sabe, se você tivesse cooperado assim desde o início.
Houve silêncio.
— Então de sete temos sete — falou Blake. — Sem papéis, mulheres vagas.
— Temos uma situação de colega de quarto — disse Poulton. — Depois, três delas vêm recebendo entregas erradas regulares e passaram a demorar para resolvê-las. As outras duas foram apenas vagas.
— Scimeca foi bem vaga, com certeza — disse Harper.
— Ela estava traumatizada — explicou Reacher. — Só de continuar a vida normalmente, ela já está fazendo muito.
Lamarr assentiu. Um pequeno movimento de empatia de sua cabeça.
— Seja como for, ela não está nos levando a lugar nenhum, certo? — disse ela.
— E quanto às empresas de entrega? — perguntou Reacher. — Você as está pesquisando?
— Não sabemos quais são elas — respondeu Poulton. — A papelada está faltando em sete caixas de um total de sete.
— Não há muitas possibilidades — disse Reacher. — Não é?
Poulton respondeu: — UPS, FedEx, DHL, Airborne Express, a droga do Serviço Postal dos Estados Unidos, e não sei quem mais, fora os vários subcontratados locais.
— Tente todos eles — disse Reacher.
Poulton deu de ombros.
— E perguntar o quê a eles? Se de todos os dez zilhões de pacotes que vocês entregaram nos últimos dois meses, conseguem se lembrar daquele em que estamos interessados?

Caçada às Cegas 271

— Você precisa tentar — disse Reacher. — Comece com Spokane. Um endereço remoto como esse, no meio do nada, o motorista deve se lembrar.

Blake inclinou-se para frente e assentiu.

— Tudo bem, vamos tentar lá. Mas só lá. Caso contrário, fica impossível.

— Por que as mulheres são tão vagas? — perguntou Harper.

— Motivos complexos — respondeu Lamarr. — Como Reacher disse, elas estão traumatizadas, todas elas, pelo menos até certo ponto. Um pacote grande, vindo até seu território particular sem ser solicitado, é um tipo de invasão. A mente bloqueia. É o que se esperaria ver em casos como esse.

A voz dela era baixa e tensa. Suas mãos ossudas estavam dispostas sobre a mesa à frente.

— Acho que é estranho — disse Harper.

Lamarr fez que não, pacientemente, como uma professora.

— Não, é o esperado — repetiu ela. — Não analise isso segundo sua própria perspectiva. Essas mulheres foram violentadas, no sentido figurativo e literal: os dois. Isso deixa marcas numa pessoa.

— E todas elas estão preocupadas agora — disse Reacher. — Protegê-las implica em contar para elas. Com certeza Scimeca parece bem abalada. E devia estar. Ela está bem isolada lá. Se eu fosse o sujeito, eu iria atrás dela em seguida. Tenho certeza de que ela é capaz de chegar às mesmas conclusões.

— Precisamos pegar esse cara — disse Lamarr.

Blake assentiu.

— Não vai ser fácil agora. Obviamente, vamos manter segurança vinte e quatro horas nas sete que receberam as caixas, mas ele vai identificar isso a um quilômetro de distância, por isso, não vamos pegá-lo numa cena de crime.

— Ele vai desaparecer por um tempo — disse Lamarr. — Até que retiremos a segurança.

— Por quanto tempo vamos manter a segurança? — perguntou Harper.

Houve silêncio.

— Três semanas — respondeu Blake. — Qualquer coisa mais longa que isso é loucura.

Harper arregalou os olhos para ele.

— É preciso que haja um limite — explicou ele. — O que você quer? Guardas vinte e quatro horas, pelo resto da vida delas?

Silêncio novamente. Poulton jogou seus papéis numa pilha.

— Então temos três semanas para encontrar o sujeito — disse ele.

Blake assentiu e pôs as mãos na mesa.

— O plano é que a gente se reveze vinte e quatro horas por dia, durante três semanas, começando agora. Um de nós dorme enquanto os outros trabalham. Julia, você fica com o primeiro período de descanso, doze horas começando agora.

— Não quero.

Blake parecia constrangido.

— Bem, querendo ou não, você entendeu.

Ela fez um gesto negativo com a cabeça.

— Não, eu preciso ficar no controle disso. Deixe Poulton ir primeiro.

— Sem discussão, Julia. Precisamos nos organizar.

— Mas estou bem. Preciso trabalhar. E não ia conseguir dormir agora de qualquer maneira.

— Doze horas, Julia — disse Blake. — Você já tem mesmo direito a tempo livre. Licença por luto, duas vezes.

— Eu não vou — respondeu ela.

— Você vai.

— Não posso — contestou ela. — Preciso estar envolvida no caso agora.

Ela ficou sentada lá, implacável. Com a determinação em seu rosto. Blake suspirou e desviou o olhar.

— Agora você não pode se envolver — disse ele.

— Por que não?

Blake a encarou.

Caçada às Cegas

— Porque eles acabaram de mandar o corpo da sua irmã para a autópsia. E você não pode se envolver nisso. Não posso permitir.

Ela tentou respondeu. Sua boca se abriu e fechou duas vezes, mas nenhum som saiu. Depois, ela piscou os olhos uma vez e desviou o olhar.

— Por isso, doze horas — disse Blake.

Ela olhou fixamente a mesa.

— Vou receber os dados? — perguntou ela, baixinho.

Blake assentiu.

— Vai, infelizmente você vai ter que receber — respondeu ele.

18

A EQUIPE LOCAL DO FBI EM SPOKANE TRABALHOU arduamente durante a noite e conseguiu boa cooperação de uma construtora, uma empresa de locação de gruas, uma equipe de transporte por caminhão e uma transportadora de carga aérea. Os operários da construção civil puseram abaixo o banheiro de Alison Lamarr e desfizeram as conexões hidráulicas. Os peritos do FBI envolveram a banheira inteira num plástico pesado, enquanto os empreiteiros tiravam a janela e removiam a parede da extremidade do andar térreo. A equipe da grua fixou correias de lona debaixo da banheira encapada e trouxe seu guindaste pelo espaço da parede retirada, levantando a carga pesada pela noite. Ela balançou no ar frio e desceu devagar numa caixa de madeira atada na carroceria de um caminhão, que esperava em ponto morto na estrada. Os transportadores bombearam espuma expansiva na caixa para proteger a carga, pregaram bem a tampa e dirigiram direto para o aeroporto em Spokane. A caixa foi carregada num avião e voou direto para a Base da Força Aérea Andrews, onde um helicóptero a coletou e a levou até o Quantico. Depois, ela foi descarregada por um caminhão e depositada gentilmente num compartimento de carga de laboratório e foi deixada lá, aguardando por uma hora, enquanto os especialistas forenses do FBI meditavam exatamente como proceder.

— Neste momento, a causa da morte é tudo que quero — disse Blake.

Ele estava sentado num lado de uma mesa comprida na sala de reunião do departamento de patologia, a três prédios e cinco andares de distância do setor de Ciência Comportamental. Harper estava sentada ao lado dele, Poulton ao lado dela e Reacher no final da fila. Em frente a eles estava o patologista sênior do Quantico, um médico chamado Stavely, nome que soava familiar para Reacher. Claramente, o sujeito tinha alguma espécie de reputação. Todo mundo o estava tratando com deferência. Era um homem grande, de rosto corado, com uma alegria estranha. Suas mãos eram grandes, vermelhas e pareciam desajeitadas, embora presumivelmente não fossem. Ao lado dele estava o técnico-chefe, um homem magro e calado que parecia apreensivo.

— Lemos o material de seus outros casos — disse Stavely, e fez uma pausa.

— E isso quer dizer?

— Quer dizer que não estou exatamente otimista — continuou Stavely. — New Hampshire é um pouco distante da ação, concordo, mas eles veem bastante ação na Flórida e na Califórnia. Imagino que, se houvesse algo para descobrir, vocês já saberiam a esta altura. Eles têm gente competente por lá.

— Temos gente mais competente por aqui — disse Blake.

Stavely sorriu.

— Bajulação não vai levar você a lugar nenhum, está bem?

— Não é bajulação.

Stavely ainda estava sorrindo.

— Se não houver nada para encontrar, o que podemos fazer?
— Tem que haver alguma coisa — falou Blake. — Ele cometeu um erro desta vez, com a caixa.
— E daí?
— E daí que talvez ele tenha cometido mais de um erro, deixado algo que vocês vão encontrar.

Stavely pensou a respeito.

— Bem, não tenha muitas esperanças, é tudo que estou pedindo.

Então ele se levantou abruptamente, entrelaçou os dedos grossos das mãos e as flexionou, virando-se para seu técnico.

— Então, estamos prontos?

O sujeito magro assentiu.

— Estamos presumindo que a tinta terá secado rápido na superfície, talvez uns dois ou três centímetros. Se cortarmos a partir do esmalte da banheira em volta, devemos conseguir deslizar um saco de cadáver para dentro e retirá-la.

— Bom — disse Stavely. — Mantenha o máximo de tinta em volta dela que puder. Não quero danos ao corpo.

O técnico se apressou e Stavely foi atrás dele, evidentemente presumindo que os outros quatro fossem segui-lo, o que fizeram, com Reacher por último na fila.

O laboratório de patologia não era diferente dos outros que Reacher já tinha visto. Era um grande espaço de teto baixo, iluminado com luzes brilhantes. As paredes e o piso eram de azulejos brancos. No meio da sala havia uma grande mesa de exame moldada em aço reluzente. No centro da mesa estava enfiado um tubo com um dreno. O dreno era canalizado diretamente para uma tubulação de aço que atravessava o piso. A mesa estava cercada por um conjunto de carrinhos cheios de ferramentas. Mangueiras pendiam do teto. O laboratório dispunha de câmeras em suportes, balanças e exaustores. Havia um murmúrio baixo da ventilação e um cheiro forte de desinfetante. O ar estava frio e não havia vento.

Caçada às Cegas

— Aventais e luvas — disse Stavely.

Ele apontou para um armário de aço cheio de aventais de nylon dobrados e caixas de luvas de látex descartáveis. Harper as passou.

— Provavelmente não vão precisar de máscaras — disse Stavely. — Meu palpite é que a tinta será a pior coisa de que vamos sentir o cheiro.

Eles sentiram o cheiro logo que a maca entrou pela porta. O técnico a empurrava e o saco de cadáver estava sobre a maca, inchado, viscoso e manchado de verde. A tinta tinha vazado da abertura e corria pelas pernas de aço até as rodas, e deixava rastros paralelos no azulejo branco. O técnico andava entre as trilhas. A maca rangia, e a bolsa rolava e tremia como um balão gigante cheio de óleo. Os braços do técnico estavam manchados de tinta até os ombros.

— Leve-a para o raio X primeiro — instruiu Stavely.

O sujeito guiou a maca para um quarto fechado na lateral do laboratório. Reacher se apresentou à frente e abriu a porta para ele. Ela parecia pesar uma tonelada.

— É revestida de chumbo — explicou Stavely. — Nós realmente os destruímos aí dentro. Doses bem grandes para que consigamos ver o que queremos. Não temos que nos preocupar com a saúde deles a longo prazo, não é?

O técnico se foi por um momento e depois voltou ao laboratório e fechou a porta pesada atrás de si. Houve um murmúrio distante que durou um segundo e depois parou. Ele voltou e saiu empurrando a maca de novo. Ainda estava deixando trilhas no azulejo. Ele a parou ao lado da mesa de exames.

— Role-a — disse Stavely. — Quero o rosto dela pra baixo.

O técnico ficou ao lado dele, inclinou-se sobre a mesa, agarrou a borda mais próxima do saco com as duas mãos e o levantou metade na maca, metade na mesa. Depois, andou em volta até o outro lado, pegou a outra borda e a ergueu e virou. O saco ficou com o lado do zíper para baixo e a massa dentro dele ficou pegada ao saco, depois rolou, tremeu e se estabilizou. A tinta vazou para o aço polido. Stavely olhou para ela e para o chão, que estava todo cheio de linhas cruzadas, com trilhas verdes.

— Galochas, pessoal — disse ele. — A tinta vai entrar em tudo que é lugar.

Eles se afastaram e Harper encontrou pares de calçados de plástico num armário e os distribuiu. Reacher colocou os seus, recuou e observou a tinta. Ela atravessava o zíper num fluxo lento e espesso.

— Pegue o filme — disse Stavely.

O técnico voltou à sala de raio X e saiu dela com grandes quadrados cinza de radiografias que mapeavam o corpo de Alison Lamarr. Ele as entregou a Stavely. Stavely as manuseou e ergueu contra a luz do teto.

— Instantâneo — disse ele. — Como Polaroid. São as vantagens do avanço científico.

Ele as embaralhou como cartas, separou uma delas e a ergueu no alto. Afastou-se até o aparelho de iluminação de radiografias na parede, apertou o interruptor e manteve o filme contra a luz com os dedos esticados.

— Veja isso — disse ele.

Era uma chapa de uma seção de pouco abaixo do esterno até acima da região pública. Reacher viu os contornos espectrais cinza de ossos, costelas, coluna vertebral, pélvis, com um antebraço e uma das mãos sobre eles formando um ângulo. E outra forma, densa e tão brilhante que resplandecia completamente branca. Metal. Fino e pontudo quase tão comprido quanto a mão.

— Uma ferramenta de algum tipo — disse Stavely.

— As outras não tinham nada assim — comentou Poulton.

— Doutor, precisamos ver isso imediatamente — falou Blake. — É importante.

Stavely fez um gesto negativo com a cabeça.

— Está embaixo do corpo dela no momento, porque ela está virada. Vamos chegar lá, mas vai demorar um pouco.

— Quanto tempo?

— O tempo que for preciso — disse Stavely. — Isso vai ser complicado pra diabo.

Ele prendeu as chapas cinza em sequência no aparelho de iluminação. Depois percorreu a extensão do visor espectral e as estudou.

Caçada às Cegas　　　279

— O esqueleto dela está relativamente intacto — disse ele. Ele apontou para um segundo painel. — O punho esquerdo foi quebrado e curado, provavelmente há dez anos.

— Ela gostava de esportes — disse Reacher. — A irmã dela nos contou.

Stavely fez que sim.

— Então vamos checar as clavículas.

Ele se mexeu para a esquerda e estudou o primeiro painel, que mostrava o crânio, o pescoço e os ombros. As clavículas brilhavam e se estendiam para baixo em direção ao esterno.

— Pequena fissura — disse Stavely, apontando. — Era o que eu esperava. Um atleta com um punho fissurado geralmente tem uma clavícula fissurada também. A queda da bicicleta ou dos patins ou o que quer que tenha sido, lançou seu braço para fora para interromper a queda, mas em vez disso acabou quebrando os ossos.

— Mas nenhum ferimento recente? — perguntou Blake.

Stavely fez um gesto negativo com a cabeça.

— Esses têm dez anos, talvez mais. Ela não foi morta por um trauma contundente, se é o que quer dizer.

Ele apertou o interruptor e a luz atrás das radiografias se apagou. Ele se virou para a mesa de exame, entrelaçou as mãos novamente e os nós dos dedos estalaram no silêncio.

— Tudo bem — falou. — Vamos ao trabalho.

Ele puxou uma mangueira de um rolo instalado no teto e virou uma pequena torneira embutida em seu bico. Houve um assobio e uma corrente de líquido claro começou a fluir. Um líquido lento e pesado com cheiro ácido intenso.

— Acetona — disse Stavely. — Tenho que limpar essa maldita tinta.

Ele usou a torneira de acetona no saco para cadáver e na mesa de aço. O técnico usou um punhado de toalhas de papel limpando o saco e empurrando o líquido grosso para o dreno. O mau cheiro era insuportável.

— Exaustor — instruiu Stavely.

O técnico se retirou e girou uma chave atrás de si, e os exaustores no teto mudaram de um murmúrio para um zunido mais alto. Stavely segurou o bico mais perto e o saco começou a mudar de verde molhado para preto molhado. Depois ele segurou a mangueira para baixo na mesa e iniciou uma lavagem giratória debaixo do saco direto para o dreno.

— Tudo bem, tesoura — disse ele.

O técnico pegou uma tesoura num carrinho e rasgou um canto do saco. Uma torrente de tinta verde saiu. O turbilhão da acetona a atingiu e girou em lento redemoinho até o dreno. Ele continuava vindo, dois, três, cinco minutos. O saco firmava e murchava à medida que esvaziava. A sala ficou mais silenciosa sob o zunido do exaustor e o chiado da mangueira.

— Tudo bem, a diversão começa aqui — disse Stavely.

Ele entregou a mangueira ao técnico e usou um bisturi do carrinho para cortar o saco no comprimento de uma extremidade à outra. Ele fez cortes laterais em cima e embaixo e puxou devagar o revestimento de borracha, que se levantou e se separou da pele. Ele o dobrou para trás em duas abas longas. O corpo de Alison Lamarr se revelou, deitando com o rosto para baixo, viscoso e oleoso de tinta.

Stavely usou o bisturi e rasgou a borracha em volta dos pés, subindo no comprimento das pernas, em volta dos contornos dos quadris, subindo os lados do corpo, perto dos cotovelos, em volta dos ombros e cabeça. Ele puxou as tiras de borracha até que o saco se desfez, inteiro, fora a superfície da frente, que foi aprisionada entre a crosta de tinta e o aço da mesa.

A crosta de tinta estava com a parte de cima para baixo em relação à mesa, porque ela estava virada. O lado de dentro tinha formado bolhas e ficado gelatinoso. Parecia a superfície de um planeta distante e desconhecido. Stavely começou a lavar as bordas, onde a tinta tinha se grudado à pele.

— Isso não vai causar danos ao corpo? — perguntou Blake.

Stavely fez um gesto negativo com a cabeça.

— É a mesma substância do removedor de esmalte.

A pele se tornou branco-esverdeada no local em que a tinta foi removida. Stavely usou as pontas dos dedos com a luva para retirar a crosta. A força de suas mãos mexia o cadáver, que se levantava e caía, devagar. Ele empurrou a mangueira para baixo dela, tentando encontrar tinta grudada que teimava em não sair. O técnico ficou ao lado e ergueu as pernas dela.

Caçada às Cegas

Stavely pôs a mão debaixo delas e cortou a crosta e a borracha juntas, retirando o invólucro até as coxas. A acetona continuava correndo continuamente, lavando a corrente verde para dentro do dreno.

Stavely seguiu para a cabeça. Colocou a mangueira na nuca dela e observou enquanto a substância química lhe inundava os cabelos. Os cabelos dela estavam um pesadelo. Um emaranhado de crostas de tinta. Tinha submergido em volta de seu rosto como uma gaiola de fios rígidos.

— Vou precisar cortar — disse ele.

Blake assentiu, sombrio:

— Acho que sim.

— A moça tinha cabelos bonitos — comentou Harper. A voz dela era baixa sob o barulho do exaustor. Ela deu meia-volta e recuou um passo. Seus ombros tocaram o peito de Reacher. Ela permaneceu ali um instante a mais do que precisava.

Stavely tirou um bisturi novo do carrinho e marcou um caminho pelos cabelos, o mais próximo da crosta de tinta que conseguiu. Deslizou o braço forte por baixo dos ombros e ergueu. A cabeça ficou livre, deixando cabelos emaranhados na crosta como raízes de mangue emaranhadas num pântano. Ele cortou a crosta e a borracha e liberou mais uma parte.

— Espero que pegue esse cara — disse ele.

— Essa é a ideia — respondeu Blake, ainda sombrio.

— Role-a para o outro lado — instruiu Stavely.

Foi fácil movê-la. A acetona misturada com a tinta viscosa era como um lubrificante contra o aço côncavo da mesa. Ela deslizou com o rosto para cima e ficou deitada ali, medonha sob as luzes. A pele era branco-esverdeada e enrugada, manchada e com bolhas de tinta. Os olhos estavam abertos, as pálpebras cheias de verde. Ela vestia o último quadrado restante do saco para cadáver em sua pele dos seios às coxas, como um traje de banho fora de moda que protegesse seu recato.

Stavely procurou com a mão e encontrou o utensílio de metal debaixo da borracha. Ele cortou o saco, enfiou os dedos dentro dele e puxou o objeto numa paródia grotesca de uma cirurgia.

— Uma chave de fenda — disse ele.

O técnico a lavou num banho de acetona e a segurou no alto. Era uma ferramenta de qualidade, com um cabo plástico pesado e um corpo de aço cromado com uma ponta afiada.

— É igual às outras — disse Reacher. — Da gaveta da cozinha, lembra?

— Ela tem arranhões no rosto — disse Stavely, de repente.

Ele estava usando a mangueira, lavando o rosto dela. A bochecha esquerda tinha quatro incisões paralelas que vinham do olho até o queixo.

— Ela já tinha essas marcas? — perguntou Blake.

— Não — responderam Harper e Reacher juntos.

— Então o que é isso? — perguntou Blake.

— Ela era destra? — perguntou Stavely.

— Não sei — disse Poulton.

Harper assentiu.

— Acho que sim.

Reacher fechou os olhos e refez o caminho até a cozinha dela e a observou servir o café da jarra.

— Destra — disse.

— Concordo — disse Stavely. Ele estava examinando os braços e as mãos dela.

— A mão direita dela é maior que a esquerda. O braço é mais pesado.

Blake estava se inclinando, olhando para o rosto lesionado.

— E daí?

— Acho que foi autoflagelação — falou Stavely.

— Tem certeza?

Stavely estava rodeando a beirada da mesa, procurando a melhor luz. As feridas estavam inchadas pela tinta, em carne viva e abertas. Verdes, onde deviam ser vermelhas.

— Não posso ter certeza — disse ele. — Sabe disso. Mas é o que sugere a probabilidade. Se o homem as tivesse feito, qual é a probabilidade que as fizesse no único lugar em que ela poderia fazer?

— Ele a forçou a fazer — disse Reacher.

— Como? — perguntou Blake.

Caçada às Cegas

— Não sei como. Mas ele as convence a fazer um bocado de coisas. Acho que ele as faz colocar a tinta na banheira sozinhas.

— Por quê?

— A chave de fenda. É para tirar as tampas. Os arranhões foi algo que ele pensou depois. Se ele estivesse pensando nos arranhões, ele teria forçado que ela buscasse uma faca na cozinha em vez da chave de fenda. Ou junto com a chave de fenda.

Blake olhava a parede.

— Onde estão as latas agora?

— Análise de materiais — disse Poulton. — Bem aqui. Eles estão examinando.

— Então leve a chave de fenda para lá. Veja se há alguma marca que corresponda.

O técnico pôs a chave de fenda num saco plástico de prova transparente e Poulton tirou o avental, chutou as galochas e saiu apressado da sala.

— Mas por quê? — perguntou Blake. — Por que fazê-la se arranhar desse jeito?

— Raiva? — sugeriu Reacher. — Punição? Humilhação? Sempre me perguntei por que ele não era mais violento.

— Esses ferimentos são bem superficiais — disse Stavely. — Acho que sangraram um pouco, mas não machucaram muito. A profundidade é absolutamente regular, de cima até embaixo em cada um deles. Então, ela não estava desviando o rosto.

— Talvez um ritual — sugeriu Blake. — Simbólico, de alguma maneira. Quatro linhas paralelas significam alguma coisa?

Reacher fez um gesto negativo com a cabeça.

— Não para mim.

— Como ele a matou? — perguntou Blake. — É isso que precisamos saber.

— Talvez ele a tenha apunhalado com a chave de fenda — falou Harper.

— Nenhum sinal disso — disse Stavely. — Nenhum ferimento contundente visível em nenhum lugar que fosse capaz de matar uma pessoa.

Ele retirou a parte final do saco de cadáver e foi lavando a tinta do tórax dela, investigando com os dedos enluvados sob o jato de acetona. O técnico levantou o quadrado de borracha e então ela ficou nua sob as luzes, caída, flácida e absolutamente sem vida. Reacher olhou para ela e se lembrou da mulher que sorria com os olhos e radiava energia como um pequeno sol.

— É possível que alguém mate uma pessoa e o patologista não saiba dizer como? — perguntou ele.

Stavely fez um gesto negativo com a cabeça.

— Não no caso deste patologista — respondeu.

Ele desligou o fluxo de acetona e deixou que a mangueira se retraísse para seu rolo no teto. Ele se afastou e girou o exaustor para a posição normal. A sala ficou silenciosa de novo. O corpo jazia na mesa, tão limpo quanto jamais ficaria. Os poros e as dobras da pele estavam manchados de verde e a própria pele estava cheia de protuberâncias e branca como algo que vive no fundo do mar. Os cabelos estavam espetados com resíduos, cortados grosseiramente em volta do couro cabeludo, emoldurando o rosto sem vida.

— Fundamentalmente, existem duas maneiras de matar uma pessoa — disse Stavely. — Ou você faz o coração parar ou interrompe o fluxo de oxigênio para o cérebro. Mas fazer qualquer uma dessas coisas sem deixar marcas é uma dificuldade e tanto.

— Como você faria o coração parar? — perguntou Blake.

— Sem ser perfurando com uma bala? — perguntou Stavely. — Embolia gasosa seria a melhor maneira. Uma grande bolha de ar, injetada direto na corrente sanguínea. O sangue circula de um modo surpreendentemente rápido, e uma bolha de ar atinge a parte interna do coração como uma pedra, como uma pequena bala interna. O choque é geralmente fatal. É por isso que os enfermeiros seguram para cima a seringa hipodérmica e dão petelecos com a unha: para se certificar de que não há ar na mistura.

— Você veria o buraco da agulha, certo?

— Talvez sim, talvez não. Decididamente, não num cadáver como esse. A pele está destruída pela tinta. Mas você veria o dano interno ao coração. Vou verificar, é claro, quando a abrir, mas não estou otimista. Eles não encontraram nada assim nas outras três. E estamos presumindo um *modus operandi* regular, certo?

Blake assentiu.

— E quanto ao oxigênio no cérebro?

— Sufocamento, em termos leigos — respondeu Stavely. — Pode ser feito sem deixar muitos indícios. O clássico seria pressionar um travesseiro sobre o rosto de uma pessoa mais velha, debilitada e fraca. Praticamente impossível de provar. Mas essa não era uma idosa. Era jovem e forte.

Reacher assentiu. Ele tinha sufocado um homem uma vez, havia muito tempo, nos altos e baixos de sua longa carreira. Ele tinha precisado de toda a sua considerável força para manter o rosto do sujeito para baixo num colchão, enquanto ele resistia, se debatia e morria.

— Ela teria lutado como louca — disse ele.

— É, acho que teria — concordou Stavely. — E olhe para ela. Veja a musculatura. Ela não teria sido alguém fácil de bater.

Ao invés disso, Reacher desviou o olhar. A sala estava silenciosa e fria. A terrível tinta verde estava por toda a parte.

— Acho que ela estava viva — disse ele. — Quando entrou na banheira.

— Baseado em quê? — perguntou Stavely.

— Não houve sujeira — respondeu Reacher. — Nenhuma. O banheiro estava impecável. Quanto ela pesava? Cinquenta e quatro? Cinquenta e sete? É um peso morto e tanto para jogar na banheira sem causar nenhum tipo de sujeira.

— Talvez ele ponha a tinta depois — sugeriu Blake. — Em cima ela.

Reacher fez um gesto negativo com a cabeça.

— Isso teria feito que ela flutuasse com certeza. Parece que ela deslizou para dentro, como se entra numa banheira. Sabe como é, você põe primeiro a ponta do pé e entra na água.

— Precisaríamos fazer experimentos — disse Stavely. — Mas acho que concordo que ela morreu na banheira. Nas primeiras três, não havia indício de que tivessem sido tocadas. Nenhuma contusão, nem escoriação, nem nada. Nenhum dano posterior à morte. Mover um cadáver geralmente danifica os ligamentos das articulações, porque não há tensão nos músculos para protegê-los. Nesse ponto, meu palpite é que elas fizeram o que fizeram usando estritamente a própria força.

— Exceto se matar — disse Harper

Stavely assentiu.

— Suicídios em banheiras se limitam praticamente a se afogar, estando bêbado ou drogado, ou abrir os pulsos na água quente. Isso, obviamente, não é suicídio.

— E elas não se afogaram — disse Blake

Stavely assentiu novamente.

— As três primeiras não se afogaram. Nenhum fluido de nenhum tipo nos pulmões. Saberemos sobre esta assim que ela for aberta, mas apostaria que não.

— Então como diabos ele fez isso? — perguntou Blake.

Stavely olhou o corpo, com algo como compaixão no rosto.

— Neste momento, não faço ideia — disse ele. — Me dê umas duas horas, talvez três, pode ser que eu encontre algo.

— Nenhuma ideia?

— Bem, eu tenho uma teoria — disse Stavely. — Com base no que li a respeito das outras três. O problema é que agora acho que a teoria é absurda.

— Que teoria?

Stavely fez um gesto negativo com a cabeça.

— Mais tarde, está bem? E vocês precisam sair agora. Vou abri-la e não quero vocês aqui para isso. Ela precisa de privacidade num momento como esse.

19

ELES DEIXARAM OS AVENTAIS E AS GALOCHAS EMBOlados ao lado da porta, e viraram à esquerda e à direita pelas passagens e corredores que davam na saída do prédio da patologia. Pegaram o caminho comprido em volta dos estacionamentos até o prédio principal, como se o movimento rápido pelo ar frio do outono pudesse livrá-los do fedor de tinta e de morte. Eles seguiram de elevador pelos quatro andares subterrâneos em silêncio, andaram pelo corredor estreito e saíram na sala de reuniões, encontrando Julia Lamarr sentada sozinha à mesa, olhando acima a tela da televisão sem som.

— Era para você ter ido embora daqui — disse Blake para ela.
— Alguma conclusão? — perguntou ela baixinho. — Do Stavely?
Blake fez um gesto negativo com a cabeça.
— Mais tarde. Você devia ter ido para casa

Ela deu de ombros.
— Eu lhe disse. Não posso ir para casa. Preciso ficar no controle disso.
— Mas você está exausta.
— Está dizendo que não sou eficiente?
Blake suspirou.
— Julia, dá um tempo. Preciso me organizar. Se você cai de cansaço, não serve de nada para mim.
— Não vai acontecer.
— Era uma ordem, você entende isso?
Lamarr acenou com a mão, num gesto de recusa. Harper arregalou os olhos.
— Era uma ordem — repetiu Blake.
— E eu a ignorei — disse Lamarr. — E aí, o que você vai fazer? Precisamos trabalhar. Temos três semanas para pegar esse cara. Não é muito tempo.
Reacher fez um gesto negativo com a cabeça.
— É bastante tempo.
Harper voltou seu olhar para ele.
— Se conversarmos sobre o motivo dele agora mesmo — disse ele.
Houve silêncio. Lamarr se enrijeceu no assento.
— Acho que o motivo dele é claro — disse ela.
Havia frieza em sua voz. Reacher se virou para olhar para ela, suavizando sua expressão, tentando fazer uma concessão uma vez que a família dela tinha sido varrida do mapa no intervalo de dois dias.
— Não é para mim — respondeu ele.
Lamarr se voltou para Blake, num apelo.
— Não podemos começar a discutir isso tudo de novo. Não agora.
— Temos que discutir — contestou Reacher.
— Já fizemos isso — respondeu ela, com rispidez.
— Se acalmem, pessoal — gritou Blake. — Simplesmente se acalmem Temos três semanas, e não vamos perder tempo discutindo.
— Vamos perder todo o tempo, se continuarmos assim — continuou Reacher.
Instaurou-se de repente uma tensão no ar. Lamarr olhava fixamente a mesa. Blake ficou calado, mas, depois, ele assentiu.

Caçada às Cegas

— Você tem três minutos, Reacher — falou. — Diga o que está pensando.

— Vocês estão errados quanto ao motivo — explicou Reacher. — É isso que estou pensando. Isto está impedindo que procurem nos lugares certos.

— Já fizemos isso — repetiu Lamarr.

— Bem, precisamos fazer de novo — disse Reacher, gentilmente. — Porque não vamos encontrar o sujeito se estivermos procurando nos lugares errados. É uma questão de lógica, certo?

— Precisamos disso? — perguntou Lamarr.

— Dois minutos e trinta segundos — disse Blake. — Fale o que tem a dizer, Reacher.

Reacher respirou fundo.

— Esse é um sujeito muito esperto, não é? Muito, muito esperto. Esperto de um jeito muito particular. Ele cometeu quatro homicídios, com cenários bizarros e elaborados, e não deixou o menor sinal de prova para trás. Ele só cometeu um engano, deixando uma caixa aberta. E isso foi um engano bastante trivial, porque não vai nos levar a lugar nenhum. Então, temos um sujeito que lidou satisfatoriamente com mil decisões, mil detalhes, em condições urgentes e estressantes. Ele matou quatro mulheres e até agora não sabemos sequer *como* ele fez isso.

— E daí? — questionou Blake. — Qual é o seu argumento?

— A inteligência dele — respondeu Reacher. — É de um tipo específico. É prática, eficiente, do mundo real. Ele tem os pés no chão. É um planejador, e é pragmático. É alguém que resolve problemas. Uma pessoa intensamente racional. Ele lida com a *realidade*.

— E daí? — repetiu Blake.

— Deixe eu lhe fazer uma pergunta. Você tem problema com negros?

— O quê?

— Apenas responda a pergunta.

— Não tenho, não.

— Bons ou ruins, como todo mundo, não é?

— Claro. Bons ou ruins.

— E quanto às mulheres? Boas ou ruins, como todo mundo, não é? Blake fez que sim.
— Claro.
— Então, imagine se algum sujeito diz para você que negros não prestam ou mulheres não prestam?
— Eu ia dizer que ele está errado.
— Você ia dizer que ele está errado, e ia *saber* que ele está errado, porque, no fundo, você sabe qual é a verdade nessa questão.

Blake assentiu novamente.
— Claro. E daí?
— Essa é minha experiência também. Racistas estão fundamentalmente errados. Sexistas também. Não há espaço para discutir a respeito. No fundo, é uma posição totalmente irracional. Então, pense bem: qualquer sujeito que dê um grande chilique sobre essa questão de assédio é um homem que está *errado*. Qualquer homem que culpe as vítimas está *errado*. E qualquer homem que saia por aí procurando vingança contra as vítimas está muito errado. Tem um parafuso a menos. O cérebro dele não funciona direito. Ele não é racional. Não está lidando com a realidade. Não pode estar. No fundo, ele é um tipo de idiota.
— E daí?
— Mas nosso criminoso não é um idiota. Já concordamos que ele é muito esperto. Não esperto de um modo excêntrico, não esperto como um lunático, mas esperto como alguém do mundo real. É alguém racional e pragmático. Ele está lidando com a realidade. Acabamos de concordar quanto a isso.
— E daí?
— E daí que ele não é motivado pela raiva que tem por essas mulheres. Não pode ser. Não é possível. Não dá para ser esperto e burro ao mesmo tempo. Não dá para ser racional *e* irracional. Você não pode lidar com a realidade e ao mesmo tempo *não* lidar com ela.

Houve silêncio.
— *Sabemos* qual é o motivo dele — falou Lamarr. — O que mais poderia ser? O grupo alvo é muito específico para que seja qualquer outra coisa.

Caçada às Cegas 291

Reacher fez um gesto negativo com a cabeça.

— Goste ou não, do modo que você descreve o motivo dele, você o está chamando de insano. Mas um sujeito insano não poderia cometer esses crimes.

Lamarr travou os dentes. Reacher os ouviu estalar e ranger. Ele a observava. Ela fez um gesto negativo com a cabeça. Seus cabelos finos se moveram com ela, rígidos, como se estivessem cheios de laquê.

— Então, qual é o motivo real dele, espertinho? — perguntou ela, sua voz era grava e baixa.

— Não sei — respondeu Reacher.

— Você não sabe? É melhor que esteja de brincadeira. Você questiona minha perícia e não *sabe*?

— Será algo simples. Sempre é, né? Noventa e nove entre cem vezes, a coisa mais simples é a correta. Talvez não funcione desse jeito para vocês aqui, mas é assim que funciona no mundo real.

Ninguém disse uma palavra. A porta se abriu e Poulton entrou no silêncio, pequeno e ruivo, com um leve sorriso pendente sob o bigode. O sorriso desapareceu assim que foi afetado pela atmosfera. Ele se sentou em silêncio ao lado de Lamarr e puxou uma pilha de papéis na frente dele, de um modo defensivo.

— O que está acontecendo? — perguntou.

Blake fez um meneio de cabeça para Reacher.

— O espertinho aqui está questionado a interpretação da Julia sobre o motivo.

— Então, o que há de errado com o motivo?

— O espertinho vai nos dizer. Você chegou bem na hora do seminário do especialista.

— E quanto à chave de fenda? — perguntou Reacher. — Alguma conclusão?

O sorriso de Poulton voltou.

— Essa chave de fenda ou uma idêntica foi usada para retirar as tampas das latas. As marcas correspondem perfeitamente. Mas que história é essa sobre o motivo?

Reacher respirou e olhou os rostos em frente a ele. Blake, hostil. Lamarr, pálida e tensa. Harper, curiosa. Poulton, atônito.

— Está bem, espertinho, estamos ouvindo — disse Blake.

— Vai ser algo mais simples — repetiu Reacher. — Algo simples e óbvio. E comum. E lucrativo o bastante para valer a pena proteger.

— Ele está protegendo alguma coisa?

Reacher fez que sim.

— Esse é o meu palpite. Acho que talvez ele esteja eliminando as testemunhas de alguma coisa.

— Testemunhas do quê?

— De algum tipo de rede de extorsão, imagino.

— Que tipo de rede de extorsão?

Reacher deu de ombros.

— Algo grande, algo sistemático, acho.

Houve silêncio.

— Dentro do Exército? — perguntou Lamarr.

— Obviamente — respondeu Reacher.

Blake assentiu.

— Está bem — disse ele. — Uma grande rede de extorsão sistemática, dentro do Exército. E no que consiste?

— Não sei — disse Reacher.

Houve silêncio novamente. Lamarr enterrou o rosto nas mãos. Seus ombros começaram a se mexer. Ela começou a balançar para a frente e para trás na cadeira. Reacher fixou os olhos nela. Ela estava chorando, como se o coração dela estivesse se partindo. Ele percebeu um momento depois do que deveria, porque ela chorava em absoluto silêncio.

— Julia — chamou Blake. — Tudo bem?

Ela tirou as mãos do rosto. Fez gestos impotentes com as mãos, *sim, não, espere*. Seu rosto estava pálido, contorcido e angustiado. Os olhos estavam fechados. A sala estava silenciosa. Só o ruído da respiração ofegante dela.

— Desculpe — disse, com a voz entrecortada.

— Não peça desculpas — disse Blake. — É o estresse.

Caçada às Cegas

Ela balançou a cabeça com rapidez.

— Não, eu cometi um erro grave. Porque acho que Reacher tem razão. Ele precisa ter. Eu estava errada, desde o princípio. Estraguei tudo. Deixei passar. Devia ter percebido antes.

— Não se preocupe com isso agora — falou Blake.

Ela ergueu a cabeça e olhou para ele.

— Não me *preocupar* com isso? Você não percebe todo o tempo que desperdiçamos?

— Não importa — respondeu Blake, sem energia.

Ela continuou olhando-o fixamente.

— É claro que *importa*. Você não percebe? Minha irmã morreu porque desperdicei todo esse tempo. É minha culpa. Eu *a matei*. Porque estava errada.

Silêncio novamente. Blake olhava para ela, impotente.

— Você precisa tirar um tempo de folga — falou.

Ela fez um gesto negativo com a cabeça. Limpou os olhos.

— Não, não, preciso trabalhar, já desperdicei tempo demais. Então, agora eu preciso pensar. Preciso compensar o atraso.

— Você devia ir para casa. Tirar uns dias de folga.

Reacher a observava. Ela estava caída na cadeira, como se tivesse levado uma surra daquelas. Seu rosto estava manchado de vermelho e branco. Sua respiração era breve, e seu olhar era atônito e vazio.

— Você precisa descansar — disse Blake.

Ela se mexeu e balançou a cabeça.

— Talvez mais tarde — respondeu ela.

Houve silêncio novamente. Ela se endireitou na cadeira e lutou para respirar.

— Talvez mais tarde eu descanse — disse ela. — Mas primeiro vou *trabalhar*. Primeiro, *todos nós* vamos trabalhar. Precisamos pensar. Precisamos pensar no Exército. O que é esse esquema de extorsão?

— Eu não sei — repetiu Reacher.

— Bem, pense, pelo amor de Deus — disse ela, com rispidez. — O que o esquema está protegendo?

— Diga o que está pensando, Reacher — disse Blake. — Você não chegou a essa conclusão sem ter algo em mente.

Reacher deu de ombros.

— Bem, eu tenho uma ideia — respondeu ele.

— Diga o que está pensando — repetiu Blake.

— Está bem, qual era a função de Amy Callan?

Blake ficou sem resposta e olhou para Poulton.

— Controle de material bélico — respondeu Poulton.

— E a de Lorraine Stanley? — perguntou Reacher.

— Sargento intendente.

Reacher fez uma pausa.

— E a de Alison — perguntou ele?

— Apoio direto à infantaria — respondeu Lamarr, com a voz neutra.

— Não, antes disso.

— Batalhão de transporte — disse ela.

Reacher fez que sim.

— O trabalho de Rita Scimeca?

Harper acenou com a cabeça.

— Testes de armamento. Agora percebo por que forçou que ela me contasse.

— Por quê?

— Porque qual é o possível vínculo? — perguntou Reacher. — Entre uma escrevente de material bélico, uma sargento-intendente, uma motorista de transporte e uma provadora de armas?

— Me diga você.

— O que eu tirei daqueles homens no restaurante?

Blake deu de ombros.

— Não sei. Isso é assunto de James Cozo, em Nova York. Sei que você roubou o dinheiro deles.

— Eles tinham pistolas — disse Reacher. — Berettas 9 mm, com os números de série raspados. O que isso significa?

— Que elas foram obtidas de modo ilegal.

Reacher concordou com a cabeça.

Caçada às Cegas

— Do Exército. Berettas 9 mm são material de uso militar.

Blake parecia perplexo.

— E daí?

— Então se ele é um homem do Exército protegendo um esquema, o esquema muito provavelmente envolve roubo, e se os riscos são altos o bastante para levar à morte de pessoas, o roubo muito provavelmente envolve armas, porque é aí onde está o dinheiro. E essas mulheres estavam todas numa posição na qual podiam ter testemunhado o roubo de armas. Elas estavam bem ali na cadeia de suprimentos, transportando, testando e armazenando armas, o dia inteiro.

Houve silêncio. Blake fez que não com a cabeça.

— Você é louco — disse ele. — É muita coincidência. O vínculo é ridículo. Quais são as probabilidades de que essas testemunhas também fossem vítimas de assédio?

— É apenas uma ideia — respondeu Reacher. — Mas as chances são muito boas, do modo como vejo. A única vítima verdadeira de assédio foi a irmã de Julia. Caroline Cooke não conta, porque foi só uma questão de tecnicismo.

— E quanto a Callan e Stanley? — perguntou Poulton. — Você chama aquilo de assédio?

Reacher fez um gesto negativo com a cabeça mas Lamarr se antecipou a ele. Ela estava inclinada para frente, com os dedos tamborilando na mesa, com a vida de volta aos olhos, completamente alerta.

— Não, pensem bem. Pensem nisso *além do óbvio*. Elas não eram vítimas de assédio *e* testemunhas. Eram vítimas de assédio *porque* eram testemunhas. Se você é alguém do Exército envolvido em extorsão e tem uma mulher na sua unidade que não está fazendo vista grossa para o que você precisa, o que você faz? Você se livra dela, é claro. E qual é a forma mais rápida de fazer isso? Você a molesta sexualmente.

Houve silêncio. Depois Blake balançou novamente a cabeça.

— Não, Julia — disse ele. — Reacher está vendo fantasmas, é tudo. Ainda assim, é muita coincidência. Porque qual é a probabilidade de que ele esteja por acaso num beco de restaurante numa noite e dê de cara com o estágio final do mesmo esquema que está matando nossas mulheres? Um milhão para um, no mínimo.

— Um bilhão para um — corrigiu Poulton.

Lamarr arregalou os olhos para eles.

— *Pensem*, pelo amor de Deus — disse ela. — Com certeza, ele não está dizendo que viu o *mesmo* esquema que está matando nossas mulheres. Provavelmente, ele viu um esquema completamente diferente. Porque deve haver centenas de esquemas no Exército. Não é, Reacher?

Reacher fez que sim.

— Certo — disse ele. — A coisa do restaurante me deixou pensando em coisas assim, só isso, em termos gerais.

Houve silêncio novamente. Blake ficou vermelho.

— Há centenas de esquemas — disse ele. — Então, como é que isso nos ajuda? Centenas de esquemas, centenas de pessoas do Exército envolvidas, como vamos encontrar a certa? Uma agulha numa droga de palheiro. Levaria três anos. Temos três semanas.

— E quanto à tinta? — perguntou Poulton. — Se ele está eliminando testemunhas, ele as aborda e dá um tiro na cabeça, com um calibre .22 com silenciador. Ele não ia mexer com todas essas outras coisas. Todo esse ritual é clássico do assassino em série.

Reacher olhou para ele.

— Exato — disse ele. — Sua percepção do motivo é definida pelo *modus operandi* dos assassinatos. Pense bem: se todas elas *tivessem* recebido uma bala de .22 na cabeça, o que você teria pensado?

Poulton não disse nada, mas havia dúvida em seus olhos. Blake chegou para frente no assento e pôs as mãos na mesa.

— Nós as teríamos chamado de execuções — respondeu ele. — Não teria alterado nossa avaliação do motivo.

— Não, seja sincero comigo — disse Reacher. — Acho que vocês teriam a mente um pouco mais aberta. Teriam lançado sua rede num espaço bem maior. Com certeza, teriam pensado no ângulo do assédio, mas teriam

Caçada às Cegas

considerado outras coisas também. Coisas mais comuns. Com balas na cabeça, acho que vocês teriam pensado em motivos mais rotineiros.

Blake permaneceu sentado, hesitante e calado. O que era o mesmo que uma confissão.

— Balas na cabeça são meio *normais*, não é? — continuou Reacher. — No seu tipo de trabalho? Então, você teria procurado motivos *normais* também. Como eliminar testemunhas para um crime. Se fossem balas na cabeça, acho que agora vocês estariam atrás dos esquemas do Exército, procurando algum criminoso que fosse eficiente na intimidação. Mas o sujeito desviou a atenção de vocês maquiando os crimes com esse besteirol bizarro. Ele escondeu seu motivo real. Usou uma cortina de fumaça. Camuflou. Ele empurrou vocês para a esfera da esquisitice psicológica. Ele os manipulou, porque é muito esperto.

Blake ainda estava calado.

— Não que vocês precisassem de muita manipulação — emendou Reacher.

— Isso é apenas especulação — disse Blake.

Reacher assentiu.

— É claro que é. Eu disse para vocês, é apenas uma ideia. Mas não é isso que vocês fazem aqui? Ficam sentados aqui o dia inteiro, até as calças ficarem brilhosas, especulando sobre ideias incompletas.

Silêncio na sala.

— Isso é bobagem — disse Blake.

Reacher assentiu de novo.

— Sim, talvez seja. Mas talvez não seja. Talvez seja algum homem do Exército que está faturando uma grana com algum esquema que essas mulheres sabiam. E ele está se escondendo por trás dessa questão do assédio, maquiando tudo como um psicodrama. Ele sabia que vocês iam se atirar nisso. Sabia que podia fazer vocês olharem para o lugar errado. Porque ele é muito esperto.

Silêncio.

— A decisão é sua — concluiu Reacher.

Mais silêncio.

— Julia — disse Blake.

O silêncio continuou. Depois, Lamarr assentiu, devagar.

— É uma situação viável. Talvez mais que viável. É possível que ele esteja completamente certo. É possível o bastante para que eu ache que deveríamos verificar, com recursos máximos, de imediato.

O silêncio retornou.

— Acho que não devíamos perder mais tempo — sussurrou Lamarr.

— Mas ele está errado — disse Poulton.

Ele estava mexendo em papéis, e sua voz saiu alta e cheia de alegria.

— Caroline Cooke faz com que esteja errado — continuou ele. — Ela estava em Planejamentos de Guerra na OTAN. Trabalho burocrático de alto nível. Ela nunca esteve perto de armas, depósitos ou intendentes.

Reacher não disse nada. O silêncio foi quebrado pelo ruído da porta que se abriu quando Stavely entrou apressado, corpulento, agitado e sem ter sido convidado. Ele estava vestido num jaleco de laboratório branco e seus punhos estavam manchados de verde onde a tinta tinha ultrapassado suas luvas. Lamarr olhou as marcas e ficou mais branca que o jaleco. Ela olhou por um longo momento, depois fechou os olhos e balançou o corpo como se fosse desmaiar. Ela agarrou o tampo da mesa, com os polegares para baixo, os dedos pálidos acima, esticados para fora com os tendões finos protuberantes como arames trêmulos.

— Quero ir para casa agora — disse ela, em voz baixa.

Ela se abaixou, apanhou a bolsa, enlaçou a tira no ombro, empurrou a cadeira para trás e se levantou. Andou lenta e cambaleante até a porta, com os olhos fixos nos restos dos últimos momentos da vida de sua irmã cobrindo os pulsos manchados de Stavely. Ela virou a cabeça enquanto andava, para os braços de Stavely à vista. Depois ela desviou o olhar e abriu a porta. Passou pelo batente e deixou que a porta fechasse sem fazer barulho atrás de si.

— Que foi? — perguntou Blake.

— Sei como ele as mata — respondeu Stavely. — Só que tem um problema

— Que problema? — perguntou Blake.

— É impossível.

20

— PEGUEI ALGUNS ATALHOS — DISSE STAVELY. — Vocês precisam entender isso, está bem? Vocês estão com muita pressa e achamos que estamos lidando com um *modus operandi* regular, então, tudo que fiz foi olhar para as perguntas que os três primeiros deixaram. Quer dizer, todos sabemos o que isso não foi, certo?

— Isso não foi coisa nenhuma, pelo que sabemos — disse Blake.

— Certo. Sem nenhum trauma contundente, nem tiros, nem ferimentos a faca, nem veneno, nem estrangulamento.

— Então, o que foi?

Stavely fez um círculo completo em volta da mesa e se sentou numa cadeira vazia, sozinho, a três cadeiras de Poulton e duas de Reacher.

— Ela se afogou? — perguntou Poulton.

Stavely balançou a cabeça.

— Não, do mesmo modo que as três anteriores não se afogaram. Eu cheguei seus pulmões, e eles estavam completamente limpos.

— Então, o que foi? — repetiu Blake.

— Como disse a vocês — continuou Stavely. — Você para o coração ou interrompe o oxigênio para o cérebro. Então, primeiro, cheguei o coração. E o coração dela estava perfeito, completamente sem danos, assim como o das outras. E essas eram mulheres em forma. Ótimos corações. É mais fácil identificar o dano num bom coração. Uma pessoa mais velha pode ter um coração ruim, com dano pré-existente, sabe, depósitos ou cicatrizes de problemas cardíacos anteriores, e isso pode ocultar um novo dano. Mas esses eram corações perfeitos, como o de atletas. Nenhum trauma, isso seria visível de longe. Mas não havia nenhum trauma. Logo, ele não parou o coração delas.

— Então? — perguntou Blake.

— Então o que ele fez foi negar oxigênio a elas — respondeu Stavely. — É a única possibilidade que resta.

— Como?

— Bem, essa é a grande pergunta, não é? Teoricamente, ele poderia ter selado o banheiro, bombeado o ar para fora e o substituído por algum outro gás inerte.

Blake balançou a cabeça.

— Isso é absurdo.

— É claro que é — concordou Stavely. — Ele precisaria de equipamento, bombas, tanques de gás. E nós certamente teríamos encontrado resíduos nos tecidos, nos pulmões. Não há nenhum gás que não teríamos detectado.

— E então?

— Então ele sufocou as vias aéreas delas. É a única possibilidade.

— Você disse que não havia sinais de estrangulamento.

Stavely assentiu.

— Não há. Foi isso que me interessou. Normalmente, estrangulamento deixa um grande trauma físico no pescoço. Todo tipo de contusão, hemorragia interna. Dá para ver de longe. O mesmo com garrotes.

— Mas?

Caçada às Cegas

— Existe algo chamado estrangulamento suave.

— Suave? — falou Harper. — Que expressão horrível.

— O que é isso? — perguntou Poulton.

— Um cara com um braço grande — respondeu Stavely. — Ou uma manga acolchoada de casaco. Pressão suave e constante, isso é suficiente.

— Então foi isso? — perguntou Blake.

Stavely negou com a cabeça.

— Não, não foi isso. Não deixa marcas externas, mas para chegar a matá-las, você deixaria dano interno. O osso hioide estaria quebrado, por exemplo. Certamente fissurado, pelo menos. Outros danos aos ligamentos também. É uma área muito frágil. A laringe fica lá.

— E imagino que vá me dizer que não houve lesão? — disse Blake.

— Nada marcante — respondeu Stavely. — Ela estava resfriada quando você a conheceu?

Ele olhou para Harper, mas Reacher respondeu.

— Não.

— Garganta irritada?

— Não.

— Voz rouca?

— Ela me parecia bastante saudável.

Stavely assentiu. Parecia satisfeito.

— Havia um inchaço muito, muito leve na garganta. É o que se tem, ao se recuperar de um resfriado. Uma coriza pode causar isso, ou uma virose muito leve. Em quase 100% certo eu ignorar isso completamente. Mas as outras três tinham isso também. É muita coincidência para mim.

— Então o que isso significa? — perguntou Blake.

— Significa que ele empurrou algo goela abaixo nelas — respondeu Stavely.

Silêncio na sala.

— Goela abaixo? — repetiu Blake.

Stavely fez que sim.

— Esse foi meu palpite. Algo macio, algo que escorregaria garganta abaixo. Como uma esponja. Havia esponjas nos banheiros?

— Não vi nenhuma em Spokane — respondeu Reacher.

Poulton estava de volta às pilhas de papel.

— Nada nos inventários.

— Talvez ele as tenha removido — disse Harper. — Ele tirou as roupas delas.

— Banheiros sem esponjas — disse Blake devagar. — Como o cão que não latia.

— Não — falou Reacher. — Não havia uma esponja *antes*, foi o que eu quis dizer.

— Tem certeza? — perguntou Blake.

Reacher fez que sim.

— Absoluta.

— Talvez ele traga uma com ele — disse Harper. — Do tipo que prefere.

Blake desviou o olhar, de volta para Stavely.

— Então é assim que ele está fazendo isso? Com esponjas em suas gargantas?

Stavely olhou suas mãos grandes e vermelhas, que repousavam no tampo da mesa.

— Tem que ser assim — respondeu. — Esponjas ou algo semelhante Como Sherlock Holmes, não é? Primeiro você descarta o impossível, e o que quer que restar, por mais improvável que seja, *tem* que ser a resposta. Então o sujeito as está sufocando até a morte empurrando algo macio pela garganta delas. Algo macio o bastante para não causar trauma contundente interno, mas denso o suficiente para bloquear o ar.

Blake assentiu, devagar.

— Está bem, então, agora sabemos.

Stavely fez um gesto negativo com a cabeça

— Bem, não sabemos, não. Porque é impossível.

— Por quê?

Stavely apenas deu de ombros, desanimado.

— Venha aqui, Harper — disse Reacher.

Ela olhou para ele, surpresa. Depois sorriu brevemente, levantou-se, arrastou a cadeira de volta e caminhou até ele.

— Melhor mostrar que contar, não é? — perguntou ela.

— Deite-se na mesa, está bem? — pediu ele.

Ela sorriu novamente e sentou-se na beirada da mesa, girando para a posição. Reacher puxou a pilha de papéis de Poulton e empurrou para baixo da cabeça dela.

— Confortável? — perguntou ele.

Ela assentiu, espalhou os cabelos e deitou-se como se estivesse no dentista, fechando a jaqueta sobre a camisa.

— Está bem — disse Reacher. — Ela é Alison Lamarr na banheira.

Ele puxou a primeira folha de papel de debaixo da cabeça dela e olhou. Era o inventário do banheiro de Caroline Cooke. Ele fez uma bolinha de papel com ele.

— Isto é a esponja — continuou. Depois, ele olhou para Blake. — Não que houvesse uma no banheiro.

— Ele trouxe a esponja — concluiu Blake.

— Se ele fez isso, foi perda de tempo — perguntou Reacher. — Porque observe só.

Ele pôs o papel amassado nos lábios de Harper. Ela trancou os lábios com força.

— Como a convenço a abrir a boca? — perguntou ele. — Com total consciência de que isso que estou fazendo vai matá-la?

Ele se inclinou para perto e usou a mão esquerda sob o queixo dela, seus dedos nas bochechas.

— Eu poderia apertar, acho. Ou poderia fechar o nariz dela até que ela tivesse que respirar. Mas o que *ela* faria?

— Isso — disse Harper, e com um golpe fingido de direita acertou Reacher na lateral da cabeça.

— Exatamente — disse ele. — Dois segundos depois, estaríamos lutando, e haveria um galão de tinta no chão. Outro galão por cima de mim. Para chegar a algum lugar com isso, eu teria que entrar na banheira com ela, por trás dela ou sobre ela.

— Ele tem razão — concordou Stavely. — É simplesmente impossível. Elas estariam lutando pela vida. Não há jeito de forçar algo na boca de alguém contra sua vontade, sem deixar hematomas nas bochechas, nos maxilares, em toda a parte. A pele ia rasgar contra os dentes, os lábios estariam machucados e cortados, talvez os próprios dentes se soltassem. E elas estariam mordendo, arranhando e chutando. Vestígios nas unhas seriam encontrados, as mãos machucadas, com ferimentos defensivos. Seria uma luta até a morte, não é? E não há indício de luta. Nenhum.

— Talvez ele as tenha drogado — falou Blake. — Tornando-as passivas, sabe, como aqueles estupros que começam num encontro.

Stavely fez um gesto negativo com a cabeça.

— Ninguém foi drogado — disse ele. — A toxicologia não deu absolutamente nada, nos quatro casos.

A sala ficou silenciosa novamente, e Reacher puxou Harper para a posição vertical pelas mãos. Ela deslizou para fora da mesa e limpou a poeira, andando de volta para seu assento.

— Então você não tem nenhuma conclusão? — perguntou Blake.

Stavely deu de ombros.

— Como disse, tenho uma ótima conclusão, mas é uma conclusão impossível.

Silêncio.

— Eu disse a vocês, esse é um sujeito muito esperto — disse Reacher. — Esperto demais para vocês. Até demais. Quatro homicídios, e vocês *ainda* não sabem como ele está fazendo isso.

— Então, qual é a resposta, espertinho? — provocou Blake. — Você vai nos contar algo que quatro dos melhores patologistas do país não conseguiram?

Reacher não disse nada.

— Qual é a resposta? — perguntou Blake de novo.

— Eu não sei — respondeu Reacher.

— Ótimo. Você não sabe.

— Mas vou descobrir.

Caçada às Cegas 305

— É, e como?

— Fácil. Vou achar o sujeito e perguntar a ele.

A sessenta e seis quilômetros de distância, ligeiramente ao nordeste, a pessoa estava a três quilômetros de seu escritório, depois de uma viagem de dezesseis quilômetros. Tinha tomado o ônibus do estacionamento do Pentágono e saltado próximo do Capitólio. Depois, havia pegado um táxi e voltado por sobre o rio para o terminal principal do aeroporto nacional. Seu uniforme estava numa mala pendurada no ombro, e estava passando pelos balcões de passagem na hora mais movimentada do dia, completamente irreconhecível numa massa abundante de pessoas.

— Quero ir para Portland, Oregon — disse. — Ida e volta, classe econômica.

Um atendente inseriu o código para Portland, e seu computador lhe informou que havia bastante disponibilidade no próximo voo direto.

— Parte daqui a duas horas — respondeu ele.

— Está bem — disse.

— Você acha que vai encontrar o sujeito? — repetiu Blake.

Reacher fez que sim.

— Vou ter que achar, não é? É a única saída.

Houve silêncio na sala de reuniões por um momento. E então Stavely se levantou.

— Bem, boa sorte para você, senhor. — Ele saiu da sala e fechou a porta suavemente atrás de si.

— Você *não vai* encontrar o sujeito — disse Poulton. — Porque você está errado quanto a Caroline Cooke. Ela nunca serviu em depósito de material bélico ou no teste de armamento. Ela prova que sua teoria é um monte de merda.

Reacher sorriu.

— Sei tudo sobre os procedimentos do FBI?

— Não, não sabe.

— Então não me venha falar sobre o Exército. Cooke era uma aspirante a oficial. O tipo de carreira meteórica. Tinha que ser, para acabar em Planejamentos de Guerra. Pessoas assim, eles mandam para todo lugar primeiro, para ganharem uma visão geral. Esse resumo que você tem em seu arquivo está incompleto.

— Está é?

Reacher assentiu.

— Tem que estar. Se eles tivessem listados todos os lugares onde ela assumiu um posto, você teria dez páginas antes que ela fosse primeiro-tenente. Verifique com o Ministério da Defesa, obtenha os detalhes, você vai descobrir que ela esteve em algum lugar que poderia vinculá-la.

O silêncio retornou. Havia uma leve corrente de ar do aquecedor e um chiado de uma lâmpada fluorescente com defeito. Um apito agudo da televisão muda. Isso era tudo. Nada mais. Poulton olhava para Blake. Harper olhava para Reacher. Blake olhava os próprios dedos, que tamborilavam na mesa, com silenciosos dedos carnudos.

— Você *vai conseguir* encontrá-lo? — perguntou ele.

— Alguém precisa encontrá-lo — respondeu Reacher. — Vocês não estão chegando a lugar nenhum.

— Você vai precisar de recursos.

Reacher assentiu.

— Um pouco de ajuda seria bom.

— Então estou apostando nessa.

— Melhor que pôr todas as fichas em algum perdedor.

— Estou jogando alto. Com muita coisa em risco.

— Tipo sua carreira?

— Sete mulheres, não minha carreira.

— Sete mulheres *e* sua carreira.

Blake assentiu, de modo vago.

— Quais são as chances?

Reacher deu de ombros.

— Com três semanas para isso? É uma certeza.

— Você é um canalha arrogante, sabia?

Caçada às Cegas 307

— Não, sou realista, só isso.

— Então, do que você precisa?

— Remuneração — disse Reacher.

— Você quer ser pago?

— Claro que quero. Você está recebendo, não está? Faço todo o trabalho, é justo que eu receba algo por isso também.

Blake fez que sim.

— Encontre o sujeito, que falarei com Deerfield em Nova York e farei com que o caso do Petrosian seja esquecido.

— E honorários.

— Quanto?

— O que você achar apropriado.

Blake assentiu novamente.

— Vou pensar a respeito. E Harper vai com você, porque nesse momento a coisa com Petrosian ainda não foi esquecida.

— Está bem. Posso viver assim. Se ela puder.

— Ela não tem escolha — respondeu Blake. — O que mais?

— Marque um encontro entre mim e Cozo. Vou começar em Nova York. Vou precisar de informações dele.

Blake fez que sim.

— Vou ligar para ele. Você pode encontrá-lo esta noite.

Reacher fez um gesto negativo com a cabeça.

— Amanhã pela manhã. Esta noite vou ver Jodie.

21

A REUNIÃO SE DISSOLVEU NUMA SÚBITA EXPLOSÃO de energia. Blake desceu um andar pelo elevador, de volta à sua sala, para fazer a ligação para James Cozo em Nova York. Poulton tinha suas próprias ligações para fazer para o escritório do FBI em Spokane, onde os rapazes do escritório regional estavam verificando com as transportadoras e as locadoras de veículos. Harper subiu até o balcão de viagens para organizar passagens de companhias aéreas. Reacher foi deixado sozinho na sala de reuniões, sentando à mesa grande, ignorando a televisão, olhando a janela falsa como se estivesse olhando uma vista do lado de fora.

Ele ficou sentado assim por quase vinte minutos, apenas aguardando. Então, Harper retornou. Ela estava carregando uma pilha grossa de novos papéis.

Caçada às Cegas

— Mais burocracia — disse ela. — Se pagarmos, precisamos fazer seu seguro. Regulamentos do setor de reservas.

Ela se sentou de frente para ele e tirou uma caneta de seu bolso interno.

— Pronto para isso? — perguntou.

Ele fez que sim.

— Nome completo?

— Jack Reacher.

— É só isso?

Ele fez que sim.

— Só isso.

— Não é um nome muito comprido, né?

Ele deu de ombros. Não disse nada. Ela o escreveu. Duas palavras, onze letras, num espaço que ocupava toda a largura do formulário.

— Data de nascimento?

Ele disse a ela. Viu que ela calculava sua idade. Percebeu surpresa no rosto dela.

— Mais velho ou mais novo? — perguntou.

— Do que o quê?

— Do que você pensava.

Ela sorriu.

— Ah, mais velho. Você não parece.

— Bobagem — disse ele. — Pareço ter uns cem anos. Com certeza, me sinto com essa idade.

Ela sorriu de novo.

— Você provavelmente disfarça muito bem. Número do seguro social?

Para sua geração de homens do Exército, era o mesmo que sua identificação militar. Ele recitou à maneira militar, sons monótonos aleatórios representando números inteiros entre zero e nove.

— Endereço completo?

— Nenhum local de moradia fixo — respondeu.

— Tem certeza?

— Por que não teria?
— E quanto a Garrison?
— O que tem isso?
— Sua casa — disse ela. — Ela seria seu endereço, não é?
Ele a encarou.
— Acho que sim. Mais ou menos. Nunca pensei nisso de verdade.
Ela o encarou de volta.
— Você tem uma casa, tem um endereço, não é o que diria?
— Está bem, coloque Garrison.
— Nome e número da rua?
Ele buscou na memória e disse a ela.
— Código postal?
Ele deu de ombros.
— Não sei.
— Você não sabe o seu próprio código postal?
Ele ficou calado por um segundo. Ela olhou para ele.
— O seu caso é bem ruim, né? — disse ela.
— Caso do quê?
— Sei lá. Chamam de fuga da realidade, acho.
Ele assentiu, devagar.
— É, acho que meu caso é bem ruim.
— Então o que você vai fazer a respeito?
— Eu não sei. Talvez eu me acostume com isso.
— Talvez não se acostume.
— O que você faria?
— As pessoas devem fazer o que querem de verdade — disse ela. — Acho que isso é importante.
— É o que você faz?
Ela fez que sim.
— Minha família queria que eu ficasse em Aspen. Queriam que eu fosse professora ou algo assim. Eu queria trabalhar com a aplicação da lei. Foi uma grande batalha.

Caçada às Cegas 311

— Não são meus pais que estão fazendo isso comigo. Eles já morreram.

— Eu sei. É a Jodie.

Ele fez um gesto negativo com a cabeça.

— Não, não é a Jodie. Sou eu. Estou fazendo isso comigo mesmo.

Ela assentiu novamente.

— Está bem.

A sala ficou silenciosa.

— Então, o que eu devia fazer? — perguntou ele.

Ela deu de ombros, cautelosa.

— Não sou a pessoa certa para responder isso.

— Por que não?

— Posso não dar a resposta que você quer.

— E essa resposta é?

— Você quer que eu diga que você deve ficar com a Jodie. Se estabelecer e ser feliz.

— Quero?

— Acho que sim.

— Mas você não pode dizer isso?

Ela balançou a cabeça.

— Não, não posso — disse ela. — Eu tive um namorado. Foi bem sério. Ele era policial em Aspen. Sempre há tensão, sabe, entre policiais e o FBI. Rivalidade. É bobo, na verdade, não há motivo para isso, mas existe. A tensão se espalhou para coisas pessoais. Ele queria que eu pedisse demissão. Me implorou. Fiquei devastada, mas disse não.

— Essa foi a escolha certa?

Ela assentiu.

— Para mim, foi. Você tem que fazer o que quer de verdade.

— Seria a escolha certa para mim?

Ela deu de ombros.

— Não sei dizer. Mas, provavelmente, sim.

— Primeiro, tenho de descobrir o que realmente quero.

— Você sabe o que quer de verdade — disse ela. — Todo mundo sempre sabe, instintivamente. Qualquer dúvida que esteja tendo é apenas ruído, tentando esconder a verdade, porque você não quer encará-la.

Ele desviou o olhar, de volta à janela falsa.

— Profissão? — perguntou ela.

— Pergunta idiota — disse ele.

— Vou pôr consultor.

Ele assentiu.

— Isso dignifica a coisa, de certa forma.

Nessa hora, houve passos no corredor, e a porta se abriu novamente. Blake e Poulton entraram apressados, com mais papéis nas mãos e o brilho do progresso em seus rostos.

— Talvez estejamos a meio caminho de começar a chegar a algum lugar — disse Blake. — Chegaram notícias de Spokane.

— O motorista da UPS local pediu demissão há três semanas — disse Poulton. — Mudou-se para Missoula, Montana, e trabalha num depósito. Mas eles falaram com ele por telefone, e ele acha que talvez se lembre da entrega.

— Então o escritório da UPS não tem registros escritos? — perguntou Harper.

Blake fez um gesto negativo com a cabeça.

— Eles os arquivam depois de onze dias. E estamos diante de arquivos de dois meses atrás. Se o motorista conseguir identificar o dia, talvez a gente consiga.

— Alguém sabe alguma coisa sobre beisebol? — perguntou Poulton.

Reacher deu de ombros.

— Alguns poucos caras conquistaram os melhores resultados gerais de todos os tempos e apenas dois jogadores tinham a letra U em seus nomes.

— Por que beisebol? — perguntou Harper.

— No dia em questão, algum sujeito de Seattle conseguiu a pontuação máxima possível numa rebatida só — respondeu Blake. — O motorista ouviu pelo rádio, ele lembra.

— Seattle, é mesmo coisa para se lembrar — disse Reacher. — Coisa rara.

Caçada às Cegas

— Babe Ruth — disse Poulton. — Quem é o outro?

— Honus Wagner — respondeu Reacher.

Poulton parecia perplexo.

— Nunca ouvi falar nele.

— E a Hertz respondeu — disse Blake. — Eles acham que se lembram de uma locação bem curta, do aeroporto de Spokane, no mesmo dia que Alison morreu, que partiu e retornou dentro de cerca de duas horas.

— Eles têm um nome? — perguntou Harper.

Blake fez um gesto negativo com a cabeça.

— O sistema deles está fora do ar. Eles estão trabalhando para consertar.

— O pessoal do balcão não se lembra?

— Você está brincando? Seria sorte se essas pessoas conseguissem se lembrar dos próprios nomes.

— Então quando vamos conseguir?

— Amanhã, acho. De manhã, com um pouco de sorte. Caso contrário, à tarde.

— Três horas de diferença de fuso. Será o período da tarde para nós.

— Provavelmente.

— Então... Reacher ainda vai embora?

Blake parou e Reacher assentiu.

— Ainda vou embora — disse ele. — O nome será falso, com certeza. E a coisa da UPS não vai levar a lugar nenhum. Esse sujeito é muito esperto para erros básicos de rastreamento de papéis.

Todos aguardaram. Então, Blake assentiu.

— Acho que concordo — disse ele. — Assim, Reacher ainda vai embora.

Eles foram num discreto Chevrolet do FBI e já estavam no aeroporto em Washington antes de escurecer. Eles entraram na fila para a ponte aérea da United junto com os advogados e os lobistas. Reacher era a única pessoa na fila que não estava vestindo um terno, masculino ou feminino. A tripulação da cabine dava a impressão de conhecer a maioria dos passageiros e os saudava na porta do avião como clientes habituais. Harper percorreu todo o corredor e escolheu assentos bem no fundo.

— Nenhuma pressa de sair — disse ela. — Você só vai ver Cozo amanhã.

Reacher não disse nada.

— E Jodie ainda não vai ter chegado — continuou. — Advogados trabalham muito, né? Principalmente os que pretendem ser sócios.

Ele assentiu. Ele acabava de chegar à mesma conclusão.

— Então, vamos ficar sentados aqui. É mais tranquilo.

— Os motores estão bem aqui atrás — disse ele.

— Mas os homens de terno não estão.

Ele sorriu, ficou com o assento da janela e afivelou o cinto.

— E podemos conversar aqui atrás — disse ela. — Não gosto que as pessoas ouçam.

— A gente devia dormir — disse ele. — Vamos ficar ocupados.

— Eu sei, mas fale comigo primeiro. Cinco minutos, está bem?

— Falar sobre o quê?

— Os arranhões no rosto dela. Preciso entender do que se trata.

Ele olhou para ela.

— Por quê? Está tentando decifrar tudo sozinha?

Ela fez que sim.

— Não recusaria a oportunidade de fazer a prisão.

— Ambiciosa?

Ela fez uma careta.

— Competitiva, acho.

Ele sorriu novamente.

— Lisa Harper contra os sabichões.

— Na mosca. Nós, agentes ordinários, somos tratados como lixo.

O ruído dos motores ficou estridente, o avião saiu do portão e recuou. Girou o nariz e foi lento até a pista.

— E quanto às marcas no rosto dela? — perguntou Harper.

— Acho que prova meu ponto de vista — respondeu Reacher. — Acho que é o indício mais valioso que temos até agora.

Caçada às Cegas

— Por quê?

Ele deu de ombros.

— Era tão sem entusiasmo, não era? Hesitante, né? Acho que prova que o sujeito está se escondendo atrás de aparências. Prova que ele está fingindo. Como se houvesse alguém como eu, olhando os casos, e estivesse pensando onde está a violência? Onde está a raiva? E ao mesmo tempo em algum lugar o sujeito estivesse revisitando seu progresso e estivesse pensando *ah, meu Deus, não estou mostrando nenhuma raiva*, e, assim, na vítima seguinte ele tenta mostrar um pouco, mas não é algo que ele sinta de verdade, então, acaba parecendo que não é nada de mais.

Harper assentiu.

— Nem mesmo para fazer que ela desviasse o rosto, de acordo com Stavely.

— Sem sangue — disse Reacher. — Quase literalmente. Como um exercício técnico, que foi o que foi, porque tudo isso é um exercício técnico, algum motivo prático firme escondido por trás de uma farsa de psicopata.

— Ele a obrigou a fazer.

— Acho que sim.

— Mas por que faria isso?

— Preocupação com impressões digitais? Com revelar se é destro ou canhoto? Para demonstrar seu controle?

— É muito controle, não acha? Mas isso explica porque foi tão sem entusiasmo. Ela não ia querer se machucar de verdade.

— Acho que não — respondeu, sonolento.

— Por que Alison, no entanto? Por que ele esperou até a vítima número quatro?

— Busca incessante pela perfeição, presumo. Um sujeito assim, fica pensando e se refinando o tempo inteiro.

— Isso a torna especial de alguma forma? Importante?

Reacher deu de ombros.

— Isso é coisa para os sabichões. Se eles pensassem assim, tenho certeza de que teriam dito.

— Talvez ele a conhecesse melhor do que as outras. Talvez tivesse trabalhado com ela em contato mais direto.

— Talvez, mas não se debande para o território deles. Mantenha os pés no chão. Você é uma agente comum, lembra?

Harper assentiu.

— E a motivação dos agentes comuns é o dinheiro.

— Deve ser — disse Reacher. — Sempre amor ou dinheiro. E não pode ser amor, porque o amor te enlouquece, e esse cara não está louco.

O avião virou e brecou com força nos freios na cabeceira da pista. Ficou parado por um instante, deu um solavanco para a frente e acelerou; soltou-se e ergueu-se pesadamente no ar. As luzes de Washington passavam girando pela janela.

— Por que ele mudou o intervalo? — perguntou Harper, em meio ao ruído da decolagem.

Reacher deu de ombros.

— Talvez só tenha tido vontade.

— Vontade?

— Talvez ele tenha feito por diversão. Nada mais perturbador para vocês do que uma quebra de padrão.

— Será que vai quebrar de novo?

O avião tremeu, inclinou-se e se estabilizou, e o ruído do motor diminuiu para o de velocidade de cruzeiro.

— Acabou — respondeu Reacher. — As mulheres estão protegidas, e vocês vão fazer a prisão muito em breve.

— Você está confiante assim?

Reacher deu de ombros novamente.

— Não adianta fazer nada esperando perder.

Ele bocejou, enterrou a cabeça entre as costas do banco e a divisória dos assentos e fechou os olhos.

— Me acorde quando a gente chegar lá — disse.

Mas o baque e o som esganiçado das rodas na descida o acordaram, a três mil pés de altura e cinco quilômetros a leste do aeroporto La Guardia em

Nova York. Ele olhou o relógio e viu que tinha dormido cinquenta minutos. Tinha um gosto ruim na boca.

— Quer jantar? — perguntou Harper a ele.

Ele piscou os olhos e verificou o relógio de novo. Tinha pelo menos uma hora para gastar antes do provável horário de chegada mais adiantado de Jodie. Talvez duas horas. Talvez três.

— Você tem algum lugar em mente? — perguntou ele de volta.

— Não conheço Nova York muito bem — respondeu ela. — Sou uma moça de Aspen.

— Conheço um bom italiano — disse ele.

— Eles me puseram num hotel na Park Avenue com a 36th Street — disse ela. — Presumo que você vá ficar na casa de Jodie.

Ele assentiu.

— Também presumo.

— Então, o restaurante fica perto da Park Avenue com a 36th Street?

Ele fez um gesto negativo com a cabeça.

— Uma corrida de táxi. Essa é uma cidade grande.

Ela lhe devolveu o gesto.

— Nada de táxi. Eles vão mandar um carro. Será nosso enquanto durar a missão.

O motorista estava aguardando no portão. O mesmo sujeito que os tinha levado de carro antes. O carro dele estava estacionado na pista de reboques próxima ao Desembarque, com um grande cartão com o escudo do FBI impresso apoiado no para-brisa. O congestionamento era grande, por todo o caminho até Manhattan. Era a segunda parte da hora do *rush*. Mas o sujeito dirigia como se não tivesse nada a temer dos policiais de trânsito, e eles chegaram à porta do *Mostro's* quarenta minutos após o pouso do avião.

Estava completamente escuro na rua e o restaurante brilhava como uma promessa. Quatro mesas estavam ocupadas e ouvia-se Puccini. O proprietário viu Reacher na calçada e correu até a porta, sorrindo. Mostrou-lhes uma mesa e lhes trouxe os cardápios.

— Este é o lugar que Petrosian estava tentando extorquir? — perguntou Harper.

Reacher virou a cabeça na direção do proprietário.

— Olhe para o homenzinho. Ele merecia isso?

— Você devia ter deixado isso com a polícia.

— Foi o que a Jodie disse.

— Vê-se que ela é uma mulher esperta.

Estava quente dentro do imenso salão, e Harper tirou o paletó e se virou para pendurá-lo nas costas da cadeira. Sua camisa virou com ela, prendeu e se soltou. Pela primeira vez desde que ele a conhecera, ela estava usando sutiã. Ela seguiu seu olhar e ficou vermelha.

— Não tinha certeza de quem íamos encontrar — disse ela.

Ele fez que sim.

— Vamos encontrar alguém. Isso é certo. Mais cedo ou mais tarde.

O modo como ele disse isso fez com que ela erguesse o olhar para ele.

— Agora você quer mesmo esse sujeito, né? — perguntou.

— Sim, agora quero.

— Por Amy Callan? Você gostava dela, né?

— Ela era legal. Gostava mais de Alison Lamarr, pelo que vi dela. Mas quero este sujeito por causa de Rita Scimeca.

— Ela gosta de você também — disse ela. — Deu para notar.

Ele assentiu de novo.

— Você teve um relacionamento com ela?

Ele deu de ombros.

— Essa é uma palavra muito vaga.

— Um caso?

Ele fez um gesto negativo com a cabeça.

— Só a conheci depois que ela foi estuprada. *Porque* ela foi estuprada. Ela não estava em condição de ter casos. Ainda não está, ao que parece. Eu era um pouco mais velho que ela, talvez cinco ou seis anos. Ficamos muito amigos, mas era como uma coisa paternalista, sabe, que imagino que ela precisasse, mas ao mesmo tempo detestava. Precisei trabalhar duro para fazer com que parecesse pelo menos algo fraternal, pelo que me lembro.

Caçada às Cegas 319

Saímos algumas vezes, mas como irmão mais velho e irmã, quase completamente platônico. Ela era como um soldado ferido, recuperando-se.

— Era assim que você a via?

— Exatamente assim — respondeu. — Como um cara que teve a perna amputada. Não dá para negar, mas dá para lidar com o problema. E ela estava lidando com ele.

— E agora esse cara está fazendo com que ela volte ao passado.

Reacher assentiu.

— Esse é o problema. Esconder-se atrás dessa coisa de assédio, colocando o dedo na ferida. Se ele fosse direto, seria aceitável. Rita poderia aceitar isso como um problema distinto, acho. Como um sujeito que só tem uma perna poderia lidar com uma gripe. Mas está dando a impressão de que é galhofa com o passado dela.

— E isso deixa você furioso.

— Me sinto responsável por Rita. Ele está mexendo com ela, então está mexendo comigo.

— E as pessoas não devem mexer com você.

— Não, não devem.

— Ou então?

— Ou então estarão bem encrencadas.

Ela assentiu, devagar.

— Você me convenceu — disse ela.

Ele não disse nada.

— Você convenceu Petrosian também, acho — continuou ela.

— Nunca cheguei perto de Petrosian — disse ele. — Nunca pus os olhos nele.

— Mas você *é* meio arrogante, sabe? — disse ela. — Promotor, juiz, jurados, executor, tudo em um? E quanto às regras?

Ele sorriu.

— Essas *são* as regras — respondeu. — Quando alguém mexe comigo, descobre isso bem rapidinho.

Harper fez um gesto negativo com a cabeça.

— Nós vamos prender esse cara, lembra? Vamos encontrá-lo e prendê-lo. Vamos fazer isso do modo certo. De acordo com as *minhas* regras, está bem?

Ele assentiu.

— Eu já concordei com isso.

O garçom veio e ficou próximo, com a caneta em mãos. Eles pediram dois pratos cada e ficaram calados até que veio a comida. Então, comeram em silêncio. Não havia muita comida. Mas era tão boa como sempre. Talvez até melhor. E foi por conta da casa.

Depois do café, o motorista do FBI levou Harper até o hotel na parte superior da cidade e Reacher desceu até a casa de Jodie, sozinho e satisfeito com isso. Ele entrou no hall dela, subiu com o elevador, entrou no apartamento dela. Não havia vento e o ar estava silencioso. Os quartos estavam escuros. Ninguém em casa. Ele acendeu as lâmpadas, fechou as persianas e sentou-se no sofá da sala de estar para esperar.

22

*D*ESTA VEZ HAVERIA GUARDAS. VOCÊ SABE DISSO com certeza. Então, desta vez será difícil. Você sorri com seus botões e corrige sua fraseologia. Na verdade, desta vez será muito difícil. Muito, muito difícil. Mas não impossível. Não para você. Será um desafio, só isso. Acrescentar guardas como um fator a ser considerado deixa a coisa toda mais interessante. Um pouco mais próximo do ponto no qual seu talento pode realmente se estender como precisa. Será um desafio a ser saboreado. Um desafio a ser vencido.

Mas você não vence nada sem pensar. Não vence nada sem observação cuidadosa e planejamento. Os guardas são um novo fator, assim, eles precisam ser analisados. Mas esse é o seu ponto forte, não é? Análise precisa e fria. Ninguém faz isso melhor do que você. Você já provou isso muitas vezes, não foi? Quatro vezes.

Assim, o que os guardas significam para você? Primeira pergunta: quem são os guardas? Bem, aqui, onde o vento faz a curva, a milhões de quilômetros de qualquer lugar, a primeira impressão é de que você está lidando com policiais locais palermas. Nenhum problema. Nenhuma ameaça. Mas a desvantagem é que aqui onde o vento faz a curva não há policiais locais palermas suficientes para fazer a ronda. Uma cidadezinha de Oregon perto de Portland não terá policiais suficientes para manter vigilância 24 horas. Então, eles vão procurar ajuda, e você sabe que essa ajuda virá do FBI. Você sabe disso com certeza. Do modo que previu, os policiais locais ficarão com o dia, e o FBI com a noite.

Se tiver escolha, você obviamente não vai querer se envolver com o FBI. Então, vai evitar a noite. Vai ficar com o dia, quando tudo que houver entre você e ela é algum gorducho local num Crown Vic cheio de embalagens de cheeseburger e café frio. E você vai ficar com o dia porque é uma solução mais elegante. Em plena luz do dia. Você adora essa expressão. Ela é usada o tempo todo, não é?

"O crime foi cometido em plena luz do dia", você sussurra para si.

Passar pelos policiais em plena luz do dia não será muito difícil. Mas, mesmo assim, não é algo que você vá realizar sem seriedade. Você não vai se apressar. Vai observar cuidadosamente, de alguma distância, até que perceba como as coisas funcionam. Vai investir algum tempo na observação cuidadosa e paciente. Felizmente, você tem algum tempo. E não vai ser difícil. O lugar é montanhoso. Lugares montanhosos têm duas características. Duas vantagens. Primeiro, eles já são cheios de idiotas desfilando de suéteres com binóculos em volta do pescoço. E, em segundo lugar, o terreno montanhoso facilita a visão do ponto A a partir do ponto B. Você simplesmente se esconde lá em cima em algum pico ou colina ou como diabos eles os chamam. Depois você se instala, olha para baixo e observa. E aguarda

Reacher aguardou um longo tempo no silêncio da sala de estar de Jodie. Sua postura no sofá mudou de sentado para refestelado. Depois de uma hora, ele se virou e deitou. Fechou os olhos. Abriu-os novamente e lutou para permanecer acordado. Fechou os olhos de novo. Manteve-os fechados.

Caçada às Cegas

Imaginou que tiraria uma soneca de uns dez minutos. Imaginou que fosse ouvir o elevador. Ou a porta. Mas ele não ouviu nenhum dos dois. Ele acordou e a encontrou, curvada sobre ele, beijando-lhe a bochecha.

— Oi, Reacher — disse ela em voz baixa.

Ele a puxou e a segurou num abraço apertado e silencioso. Ela o abraçou também, com apenas uma das mãos porque ainda estava carregando sua pasta, porém com força.

— Como foi o seu dia? — perguntou ele.

— Mais tarde — sussurrou ela.

Ela deixou a pasta cair, e ele a puxou por cima dele. Ela lutou para tirar o casaco e o deixou cair. O revestimento de seda produziu um som murmurante e agudo. Ela estava com um vestido de lã com um zíper que percorria as costas inteiras até a base da coluna. Ele correu o zíper devagar e sentiu o calor do corpo dela sob o vestido. Ela ergueu o corpo com os cotovelos na barriga dele. As mãos mexiam na camisa dele. Ele tirou o vestido pelos ombros dela. Ela puxou a camisa dele da cintura e puxou com força o cinto.

Ela se levantou e o vestido caiu no chão. Ela lhe estendeu a mão e ele a pegou. Ela o levou ao quarto. Eles tiraram a roupa tropeçando pelo caminho e chegaram à cama branca e fria. O brilho de néon da cidade do lado de fora a iluminava em desenhos aleatórios.

Ela o empurrou para baixo, com as mãos nos ombros dele. Ela era forte, como uma ginasta. Ansiosa, cheia de energia e flexível em cima dele. Ele ficou desnorteado. Eles terminaram com uma película de suor sobre a pele em cima de lençóis emaranhados. O corpo dela estava pressionado contra o dele. Ele conseguia sentir no peito o coração dela martelando. Os cabelos dela estavam na boca de Reacher. Ele arfava. Ela estava sorrindo. O rosto dela estava enfiado no ombro dele, e ele podia sentir o sorriso contra sua pele. O formato da boca de Jodie, a frieza de seus dentes. A curva impaciente nos músculos de sua bochecha.

Ela era bonita de um jeito que ele não conseguia descrever. Alta, magra e graciosa, loura, levemente bronzeada, com cabelos e olhos espetaculares.

Mas ela era mais que isso. Era uma mistura de energia, vontade e paixão. E a atividade inquieta de sua mente parecia eletricidade. Ele percorreu a curva suave das costas dela, descendo com a mão. Ela esticou o pé, passando por toda a perna dele, e tentou prender os dedões dela nos dele. O sorriso secreto ainda estava lá, encostado no pescoço dele.

— Agora você pode perguntar sobre o meu dia — disse ela.

As palavras dela foram abafadas pelo ombro de Reacher.

— Como foi o seu dia? — perguntou ele.

Ela pôs a mão aberta no peito dele e se empurrou para cima até a altura do cotovelo. Fez um bico e soprou os cabelos do rosto. Depois o sorriso voltou.

— Foi ótimo — respondeu.

Ele sorriu de volta.

— Ótimo como? — perguntou ele.

— Fofoca de secretárias — disse ela. — A minha conversou com uma do andar de cima durante o almoço.

— E?

— Vai ter uma reunião de sócios daqui a alguns dias.

— E?

— A secretária do andar de cima tinha acabado de digitar a pauta. Eles vão fazer uma oferta de sociedade.

Ele sorriu.

— A quem?

Ela sorriu de volta.

— A um dos advogados.

— Qual deles?

— Adivinha.

Ele fingiu pensar a respeito.

— Eles escolheriam alguém especial, não é? A melhor que tivessem? A mais esperta, esforçada, charmosa e tudo mais?

— É geralmente o que eles fazem.

Ele assentiu.

Caçada às Cegas 325

— Parabéns, querida. Você merece. De verdade.

Ela sorriu feliz e enlaçou o pescoço dele com os braços. Fez força para baixo num abraço de corpo inteiro, da cabeça aos pés.

— Sócia — disse ela. — Tudo que eu sempre quis.

— Você merece — repetiu ele. — De verdade.

— Sócia aos trinta anos — continuou. — Dá para acreditar?

Ele olhou para o teto e sorriu.

— Sim, eu consigo acreditar. Se você tivesse feito carreira na política, a esta altura seria presidente.

— Não consigo acreditar — disse ela. — Nunca acredito quando consigo o que quero.

Depois ela se calou por um instante.

— Mas não aconteceu ainda — falou. — Talvez eu deva esperar acontecer.

— Vai acontecer.

— É só uma pauta. Vai que todos eles votam não.

— Eles não vão fazer isso — disse ele.

— Vai haver uma festa — disse ela. — Você vai?

— Se você quiser que eu vá. Se não for estragar sua imagem.

— Você podia comprar um terno. Usar suas medalhas. Ia deixá-los boquiabertos.

Ele ficou quieto por um instante, pensando em comprar um terno. Se ele fizesse isso, seria o primeiro terno que usaria na vida.

— *Você* tem o que quer? — perguntou ela.

Ele a envolveu nos braços.

— Agora?

— Em geral?

— Quero vender a casa — respondeu ele.

Ela ficou parada por um momento.

— Está bem — concordou. — Não que você precise de minha permissão.

— Ela me oprime — justificou ele. — Não consigo cuidar dela.

— Você não precisa explicar para mim.

— Eu podia viver o resto da vida com o dinheiro que recebesse por ela.

— Você teria que pagar impostos.

Ele fez que sim.

— Que seja. O que sobrasse podia me pagar muitas diárias em hotéis baratos.

— Você devia pensar com cuidado. É o único bem que você tem.

— Não para mim. Dinheiro para os hotéis é um bem. A casa é um fardo.

Ela ficou calada.

— Vou vender meu carro também — continuou ele.

— Achei que gostasse dele — disse ela.

Ele fez que sim.

— É aceitável. Para um carro. Só não gosto de ter coisas.

— Ter um carro não é bem o fim do mundo.

— Para mim, é. Muita trabalheira. Precisa de seguro, todo esse tipo de coisa.

— Você não tem seguro?

— Pensei nisso — falou. — Eles precisam de uma porção de papéis primeiro.

Ela fez uma pausa.

— Como vai andar por aí?

— Do mesmo jeito que sempre fiz: caronas, ônibus.

Ela fez nova pausa.

— Está bem, venda o carro se quiser — disse ela. — Mas fique com a casa. É útil.

Ele fez um gesto negativo com a cabeça, perto da dela.

— Ela me enlouquece.

Ele sentiu o sorriso dela.

— Você é a única pessoa que conheço que *quer* ser um sem-teto — disse ela. — A maioria das pessoas tenta de todas as maneiras evitar isso.

Caçada às Cegas

— Não há nada que eu queira mais — respondeu ele. — Como você quer se tornar sócia, eu quero ficar livre.

— Livre de mim também? — perguntou ela em voz baixa.

— Livre da casa — respondeu ele. — É um fardo, uma âncora. Você, não.

Ela tirou os braços do pescoço dele e se apoiou num dos cotovelos.

— Não acredito em você — disse ela. — A casa ancora você, e você não gosta, mas eu também ancoro, não é?

— A casa faz com que eu me sinta mal — explicou ele. — Você me faz sentir bem. Só eu sei como me sinto.

— Então você pensa em vender a casa, mas ficar por Nova York?

Ele ficou calado por um momento.

— Talvez eu viajasse um pouco — respondeu. — Você viaja. Está ocupada a maior parte do tempo. Podemos fazer com que dê certo.

— A gente acabaria se afastando.

— Acho que não.

— Você ia ficar longe cada vez mais tempo.

Ele fez um gesto negativo com a cabeça.

— Seria o mesmo que tem sido. Só que eu não vou ter mais a casa para me preocupar.

— Você já se decidiu, não é?

Ele fez que sim.

— Está me enlouquecendo. Eu nem sei o código postal. Naturalmente porque, no fundo, não *quero* saber.

— Você não precisa da minha permissão — repetiu ela.

Depois ficou calada.

— Ficou chateada? — perguntou ele, inutilmente.

— Preocupada — disse ela.

— Nada vai mudar — disse ele.

— Então por que fazer?

— Porque preciso.

Ela não respondeu.

Eles adormeceram assim, nos braços um do outro, com um fio de melancolia atravessando o pôr-do-sol. Veio a manhã e não houve tempo para conversar mais. Jodie tomou um banho e saiu sem tomar café da manhã e sem perguntar a Reacher o que ele ia fazer ou quando estaria de volta. Ele tomou um banho, vestiu-se, trancou o apartamento, desceu até a rua e encontrou Lisa Harper esperando por ele. Ela estava vestindo seu terceiro terno, encostada no para-lama do carro do FBI. O dia estava claro com um sol frio, cuja luz atingia-lhe os cabelos. O carro estava estacionado no meio-fio com o trânsito nervoso fervilhando em volta. O motorista do FBI estava imóvel atrás do volante, olhando fixamente para a frente. O ar estava cheio de ruídos.

— Você está bem? — perguntou ela.

Ele deu de ombros.

— Acho que sim.

— Então, vamos.

O motorista lutou com o trânsito por vinte quarteirões em direção à área mais residencial da cidade e desceu na mesma garagem subterrânea lotada pela qual Lamarr o tinha levado. Eles usaram o mesmo elevador do canto. Subiram até o vigésimo primeiro andar. Saíram no mesmo corredor cinza silencioso. O motorista foi à frente como um anfitrião e apontou a esquerda.

— Terceira porta — disse ele.

James Cozo estava atrás da mesa e dava a impressão de estar ali fazia uma hora. Vestia camisa social. Seu paletó estava num cabideiro de madeira. Assistia à televisão, canal político, um repórter ansioso em frente ao Capitólio, cortes rápidos para o Hoover Building, o quartel-general do FBI. As audiências de orçamento.

— O retorno do justiceiro — disse ele.

Ele fez um aceno de cabeça para Harper e fechou um arquivo. Tirou o som da televisão, afastou-se da mesa com um empurrão e esfregou as mãos em seu rosto fino, como se o estivesse lavando sem água.

Caçada às Cegas 329

— Então, o que você quer? — perguntou ele.

— Endereços — respondeu Reacher. — Dos rapazes de Petrosian.

— Os dois que você pôs no hospital? Eles não vão ficar satisfeitos em lhe ver.

— Eles vão ficar satisfeitos em me ver ir embora.

— Você vai feri-los de novo?

— Provavelmente.

Cozo fez que sim com a cabeça.

— Isso me convém, amigo.

Puxou um arquivo de uma pilha e o vasculhou, copiando um endereço num pedaço de papel.

— Eles moram juntos — respondeu. — São irmãos.

Depois, ele pensou melhor e rasgou o papel em pedaços. Virou o arquivo aberto na mesa e pegou uma folha de papel nova. Jogou um lápis em cima dela.

— Copie você — falou. — Não quero minha caligrafia perto disso, nem no sentido literal nem no figurado.

O endereço ficava perto da Quinta Avenida, na 66th Street.

— Bom pedaço — comentou Reacher. — Caro.

Cozo assentiu novamente.

— Negócio lucrativo.

Depois ele sorriu.

— Quer dizer, era — continuou. — Até você pôr mãos à obra em Chinatown.

Reacher não disse nada.

— Pegue um táxi — disse Cozo para Harper. — E fique fora do caminho. Nenhum envolvimento óbvio do FBI nisso, está bem?

Ela assentiu, com relutância.

— Divirtam-se — disse Cozo.

Eles andaram até a Madison com Harper esticando o pescoço como turista. Pegaram um táxi na região residencial e saltaram na esquina da 66th Street.

— Vamos andar o resto do caminho — falou Reacher.
— Vamos? — perguntou Harper. — Ótimo. Quero me envolver nisso.
— Você precisa se envolver — respondeu Reacher. — Porque não vou conseguir entrar sem você.

O endereço os levou a seis quadras ao norte até um prédio simples de altura média com fachada de tijolos cinza. Molduras de metal nas janelas, sem sacada. Ares-condicionados embutidos nas paredes embaixo das janelas. Nenhum toldo sobre a calçada, nenhum porteiro. Mas estava limpo e bem-cuidado.

— Lugar caro? — perguntou Harper.

Reacher deu de ombros.

— Não sei. Não é dos mais caros, acho. Mas eles não vão oferecê-lo de graça.

A porta da rua estava aberta. O hall era estreito, com paredes de reboco cuidadosamente salpicadas de tinta de modo que pareciam um pouco com mármore. Havia um único elevador nos fundos, com uma porta marrom estreita.

O apartamento que eles procuravam ficava no oitavo andar. Reacher pressionou o botão do elevador e a porta se abriu. O elevador era revestido de espelhos de bronze nos quatro lados. Harper entrou e Reacher veio logo atrás dela, pressionando o botão do oitavo andar. Um número infinito de reflexos subiu com eles.

— Você bate na porta — disse Reacher. — Faça com que abram. Eles não vão abrir se me virem no olho mágico.

Ela fez que sim, e o elevador parou no oitavo andar. A porta se fechou. Eles saíram num corredor insípido do mesmo formato do hall. O apartamento que eles estavam procurando ficava do lado direito, nos fundos do prédio.

Reacher ficou colado na parede e Harper em frente à porta. Ela se curvou para frente e para trás para retirar os cabelos do rosto. Respirou, levantou a mão e bateu à porta. Por um instante, nada aconteceu. Harper se aprumou como se estivesse sendo observada. Houve um chacoalhar de corrente do lado de dentro e a porta se abriu numa fenda.

Caçada às Cegas 331

— Zeladoria — disse Harper. — Preciso verificar o ar condicionado.

Estação errada, pensou Reacher. Mas Harper tinha mais de um metro e oitenta e cabelos louros de quase um metro de comprimento e as mãos nos bolsos de modo que a parte da frente de sua camisa estava bem esticada. A porta se fechou por um segundo, a corrente chacoalhou novamente e a porta se abriu. Harper entrou como se estivesse aceitando um convite cortês.

Reacher se descolou da parede e a seguiu antes que a porta se fechasse novamente. Era um apartamento pequeno e escuro, com vista da claraboia. Tudo era marrom: tapetes, mobília, cortinas. Havia uma pequena sala que se abria para uma sala de estar pequena. A sala continha um sofá, duas poltronas e Harper. E os dois homens que Reacher tinha visto deixando o beco atrás do Mostro's.

— Oi, pessoal — disse ele.

— Somos irmãos — informou o primeiro homem, de modo irrelevante.

Os dois tinham grandes faixas de gaze hospitalar grudadas na testa, muito brancas, um pouco mais compridas e largas que as etiquetas que Reacher tinha grudado ali. Um deles tinha uma bandagem nas mãos. Eles estavam vestidos de forma idêntica, com suéteres e calças de golfe. Sem os sobretudos volumosos, eles pareciam menores. Um dos homens estava usando mocassins. O outro estava de mocassins acolchoados que mais pareciam terem sido montados por ele mesmo com um kit recebido pelo correio. Reacher olhou para os calçados e sentiu sua agressividade se esvair.

— Merda — disse ele.

Eles olharam para ele.

— Sentem-se — ordenou.

Eles se sentaram, lado a lado no sofá. Eles o observaram, com olhos temerosos escondidos debaixo da ridícula gaze.

— Esses são os caras certos? — perguntou Harper.

Reacher fez que sim.

— As coisas mudam, acho — respondeu ele.

— Petrosian morreu — disse o primeiro homem.
— Já sabemos disso — respondeu Reacher.
— Não sabemos de mais nada — falou o segundo homem.
Reacher fez um gesto negativo com a cabeça.
— Não diga isso. Vocês sabem de muitas coisas.
— Por exemplo?
— Por exemplo, onde fica o Bellevue.
O primeiro homem parecia nervoso.
— Bellevue?
Reacher assentiu.
— O hospital aonde vocês foram levados.
Os dois irmãos olharam para a parede.
— Vocês gostaram de lá? — perguntou Reacher.
Nenhum dos dois respondeu.
— Querem voltar para lá?
Nenhuma resposta.
— Tem uma grande sala de emergência lá, né? — continuou Reacher.
— Boa para consertar um montão de coisas. Braços quebrados, pernas quebradas, todo o tipo de ferimento.
O irmão com as mãos em bandagens era o mais velho, o porta-voz.
— O que você quer? — perguntou ele.
— Uma troca.
— Do quê pelo quê?
— Informação — respondeu Reacher. — Em troca por não mandá-los de volta para Bellevue.
— Está bem — disse o homem.
Harper sorriu.
— Isso foi fácil.
— Mais fácil do que pensei que seria — disse Reacher.
— As coisas mudam — falou o homem. — Petrosian morreu.
— Aquelas armas que vocês tinham — disse Reacher. — Onde as conseguiram?
O homem foi cauteloso.

Caçada às Cegas

333

— As armas? — perguntou ele.

— As armas — repetiu Reacher. — Onde as conseguiram?

— Foi Petrosian quem as deu para a gente — respondeu o sujeito.

— Onde foi que ele as conseguiu?

— Nós não sabemos.

Reacher sorriu e fez um gesto negativo com a cabeça.

— Você não pode dizer isso. Não pode simplesmente dizer *nós* não sabemos. Não é convincente. Pode dizer *não sei*, mas não pode responder pelo seu irmão. Você não pode saber com certeza o que ele sabe, pode?

— Nós não sabemos — repetiu o homem.

— Elas vieram do Exército — falou Reacher.

— Petrosian as comprou — disse o homem.

— Ele *pagou* por elas — corrigiu Reacher.

— Ele as comprou.

— Ele arranjou a compra delas, aceito isso.

— Ele deu as armas para a gente — disse o irmão mais novo.

— Elas vieram pelo correio?

O irmão mais velho fez que sim.

— É, foi pelo correio.

— Não vieram, não. Ele mandou vocês as buscarem em algum lugar. Provavelmente um lote inteiro.

— Foi ele mesmo quem foi buscar.

— Não foi, não. Ele mandou vocês irem Petrosian não iria pessoalmente. Ele mandou vocês, naquela Mercedes que vocês estavam usando.

Os irmãos olharam para a parede, pensando, como se houvesse uma decisão a tomar.

— Quem é você? — O mais velho perguntou.

— Não sou ninguém — respondeu Reacher.

— Ninguém?

— Não sou policial, não sou do FBI, não sou do comando tático avançado, não sou ninguém.

Não houve resposta.

— Logo, isso tem uma vantagem e uma desvantagem — continuou Reacher. — Vocês me contam as coisas, elas morrem comigo. Não precisam ir além de mim. Estou interessado no Exército, não em vocês. A desvantagem é que, se vocês *não* me contarem, não estou interessado em levá-los a julgamento com todos os tipos de direitos civis, estou interessado em mandá-los de volta para Bellevue com braços e pernas quebrados.

— Você é do Serviço de Imigração? — perguntou o sujeito.

Reacher sorriu.

— Perderam os *Green Cards*?

Os irmãos não disseram nada.

— Não sou da Imigração — respondeu Reacher. — Já disse para vocês, não sou nada. Não sou ninguém. Só um cara que quer uma resposta. Vocês me dão a resposta e vão poder ficar aqui pelo tempo que quiserem, desfrutando das vantagens da América. Mas estou ficando impaciente. Esses calçados não vão ser suficientes para sempre.

— Calçados?

— Não quero bater num homem que usa mocassins acolchoados como esses.

Houve silêncio.

— Nova Jersey — disse o irmão mais velho. — Pelo Lincoln Tunnel, tem um lugar de beira de estrada bem onde a Rota 3 encontra a estrada de pedágio.

— Como se chama?

— Não sei — respondeu o homem. — Bar de alguém, é tudo que sei. Mac alguma coisa, parece irlandês.

— Quem vocês encontraram lá?

— Um sujeito chamado Bob.

— Bob de quê?

— Sei lá. A gente não trocou cartões de visita nem nada assim. Petrosian só nos disse Bob.

— Um soldado?

— Acho que sim. Quer dizer, ele não estava de uniforme nem nada. Mas tinha cabelos muito curtos.

Caçada às Cegas 335

— Como é que rola isso?

— Você vai pro bar, encontra o cara, dá o dinheiro pra ele, ele leva você para o estacionamento e lhe dá as coisas que tira da mala do carro.

— Um Cadillac — falou o outro homem. — Um velho DeVille, de uma cor escura.

— Quantas vezes?

— Três.

— Que coisas são essas?

— Berettas. Doze em cada viagem.

— Que horas?

— À noite, por volta de oito horas.

— Precisam ligar para ele antes?

O irmão mais novo fez um gesto negativo com a cabeça.

— Ele já está lá por volta das oito horas — disse ele. — Foi o que Petrosian nos disse.

Reacher assentiu.

— Então como é esse Bob? — perguntou ele.

— Como você — respondeu o irmão mais velho. — Grande e mau.

23

A LEGISLAÇÃO ESTABELECE QUE UMA CONDE-
nação por narcóticos pode ser acompanhada do con-
fisco dos bens, o que significa que a Força de Repressão
a Narcóticos da cidade de Nova York acaba ficando com
mais automóveis do que pode precisar um dia; por isso,
ela empresta o excedente para outras agências de fisca-
lização da lei, incluindo o FBI. O FBI usa esses veículos
quando precisa de algum transporte anônimo que não pareça de procedência do governo. Ou quando precisa preservar alguma distância res-
peitável entre si mesmo e alguma atividade não especificada que ocorra.
Portanto, James Cozo retirou o sedã do FBI e os serviços de seu motorista
e jogou para Harper as chaves de um Nissan Maxima preto, com um ano
de uso, naquele momento estacionado na fila de trás do estacionamento
subterrâneo.

Caçada às Cegas

— Divirtam-se — disse ele novamente.

Harper dirigiu. Era a primeira vez que ela dirigia na cidade de Nova York, e ela estava nervosa com isso. Ela costurou no trânsito por algumas quadras e se dirigiu ao sul na Quinta Avenida e seguiu devagar, com os táxis mergulhando no trânsito e buzinando em volta dela.

— Está bem, e agora? — disse ela.

Agora a gente arruma o que fazer, pensou Reacher.

— Bob não vai estar por aqui até as oito horas — respondeu ele. — Temos a tarde inteira pela frente.

— Acho que devíamos fazer alguma coisa.

— Sem pressa — falou Reacher. — Temos três semanas.

— Então o que faremos?

— Primeiro, vamos comer — decidiu Reacher. — Perdi o café da manhã.

Você perde o café da manhã feliz porque precisa ter certeza. Da forma que você previu, vai ser uma divisão em partes iguais entre o departamento de polícia local e o FBI, com mudança de turno às oito da noite e oito da manhã. Você viu acontecer às oito da noite ontem, então, agora você está de volta de manhã bem cedo para ver acontecer novamente às oito. Perder um café da manhã self-service vagabundo é um pequeno preço a pagar por esse tipo de certeza. Assim como o longuíssimo caminho até o lugar certo. Você não é imbecil a ponto de alugar um quarto em um lugar próximo.

E não é imbecil a ponto de tomar um caminho direto, tampouco. Você percorre sinuosamente o caminho pelas montanhas e deixa o carro numa trilha de cascalhos para o estacionamento, a seiscentos metros do lugar. O carro está seguro o bastante ali. O único motivo pelo qual eles construíram o alargamento da estrada foi porque uns babacas estavam sempre deixando os carros ali quando iam observar águias, escalar as rochas ou fazer trilhas subindo ou descendo. Um carro alugado estacionado corretamente nos cascalhos é tão invisível quanto malas na esteira do aeroporto. São apenas parte da paisagem.

Você sai da estrada e sobe uma pequena colina de talvez trinta metros de altura. Há árvores minguadas por todo o lugar, que chegam a pouco mais que a altura dos ombros. Elas não têm folhas, mas o terreno mantém seu esconderijo. Você está numa espécie de trincheira ampla. Dá passos alternados para esquerda e para a direita a fim de passar pelas pedras que rolaram. No topo da colina, segue a direção à esquerda. Você se abaixa quando a terra começa a cair no outro lado. Fica de joelhos e se arrasta até o lugar em que duas rochas gigantes descansam apoiadas uma na outra, oferecendo uma vista arbitrária maravilhosa do vale pelo triângulo que formam entre si. Você descansa o ombro direito na rocha direita, e a casa da tenente Rita Scimeca se encaixa no centro exato de seu campo de visão, a pouco mais de cento e oitenta metros de distância.

A casa fica levemente ao norte e a oeste de sua localização, de modo que você tem uma visão frontal da lateral da rua. Está, talvez, a noventa metros para baixo, na montanha, e, assim, a coisa toda é disposta como um plano. O carro do FBI está bem ali, estacionado do lado de fora. Um Buick azul-escuro em boas condições. Um agente está dentro dele. Você usa seu binóculo. O homem ainda está acordado. A cabeça dele está reta. Ele não está olhando muito em volta. Apenas olha para frente, entediado até não poder mais. Você não pode culpá-lo. Doze horas noite adentro, num lugar onde a última grande emoção foi a liquidação de Natal de alguma loja.

Está frio nas colinas. A rocha está puxando o calor do seu ombro. Não há sol. Apenas nuvens melancólicas empilhadas sobre os picos gigantes. Você se vira por um momento e veste suas luvas, puxando o cachecol para cobrir a parte inferior do rosto. Parte pelo calor, parte para quebrar as nuvens de vapor que seu hálito está criando no ar. Você se vira para trás. Move seus pés e se vira para o lado. Fica confortável. Levanta o binóculo de novo.

A casa tem uma cerca de arame por todo o perímetro do jardim. Há uma abertura para o acesso de veículos. O acesso é curto. Uma única porta de garagem fica no fim dele, debaixo do lugar no qual a varanda da frente termina.

Há um caminho que sai do acesso de veículos e dá a volta por algumas plantas entre rochas até a porta da frente. O carro do FBI está estacionado na calçada do outro lado da entrada do acesso de veículos, bem no comecinho da subida. Chegou ali em ponto morto. De frente para a subida. Isso

Caçada às Cegas 339

põe a linha de visão do motorista diretamente alinhada com a entrada do caminho. Posicionamento inteligente. Se você subir a colina até a casa, ele lhe vê por todo o caminho. Se você vier por trás, ele talvez veja no retrovisor, e ele vê você com toda certeza assim que você passar por ele. Depois ele tem uma visão traseira limpa enquanto você faz a volta, subindo o caminho. Posicionamento inteligente, o que é típico do FBI.

Você vê um movimento a seiscentos metros a oeste, sessenta metros para baixo na montanha. Um Crown Victoria preto e branco embicando cautelosamente por uma curva para a direita. Passeando, devagar. Ele bufa pelas curvas e entra na rua dela. Uma nuvem de vapor branco sai do escapamento. O motor está frio. O carro ficou estacionado a noite toda nos fundos de uma delegacia tranquila. Ele sobe a rua, diminui a velocidade e para lado a lado com o Buick. Os carros estão a trinta centímetros um do outro. Você não percebe com certeza, mas sabe que as janelas estão baixando. Saudações estão sendo trocadas. Informações estão sendo passadas. Está tudo tranquilo, o sujeito do FBI está dizendo. Tenha um bom dia, ele acrescenta. O policial local está resmungando. Fingindo estar entediado, enquanto secretamente está entusiasmado por ter uma missão importante. Talvez a primeira que já teve. Vejo você mais tarde, o sujeito do FBI está dizendo.

O carro preto e branco sobe a colina e vira na estrada. O motor do Buick dá partida e o carro dá um solavanco quando o agente engata a marcha. O veículo preto e branco vem cautelosamente atrás. O Buick se afasta descendo a colina. O carro preto e branco avança e para, exatamente onde o Buick estava, centímetro por centímetro. Ele balança duas vezes sobre suas molas e se estabiliza. O motor para. O vapor branco flutua e desaparece. O policial vira a cabeça para a direita e tem exatamente a mesma vista do caminho que o homem do FBI tinha. Talvez não seja tão imbecil, afinal.

Harper dirigiu o Maxima até uma garagem comercial na West 9th Street, bem depois que Reacher lhe contou que a padronagem quadriculada estava prestes a terminar e o layout da rua começou a ficar confuso. Eles andaram de volta pelo leste e pelo sul e encontraram um bistrô com vista para o Washington Square Park. A garçonete tinha um exemplar de um periódico de filosofia de tamanho condensado para apoiar seu bloco de pedidos. Uma estudante da NYU, tentando equilibrar o orçamento. O ar estava frio, mas havia sol. O céu estava azul.

— Gosto daqui — disse Harper. — Ótima cidade.

— Contei à Jodie que vou vender a casa — falou Reacher.

Ela olhou para ele.

— Ela aceitou a notícia?

Ele deu de ombros.

— Ela está preocupada. Não vejo por quê. Se me deixa mais feliz, como isso pode preocupá-la?

— Porque isso faz de você uma pessoa livre e desimpedida.

— Não vai mudar nada.

— Então pra que fazer?

— Foi o que ela disse.

Harper fez que sim.

— Era de se esperar. As pessoas fazem as coisas por um motivo, não é? Então ela está pensando: qual é o motivo disso?

— O motivo é que não quero ter uma casa.

— Mas motivos têm camadas. Essa é só a primeira camada. Ela está se perguntando, está bem, *por que* ele não quer ter uma casa?

— Porque não quero toda a mão de obra. Ela sabe disso. Eu contei a ela.

— Mão de obra burocrática?

Ele fez que sim.

— É um pé no saco.

— É mesmo. Um baita de um pé no saco. Mas ela está pensando se a mão de obra burocrática é só uma espécie de desculpa para outra coisa.

— Tipo o quê?

— Tipo querer ficar livre e desimpedido.

— Você está andando em círculos.

— Estou falando para você como ela está pensando.

A estudante de filosofia trouxe café e pão doce, e deixou a conta, escrita numa caligrafia bonita e acadêmica. Harper a pegou.

Caçada às Cegas **341**

— Deixe que cuido disso — disse ela.

— Está bem — concordou Reacher.

— Você precisa convencê-la — disse Harper. — Sabe, levá-la a acreditar que você vai ficar por perto, mesmo que ponha a casa à venda.

— Contei a ela que vou vender o carro também — respondeu ele.

Ela assentiu.

— Isso pode ajudar. Parece uma coisa de quem vai ficar por perto.

Ele fez uma pequena pausa.

— Contei a ela que devo viajar um pouco — continuou ele.

Ela arregalou os olhos para ele.

— Meu Deus, Reacher, isso não vai tranquilizar ninguém, né?

— Ela viaja. Esteve em Londres duas vezes este ano. Não fiz nenhum escarcéu por causa disso.

— Quanto tempo você está pensando em viajar?

Ele deu de ombros novamente.

— Não sei. Um pouco, acho. Gosto de sair por aí. Gosto mesmo. Já lhe contei isso.

Harper ficou calada um instante.

— Sabe de uma coisa? — disse ela. — Antes de você convencer *Jodie* de que vai ficar por perto, talvez deva convencer a si mesmo.

— Já me convenci disso.

— Já? Ou você acha que vai poder ficar indo e vindo, quando quiser?

— Indo e vindo um pouco, acho.

— Vocês vão se afastar.

— Foi o que ela disse.

Harper fez que sim.

— Bem, não estou surpresa.

Ele não disse nada. Apenas bebeu o café e comeu o pão doce.

— É hora de se decidir — disse Harper. — Na estrada ou fora dela, não dá para ficar nos dois lugares ao mesmo tempo.

A pausa para o almoço dele será seu primeiro grande teste. Essa é sua conclusão preliminar. A princípio, você se perguntou sobre o esquema para ir ao banheiro, mas ele simplesmente entrou e usou o dela. Ele saiu do carro depois de noventa minutos, depois que seu café da manhã tinha feito seus efeitos. Ele ficou parado, se esticando na calçada. Em seguida, subiu o caminho e tocou a campainha. Você ajustou o foco no binóculo e conseguiu uma vista muito boa. Você não a viu. Ela permaneceu dentro da casa. Você viu a linguagem corporal dele, um pouco acanhado, um pouco sem jeito. Ele não falou. Não pediu. Apenas se apresentou na porta. Logo, o esquema havia sido acertado antecipadamente. Duro com Scimeca do ponto de vista psicológico, você pensa com seus botões. Uma mulher estuprada, a intrusão aleatória de um homem grande para alguma atividade que explicitamente envolvia o pênis. Mas aconteceu de um jeito bastante suave. Ele entrou, a porta se fechou, um minuto se passou, a porta se abriu novamente, ele saiu de novo. Ele andou até o carro, olhando um pouco em volta, prestando atenção. Abriu a porta do carro, entrou e a cena voltou ao normal.

Portanto, nenhuma oportunidade com os intervalos para ir ao banheiro. Seu intervalo de almoço seria a próxima chance. De jeito nenhum o sujeito vai passar doze horas sem comer. Policiais estão sempre comendo. Essa é sua experiência. Donuts, pão doce, café, filé e ovos. Sempre comendo.

Harper queria ver a cidade. Era como uma turista. Reacher conduziu-a para o sul pelo Washington Square Park e seguindo a West Broadway até o Memorial do World Trade Center. Cerca de um quilômetro e meio e três quarteirões. Eles passearam devagar e passaram cinquenta minutos nisso. O céu estava claro, fazia frio, a cidade estava cheia de gente. Harper estava gostando.

— A gente podia ir até o restaurante — disse Reacher. — O FBI podia pagar um almoço para mim.

— Acabo de pagar um almoço para você — respondeu Harper.

— Não, aquilo foi café da manhã tardio.

— Você está sempre comendo — comentou ela.

— Sou um cara grande — disse ele. — Preciso de sustância.

Eles deixaram seus casacos no hall e subiram ao topo do prédio. Aguardaram na fila no balcão do restaurante, com Harper pressionada

Caçada às Cegas

contra a parede de janelas, olhando a vista do lado de fora. Ela mostrou o distintivo e eles conseguiram uma mesa para dois, bem na janela de frente para a West Broadway e a Quinta Avenida depois dela, numa altura de quatrocentos metros.

— Espetacular — disse ela.

Era espetacular. O ar estava revigorante e claro, e a vista se estendia por cento e cinquenta quilômetros. A cidade era cáqui abaixo deles sob a luz do outono. Abarrotada, intrincada, infinitamente movimentada. Os rios eram verde-acinzentados. Os distritos externos vão perdendo a cor até Westchester, Connecticut e Long Island. Na outra direção, Nova Jersey se aglomerava na margem e se curvava à distância.

— Bob está lá — disse ela.

— Em algum lugar — concordou Reacher.

— Quem é Bob?

— Um babaca.

Ela sorriu.

— Não é uma descrição muito exata em termos criminais.

— Ele é um vendedor — respondeu Reacher. — Um sujeito que tem que bater ponto, se estiver no bar todas as noites.

— Ele não é o nosso cara, certo?

Ele não é o cara de ninguém, pensou Reacher.

— É peixe pequeno — respondeu ele. — Vendendo da mala do carro no estacionamento? Nenhuma ambição. Não há o suficiente em risco para valer a pena matar gente.

— Então como ele pode nos ajudar?

— Ele pode nos dizer nomes. Ele tem fornecedores e sabe quem são os outros envolvidos. Um dos outros envolvidos vai nos dizer mais nomes, e depois mais outro e mais outro.

— Todos eles se conhecem?

Reacher fez que sim.

— Eles dividem. Eles têm especialidades e áreas de atuação como todo mundo.

— Talvez levemos um bom tempo nisso.

— Gosto da localização geográfica deste lugar — disse Reacher.
— Da localização? Por quê?
— Ela faz sentido. Se você está no Exército e quer roubar armas, de onde você as rouba? Você não vai escondido em volta dos alojamentos à noite e as tira de cada baú que vê. Dessa forma, você teria cerca de oito horas até que os sujeitos acordassem e dissessem *ei, onde está a droga da minha Beretta?*
— Então, de onde você as rouba?
— De algum lugar onde não vão dar pela falta, isto é, um armazém. Encontre um depósito no qual elas estejam dispostas, prontas para a próxima guerra.
— E onde ficam eles?
— Veja um mapa interestadual.
— Por que interestadual?
— Por que você acha que as interestaduais foram criadas? Não foi para que a família Harper pudesse dirigir de Aspen até o Yellowstone Park nas férias. Foi para que o Exército pudesse movimentar tropas e armas de um lado para o outro com rapidez e facilidade.
— Foram mesmo?
Reacher fez que sim.
— Claro que foram. Eisenhower as criou nos anos 1950, no auge da Guerra Fria, e Eisenhower era, antes de mais nada, membro da academia militar em West Point.
— E daí?
— Veja onde as interestaduais se encontram. É nelas que eles colocam os depósitos, para que as coisas possam ir para qualquer direção, com pouquíssima antecedência. A maioria bem atrás da costa, porque o velho Eisenhower não estava muito preocupado com paraquedistas caindo no Kansas. Ele estava pensando em navios vindos do mar.
— E Nova Jersey é boa para isso?
Reacher assentiu novamente.
— Ótimo lugar estratégico. Daí muitos depósitos, daí muitos roubos.
— Daí Bob deve saber alguma coisa?

Caçada às Cegas 345

— Ele vai nos apontar uma nova direção. Só podemos contar com Bob para isso.

O intervalo de almoço dele não serve. Não serve para nada. Você mantém o binóculo apertado contra os olhos e observa a coisa toda acontecer. Um segundo carro patrulha preto e branco vira cautelosamente a esquina e sobe devagar a colina. Ele para lado a lado com o primeiro e fica ali, com o motor ligado. Dois dos malditos, um do lado do outro. Provavelmente a frota toda do departamento de polícia bem ali, na sua frente.

Você tem uma visão parcial. A janela do motorista está abaixada nos dois carros. Há um saco de papel marrom e um copo de café fechado. O novo sujeito os ergue pelo espaço entre eles, com o cotovelo alto para mantê-los retos. Você ajusta o foco no binóculo. Você vê o policial que aguarda estender a mão. A cena é plana, bidimensional e difusa, como se estivesse no limite da capacidade ótica do binóculo. O policial pega o café primeiro. A cabeça dele vira quando ele acha o porta-copos no lado de dentro. Assim, ele pega o saco, escora-o na superfície da porta e desembrulha a parte de cima. Ele olha para baixo e sorri. Ele tem um rosto grande e bochechudo. Está olhando para um cheeseburger *ou algo assim. Talvez dois, e uma fatia de torta.*

Ele fecha a parte de cima do saco novamente e o leva para dentro. Quase certo que joga o saco no banco do carona. Depois disso, a cabeça dele se move. Eles estão conversando. O policial está animado. Ele é jovem. A pele de seu rosto está esticada pela juventude. Está cheio de si, animado com sua importante missão. Você o observa por um longo momento. Assiste a expressão satisfeita em seu rosto. Você se pergunta como vai ficar aquele rosto quando ele andar até a porta dela no intervalo para ir ao banheiro e não tiver resposta nenhuma para suas batidas. Porque bem ali e naquela hora você decide duas coisas. Você vai entrar lá para fazer o trabalho. E vai fazer de um jeito que não mate o policial primeiro, só porque quer ver aquela expressão mudar.

O Nissan Maxima foi por um tempo um dos veículos favoritos dos traficantes de drogas, então Reacher achou aceitável usá-lo para sair do bar de Nova Jersey. Ele pareceria suficientemente insuspeito parado no estacionamento. Pareceria real. Carros do governo sem identificação nunca pareciam. Uma pessoa normal que gasta vinte mil dólares num sedã, aproveita e encomenda as rodas de cromo e o revestimento pérola junto. Mas o governo nunca faz isso, desse modo, os carros de propriedade governamental ficavam óbvios, muito simples, de um jeito artificial, como se eles tivessem grandes placas pintadas nas laterais dizendo *este é um carro da polícia sem identificação*. E se Bob visse uma coisa assim no estacionamento, ele ia abandonar o hábito da vida inteira e passar a noite em algum outro lugar.

Reacher dirigiu. Harper preferia não dirigir, não no escuro e na hora do *rush*. E a hora do *rush* foi cruel. O tráfego estava devagar no eixo central de Manhattan e congestionado na entrada do túnel. Reacher mexeu no rádio e encontrou uma estação na qual uma mulher lhe disse por quanto tempo ele teria de esperar. Quarenta, quarenta e cinco minutos. Isso era cerca de duas vezes mais devagar que ir a pé, que era exatamente a impressão que dava.

Eles avançaram lentamente, por debaixo do rio Hudson. Seu quintal ficava cem quilômetros rio acima. Ele se sentou ali e mediu as possibilidades na cabeça, testando sua decisão. Era bom o bastante para um quintal. Certamente era fértil. Você piscava os olhos e a grama já estava com trinta centímetros. Tinha muitas árvores. Bordos, que tinham ficado bonitos no início do outono. Cedros, que Leon deve ter plantado ele mesmo, porque estavam dispostos em agrupamentos artísticos. As folhas caíam dos bordos e pequenas bagas roxas caíam dos cedros. Quando as folhas caíam, isso proporcionava uma vista ampla da margem oposta do rio. A academia militar de West Point estava bem ali, e West Point tinha sido uma parte importante da vida de Reacher.

Mas ele não era um sujeito nostálgico. Parte de ser uma pessoa errante é que você olha para frente, não para trás. Você se concentra no que está adiante. E ele sentia intuitivamente que boa parte de olhar o futuro era procurar novidades. Procurar lugares nos quais não esteve e coisas que não viu. E a ironia de sua vida era que embora ele tenha coberto a maior

Caçada às Cegas

parte da superfície do planeta, vez ou outra, ele sentia que não tinha visto muito. Uma vida inteira no Exército era como descer correndo um corredor estreito, com os olhos fixos à frente. Havia todos os tipos de coisas sedutoras nos lados, mas você passava batido por elas e as ignorava. Agora ele queria fazer os trajetos laterais. Ele queria um zigue-zague maluco, em qualquer direção que sentisse vontade, a qualquer hora que escolhesse.

E retornar ao mesmo lugar todas as noites não seria suficiente. Então, sua decisão era a certa. Ele disse para si mesmo. *Venda a casa. A casa está no mercado. A casa está à venda. A casa foi vendida.* Ele disse as palavras e o peso saiu de suas costas. Não era só o peso das coisas práticas, embora isso fosse importante. Não se preocupar mais com vazamentos e contas e entregas e seguro. Era a *liberdade*. Como se ele estivesse de volta ao mundo, sem fardos. Ele estava livre e pronto para seguir em frente. Era como uma porta se abrindo e sendo inundada de luz. Ele sorriu para si mesmo na escuridão monótona do túnel, com Harper ao seu lado.

— Você está mesmo gostando disso? — perguntou ela.

— Melhor quilômetro da minha vida — respondeu ele.

Você espera e observa, hora após hora. Perfeccionismo assim não se encontra em todo lugar. Mas você atinge a perfeição, e precisa permanecer assim. Você precisa manter a certeza. E, nesse momento, você tem certeza de que o policial está num posto fixo. Ele come no carro, ele usa o banheiro dela de vez em quando, e isso é tudo. Assim, você pensa em sequestrar o policial, talvez amanhã de manhã, um pouco antes das oito, e tomar o lugar dele. Substituí-lo em serviço. Você pensa em se sentar no carro dele por um tempo e depois andar até a porta de Scimeca e bater, como se estivesse indo ali se aliviar. Você pensa nisso por cerca de um segundo e meio, e depois rejeita a ideia, é claro. O uniforme dele não ia caber. E você teria que conversar com o sujeito do FBI na troca de turno das oito horas. Ele saberia imediatamente que você é uma fraude. Não se trata de um grande departamento de polícia como se teria em Nova York ou Los Angeles.

Então, ou o policial precisa se mexer, ou você tem de entrar depois dele. A princípio, você brinca com a ideia de uma distração. O que seria necessário para tirá-lo de lá? Um grande acidente automobilístico no cruzamento, talvez. Um incêndio numa escola, talvez. Mas até onde você sabe a cidadezinha não tem uma escola. Você já viu ônibus amarelos na estrada, indo e vindo de Portland. A escola fica provavelmente em outra jurisdição. E um acidente automobilístico seria difícil de forjar. Certamente você não está pensando em se envolver num acidente. E como você induz dois outros motoristas a causar uma batida?

Talvez uma ameaça de bomba. Mas onde? Na delegacia? Isso não serviria de nada. O policial receberia a ordem de ficar onde estava, em segurança e fora do caminho, até que fosse verificado. Então, onde mais? Algum lugar no qual pessoas se reúnem, talvez. Algum lugar em que o departamento de polícia inteiro seria necessário para lidar com a evacuação. Mas esse é um lugar minúsculo. Onde as pessoas se reúnem? A igreja talvez. Você consegue ver a ponta da torre da igreja, embaixo, perto da estrada principal. Mas não pode esperar até o próximo domingo. A biblioteca? Provavelmente não há ninguém lá. Duas velhas pacatas, no máximo, sentadas lá, fazendo tricô, ignorando os livros. O outro policial sozinho podia lidar com a evacuação em três segundos e meio.

E uma ameaça de bomba significaria um telefonema. Você começa a pensar nisso. De onde? Ligações podem ser rastreadas. Você pode retornar ao aeroporto em Portland e ligar de lá. Rastrear uma ligação para um telefone público de aeroporto é o mesmo que não rastreá-la. Mas daí você estaria a quilômetros do seu posto num momento crucial. Uma ligação segura, mas inútil. Um beco sem saída. E não há telefones públicos num raio de um milhão de quilômetros de onde você está, não no meio da droga das Montanhas Rochosas, ou seja lá como eles as chamem. E você não pode usar seu celular, porque no final a ligação apareceria na sua conta, o que significaria, em última análise, o mesmo que uma confissão em audiência pública. E para quem você poderia ligar? Não pode permitir que ninguém ouça sua voz. É muito característica. Seria perigoso demais.

Mas quanto mais você pensa nisso, mais a sua estratégia se centra em torno de um telefone. Há uma pessoa que você pode permitir com segurança

Caçada às Cegas

que ouça sua voz. Mas é um problema geométrico. Quadrimensional. Tempo e espaço. Você precisa ligar daqui, na área externa, tendo visão da casa, mas não pode usar seu celular. Impasse.

Eles saíram do túnel e fluíram para o oeste com o tráfego. A Rota 3 se curvava ligeiramente ao norte em direção à estrada de pedágio. Era uma noite luminosa em Nova Jersey, o asfalto estava úmido por toda parte, as luzes tinham halos de neblina noturna pendentes como colares. Havia outdoors iluminados e placas em neon à esquerda e à direita. Estabelecimentos de todo tipo atrás de pátios asfaltados cheios de calombos.

O lugar à beira da estrada que eles estavam procurando ficava nos fundos de um terreno que restou, no ponto em que as três estradas se encontram. Tinha uma placa em neon de uma cervejaria que dizia *MacStiophan's*, que do tanto que Reacher compreendia de gaélico significava *Stevenson's*. Era um edifício baixo, com um telhado horizontal. As paredes ficavam de frente para cartazes marrons e havia um trevo de três folhas verdes em neon em cada janela. O estacionamento era mal-iluminado e três quartos dele estavam vazios. Reacher estacionou o Maxima numa inclinação displicente, atravessando duas vagas próximas à porta. Saiu e olhou em volta. O ar estava frio. Ele deu uma volta completa no escuro, inspecionando o estacionamento contra as luzes da rua.

— Nenhum Cadillac DeVille — disse ele. — Ele ainda não chegou.

Harper olhou a porta, cautelosa.

— Chegamos um pouco antes da hora — disse ela. — Acho que devemos esperar.

— Você pode esperar aqui fora — sugeriu ele. — Se preferir.

Ela fez um gesto negativo com a cabeça.

— Já estive em lugares piores — respondeu ela.

Era difícil para Reacher imaginar onde e quando. A porta levava a um hall quadrado de um metro e oitenta de lado com uma máquina de vendas de cigarros e um tapete de sisal que, com o uso, ficara gasto, liso e sujo. A porta interna levava a um espaço escuro baixo que fedia a cerveja e fumaça. Não havia ventilação. Os trevos verdes nas janelas brilhavam tanto no lado de dentro quanto no lado de fora e davam ao lugar um brilho espectral pálido. As paredes eram placas escuras, embaçadas e grudentas, de cinquenta anos de cigarros. O bar era uma estrutura de madeira comprida com barris pela metade grudados na frente. Havia bancos de bar altos com assentos de vinil vermelho e versões mais baixas da mesma coisa espalhadas ao redor, perto de mesas construídas com barris laqueados com círculos de compensado pregados nos tampos. O compensado tinha ficado liso e sujo pelos milhares de punhos e mãos.

Havia um garçom atrás do balcão e oito clientes no interior do salão. Todos eles tinham copos de cerveja colocados no compensado em frente a eles. Todos eles eram homens. Todos encaravam os recém-chegados. Nenhum deles era militar. Estavam muito errados para serem militares. Alguns eram velhos demais, outros, muito bonzinhos, alguns tinham cabelos compridos e sujos. Apenas trabalhadores comuns. Ou talvez desempregados. Mas eram hostis. Eles ficaram calados, como se tivessem parado de falar no meio de frases murmuradas. Eles os encaravam como se estivessem tentando intimidar.

Reacher passou a vista por todos eles, pausando em cada rosto por tempo suficiente para permitir que eles soubessem que ele não estava impressionado, o bastante para fazer com que parassem de pensar que ele estava de algum modo interessado neles. Em seguida, foi até o balcão e puxou um banco para Harper.

— O que você tem para beber? — perguntou ao garçom.

O sujeito estava vestindo uma camisa suja sem colarinho, com pregas até embaixo na parte da frente. No ombro, ele tinha pendurado um pano de prato. Tinha talvez cinquenta anos, um rosto cinzento e barriga proeminente. Ele não respondeu.

— O que você tem? — perguntou Reacher novamente.

Nenhuma resposta.

— Ei, você é surdo? — gritou Harper para o sujeito.

Ela estava metade para fora do banco, um pé no chão, o outro na travessa. O paletó dela estava aberto, e ela girava o corpo a partir da cintura. Os cabelos estavam soltos nas costas.

Caçada às Cegas 351

— Vamos fazer um trato — disse ela. — Você nos dá cerveja, nós lhe damos dinheiro, e a partir daí a gente continua. Talvez você consiga transformar isso num negócio, sabe, chamar de bar.

O sujeito se virou para ela.

— Nunca vi vocês aqui antes — respondeu ele.

Harper sorriu.

— Não, somos novos clientes. É disso que se trata, expandir a base de clientes, não é? Faça isso bem e você será o rei dos bares de Nova Jersey em pouquíssimo tempo.

— O que vocês querem? — perguntou o sujeito.

— Duas cervejas — disse Reacher.

— E o que mais?

— Bem, já estamos curtindo o ambiente e as calorosas boas-vindas.

— Pessoas como vocês não vêm a um lugar como o meu sem estar atrás de alguma coisa.

— Estamos esperando o Bob — disse Harper.

— Bob de quê?

— Bob de cabelo muito curto e seu velho Cadillac DeVille — respondeu Reacher. — Bob do Exército, vem aqui oito horas todas as noites

— Vocês estão esperando ele?

— É, estamos esperando — disse Harper.

O sujeito riu. Dentes amarelos ou ausentes.

— Bem, vocês vão ter de aguardar um bocado, então — falou ele.

— Por quê?

— Peçam uma bebida que eu digo.

— Estamos tentando pedir uma bebida há cinco minutos — respondeu Reacher.

— O que você quer?

— Duas cervejas — respondeu Reacher. — A que tiver na fonte de cerveja.

— Bud ou Bud Lite.

— Uma de cada, está bem?

O sujeito tirou dois copos de uma prateleira acima de sua cabeça e os encheu. O salão ainda estava silencioso. Reacher podia sentir oito pares

de olhos às suas costas. O sujeito pôs as cervejas no balcão. Havia um centímetro de espuma parecida com sabão em cima de cada uma delas. O sujeito puxou dois guardanapos de uma pilha e os distribuiu como cartas. Harper puxou a carteira do bolso e deixou uma nota de dez dólares entre os copos.

— Pode ficar com o troco — disse ela. — E aí, por que temos uma longa espera até Bob chegar?

O sujeito sorriu de novo e puxou a nota de dez. Dobrou-a na mão e a pôs no bolso.

— Porque Bob está preso, pelo que sei — disse ele.

— Pelo quê?

— Alguma coisa relacionada ao Exército — respondeu o sujeito. — Não sei os detalhes e nem *quero* saber. É assim que se fazem negócios nessa parte de Nova Jersey, moça: fingindo não ouvir droga nenhuma, não importa quais sejam suas ilusões.

— O que aconteceu?

— Policiais do Exército vieram e o apanharam bem aqui, neste mesmo salão.

— Quando? — perguntou Reacher.

— Foram necessários seis para agarrá-lo. Eles quebraram uma mesa. Acabo de receber um cheque do Exército, direto de Washington, D.C. Do Pentágono, pelo correio.

— Quando foi isso? — perguntou Reacher.

— Quando chegou o cheque? Faz uns dias.

— Não, quando o prenderam?

— Não tenho certeza — respondeu o sujeito. — O campeonato de beisebol ainda estava correndo. Disso eu lembro. Temporada normal. Faz uns dois meses, acho.

24

ELES DEIXARAM AS CERVEJAS INTACTAS NO BAR E voltaram ao estacionamento. Destrancaram o Nissan e entraram.

— Uns dois meses não serve — disse Harper. — Elimina a possibilidade de envolvimento dele.

— *Nunca* houve essa possibilidade — disse Reacher. — Mas vamos falar com ele assim mesmo.

— Como faremos isso? Ele está em algum lugar do sistema do Exército.

Ele olhou para ela.

— Harper, fui da polícia do Exército por treze anos. Se eu não conseguir encontrá-lo, quem vai?

— Ele pode estar em qualquer lugar.

— Não pode, não. Se essa espelunca é o bar local que ele frequentava, significa que montou seu posto em algum lugar perto daqui. Um sujeito inexpressivo como esse, a administração regional da polícia do Exército vai dar conta dele. Num intervalo de dois meses, ele ainda não foi julgado pela corte marcial, então, está num estado de espera no quartel-general regional da polícia do Exército, que, para essa região, é Fort Armstrong, perto de Trenton, a menos de duas horas de distância.

— Você tem certeza?

Ele deu de ombros.

— A menos que as coisas tenham mudado muito em três anos.

— Alguma maneira de a gente verificar? — perguntou ela.

— Não preciso verificar.

— Não queremos desperdiçar tempo — disse ela.

Ele nada respondeu, e ela sorriu e abriu sua bolsa. Tirou de dentro um celular com formato de concha, do tamanho de um maço de cigarros.

— Use meu celular — disse ela.

Todo mundo usa celular. Eles os usam o tempo inteiro, constantemente. É um fenômeno da era moderna. Todo mundo falando, falando, falando o tempo todo, pequenos telefones pretos pressionados contra seus rostos. De onde vem toda essa conversa? O que acontecia com ela antes dos celulares terem sido inventados? Era tudo reprimido? Criando úlceras no estômago? Ou ela apenas se desenvolveu espontaneamente porque a tecnologia a tornou possível?

É um assunto no qual você tem interesse. Impulsos humanos. Seu palpite é que uma pequena parcela das chamadas realizadas representa troca de informações úteis. Mas a vasta maioria deve se encaixar em uma das duas categorias, ou o aspecto da diversão, o puro prazer de fazer algo porque se pode, ou então o aspecto de fingir autoimportância para fazer crescer o ego. E sua observação é que se divide basicamente entre os sexos. Não é uma opinião que você vá expressar em público, mas, particularmente, você tem certeza de que as mulheres falam porque gostam, e os homens falam porque isso alimenta o ego. Oi querida, estou só saindo do avião, eles dizem. E daí? Quer dizer, quem se importa?

Mas você tem certeza de que o uso de celulares pelos homens está mais conectado às suas necessidades de ego, assim, é necessariamente um vínculo mais forte; e, portanto, um impulso mais frequente. Logo, se você roubar um telefone de um homem, isso será descoberto antes, e ele reagirá contra isso com um nível maior de aborrecimento. Essa é a sua opinião. Portanto, você se senta na praça de alimentação do aeroporto observando as mulheres.

A outra principal vantagem das mulheres é que elas têm bolsos menores. Às vezes, nenhum bolso. Portanto, elas carregam bolsas, nas quais vão todas as suas coisas. A carteira, as chaves, a maquiagem. E o telefone celular. Elas o tiram para usar, talvez o descansem na mesa por um tempo, e, em seguida, o colocam de volta na bolsa. Se elas se levantam para mais um café, é claro, elas levam as bolsas com elas. Isso está gravado na mente. Sempre mantenha sua carteira consigo. Mas algumas delas têm outras bolsas também. Há capas de laptop, que hoje em dia são feitas com todos os tipos de compartimentos extras para os pen drives, CD-ROMs e cabos. E algumas têm bolsos para celulares, pequenos retângulos externos de couro do mesmo formato que os estojos de cigarro e isqueiro que as mulheres levavam no tempo em que as pessoas fumavam. Essas outras capas, elas nem sempre levam consigo. Se elas estão só indo até o balcão de bebidas, muitas vezes as deixam na mesa, em parte para guardar o lugar, em parte porque quem consegue carregar uma carteira, uma capa para laptop e um copo de café quente?

Mas você está ignorando as mulheres com as capas de laptop. Porque aqueles artigos caros de couro implicam algum grande objetivo. Suas donas podem chegar em casa em uma hora e querer verificar seus e-mails ou finalizar um gráfico ou algo assim, hora em que abrem sua capa de laptop e descobrem que o telefone sumiu. A polícia é notificada, a conta é cancelada, as chamadas são rastreadas, tudo isso dentro de uma hora. Não é bom mesmo.

Então as mulheres que você está observando são as que não viajam a negócios. As que têm pequenas mochilas de nylon carregadas como bagagem de mão. E você está observando especificamente as que se dirigem para fora da cidade, não as que estão voltando para casa. Elas vão fazer as últimas ligações do aeroporto e depois enfiar os celulares nas mochilas e esquecê-los, porque estão voando para fora da cobertura local e não querem pagar as tarifas de roaming. Talvez elas estejam viajando em férias ao exterior, caso

em que seus telefones serão tão inúteis para elas quanto as chaves de casa. Algo que elas precisam levar, mas não algo em que jamais pensem.

A vítima em particular que você está observando mais de perto é uma mulher de cerca de vinte e três ou vinte e quatro anos, a talvez dez metros. Ela está vestida confortavelmente, como se tivesse um longo voo pela frente, e está reclinada na cadeira com a cabeça inclinada para a esquerda e o telefone preso no ombro. Está sorrindo de um modo vazio enquanto fala e brinca com as unhas, mexendo nelas e virando as mãos na luz para olhá-las. Essa é a conversa preguiçosa em que não se diz nada com uma amiga. Não há nenhuma intensidade no rosto dela. Ela só está falando por falar.

A bolsa de viagem está no chão perto dos pés dela. É uma mochila pequena, artigo de moda, toda cheia de pequenos laços, fechos e zíperes. É, claramente, tão complicada de fechar, que ela a deixou bem aberta. Ela pega o copo de café e o larga na mesa de novo. Está vazio. Ela fala, verifica o relógio e levanta o pescoço para olhar o balcão de bebidas. Ela encerra a conversa. Pega a carteira, que combina com a roupa, levanta-se e arrasta a mala para pegar mais café.

Você fica de pé instantaneamente. Chaves do carro na mão. Você anda com rapidez pelo saguão, três metros, seis metros, nove metros. Você está balançando as chaves. Com uma aparência ocupada. Ela está na fila. Prestes a ser atendida. Você deixa as chaves caírem e elas deslizam pelo piso. Você se curva para pegá-las. Sua mão passa levemente sobre a bolsa dela. Você volta com as chaves e o telefone juntos. Continua andando. As chaves voltam para o seu bolso. O telefone permanece na sua mão. Nada mais comum que alguém andando por um saguão de aeroporto segurando um celular.

Você anda a passos normais. Para e se apoia numa coluna. Abre o celular e o segura contra o rosto, fingindo fazer uma ligação. Agora você está invisível. É uma pessoa que se apoia numa coluna fazendo uma ligação. Há uns dez iguais a você num raio de cinco metros. Você olha para trás. Ela está de volta à mesa dela, bebendo o café. Você aguarda, sem sussurrar nada no telefone. Ela bebe. Três. Quatro. Cinco minutos. Você pressiona botões aleatórios e começa a falar novamente. Está numa nova ligação. É uma pessoa ocupada. Ela se levanta. Puxa as cordas da mochila para fechá-la, pega-a

Caçada às Cegas 357

pelas cordas e balança contra seu próprio peso, para que fique bem fechada. Ela prende os fechos. Gira a mochila num ombro e pega a carteira. Abre para verificar se o bilhete está acessível. Fecha novamente. Ela olha em volta uma vez e marcha determinada, saindo da praça de alimentação. Indo em frente em sua direção. Ela passa a um metro e meio e desaparece rumo aos portões de embarque. Você fecha o telefone e o deixa cair no bolso do terno, caminhando na direção oposta. Você sorri enquanto anda. Agora a ligação crucial vai acabar na conta de outra pessoa. Absolutamente seguro.

A chamada telefônica para o policial de serviço em Fort Armstrong não revelou nada de imediato, mas as respostas evasivas do sujeito foram expressas de um jeito que alguém com treze anos de Exército como Reacher as tomou como confirmação tão boa quanto uma declaração juramentada feita perante um tabelião.

— Ele está aqui — disse ele.

Harper tinha ouvido, e não parecia convencida.

— Eles falaram isso com certeza? — perguntou ela.

— Mais ou menos — respondeu ele.

— Então vale a pena ir?

Ele fez que sim.

— Ele está lá, eu garanto.

O Nissan não tinha mapas em seu interior, e Harper não fazia ideia de onde eles estavam. Reacher tinha apenas conhecimento circunstancial da geografia de Nova Jersey. Ele sabia como ir do ponto A ao B, e depois do B para o C e depois para o D, mas se essa era a rota direta mais eficiente do ponto A ao ponto D, ele não fazia ideia. Desse modo ele saiu do estacionamento e se encaminhou para a pista que dava na estrada de pedágio. Imaginou que dirigir para o sul por uma hora seria um bom início. Percebeu num minuto que estava usando a mesma estrada pela qual Lamarr o tinha conduzido, há apenas alguns dias. Estava chovendo levemente, e o Nissan rodava com mais dificuldade e lentidão que o grande Buick. Estava bem no meio do túnel de chuva. O para-brisa tinha uma camada de sujeira da cidade e os limpadores estavam manchando a visão a cada passada alternada. Sujo, limpo, sujo, limpo. A agulha do medidor de gasolina estava se encaminhando para abaixo de um quarto do tanque.

— A gente devia parar — disse Harper. — Botar gasolina, limpar o vidro.

— E comprar um mapa — disse Reacher.

Ele parou no posto de gasolina seguinte. Era praticamente idêntico ao lugar que Lamarr tinha usado para aquele almoço. Mesmo layout, mesmos prédios. Ele rodou pela chuva até as bombas de gasolina e deixou o carro na ilha de serviço completo. O tanque estava cheio e o sujeito estava limpando o para-brisa quando ele voltou, molhado, carregando um mapa colorido que se desdobrava de um jeito desajeitado numa folha quadrada de um metro de lado.

— Estamos na estrada errada — disse ele. — A Rota 1 seria melhor.

— Está bem, vamos pegar a próxima saída — concordou Harper, levantando o pescoço. — Use a 95 para atravessar.

Ela usou o dedo para traçar o caminho para o sul pela Rota 1 e encontrou Fort Armstrong no limite do formato amarelo que representava Trenton.

— Perto de Fort Dix — disse ela. — Onde estávamos antes.

Reacher não disse nada. O sujeito terminou com o para-brisa e Harper o pagou pela janela. Reacher limpou a chuva do rosto com a manga e deu partida no motor. Costurou pelo caminho de volta à rodovia e ficou à espera, para virar na 95.

A 95 estava uma confusão, tráfego intenso. A Rota 1 estava melhor. A estrada se curvava pelo Highland Park e depois seguia reto, por quase trinta quilômetros, até Trenton. Reacher se lembrava do caminho para Fort Armstrong como uma curva para a esquerda saindo de Trenton e seguindo na direção norte. Então, vindo do sul, era uma curva para a direita em outra estrada de acesso reta, que os levou até uma barreira de veículos em frente a uma guarita de tijolos de dois andares. Atrás da guarita havia mais estradas e prédios. As estradas eram planas com meios-fios caiados, e os prédios eram todos de tijolos com cantos arredondados e escadas externas de aço tubular soldadas e pintadas de verde. As molduras das janelas eram

Caçada às Cegas

de metal. Arquitetura clássica do Exército dos anos 1950, construída com orçamento ilimitado e escopo ilimitado. Otimismo ilimitado.

— As Forças Armadas dos Estados Unidos — disse Reacher. — Éramos os reis do mundo naquela época.

Havia uma luz atenuada na janela da guarita perto da barreira de veículos. Uma silhueta estava visível contra a luz, uma sentinela corpulenta numa capa de chuva e capacete. Ela olhou pela janela e andou até a porta; abriu-a, saiu e andou até o carro. Reacher baixou sua janela.

— Você é o sujeito que ligou para o capitão? — perguntou a sentinela.

Era um negro gigantesco, de voz grave, sotaque do Sul. Longe de casa numa noite de chuva. Reacher cumprimentou com a cabeça. A sentinela sorriu.

— Ele imaginou que o senhor pudesse aparecer em pessoa — disse. — Pode entrar.

Recuou para dentro da guarita e a barreira subiu. Reacher dirigiu cuidadosamente sobre o dilacerador de pneus e virou à esquerda.

— Foi fácil — disse Harper.

— Já conheceu um agente do FBI aposentado? — perguntou Reacher.

— Claro, uma ou duas vezes. Uns dois da velha-guarda.

— Como você os tratou?

Ela concordou.

— Como o sujeito tratou você, acho.

— Todas as organizações são iguais — disse ele. — A Polícia do Exército mais do que as outra talvez. O resto do Exército odeia a gente, então, ficamos mais próximos.

Ele virou à direita, depois à direita de novo, depois à esquerda.

— Você já esteve aqui? — perguntou Harper.

— Esses lugares são todos iguais — disse ele. — Procure o maior canteiro de flores, é ali que fica a sala do general.

Ela apontou.

— Esse parece promissor.

Ele assentiu.

— Você entendeu o espírito da coisa.

Os feixes de luz dos faróis brincaram por um canteiro de rosas do tamanho de uma piscina olímpica. As rosas eram apenas talos dormentes, protuberantes de uma superfície granulada por esterco de cavalo e cascas de árvore em pedaços. Atrás deles havia um prédio simétrico, baixo, com degraus caiados que levavam para portas duplas no centro. Uma luz se acendeu numa janela no meio da ala esquerda.

— Militares de serviço — disse Reacher. — A sentinela ligou para o capitão assim que passamos pelo portão, assim, agora ele está andando pelo corredor até as portas. Observe a luz.

As claraboias sobre as portas se acenderam com um brilho amarelo.

— Agora as luzes externas — falou Reacher.

Duas lanternas de carruagem instaladas nas colunas da porta se iluminam. Reacher estacionou o carro embaixo dos degraus.

— Agora a porta se abre — continuou ele.

As portas se abriram para dentro e um homem de uniforme passou pelo vão.

— Esse era eu, faz uns mil anos — disse Reacher.

O capitão aguardava no topo das escadas, longe o bastante da entrada para ser iluminado pelas lanternas de carruagem, perto o bastante da entrada para ficar protegido do chuvisco. Sua altura batia nos ombros de Reacher, mas era largo e parecia em forma. Cabelos escuros bem penteados, óculos de aço de uma cor só. A jaqueta da farda estava abotoada, mas o rosto era receptivo. Reacher saiu do Nissan e contornou o capô do carro. Harper se juntou a ele na base dos degraus caiados.

— Entre, saia da chuva — gritou o capitão.

O sotaque dele era da Costa Leste. Era alegre e alerta e tinha um sorriso amistoso. Dava a impressão de ser um bom sujeito. Reacher subiu os degraus primeiro. Harper percebeu que os sapatos dele deixavam manchas úmidas nos degraus caiados. Olhou para baixo e viu que os seus faziam o mesmo.

— Desculpe — disse ela.

O capitão sorriu novamente.

Caçada às Cegas

— Não se preocupe — disse ele. — Os presos os pintam toda manhã.

— Esta é Lisa Harper — apresentou Reacher. — Ela trabalha no FBI.

— Prazer em conhecê-la — respondeu o capitão. — Meu nome é John Leighton.

Os três apertaram as mãos diante das portas e Leighton os guiou para dentro. Ele desligou as lanternas de carruagem com um interruptor do lado de dentro e depois apagou a luz do corredor.

— Orçamento — disse ele. — Não se pode desperdiçar dinheiro.

A luz do escritório vazava para o corredor, e ele os conduziu até ele. Ficou à porta e os convidou a entrar. O escritório era original dos anos 1950, atualizado somente onde estritamente necessário. Mesa velha, computador novo, armário de arquivos velho, telefone novo. Havia estantes entulhadas e todas as superfícies estavam sobrecarregadas de papel.

— Eles vêm mantendo você ocupado — comentou Reacher.

Leighton assentiu.

— Nem me fale.

— Vamos tentar não tomar muito do seu tempo.

— Não se preocupe. Fiz umas ligações, depois que me ligou, naturalmente. O amigo de um amigo disse que eu devia soltar foguetes. O que dizem é que você é um sujeito confiável, para um major.

Reacher sorriu brevemente.

— Bem, sempre tentei ser confiável — disse ele. — Para um major. Quem era o amigo do seu amigo?

— Certo sujeito que trabalhou para você quando você trabalhava para o velho Leon Garber. Ele disse que você era um sujeito corajoso e leal e que o velho Garber tinha grande confiança em você, o que faz de você bastante aceitável enquanto esta geração ainda estiver na ativa.

— As pessoas ainda se lembram de Garber?

— Como os fãs dos Yankees ainda se lembram de Joe DiMaggio.

— Estou namorando a filha de Garber — disse Reacher.

— Eu sei — disse Leighton. — As notícias correm. Você é um sujeito de sorte. Jodie Garber é uma boa moça, pelo que me lembro.

— Você a conhece?

Leighton assentiu.

— Nas bases, quando estava me apresentando.

— Vou transmitir suas lembranças a ela.

Então ele ficou em silêncio, pensando em Jodie e Leon. Ele venderia a casa que Leon lhe deixara e Jodie estava preocupada com isso.

— Senta — disse Leighton. — Faz favor.

Havia duas cadeiras retas defronte para a mesa, de metal tubular e lona, como as coisas que as igrejas de rua tinham descartado havia uma geração.

— Pois bem, como posso ajudá-lo? — perguntou Leighton, dirigindo a pergunta a Reacher, olhando para Harper.

— Ela vai explicar — respondeu Reacher.

Ela discorreu sobre tudo, desde o começo, resumindo. Levou sete ou oito minutos. Leighton ouviu com atenção, interrompendo aqui e ali.

— Sei sobre as mulheres — disse ele. — Ficamos sabendo.

Ela terminou com a teoria da cortina de fumaça de Reacher, os possíveis roubos ao Exército e a trilha que levava dos rapazes de Petrosian em Nova York a Bob, em Nova Jersey.

— O nome dele é Bob McGuire — contou Leighton. — Sargento intendente. Mas ele não é quem procura. Estamos na cola dele há dois meses, e ele é muito burro, de qualquer jeito.

— Imaginamos isso — disse Harper. — A ideia é que ele podia delatar alguém, talvez nos levar a alguém mais provável.

— Um peixe mais graúdo?

Harper assentiu.

— Alguém que esteja fazendo negócios que valessem a pena matar testemunhas.

Leighton assentiu de volta.

— Teoricamente, pode haver alguém assim — disse ele, cauteloso.

— Você tem algum nome?

Leighton olhou para ela e fez um gesto negativo com a cabeça. Recostou-se na cadeira e esfregou as costas das mãos nos olhos. De repente, deu a impressão de estar muito cansado.

— Algum problema? — perguntou Reacher.

— Há quanto tempo você saiu? — devolveu Leighton, com os olhos fechados.

— Uns três anos, acho — respondeu Reacher.

Leighton bocejou, espreguiçou-se e retornou à posição.

— As coisas mudaram — disse ele. — O tempo não para, né?

— O que mudou?

— Tudo — disse Leighton. — Principalmente isso.

Ele se inclinou e bateu no monitor com a unha. Provocou um ruído estridente, vítreo, como o de uma garrafa.

— Exército menor, mais fácil de organizar, mais tempo disponível. Eles deixaram tudo computadorizado, completamente. Torna a comunicação muito mais simples. Faz a gente conhecer as tarefas dos outros. Facilita o gerenciamento de estoques. Quer saber quantos pneus de Willys Jeep temos armazenados, embora a gente não use mais Willys Jeeps? Me dê dez minutos, que posso lhe dizer.

— E daí?

— E daí que controlamos tudo, muito melhor do que antes. Por exemplo, sabemos quantas Berettas de 9 mm já foram entregues, sabemos quantas delas foram entregues de modo legítimo, e sabemos quantas temos em estoque. E se esses números não estivessem batendo, estaríamos preocupados, acredite em mim.

— Então os números batem?

Leighton deu um sorriso breve.

— Agora, eles batem. Isso com toda a certeza. Ninguém roubou uma Beretta sequer do Exército dos Estados Unidos nos últimos dezoito meses.

— Então o que Bob McGuire estava fazendo há dois meses? — perguntou Reacher.

— Vendendo as últimas de seu estoque. Ele vinha roubando há dez anos, pelo menos. Uma pequena análise de computador tornou isso óbvio. Ele e algumas dúzias de outros em algumas dúzias de lugares diferentes. Estabelecemos procedimentos para estancar o roubo e prendemos todos os bandidos que estavam vendendo o que ainda tinham.

— Todos eles?

— O computador diz que sim. Estávamos perdendo armas feito doidos, todos os tipos de descrições, em algumas dezenas de lugares, então prendemos algumas dezenas de sujeitos e o vazamento parou. McGuire foi um dos últimos, talvez o penúltimo, não tenho certeza.

— Não há mais roubo de armas?

— Notícia velha — disse Leighton. — Vocês estão atrasados.

Houve silêncio.

— Bom trabalho — falou Reacher. — Parabéns.

— Exército menor — disse Leighton. — Mais tempo disponível.

— Vocês pegaram *todos* eles? — perguntou Harper.

Leighton fez que sim.

— Todos eles. Numa grande operação, no mundo inteiro. Não eram tantos assim. Os computadores resolveram o problema.

Silêncio no escritório.

— Bem, merda, lá se vai nossa teoria — disse ela.

Ela olhou para o chão. Leighton fez um gesto negativo com a cabeça, com cautela.

— Talvez não — disse ele. — Nós também temos uma teoria.

Ela ergueu os olhos novamente.

— O peixe graúdo?

Leighton assentiu.

— Exato.

— Quem é ele?

— Por enquanto, é apenas uma teoria.

— Uma teoria?

— Ele não está em atividade — continuou Leighton. — Não está roubando nada. Como disse a vocês, identificamos todos os vazamentos e pegamos todos eles. Algumas dezenas de caras aguardando julgamento, todos os locais de vazamento identificados. Mas o modo como os pegamos foi enviar pessoal à paisana para comprar as coisas. Uma cilada. Bob McGuire, por exemplo, vendeu algumas Berettas para alguns tenentes num bar.

Caçada às Cegas

— Acabamos de vir de lá — falou Harper. — MacStiophan's, perto da estrada de pedágio de Nova Jersey.

— Isso — disse Leighton. — Nossos homens compraram duas 9 mm direto da mala do carro dele, duzentas pratas cada uma, que é cerca de um terço do que o Exército paga por elas, aliás. Então nós detivemos McGuire e começamos a apertar o sujeito. Sabemos mais ou menos com certeza quantas peças ele roubou ao longo dos anos, por causa da análise de inventário do computador. Imaginamos um preço médio e começamos a procurar aonde tinha ido o dinheiro. E descobrimos metade dele, seja em contas bancárias ou na forma de coisas que ele comprou.

— E daí? — disse Reacher.

— E daí nada, não na época. Mas estávamos juntando informações e a história é praticamente a mesma em todo lugar. Eles todos tinham cerca de metade do dinheiro faltando. Mais ou menos a mesma exata proporção em todo lugar. E esses caras não são os mais espertos que você já viu, são? Eles não teriam como esconder o dinheiro deles da gente. E mesmo que tivessem, por que todos eles iam esconder exatamente a metade? Por que alguns deles não esconderam tudo, ou dois terços ou três quartos? Uma proporção diferente em cada caso, sabe?

— É aí que entra o tal peixe graúdo — concluiu Reacher.

Leighton assentiu.

— Exatamente. Como explicar de outra maneira? Era como um quebra-cabeça com uma peça faltante. Começamos a imaginar algum tipo de chefão, sabe, um mandachuva oculto, talvez organizando tudo, talvez oferecendo proteção em troca de metade do lucro.

— Ou metade das armas — sugeriu Harper.

— Isso — disse Reacher.

— Alguém com uma trama de extorsão — continuou Harper. — Como um esquema dentro de outro.

— Isso — repetiu Leighton.

Houve uma longa pausa.

— Parece bom, do nosso ponto de vista — falou Harper. — Um cara como esse é esperto e hábil, e precisa circular tratando de problemas em vários locais aleatórios. Isso podia explicar por que ele está interessado em tantas mulheres diferentes. Não porque todas as mulheres *o* conheciam, mas porque talvez cada uma delas conhecia um dos seus clientes.

— A cronologia é boa para vocês também — continuou Leighton. — Se quem procuramos for quem você procura, ele começou a planejar há dois, três meses, quando ficou sabendo que seus clientes estavam sendo mandados para o xadrez.

Harper chegou para a frente no assento.

— Qual era o volume dos negócios há dois ou três anos?

— Bem pesado — respondeu Leighton. — Na verdade, você está perguntando o quanto essas mulheres poderiam ter visto, não é?

— Isso.

— Elas poderiam ter visto muita coisa — disse Leighton.

— Pois bem, suas provas são boas? — perguntou ela. — No caso de Bob McGuire, por exemplo?

Leighton deu de ombros.

— Não são excelentes. A gente o pegou por duas armas que vendeu para os nossos homens, é claro, mas são apenas duas armas. O resto é basicamente circunstancial, e o fato de que não há uma conclusão satisfatória quanto ao dinheiro enfraquece à beça as coisas.

— Então, eliminar as testemunhas antes dos julgamentos faz sentido.

Leighton assentiu.

— Faz sentido à beça.

— Então, quem é esse cara?

Leighton esfregou os olhos novamente.

— Não temos a menor ideia. Não sabemos sequer se este cara *existe*. Ele é apenas um palpite no momento. Apenas teoria.

— Ninguém está entregando nada?

— Nem uma palavra. Estamos interrogando há dois meses. Pegamos duas dúzias de caras, todos eles de boca fechada. Imaginamos que o chefão realmente intimide.

— Ele é assustador, isso com certeza — falou Harper. — Pelo que sabemos dele.

Caçada às Cegas 367

Houve silêncio na sala de Leighton. Apenas as batidas fracas da chuva nas janelas.

— Se ele existir — disse Leighton.

— Ele existe — afirmou Harper.

Leighton assentiu.

— Também achamos que existe.

— Bem, precisamos do nome dele — falou Reacher.

Nenhuma resposta.

— Eu devia ir falar com McGuire por você — sugeriu Reacher.

Leighton sorriu.

— Imaginei que não demoraria até você me dizer isso. Estava determinado a dizer não, é impróprio. Mas quer saber? Acabo de mudar de ideia. Acabo de decidir dizer sim, vá em frente. Fique à vontade.

O bloco da cela era subterrâneo, como sempre é num quartel-general regional, embaixo de um prédio comprido, de pouca altura, feito de tijolos com uma porta de ferro, isolado no outro lado do canteiro de rosas. Leighton os guiou até lá em meio à chuva, e cada um deles estava com a gola virada para cima contra a umidade e o queixo encostado no peito. Leighton usou um cordão de campainha antiquado que ficava do lado de fora da porta de ferro, e esta se abriu após um instante, revelando um corredor claro com um sargento-intendente imenso parado nele. O sargento saiu do caminho e Leighton os guiou para dentro.

Do lado de dentro, as paredes eram feitas de tijolos com cobertura de porcelana vidrada, branca. O piso e o teto eram de concreto aplicado com colher de pedreiro e pintado de verde brilhante. As luzes eram tubos fluorescentes por trás de grades metálicas grossas. As portas eram de ferro, com aberturas quadradas, com barras na parte superior. Havia um escritório à direita, um cubículo, com um suporte de chaves de madeira em argolas de metal de dez centímetros. E também uma mesa grande, com uma pilha alta de videocassetes registrando imagens tremidas de cor cinza leitosa dos doze pequenos monitores. As telas mostravam doze celas, onze das quais vazias, e uma delas com um formato volumoso debaixo de um lençol na cama.

— Noite tranquila no Hilton — comentou Reacher.

Leighton assentiu.

— Fica pior nas noites de sábado. Mas, no momento, McGuire é nosso único hóspede.

— A gravação de vídeo é um problema — disse Reacher.

— Porém, está sempre quebrando — disse Leighton.

Ele se curvou para examinar as imagens nos monitores. Firmou as mãos na mesa e curvou-se mais. Estendeu a mão até que o nó dos dedos tocou um interruptor. Os videocassetes pararam de zunir, e a legenda *REC* desapareceu do canto das telas.

— Está vendo? — disse ele. — É um sistema nada confiável.

— Vai levar algumas horas para a gente consertar — respondeu o sargento. — Pelo menos.

O sargento era um gigante de pele brilhosa, cor de café. A jaqueta do seu uniforme era do tamanho de uma barraca de acampamento. Reacher e Harper teriam cabido juntos nela. Leighton também, talvez. O sujeito era o modelo exato do oficial subalterno da polícia do Exército.

— McGuire tem uma visita, Sargento — disse Leighton. — Uma voz em *off*. — Não precisa ir para o registro.

Reacher tirou o sobretudo e o blazer, dobrou-os e os deixou na cadeira do sargento. O sargento pegou um molho de chaves do armário de madeira e foi até a porta interna. Destrancou-a e devolveu as chaves ao lugar. Reacher passou pela porta, e o sargento a fechou e trancou atrás de si. Apontou para o patamar de uma escada.

— Depois de você — disse ele.

A escada era feita de tijolos, arredondados na parte da frente de cada degrau. As paredes de cada lado tinham o mesmo revestimento branco vidrado. Havia um corrimão de metal, parafusado na parede a cada trinta centímetros. Outra porta trancada no final da escada. Em seguida, um corredor, depois outra porta trancada. Depois um hall, com três portas trancadas para os três blocos de celas. O sargento destrancou a porta do meio.

Apertou um interruptor e as luzes fluorescentes piscaram e inundaram uma área branca brilhante de doze por seis metros. Havia uma área de acesso da largura do espaço e cerca de um terço de sua profundidade. O resto era dividido em quatro celas delineadas por pesadas barras de ferro. As barras eram cobertas com grossas camadas de tinta esmalte branca, brilhosa. As celas tinham cerca de três metros de largura, com talvez três metros e meio de profundidade. Cada uma tinha uma câmera de vídeo de frente para a porta, instalada no alto da parede. Três delas estavam vazias, com as portas abertas para dentro. A quarta estava trancada. Nela, estava McGuire. Ele estava lutando para permanecer acordado, sentado, surpreso pela luz.

— Visita para você — gritou o sargento.

Havia dois bancos de madeira altos no canto da área de acesso, próximo da porta de saída. O sargento carregou o mais próximo, o pôs em frente à cela de McGuire, andou de volta e sentou-se no outro. Reacher ignorou o banco e ficou de pé com as mãos para trás das costas, olhando silenciosamente pelas barras. McGuire estava empurrando o lençol para o lado e pondo os pés no chão. Vestia uma camisa verde-oliva e shorts da mesma cor. Ele era um homem grande. Mais de um metro e oitenta de altura, mais de noventa quilos, mais de trinta e cinco anos de idade. Bastante musculoso, com um pescoço grosso, braços grandes, pernas grandes. Cabelos ralos cortados rente, olhos pequenos, algumas tatuagens. Reacher ficou absolutamente parado, observando-o, sem dizer nada.

— Quem diabos é você? — perguntou McGuire. Sua voz correspondia ao volume do corpo. Era rouca, e as palavras eram meio sufocadas pelo peitoral pesado. Reacher não respondeu nada. Era uma técnica que ele tinha aperfeiçoado fazia metade de uma vida. Simplesmente fique absolutamente parado, não pisque, não diga nada. Espere que eles cogitem todas as possibilidades. *Não é um colega. Não é um advogado. Então quem é?* Espere que eles comecem a se preocupar.

— Quem diabos é você? — repetiu McGuire.

Reacher se afastou. Ele andou até onde o sargento-intendente estava sentado e se curvou para sussurrar no ouvido dele. As sobrancelhas do gigante se ergueram. *Você tem certeza?* Reacher sussurrou de novo.

O sujeito assentiu, levantou-se e entregou a Reacher o molho de chaves. Saiu pela porta e fechou-a atrás de si. Reacher pendurou as chaves no gancho e caminhou de volta à cela de McGuire. McGuire estava olhando pelas barras para ele.

— O que você quer? — perguntou ele.
— Quero que olhe para mim — respondeu Reacher.
— O quê?
— O que você vê?
— Nada — disse McGuire.
— Você é cego?
— Não.
— Então é mentiroso — disse Reacher. — Não é nada o que você vê.
— Vejo um cara — respondeu McGuire.
— Você vê um cara maior que você que teve todo o tipo de treinamento especial, enquanto você passava seu tempo mexendo com papéis em algum depósito de intendente de merda.
— E daí?
— E daí nada. Só algo para você lembrar mais tarde, só isso.
— O que é que tem mais tarde?
— Você vai descobrir — disse Reacher.
— O que você quer?
— Quero prova.
— Prova do quê?
— De até que ponto um merdinha como você é burro.

McGuire fez uma pausa. Seus olhos se estreitaram, formando vincos profundos na testa.

— É fácil para você falar assim — falou. — Parado a quase dois metros de distância dessas barras.

Reacher deu um passo exagerado para a frente.

— Agora estou a sessenta centímetros de distância das barras — respondeu. — Você ainda é um merdinha.

Caçada às Cegas

McGuire deu um passo à frente também. Ele estava a trinta centímetros do portão da cela, segurando uma barra em cada punho, com um olhar sereno. Reacher deu um passo à frente mais uma vez.

— Agora estou a trinta centímetros das barras, o mesmo que você — disse ele. — E você *ainda* é um merdinha.

A mão direita de McGuire saiu da barra e se fechou num punho, e seu braço inteiro se estendeu para fora como um pistão. Ele mirava a garganta de Reacher. Reacher pegou o braço na altura do pulso, virou e bateu o punho na cabeça dele, empurrando o corpo de McGuire para trás e o puxando-o contra as barras. Ele torceu a mão, que tinha a palma aberta, e andou para a esquerda, forçando o braço na direção oposta à curvatura do cotovelo.

— Tá vendo só como você é burro? — disse ele. — Se continuo andando, quebro seu braço.

Com a pressão, McGuire estava ofegante. Reacher sorriu brevemente e largou o pulso. McGuire olhou para ele e puxou o braço de volta para dentro, girando o ombro, testando se houve lesão.

— O que você quer? — repetiu ele.

— Quer que eu abra o portão da cela?

— O quê?

— As chaves estão bem ali. Quer o portão da cela aberto, para equilibrar um pouco as coisas?

Os olhos de McGuire se estreitaram um pouco mais. Ele fez que sim.

— É, abra a droga do portão.

Reacher se afastou e levantou a argola de chaves do gancho da porta de saída. Procurou a chave certa até encontrar. Ele lidara com muitas chaves de cela, poderia escolher uma de olhos vendados. Ele recuou e destrancou o portão, abrindo-o com um empurrão. McGuire ficou parado. Reacher saiu e colocou a argola de chaves de volta no gancho da porta. Ficou de frente para a porta de saída, de costa para a cela.

— Senta aí — gritou ele. — Deixei o banco aí para você.

Ele sentiu McGuire saindo da cela. Ouviu seus pés descalços no chão de concreto. Ouviu-os parar.

— O que você quer? — repetiu McGuire.

Reacher continuou de costas, esforçando-se para sentir a aproximação de McGuire. Ela não estava acontecendo.

— É complicado — respondeu ele. — Você vai ter que pesar uma série de fatores.

— Que fatores? — perguntou McGuire, perplexo.

— Primeiro fator é que não sou alguém oficial, está bom? — respondeu Reacher.

— O que isso significa?

— Me diga você.

— Eu não sei — disse McGuire.

Reacher se virou.

— Significa que não sou policial do Exército, não sou policial civil; na verdade, não sou nada.

— E daí?

— E daí que não há consequência para mim. Nenhuma medida disciplinar, nenhuma pensão que possa perder, nada de nada.

— E daí?

— E daí que se eu deixar você andando de muletas e bebendo por um canudo o resto da vida, não há nada que ninguém possa fazer comigo. E não temos testemunhas aqui.

— O que você quer?

— O segundo fator é que não importa o que o chefão disse que vai fazer com você, eu posso fazer pior.

— Que chefão?

Reacher sorriu. As mãos de McGuire se fecharam em punhos. Bíceps pesados, ombros largos.

— Agora é que fica complicado — disse Reacher. — Você precisa se concentrar bastante nesta parte. O terceiro fator é que, se você me der o nome do cara, ele vai embora para outro lugar, para sempre. Você me dá o nome dele, e ele não pode ir atrás de você. Nunca, você entende?

— Que nome? Que cara?

— O cara que você está pagando com metade do que leva.

— Não existe cara nenhum.

Reacher fez um gesto negativo com a cabeça.

— Já passamos desse estágio agora, está bem? Sabemos que existe um cara. Então, não me faça espancar você antes mesmo que a gente chegue à parte importante.

McGuire ficou tenso. Respirava com dificuldade. Depois se tranquilizou. Seu corpo relaxou levemente e seus olhos se estreitaram de novo.

— Assim, se concentre — disse Reacher. — Você acha que, se o entregar, vai se ferrar. Mas você está errado. O que precisa entender é que você o entrega e, na verdade, isso deixa você a salvo, pelo resto da vida, porque há gente procurando o cara por umas coisas muito piores que roubar o Exército.

— O que foi que ele fez? — perguntou McGuire.

Reacher sorriu. Ele desejava que as câmeras de vídeo tivessem som. *O sujeito existe.* Leighton estaria dançando em volta da sala.

— O FBI acha que ele matou quatro mulheres. Você me dá o nome dele, eles vão prendê-lo para sempre. Ninguém jamais vai perguntar a ele sobre mais nada.

McGuire ficou calado, pensando a respeito. Não era o processo mais rápido que Reacher já tinha visto.

— Dois outros fatores — continuou. — Você me diz agora mesmo, e vou dizer coisas boas a seu respeito. Eles vão me ouvir, porque eu costumava ser um deles. Os policiais ficam sempre do lado uns dos outros, não é? Posso conseguir uma pena moleza para você.

McGuire não disse nada.

— Último fator — disse Reacher, com gentileza. — Você precisa entender que, mais cedo ou mais tarde, você vai me contar de qualquer jeito. É só uma questão de tempo. A escolha é sua. Você pode me contar agora, ou daqui a meia hora, logo depois que eu tiver quebrado seus braços e pernas e estiver prestes a partir sua coluna.

— Ele é um cara mau — respondeu McGuire.

Reacher assentiu.

— Tenho certeza de que ele é muito mau. Mas você precisa priorizar as coisas. Seja o que for que ele tenha dito que faria, isso é hipotético, bem lá na frente e, como lhe disse, de qualquer forma, não vai acontecer. Mas o que eu vou fazer, vai acontecer agorinha mesmo. Bem aqui.

— Você não vai fazer nada — disse McGuire.

Reacher se virou e pegou o banco de madeira. Virou-o de cabeça para baixo e segurou-o na altura do peito com as mãos em volta de duas das pernas. Agarrou firme, encolheu os ombros e puxou com força. Em seguida, inspirou com força, jogou os cotovelos para trás e as pernas saíram das travessas de madeira. As travessas caíram com estrondo no chão. Ele virou o banco, segurou o assento com a mão esquerda e soltou uma perna com a direita. Deixou cair os restos e ficou com a perna. Tinha cerca de um metro de comprimento, do tamanho e peso de um taco de beisebol.

— Agora, tenta fazer a mesma coisa — disse ele.

McGuire se esforçou bastante. Ele virou o próprio banco e agarrou as pernas. Seus músculos se contraíram e as tatuagens se expandiram, mas ele não chegou a lugar nenhum. Só ficou ali, segurando o banco de cabeça para baixo.

— Que pena — disse Reacher. — Tentei que fosse uma coisa justa.

— Ele era das Forças Especiais — falou McGuire. — Esteve na Guerra do Golfo. Ele é durão mesmo.

— Não importa — disse Reacher. — Se ele resistir, o FBI vai abatê-lo. Fim do problema.

McGuire não disse nada.

— Ele não vai saber que veio de você — falou Reacher. — Eles vão fazer com que pareça que ele deixou indícios para trás.

McGuire não disse nada. Reacher balançou a perna do banco.

— Esquerdo ou direito? — perguntou ele.

— O quê? — perguntou McGuire.

— Qual braço você quer que eu quebre primeiro?

— LaSalle Kruger — respondeu McGuire. — Oficial comandante do batalhão de suprimentos. É um coronel.

25

ROUBAR O TELEFONE FOI COMO ROUBAR DOCE DE criança, mas o reconhecimento do terreno foi de lascar. Calcular corretamente o tempo era a principal prioridade. Você precisa aguardar até que fique completamente escuro, e quer aguardar a última hora do policial de dia. Porque o policial é mais burro que o cara do FBI, e porque a última hora de alguém é sempre melhor que a primeira hora de outra pessoa. A atenção já vai ter diminuído. O tédio vai ter se instalado. Os olhos dele vão ter perdido o brilho e ele vai estar pensando no encontro com os colegas ou na noite em frente da televisão com a esposa. Ou seja lá como ele passe o tempo livre.

Então, o seu intervalo se estende por cerca de quarenta minutos, digamos de sete a sete quarenta. Você o planeja em duas metades. Primeiro a casa, depois a área em volta. Você dirige voltando do aeroporto e se aproxima da *estrada principal. Você dirige direto pelo entroncamento a três ruas da casa dela. Você para num estacionamento para as pessoas que vêm a passeio a cento e oitenta metros ao norte. Há uma trilha ampla de cascalhos que leva para o norte, subindo a inclinação do Monte Hood. Você sai do seu carro, dá as costas para a trilha e faz o caminho para o oeste e o norte, pelo terreno levemente arborizado. Você está na altura do seu primeiro posto, mas do outro lado da casa dela. Atrás, não em frente.*

O terreno significa que as casas não têm grandes jardins. Há faixas estreitas cultivadas atrás dos prédios, depois cercas, depois colinas íngremes cobertas de arbustos selvagens. Você anda pelos arbustos e sai na cerca da casa. Fica imóvel no escuro e observa. As cortinas estão fechadas. Está tudo quieto. Você pode ouvir um piano tocando, muito baixinho. A casa foi construída na colina, perpendicular à rua. A lateral na verdade é a parte da frente. A varanda se estende por toda a fachada. De frente para você está uma parede salpicada de janelas. Não há portas. Você passa pela cerca e verifica o outro lado, que é, na verdade, a parte de trás da casa. Não há portas lá, tampouco. Então, a única forma de entrar é a porta da frente na varanda e a porta da garagem que dá para a rua. Não é ideal, mas é o que você esperava. Você planejou pensando nisso. Planejou pensando em todas as contingências.

— Tudo bem, coronel Kruger — disse Leighton. — Estamos na sua cola agora.

Eles estavam de volta ao escritório de serviço, úmidos pela corrida noturna na chuva, cheios de entusiasmo, animados com o ar frio e o sucesso. Apertos de mão foram trocados; as mãos se apresentaram espalmadas, *toca aqui*; Harper tinha rido e abraçado Reacher. Agora, Leighton estava rolando por um menu na tela do computador, e Reacher e Harper estavam sentados lado a lado em frente à mesa dele nas velhas cadeiras de costas retas, respirando com dificuldade. Harper ainda estava sorrindo, desfrutando do alívio e do triunfo.

— Adorei aquele negócio com o banco — disse ela. — Assistimos a tudo no monitor.

Reacher encolheu os ombros.

Caçada às Cegas 377

— Eu trapaceei — respondeu. — Escolhi o banco certo, só isso. Imaginei que na hora da visita, o sargento se senta perto da porta, virando para trás um pouco porque está entediado. Com um homem daquele tamanho, os encaixes com certeza iam estar rachados. O negócio praticamente se despedaçou sozinho.

— Mas causou uma ótima impressão.

— Essa era a ideia. A primeira regra é causar uma ótima impressão.

— Está bem, ele está nas listas de pessoal — disse Leighton. — LaSalle Kruger, coronel, bem aqui.

Ele bateu na tela com a unha. Causou o mesmo ruído vítreo que eles tinham ouvido antes, como o de uma garrafa.

— Ele já esteve encrencado? — perguntou Reacher.

— Não dá para dizer ainda — respondeu Leighton. — Você acha que ele vai ter ficha na polícia do Exército?

— Alguma coisa deve ter acontecido — comentou Reacher. — Forças Especiais na Guerra do Golfo e agora está trabalhando com suprimentos? O que foi que aconteceu?

Leighton assentiu.

— Precisa ser explicado. Pode ser disciplinar, acho.

Ele saiu das listagens de pessoal e clicou em outro menu. Depois, fez uma pausa.

— Isso vai levar a noite toda — disse ele.

Reacher sorriu.

— Você quer dizer que não quer que a gente veja nada.

Leighton sorriu de volta.

— Acertou de primeira, amigo. Você pode espancar os presos por aqui o quanto quiser, mas não pode ver as coisas de computador. Sabe como é.

— Com certeza, sei — respondeu Reacher.

Leighton aguardou.

— Aquele inventário sobre os pneus de jipe — disse Harper de repente. — Você poderia rastrear tinta de camuflagem sumida nele?

— Talvez — falou Leighton. — Teoricamente, acho que sim.

— Onze mulheres na lista dele, procure por cerca de trezentos galões — disse ela. — Se você conseguir vincular Kruger com a tinta, isso seria o bastante para mim.

Leighton fez que sim.

— E datas — continuou ela. — Descubra se ele estava de folga quando as mulheres foram mortas. E faça a correlação com os locais, acho. Confirme se houve roubos onde as mulheres serviram. Prove que elas viram algo.

Leighton olhou-a de frente.

— O Exército vai simplesmente me amar, não é? Kruger é nosso homem, e estou aqui ralando a noite inteira para que possamos entregá-lo ao FBI.

— Desculpe — disse ela. — Mas a questão da jurisdição é clara, não é? Homicídio ganha de roubo.

Leighton fez que sim, com um súbito ar sombrio.

— Do mesmo modo que tesoura ganha de papel — respondeu ele.

Você viu o bastante. Ficar sem se mexer lá no escuro olhando para a casa e ouvindo-a tocar a droga do piano não vai mudar nada. Por isso, você se afasta da cerca, entra nos arbustos e faz o percurso de volta para o carro. Você chega, sacode a poeira, entra no carro, dá a partida e volta pelas transversais. Parte dois da sua tarefa à frente, e você tem cerca de vinte minutos para concluí-la. Você dirige. Há um pequeno shopping center a três quilômetros a oeste do cruzamento, no lado esquerdo da estrada. Um shopping antiquado com um piso só, no formato de uma letra C, desenhada com linhas retas. Um supermercado no meio como uma loja âncora, pequenas lojas sem outras unidades espalhadas de cada lado. Algumas delas estão com tapumes e vazias. Você entra no estacionamento pelo lado mais distante e percorre a pista de incêndio, olhando. Você acha justamente o que está procurando, três lojas depois do supermercado. Não é nada que você não esperasse encontrar, mas, ainda assim, você cerra o punho e o bate na beirada do volante. Você sorri com seus botões.

Então, você faz a curva com o carro e volta num passeio pelo estacionamento, investigando, e seu sorriso se desfaz. Você não gosta. Não gosta nada. É um campo completamente aberto. Todas as lojas da frente têm visão direta. Está mal-iluminado agora, mas você está pensando na luz do dia. Assim, você dirige ao redor da parte horizontal do C, e seu sorriso volta. Há uma única fileira de estacionamento extra ali atrás, de frente para portas simples nas paredes dos fundos das lojas, através dos quais elas recebem as mercadorias. Não há janelas. Você para o carro e olha em volta. Um círculo completo. Este é o seu lugar. Não há dúvida. É perfeito.

Em seguida, você dirige de volta para o estacionamento principal e estaciona ao comprido de um pequeno grupo de outros veículos. Você desliga o motor e aguarda. Observa a estrada principal. Aguarda e observa por dez minutos e aí vê o Buick do FBI passando, nem rápido, nem devagar, apresentando-se para o serviço.

"Tenha uma boa noite", você sussurra.

Após, você dá partida no carro novamente, dá uma volta no estacionamento e se afasta na direção oposta.

Leighton recomendou um hotel que ficava a um quilômetro e meio, descendo a Rota 1 em direção a Trenton. Ele disse que era onde as visitas dos presos ficavam; era barato, limpo, o único lugar a quilômetros de distância e ele sabia o telefone de lá. Harper dirigiu e eles encontraram o lugar com bastante facilidade. Parecia satisfatório do lado de fora, e tinha muitos quartos vazios.

— O número doze é um bom quarto de casal — falou o recepcionista. Harper fez que sim.

— Está bem, vamos ficar com ele — respondeu ela.

— Vamos? — perguntou Reacher. — Um quarto de casal?

— A gente fala sobre isso depois — respondeu ela.

Ela pagou em dinheiro e o recepcionista entregou uma chave.

— Número doze — falou novamente. — Descendo o corredor um pouquinho.

Reacher andou na chuva, e Harper trouxe o carro. Ela estacionou em frente ao quarto e encontrou Reacher esperando na porta.

— Que foi? — perguntou. — Não vamos dormir, não é? Estamos só esperando que Leighton ligue. Podemos fazer isso aqui ou no carro.

Ele apenas deu de ombros e aguardou que ela destrancasse a porta. Ela a abriu e entrou. Ele foi atrás.

— De qualquer maneira, estou muito agitada para dormir — disse ela.

Era um quarto de hotel comum, familiar e aconchegante. Estava quente demais e a chuva fazia muito barulho no telhado. Havia duas cadeiras e uma mesa na parede oposta do quarto, perto de uma janela. Reacher entrou e se sentou na cadeira do lado direito. Ele pôs os cotovelos na mesa e segurou a cabeça com as mãos. Ficou completamente parado. Harper andava pelo quarto, inquieta.

— Nós o pegamos, sabia? — disse ela.

Reacher não disse nada.

— Eu devia ligar para o Blake, dar as boas notícias a ele — continuou Harper.

Reacher fez um gesto negativo com a cabeça.

— Ainda não.

— Por que não?

— Deixe Leighton concluir. Se o Quantico se envolver nesse momento, vão tirá-lo do caso. Ele é só capitão. Eles vão trazer algum babaca de duas estrelas e ele nunca vai chegar perto dos fatos por causa dessa besteira. Deixe com Leighton, deixe que ele fique com os louros.

Ela estava no banheiro, olhando o suporte de toalhas, os frascos de xampu e os pacotes de sabonete. Ela saiu do banheiro e tirou o paletó. Reacher olhou para o outro lado.

— É completamente seguro — disse ela. — Estou usando sutiã.

Reacher não disse nada.

— Que foi? — perguntou ela. — Você está pensando em alguma coisa.

— É mesmo?

Ela assentiu.

— Claro que sim. Consigo notar. Sou mulher, sou intuitiva.

Ele olhou diretamente para ela.

Caçada às Cegas

— A verdade é que não quero ficar sozinho num quarto com você e uma cama.

Ela sorriu, feliz, de um jeito travesso.

— Ficou tentado?

— Sou apenas ser humano.

— Eu também — respondeu ela. — Se posso me controlar, tenho certeza de que você também pode.

Ele não disse nada.

— Vou tomar um banho — disse ela.

— Jesus — murmurou ele.

É um quarto de hotel comum, como mil outros que você já viu de uma costa a outra. Entrada, banheiro à direita, armário à esquerda, cama queen, cômoda, mesa e duas cadeiras. Televisão antiga, balde para gelo, quadros horríveis na parede. Você pendura o casaco no armário, mas fica com as luvas. Nenhuma necessidade de deixar impressões digitais por toda parte. Nenhuma possibilidade real de que eles um dia encontrem o quarto, mas você construiu toda a sua vida em torno do hábito de tomar cuidado. A única vez que você tira as luvas é quando vai tomar banho, e banheiros de hotel são suficientemente seguros. Você faz o check out às onze, e ao meio-dia uma camareira está borrifando desinfetante em todas as superfícies e limpando tudo com um pano úmido. Ninguém jamais encontrou uma impressão digital que valesse a pena num banheiro de hotel.

Você caminha pelo quarto e se senta na cadeira do lado esquerdo. Você se recosta nela, fecha os olhos e começa a pensar. Amanhã. Precisa ser amanhã. Você faz o planejamento do cronograma de trás para frente. Você precisa que esteja escuro para que possa sair. Essa é a consideração fundamental. É isso que conduz todo o resto. Mas você quer que o policial de dia a encontre. Você concorda que é apenas um capricho, mas ora essa, se você não puder animar as coisas fazendo alguma vontade, que tipo de vida é essa? Logo, você precisa estar do lado de fora depois que escurecer, mas antes do último intervalo que o policial tira para ir ao banheiro. Isso define um horário bastante exato, em algum momento entre seis e seis e meia. Digamos que seja cinco e quarenta, para ter uma margem. Não, digamos que seja cinco e meia, porque você precisa mesmo estar de volta ao seu posto para ver o rosto do policial.

Está bem, cinco e meia. Crepúsculo, na verdade, não completamente escuro, mas é aceitável. O máximo de tempo que você já passou em qualquer dos lugares anteriores foi vinte e dois minutos. Em teoria, este não vai ser mais longo, mas você vai reservar trinta minutos inteiros. Assim, você precisa já estar do lado de dentro e já ter começado às cinco. Depois você pensa do ponto de vista dela, e é bastante claro que precisa fazer o telefonema por volta das duas horas.

Pois bem, fazendo o check out desta espelunca antes das onze, você chega lá antes do meio-dia, espera e observa, faz a ligação às duas. Está decidido. Você abre os olhos e se levanta. Despe-se e usa o banheiro. Puxa as cobertas e entra na cama, sem estar vestindo nada a não ser suas luvas.

Harper voltou do banheiro sem estar vestindo nada a não ser uma toalha, de rosto recém-lavado e com os cabelos molhados. Com o peso da água, eles pendiam abaixo da cintura. Sem maquiagem, o rosto dela parecia vulnerável. Olhos azul-claros, dentes brancos, maçãs do rosto, pele. Ela parecia ter cerca de catorze anos, fora o fato de ter mais de um metro e oitenta de altura. E toda essa altura fazia com que uma toalha padrão de hotel fosse bastante deficiente quanto ao comprimento.

— Acho que é melhor ligar para Blake — disse ela. — Preciso mesmo relatar o progresso.

— Não diga nada a ele — falou Reacher. — Falo sério, as coisas vão sair do controle.

Ela assentiu.

— Só vou dizer a ele que estamos chegando perto.

Ele fez um gesto negativo com a cabeça.

— Seja mais vaga que isso, está bem? Diga só que vamos encontrar um cara amanhã que talvez tenha alguma ligação com o caso.

— Vou ter cuidado. — Ela se sentou em frente ao espelho. A toalha subiu. Ela começou a olhar os cabelos.

— Você pode pegar para mim meu telefone na bolsa? — pediu ela.

Caçada às Cegas

Ele andou até a cama e passou a mão dentro da bolsa dela. Os itens que estavam nela liberavam fragrâncias leves enquanto eram mexidos. Ele encontrou o telefone, tirou da bolsa e levou até ela.

— Seja bem vaga, está bem? — repetiu ele.

Ela assentiu e abriu o telefone.

— Não se preocupe — disse ela.

— Acho que vou tomar um banho também.

Ela sorriu.

— Aproveite o banho. Não vou entrar, prometo.

Ele foi para o banheiro e fechou a porta.

As roupas de Harper estavam penduradas no cabide nas costas da porta. Todas elas. A roupa íntima era de renda branca. Ele pensou em ajustar o chuveiro para muito frio, mas decidiu confiar apenas na força de vontade. Por isso, ele ajustou-o para quente, tirou as roupas e jogou-as numa pilha no chão. Tirou a escova de dente retrátil do blazer e escovou os dentes apenas com água. Depois, ficou de pé sob o chuveiro e se lavou com o mesmo sabão e xampu que Harper tinha usado. Ele ficou de pé por um longo tempo, tentando relaxar. Depois desistiu e girou o controle para frio. Ele manteve a mão ali, arfando. Um minuto. Dois. Depois desligou e tentou achar uma toalha.

Ela bateu na porta.

— Já terminou?— gritou ela. — Preciso de minhas roupas.

Ele desdobrou a toalha e envolveu-a em volta da cintura.

— Está bem, entre. — disse ele.

— Apenas as passe para mim — gritou ela de volta.

Ele pegou as roupas nas mãos e levantou-as, tirando-as do gancho. Abriu uma fresta na porta e passou-as. Ela pegou as roupas e saiu andando. Ele se secou quase completamente com a toalha e se vestiu, sem jeito, no espaço estreito. Ajeitou os cabelos com os dedos. Ficou parado por um instante. Depois, mexeu na maçaneta da porta fazendo ruído e saiu. Ela estava de pé ao lado da cama, vestindo parte das roupas. O resto delas estava dobrado sobre as costas da cadeira da cômoda. Os cabelos dela estavam penteados para trás. Seu telefone estava fechado, ao lado do balde de gelo.

— O que você disse a ele? — perguntou ele.

— Exatamente o que você disse. Que vamos encontrar um cara de manhã, nada específico.

Ela estava vestindo a camisa, mas a gravata estava pendente na cadeira. O sutiã também. E as calças do terno.

— Ele tinha algo a dizer? — perguntou ele.

— Poulton está em Spokane — disse ela. — A questão da Hertz não deu em nada, apenas uma mulher em viagem de negócios. Mas o cara da UPS está fornecendo informações. Eles vão conversar esta noite, mas estão a três horas de distância, então, só vamos ouvir alguma coisa de manhã, provavelmente. Mas eles identificaram a data daquela coisa do beisebol e a UPS está verificando os registros.

— Não vai dizer que LaSalle Kruger está nos papéis, isso com certeza.

— Provavelmente não, mas isso não importa mais, não é? Nós o encontramos.

Ela se sentou na beirada da cama, de costas para ele.

— Graças a você — disse ela. — Você tinha toda razão, um sujeito esperto com um bom motivo, concreto e comum.

Ela se levantou de novo, inquieta. Andou de um lado para o outro na pequena área entre a cama e a mesa. Ela estava de calcinha. Ele podia ver isso, através da barra da camisa. Tinha uma bunda maravilhosa. As pernas eram magras. E longas. Os pés eram pequenos e delicados, para sua altura.

— A gente devia celebrar — sugeriu ela.

Reacher escorou os travesseiros na extremidade da cama e reclinou-se neles. Ergueu os olhos para o teto e se concentrou no som da chuva batendo no telhado.

— Não tem serviço de quarto num lugar como esse — respondeu.

Ela se virou para encará-lo. Os primeiros dois botões da camisa dela estavam abertos. Numa coisa assim, o efeito depende da distância entre os botões. Se eles estão muito juntos, não significa muita coisa. Mas esses eram bem espaçados, talvez oito ou dez centímetros entre cada um.

— É a Jodie, não é? — disse ela.

Caçada às Cegas 385

Ele assentiu.

— É claro que é.

— Se não fosse por ela, você ia querer, não é?

— Eu quero — respondeu ele.

Então fez uma pausa.

— Mas não vou fazer isso. Por causa dela.

Ela olhou para ele, e depois sorriu.

— Gosto disso num homem.

Ele não disse nada.

— Tenacidade — continuou ela.

Ele não disse nada. Houve silêncio. Apenas o som incansável e insistente da chuva no telhado.

— É uma característica atraente — disse ela.

Ele olhou para o teto.

— Se bem que não lhe faltam características atraentes — continuou.

Ele ouvia a chuva. Ela suspirou, apenas um diminuto som. Ela se afastou, apenas uns dois centímetros. Mas suficiente para aliviar a tensão.

— Então, você vai ficar por Nova York — disse ela.

Ele assentiu de novo.

— Essa é a ideia.

— Ela vai ficar possessa com essa coisa da casa. O pai dela deixou para você.

— Talvez fique — respondeu ele. — Mas ela vai ter de lidar com isso. Do modo como vejo, ele me deixou uma escolha, mais do que qualquer outra coisa. A casa ou o dinheiro que eu conseguir por ela. Minha escolha. Ele sabia como eu era. Ele não ia ficar surpreso. Nem chateado.

— Mas é uma questão emotiva.

— Não vejo por quê. Não foi a casa de infância dela nem nada assim. Eles nunca moraram lá de verdade. Ela não cresceu lá. É só uma construção de madeira.

— É uma âncora. É assim que ela vê.

— É por isso que vou vendê-la.

— Portanto, é natural que ela vá se preocupar.

Ele deu de ombros.

— Ela vai aprender. Vou ficar por aqui, com casa ou sem casa.

O quarto ficou silencioso novamente. A chuva estava diminuindo. Ela se sentou na cama, de frente para ele. Sentou-se sobre os joelhos nus.

— Ainda estou com vontade de comemorar — disse ela.

Ela pôs a mão com a palma para baixo no espaço entre eles e se inclinou.

— Beijo de comemoração — murmurou ela. — Nada além disso, prometo.

Ele olhou para ela e esticou o braço esquerdo e a puxou para perto. Beijou-a nos lábios. Ela pôs a mão na nuca dele e mergulhou os dedos em seus cabelos. Inclinou a cabeça e abriu a boca. Ele sentiu a língua dela em seus dentes. Em sua boca. Ele fechou os olhos. A língua dela era ávida, ia fundo na boca. Era gostoso. Ele abriu os olhos e viu os dela, perto demais para se concentrar neles. Eles estavam bem fechados. Ele a soltou e se desvencilhou dela, cheio de culpa.

— Tem uma coisa que preciso lhe dizer — disse ele.

Ela estava sem fôlego, e os cabelos dela estavam desgrenhados.

— O quê?

— Não estou sendo sincero com você — disse ele.

— Como não?

— Não acho que Kruger seja o nosso criminoso.

— *O quê?*

Houve silêncio. Eles estavam a centímetros de distância um do outro, na cama. A mão dela ainda estava na nuca dele, entrelaçada em seus cabelos.

— Ele é quem Leighton procura — disse Reacher. — Não acho que seja quem procuramos. Nunca achei que fosse.

— *O quê?* Você sempre achou que fosse. Essa era a *sua* teoria, Reacher. Por que voltar atrás agora?

— Porque eu não falava a sério, Harper. Estava só pensando alto. Conversa-fiada, basicamente. Estou muito surpreso que até mesmo *exista* um cara assim.

Caçada às Cegas

387

Ela puxou a mão, surpresa.

— Mas essa era a *sua* teoria — repetiu ela.

Ele deu de ombros.

— Só inventei. Não falei nada disso a sério. Só queria uma desculpa plausível para sair do Quantico por um tempo.

Ela arregalou os olhos para ele.

— Você *inventou?* Não falava a *sério?*

Ele deu de ombros de novo.

— Era convincente até certo ponto, acho. Mas não acreditava nisso.

— Então por que diabos dizer?

— Eu lhe disse. Só queria sair de lá. Para ter tempo para pensar. E era um experimento. Queria ver quem ia apoiar e quem ia se opor. Queria saber quem realmente quer ver essa coisa desvendada.

— Não acredito nisso — disse ela. — Por quê?

— Por que não?

— *Todos* queremos que isso seja desvendado — disse ela.

— Poulton se opôs — disse Reacher.

Ela olhou fixo para ele, a trinta centímetros de distância.

— O que *é* isso para você? Um *jogo?* — perguntou ela.

Ele não disse nada. Ela ficou calada um, dois, três minutos.

— Que diabos você está *fazendo?* — perguntou ela. — Há vidas em risco.

Então, houve batidas na porta. Batidas altas e insistentes. Ela se afastou dele. Ele a deixou ir, pôs os pés no chão e ficou de pé. Passou a mão pelos cabelos e andou em direção à porta. Uma nova série de batidas começou. Uma mão pesada, que batia com força.

— Está bem — gritou ele. — Estou indo.

As batidas pararam. Ele abriu a porta. Havia um Chevrolet do Exército estacionado inclinado do lado de fora. Leighton estava parado na sacada, com a mão levantada, o paletó aberto, gotas de chuva nos ombros.

— Kruger é quem procuramos — disse ele.

Ele entrou no quarto, passando por Reacher. Viu Harper abotoando a camisa.

— Com licença — disse ele.
— Está quente aqui dentro — disse ela, desviando o olhar.

Leighton olhou a cama embaixo, como se estivesse surpreso.

— Ele é quem procuramos, com certeza — falou. — Tudo se encaixa como uma luva.

O celular de Harper começou a tocar. Estava perto do balde de gelo, na cômoda, esganiçado como um despertador. Leighton parou por um instante. Fez um gesto como quem diz *eu posso esperar*. Harper subiu na cama e abriu o telefone. Reacher ouviu uma voz miúda, distorcida e distante. Harper a ouviu e Reacher observou a cor se esvair do rosto dela. Observou-a desligar o telefone e baixá-lo como se ele fosse frágil como um cristal.

— Fomos chamados de volta para o Quantico — disse ela. — Ordem para cumprimento imediato. Porque eles conseguiram o registro completo de Caroline Cooke. Você estava certo, ela esteve por toda parte. Mas nunca esteve perto de armas. Jamais. Nem num raio de um milhão de quilômetros delas, nem por um minuto.

— É o que vim aqui lhe dizer — disse Leighton — Kruger é nosso criminoso, mas não é o criminoso de vocês.

Reacher apenas acenou com a cabeça.

26

LEIGHTON ATRAVESSOU O QUARTO E SE SENTOU À mesa, na cadeira da direita. A mesma cadeira que Reacher tinha usado. Ele pôs os cotovelos na mesa e segurou a cabeça com as mãos. O mesmo gesto.

— Para começar, não havia lista — disse. Ele ergueu os olhos para Harper. — Você me pediu para verificar roubos nos lugares em que as mulheres trabalhavam, por isso, precisei de uma lista de mulheres para fazer isso, é claro, assim, tentei encontrar uma lista, mas não consegui, certo? Então fiz algumas ligações, e o que aconteceu foi que quando o seu pessoal veio nos procurar há um mês, tivemos de gerar uma lista do nada. Foi um pé no saco vasculhar todos os registros. Então algum cara teve uma ideia brilhante, arranjou um atalho, chamou uma das próprias mulheres, com algum pretexto falso. Achamos que foi na verdade Alison Lamarr, e *ela* forneceu a lista. Parece que elas tinham montado um grande grupo de apoio entre elas, há alguns anos.

— Scimeca as chamava de suas irmãs — falou Reacher. — Lembra disso? Ela disse *quatro de minhas irmãs estão mortas*.
— A lista era delas mesmas? — perguntou Harper.
— Nós não tínhamos uma lista — repetiu Leighton. — E daí os registros de Kruger começaram a chegar, e as datas e lugares não coincidiam. Nem mesmo chegavam perto.
— Ele poderia tê-los falsificado?
Leighton deu de ombros.
— Ele poderia. Ele era o mestre em falsificar seus inventários, isso com toda a certeza. Mas você ainda não ouviu a maior.
— O quê?
— Como Reacher disse, era preciso alguma explicação para sair das Forças Especiais para o batalhão de suprimento. Assim, eu verifiquei. Ele era um dos maiores no Golfo. Grande estrela, um major. Eles estavam no deserto, atrás das linhas, procurando lançadores de Scud móveis, pequena unidade, rádio ruim. Ninguém mais tinha ideia clara de onde eles estavam. Então eles começaram a disparar fogo de artilharia e a unidade de Kruger foi toda destruída por ele. Fogo amigo. Ferimentos graves. O próprio Kruger ficou gravemente ferido. Mas o Exército era a vida dele, ele queria ficar, então eles lhe deram as promoções até coronel e deixaram-no preso em algum lugar em que seus ferimentos não iam desqualificá-lo, daí o trabalho burocrático em suprimentos. Meu palpite é que vamos descobrir que ele ficou todo amargo e se corrompeu depois, e começou a administrar a rede de extorsão como uma espécie de vingança ou algo assim. Sabe como é, contra o Exército, contra a própria vida.
— Mas qual é a maior? —perguntou Harper.
Leighton fez uma pausa.
— O fogo amigo — contou ele. — O sujeito perdeu as duas pernas.
Silêncio.
— Está numa cadeira de rodas.
— Que merda — falou ela.
— É, que merda. Não tem jeito de ele estar subindo e descendo escadas para algum banheiro. A última vez que ele fez isso foi há dez anos.

Caçada às Cegas 391

Ela olhou fixamente a parede.

— Está bem — disse ela devagar. — Foi uma ideia ruim.

— Infelizmente, foi, senhora. E eles estavam certos quanto a Cooke. Verifiquei sobre ela também, e ela nunca segurou nada mais pesado que uma caneta, em toda a curta carreira dela. Isso era outra coisa que eu ia ter de contar a vocês.

— Está bem — repetiu ela.

Ela examinava a parede.

— Mas obrigado assim mesmo — disse ela. — E agora vamos embora daqui. De volta para o Quantico, enfrentar as consequências.

— Espere — falou Leighton. — Você precisa ouvir a respeito da tinta.

— Mais notícias ruins?

— Notícias estranhas — anunciou Leighton. — Comecei uma pesquisa de relatórios sobre tinta verde camuflagem que estivesse faltando, como você me pediu. A única coisa conclusiva estava escondida num arquivo de acesso fechado. Um roubo de cento e dez latas de três galões.

— É isso — disse Harper. — Trezentos e trinta galões. Onze mulheres, trinta galões para cada.

— A prova estava clara — disse Leighton. — Eles acharam: sargento de suprimentos em Utah.

— Quem era ele?

— Ela — disse Leighton. — Ela era a sargento Lorraine Stanley.

Silêncio total.

— Mas isso é impossível — disse Harper. — Ela foi uma das vítimas.

Leighton fez um gesto negativo com a cabeça.

— Liguei para Utah. Chamei o oficial de investigação. Tirei-o da cama. Ele diz que foi Stanley, não há nenhuma dúvida quanto a isso. Tinha os meios e a oportunidade. Ela tentou cobrir os rastros, mas não foi inteligente o bastante para isso. Era claramente definido. Eles não tomaram medidas em relação a ela porque era politicamente impossível na época. Ela havia acabado de sair da coisa do assédio, não fazia muito tempo. Não havia jeito de eles a importunarem naquele momento. Assim, eles apenas a observaram, até que ela deu baixa. Mas foi ela.

— Uma vítima roubou a tinta? — duvidou Reacher. — E outra forneceu a lista de nomes?

Leighton fez que sim, de um jeito sombrio.

— Foi assim que aconteceu, juro para você. E você sabe que eu não ia tentar enrolar um dos rapazes de Garber.

Reacher apenas assentiu.

Não houve mais conversa. Não se falou mais. O quarto ficou silencioso. Leighton sentou-se à mesa. Harper se vestiu mecanicamente. Reacher pôs seu casaco e encontrou as chaves do Nissan no paletó de Harper. Saiu e ficou na chuva por um longo momento. Então ele destrancou o carro e entrou. Deu partida no motor e aguardou. Harper e Leighton saíram juntos. Ela atravessou até o carro e ele andou de volta para o próprio carro. Ele acenou, apenas um breve movimento de mão. Reacher engrenou o Nissan e saiu devagar do estacionamento.

— Veja o mapa para mim — pediu ele.

— A 295 e depois a estrada de pedágio — respondeu ela.

Ele assentiu.

— Depois disso eu sei. Lamarr me mostrou.

— Por que raios Lorraine Stanley ia roubar a tinta?

— Eu não sei — respondeu ele.

— E você quer me dizer *por quê?* — perguntou ela. — Você sabia que essa coisa do Exército não era nada, mas fez a gente gastar trinta e seis horas nisso. Por quê?

— Já lhe disse — disse ele. — Foi um experimento e eu precisava de tempo para pensar.

— Pensar em quê?

Ele não respondeu. Ficou calado por um momento.

— Que sorte que não fomos até o fim na comemoração — disse ela.

Ele não respondeu a isso também. Não falou mais por todo o caminho. Apenas encontrou as estradas certas e dirigiu na chuva. Tinha perguntas na cabeça e tentava pensar em algumas respostas, mas sem nenhum resultado. A única coisa em sua cabeça era a sensação da língua dela em sua

Caçada às Cegas 393

boca. Era uma sensação diferente da de Jodie. Tinha um gosto diferente. Ele pensou que talvez o gosto de todo mundo fosse diferente.

Ele dirigiu rápido e levou pouco menos que três horas percorrendo todo o caminho dos limites de Trenton até voltar ao Quantico. Ele virou numa estrada sem identificação saindo da 95, dirigiu pelos pontos de verificação do Corpo dos Fuzileiros Navais no escuro e esperou na barreira de veículos. A sentinela do FBI direcionou uma lanterna para as identificações deles e para seus rostos, levantou a cancela listrada e acenou para que passassem. Eles diminuíram a velocidade nos quebra-molas e seguiram vagarosamente pelos estacionamentos vazios, parando em frente às portas de vidro. Tinha parado de chover em Maryland. Virgínia estava seca.

— Pois bem — disse Harper. — Vamos lá receber o esporro do chefe.

Reacher fez que sim. Desligou o motor e as luzes e ficou sentado em silêncio por um tempo. Depois eles se olharam, saíram do carro e foram até as portas. Respiraram fundo, mas a atmosfera dentro do prédio era muito calma, silenciosa. Não havia ninguém. Ninguém esperava por eles. Eles desceram de elevador até o escritório subterrâneo de Blake. Encontraram-no sentado em sua mesa com uma mão descansando no telefone e a outra segurando uma folha curvada de papel de fax. A televisão estava ligada sem som, no canal político, homens vestindo ternos atrás de uma mesa que chamava a atenção. Blake estava ignorando a televisão. Ele estava olhando fixamente um ponto em sua mesa equidistante entre o papel de fax e o telefone, e seu rosto estava totalmente sem expressão. Harper fez um aceno de cabeça para ele, e Reacher não disse nada.

— Chegou um fax da UPS — disse Blake. A voz dele era suave. Amistosa, gentil até. Ele parecia abatido, desorientado, confuso. Parecia derrotado.

— Adivinhem quem mandou a tinta para Alison Lamarr? — perguntou ele.

— Lorraine Stanley — respondeu Reacher.

Blake assentiu.

— Correto. De um endereço numa cidadezinha em Utah, que se revelou um galpão de guarda-volumes. E adivinhem o que mais?

— Foi ela quem enviou tudo.

Blake assentiu novamente.

— A UPS tem onze números de remessa consecutivos mostrando que onze caixas de papelão idênticas saíram para onze endereços distintos, incluindo a própria casa de Stanley em San Diego. E adivinhem o que mais?

— O quê?

— Ela nem mesmo *tinha* uma casa quando colocou a tinta no guarda-volumes. Ela esperou a maior parte do ano até que se instalasse, depois voltou para Utah e despachou tudo. O que acham disso?

— Eu não sei — respondeu Reacher.

— Nem eu — concordou Blake.

Nesse momento, ele pegou o telefone. Ficou olhando para ele e pôs no gancho de novo.

— E Poulton acaba de ligar — disse ele. — De Spokane. Adivinhem o que ele tinha a dizer?

— O quê?

— Ele acabou de entrevistar o motorista da UPS. O sujeito lembra muito bem: lugar isolado, grande caixa pesada, era de se esperar que ele se lembrasse.

— E?

— Alison estava lá quando ele chamou. Ela estava ouvindo o jogo também, com o rádio ligado na cozinha. Ela pediu que ele entrasse, deu café a ele, eles ouviram juntos quando numa rebatida só o jogador conseguiu a pontuação máxima. Um pouco de gritos, um pouco de dança, outro café, aí ele diz que tem uma caixa grande e pesada para ela.

— E?

— E ela diz *ah, que bom*. Ele sai de novo e tira a caixa da plataforma de carga do caminhão num carrinho. Ela abre o espaço para a caixa na garagem, ele traz a caixa para dentro, descarrega, e ela fica toda cheia de sorrisos por isso.

— Como se estivesse esperando?

Blake assentiu.

Caçada às Cegas

— Foi essa a impressão do sujeito. E aí o que é que ela faz?

— O quê?

— Ela retira a embalagem de Documentos Anexos e leva para a cozinha com ela. Ele a segue, para terminar sua caneca de café. Ela puxa a nota de entrega para fora do plástico e a rasga em pedacinhos, jogando-a no lixo junto com o plástico.

— Por quê?

Blake dá de ombros.

— Quem é que sabe? Mas esse sujeito trabalhou na UPS por quatro anos, e de cada dez vezes, em seis as pessoas estavam em casa e nunca viu uma coisa assim antes.

— Ele é confiável?

— Poulton acha que sim. Diz que o sujeito é sério, claro, articulado, pronto para jurar a coisa toda com a mão numa pilha de Bíblias.

— Então, qual é a sua opinião?

Blake fez um gesto negativo com a cabeça.

— Se eu fizesse alguma ideia, você seria o primeiro a saber.

Silêncio na sala.

— Peço desculpas — disse Reacher. — Minha teoria não nos levou a lugar nenhum.

Blake fez uma careta.

— Não pense assim. Era nossa escolha. Valia a pena tentar. Não teríamos deixado você ir de outro jeito.

— Lamarr está por aqui?

— Por quê?

— Eu devia pedir desculpas a ela também.

Blake fez um gesto negativo com a cabeça.

— Ela está em casa. Ela não voltou. Diz que está um caco, e tem razão. Não dá para culpá-la.

Reacher assentiu.

— Muito estresse. Ela devia fugir de tudo isso.

Blake deu de ombros.

— Para onde? Ela se recusa a entrar na droga de um avião. E não quero que ela dirija para lugar nenhum. Não no estado em que se encontra.

Foi então que seus olhos ganharam uma expressão dura. Ele pareceu voltar a Terra.

— Vou procurar outro consultor — disse ele. — Quando encontrar um, você vai embora. Não está chegando a lugar nenhum. Vai ter que se arriscar com o pessoal de Nova York.

Reacher assentiu.

— Está bem.

Blake desviou o olhar, e Harper pegou a deixa e o levou para fora da sala. No elevador, subindo para o térreo, subindo até o terceiro andar, eles andaram juntos até a porta familiar.

— Por que ela estava esperando? — perguntou Harper. — Por que Alison estava esperando a caixa de tinta, quando todas as outras não estavam?

Ele deu de ombros.

— Não sei.

Harper abriu a porta.

— Está bem, boa noite — disse ela.

— Você está com raiva de mim?

— Você desperdiçou trinta e seis horas.

— Não, eu investi trinta e seis horas.

— Em quê?

— Não sei ainda.

Ela deu de ombros.

— Você é um sujeito estranho.

Ele assentiu.

— É o que dizem.

Então ele a beijou de um jeito casto na bochecha, antes que ela pudesse se afastar. Ele entrou em seu quarto. Ela aguardou até que a porta se fechasse antes de caminhar de volta ao elevador.

• • •

Caçada às Cegas   397

Os lençóis e as toalhas tinham sido trocados. Havia sabonete e xampu novos. Um novo barbeador e uma lata nova de espuma. Ele virou um copo e pôs sua escova de dente dentro dele. Ele andou até a cama e deitou-se, completamente vestido, ainda com o casaco. Olhou fixamente o teto. Depois se virou sobre um dos braços e pegou o telefone. Discou o número de Jodie. Ele tocou quatro vezes, e ele ouviu a voz dela, vagarosa e sonolenta.

— Quem é? — perguntou ela.

— Sou eu — respondeu ele.

— São três da manhã.

— Quase três.

— Você me acordou.

— Desculpe.

— Onde você está?

— Trancado no Quantico.

Ela fez uma pausa e ele ouviu o murmúrio da linha e os sons noturnos distantes de Nova York. Buzinas isoladas indistintas, o apito de uma sirene à distância.

— Como vão as coisas? — perguntou ela.

— Não vão — respondeu ele. — Eles vão me substituir. Estarei em casa em breve.

— Em casa?

— Nova York — respondeu ele.

Ela ficou calada. Ele ouviu uma sirene urgente em baixo volume, *provavelmente bem ali, na Broadway*, pensou ele. Debaixo da janela dela. Um som solitário.

— A casa não vai mudar nada — disse ele. — Eu lhe disse isso.

— A reunião da sociedade é amanhã — disse ela.

— Então, vamos comemorar — sugeriu ele. — Quando eu voltar. Contanto que eu não seja preso. Ainda não estou à solta com Deerfield e Cozo.

— Achei que eles fossem esquecer isso.

— Se eu tivesse êxito — disse ele. — E não tive.

Ela fez nova pausa.

— Você não devia ter se envolvido, para começar.
— Sei disso.
— Mas amo você — disse ela.
— Eu também — disse ele. — Boa sorte amanhã.
— Pra você também.

Ele desligou, deitou-se e retomou sua análise do teto. Tentou vê-la lá, mas tudo que viu em seu lugar foi Lisa Harper e Rita Scimeca, que eram as duas últimas mulheres que ele tinha desejado levar para a cama, mas não pôde, por força das circunstâncias. Com Scimeca, teria sido totalmente inapropriado. Com Harper, teria sido uma infidelidade. Motivos perfeitamente razoáveis, mas motivos para não se fazer uma coisa não matam o impulso inicial. Ele pensou no corpo de Harper, o modo como ela andava, o sorriso sem malícia, seu olhar atraente e sincero. Ele pensou no rosto de Scimeca, as feridas invisíveis, a mágoa em seus olhos. Sua vida reconstruída lá no Oregon, as flores, o piano, o brilho de sua cera de mobília, a domesticidade defensiva e retraída. Ele fechou os olhos e os abriu, olhando fixamente a tinta branca acima de si. Rolou sobre o braço de novo e pegou o telefone. Discou zero, esperando cair numa mesa telefônica.

— Pois não — disse a voz que ele nunca tinha ouvido antes.
— Aqui quem fala é Reacher — disse ele. — No terceiro andar.
— Sei quem é você e onde está.
— Lisa Harper ainda está no prédio?
— A agente Harper? — perguntou a voz. — Aguarde, por favor.

A linha ficou silenciosa. Nenhuma música. Nenhum anúncio gravado. Nada de *sua ligação é muito importante para nós*. Simplesmente nada. Depois a voz retornou.

— A agente Harper ainda está — disse a voz.
— Diga a ela que quero vê-la — falou Reacher. — Imediatamente.
— Vou passar essa mensagem — respondeu a voz.

Depois a linha ficou muda. Reacher pôs os pés no chão e se sentou na beirada da cama, de frente para a porta, aguardando.

Três da manhã em Virgínia era meia-noite na costa do Pacífico, e meia-noite era a hora habitual em que Rita Scimeca se recolhia. Ela seguia

Caçada às Cegas

a mesma rotina todas as noites, em parte porque ela era uma pessoa naturalmente organizada, em parte porque esse aspecto da natureza dela tinha sido rigorosamente reforçado por seu treinamento militar e, de qualquer forma, quando você sempre morou sozinho e sempre vai morar, quantas maneiras *existem* de ir para a cama?

Ela começava na garagem. Desligava a energia do portão automático, corria os ferrolhos no lugar, verificava se o carro estava trancado, desligava a luz. Trancava e corria o ferrolho na porta que dava para o porão, verificava a calefação. Subia as escadas, desligava a luz do porão, trancava a porta do corredor. Verificava se a porta da frente estava fechada, corria os ferrolhos, colocava a corrente.

Em seguida, ela verificava as janelas. Havia catorze janelas na casa e todas tinham trancas. Era o final do outono e estava frio, elas estavam todas fechadas e trancadas, de qualquer maneira, mas, ainda assim, ela verificava cada uma delas. Era a rotina dela. Depois ela retornava ao salão da frente com um pano para o piano. Ela tocara durante quatro horas, Bach na maior parte, na maior parte à meia velocidade, mas estava chegando lá. Agora ela precisava limpar as teclas. Era importante remover o suor que saía da pele dos dedos. Ela sabia que as teclas eram de algum tipo de plástico sofisticado e eram, provavelmente, impenetráveis, mas fazia parte da sua devoção. Se ela tratasse o piano direito, ele a recompensaria.

Ela limpou o teclado com vigor, com estrondo na extremidade grave, tilintando por todo o caminho até o final das 88 teclas. Ela fechou a tampa do piano, desligou a luz e pôs o pano de volta na cozinha. Desligou a luz da cozinha e subiu tateando no escuro até o quarto. Usou o banheiro, lavou as mãos, escovou os dentes, lavou o rosto, tudo em sua ordem estritamente usual. Ela ficou virada, inclinada na pia, de modo que não precisasse olhar a banheira. Ela não tinha olhado para a banheira desde que Reacher lhe contara sobre a tinta.

Depois, ela andou até o quarto e deslizou para debaixo das cobertas. Puxou os joelhos para cima e os abraçou. Ela estava pensando em Reacher. Ela gostava dele. Realmente gostava. Tinha sido bom revê-lo. Mas depois ela rolou para o outro lado e tirou-o da cabeça, pois esperava não vê-lo nunca mais.

Ele aguardou vinte minutos antes que a porta se abrisse e Harper voltasse. Ela não bateu, simplesmente usou sua chave e entrou direto. Ela estava de camisa social, com as mangas enroladas até os cotovelos. Os antebraços eram magros e bronzeados. Seus cabelos estavam soltos. Ela não estava usando sutiã. Talvez ele ainda estivesse no quarto de hotel em Trenton.

— Você queria me ver? — perguntou ela.

— Você ainda está no caso? — perguntou ele.

Ela entrou no quarto e se olhou no espelho. Ficou ao lado da cômoda e se virou para encará-lo.

— Claro — respondeu ela. — É a vantagem de ser uma agente comum, você não fica com a culpa pelas ideias malucas dos outros.

Ele ficou calado. Ela olhou para ele.

— O que você queria? — perguntou ela.

— Queria lhe fazer uma pergunta — disse ele. — O que teria acontecido se soubéssemos sobre a entrega da tinta e tivéssemos perguntado a Alison Lamarr sobre ela em vez de ao cara da UPS? O que ela teria dito?

— O mesmo que ele disse, provavelmente. Poulton nos disse que o cara é confiável.

— Não — disse Reacher. — Ele é confiável, mas ela teria mentido para nós.

— Teria? Por quê?

— Porque todas elas estão mentindo para nós, Harper. Falamos com sete mulheres, e todas elas mentiram para nós. Histórias vagas sobre colegas de quarto e enganos? Tudo conversa-fiada. Se tivéssemos chegado a Alison antes, ela nos teria contado o mesmo tipo de história.

— Como você sabe?

— Porque Rita Scimeca estava mentindo para a gente. Isso com toda a certeza. Acabo de descobrir isso. Ela não tinha colega de quarto nenhuma. Nunca. Simplesmente não se encaixa.

— Por que não?

Caçada às Cegas   **401**

— Está tudo errado nisso. Você viu o lugar. Você viu como ela vive. Toda abotoada e puritana? Tudo estava tão organizado, limpo e polido. Obcecada. Vivendo assim, ela não poderia ter suportado nenhuma outra pessoa na casa dela. Ela chegou a nos mandar embora bem rapidinho, e eu era amigo dela. E ela não precisava de um colega de quarto pelo dinheiro. Você viu o carro dela, um sedã grande, novo. E aquele piano. Você sabe quanto custa um piano de cauda? Mais que o carro, provavelmente. E viu as ferramentas no painel perfurado? Os grampos eram todos presos com presilhas de plástico.

— Você está baseando isso em presilhas no painel perfurado dela?

— Em tudo. São todos indicativos.

— Então o que você está dizendo?

— Estou dizendo que ela estava esperando a entrega, do mesmo jeito que Alison. Do mesmo jeito que todas elas. As caixas vieram, todas elas disseram *ah, que bom*, do mesmo jeito que Alison, todas elas fizeram espaço, todas armazenaram suas caixas.

— Não é possível. Por que iam fazer isso?

— Porque o sujeito tem algum tipo de controle sobre elas — disse Reacher. — Ele está forçando que elas participem. Ele forçou Alison a lhe dar sua própria lista de nomes, ele forçou Lorraine Stanley a roubar a tinta, ele forçou que ela se escondesse em Utah, ele a forçou a enviar no momento certo, forçou cada uma delas a aceitar a entrega e depois armazená-la até que ele estivesse pronto. Ele forçou cada uma delas a destruir as notas de entrega imediatamente e fez que cada uma delas estivesse pronta para mentir a respeito depois, se algo fosse desvendado antes que ele chegasse a elas.

Harper olhou para ele.

— Mas como? Como raios ele ia *fazer* tudo isso?

— Eu não sei — respondeu Reacher.

— Chantagem? — perguntou ela. — Ameaças? Medo? Será que ele está dizendo "colabore e as outras morrem, mas você vive"? Como se estivesse enganando todas elas separadamente?

— Simplesmente não sei. Nada se encaixa. Eles não são um grupo especialmente medroso, são? Certamente Alison não parecia ser. E *sei* que Rita Scimeca não tem medo de muita coisa.

Ela ainda estava olhando para ele.

— Mas não é apenas participação, é? — disse ela. — É mais que isso. Ele está forçando que façam isso com *satisfação*. Alison disse *Ah, que bom* quando a caixa dela chegou.

Silêncio no quarto.

— Será que ela estava *aliviada* ou algo assim? — perguntou ela. — Será que ele prometeu a ela, se você receber sua caixa pela UPS em vez de por FedEx ou à tarde em vez de pela manhã ou em algum dia específico da semana, isso significa que você com certeza vai ficar bem?

— Eu não sei — repetiu ele.

Silêncio.

— Então o que você quer que eu faça? — perguntou Harper.

Ele deu de ombros.

— Apenas continue pensando, acho. Você é a única que pode fazer alguma coisa a respeito agora. Os outros não vão chegar a lugar nenhum, não se continuarem na direção que estão indo.

— Você precisa contar ao Blake.

Ele fez um gesto negativo com a cabeça.

— Blake não vai me ouvir. Já esgotei minha credibilidade com ele. A decisão agora é sua.

— Talvez você tenha esgotado sua credibilidade comigo também.

Ela se sentou na cama ao lado dele, como se tivesse ficasse trôpega de repente. Ele estava olhando para ela, com algo nos olhos.

— Que foi? — perguntou ela.

— A câmera está ligada?

Ela fez um gesto negativo com a cabeça.

— Eles desistiram disso. Por quê?

— Por que quero te beijar de novo.

— Por quê?

— Porque gostei antes.

Caçada às Cegas 403

— Por que eu deveria beijar *você* de novo?

— Porque antes você também gostou.

Ela corou.

— Só um beijo?

Ele assentiu.

— Bem, está bem, acho — disse ela.

Ela se virou para ele, ele a pegou em seus braços e a beijou. Ela mexia a cabeça como tinha mexido antes. Pressionou com mais força e pôs a língua contra os lábios e os dentes dele, dentro da boca dele. Ele moveu a mão para a cintura dela. Ela entrelaçou os dedos nos cabelos de Reacher e beijou com mais ímpeto. A língua dela era ávida. Então ela pôs a mão no peito dele e se afastou, respirando com força.

— A gente devia parar agora — concordou ela.

— Acho que sim — disse ele.

Ela se levantou, trôpega. Inclinou-se para frente e para trás, jogando os cabelos para trás dos ombros.

— Vou embora — disse ela. — Vejo você amanhã.

Ela abriu a porta e saiu. Ele a ouviu aguardar no corredor até que a porta se fechasse novamente. Depois, ouviu-a caminhar para o elevador. Ele se deitou na cama. Não dormiu. Apenas pensou em obediência e aquiescência. E meios e motivos e oportunidades. E verdades e mentiras. Ele passou cinco horas inteiras pensando sobre todas essas coisas.

Ela voltou às oito da manhã. Ela estava de banho tomado, corada e vestia um terno e gravata diferentes. Ela parecia cheia de energia. Ele estava cansado, amarrotado e suado, e com frio e calor ao mesmo tempo. Mas ele estava de pé na entrada da porta com seu casaco abotoado, esperando por ela, com o coração batendo insistentemente.

— Vamos — disse ele. — Agora mesmo.

Blake estava em seu escritório, à mesa, do mesmo jeito que antes. Talvez ele tivesse passado a noite inteira ali. O fax da UPS ainda estava em seu cotovelo. A televisão ainda estava ligada sem som. No mesmo canal. Algum repórter de Washington estava parado na Pennsylvania Avenue, com a Casa Branca atrás do ombro. O tempo parecia bom. Céu azul-claro, ar frio límpido. Seria um dia bom para viajar.

— Hoje vocês trabalham nos arquivos de novo — disse Blake.

— Não, preciso ir a Portland — falou Reacher. — Pode me emprestar o avião?

— O avião? — repetiu Blake. — Que deu em você, está maluco? Nem em um milhão de anos.

— Está bem — disse Reacher.

Ele andou até a porta. Deu uma última olhada na sala e saiu para o corredor. Ficou parado sem fazer barulho no centro do espaço estreito. Harper se aproximou dele.

— Por que Portland? — perguntou ela.

Ele olhou para ela.

— Verdades e mentiras.

— O que isso significa?

— Venha comigo e descubra.

27

— QUE DIABOS ESTÁ ACONTECENDO? — perguntou ela.

Ele fez um gesto negativo com a cabeça.

— Não posso dizer em voz alta — disse ele. — Você ia pensar que estou completamente louco. Você simplesmente iria embora, sem querer saber de mais nada.

— O que é? Me conta.

— Não, não posso. Nesse momento é apenas um castelo de cartas. Você o derrubaria. Qualquer pessoa o faria. Assim, você precisa ver por si mesma. Caramba, *eu mesmo* só acredito vendo. Mas quero você lá para fazer a prisão.

— Que prisão? Me diz logo.

Ele balançou de novo a cabeça.

— Onde está o seu carro?
— No estacionamento.
— Então vamos.

O toque da alvora tinha sido seis da manhã todos os dias da carreira militar de Rita Scimeca, e ela manteve o hábito em sua vida civil. Ela dormia seis das 24 horas do dia, de meia-noite até seis da manhã, um quarto da vida. Ai, então, ela se levantava para encarar os outros três quartos.

Uma procissão interminável de dias vazios. No final do outono, não havia nada a ser feito no jardim. As temperaturas do inverno eram muito rigorosas para qualquer vegetação. Assim, plantar ficou restrito à primavera, e a poda e a limpeza estavam terminadas no final do verão. No final do outono e do inverno, as portas ficavam fechadas, e ela ficava do lado de dentro.

Hoje, a programação dela era trabalhar em Bach. Ela estava tentando aperfeiçoar as *Invenções a Três Vozes*. Ela as adorava. Ela adora a maneira como avançavam, sempre em frente, inescapavelmente lógicas, até terminarem bem onde tinham começado. Como os desenhos de escadas de Maurits Escher, que subiam e subiam até o início da escada. Maravilhosas Mas elas eram peças difíceis demais de tocar. Ela as tocava muito devagar. A ideia dela era conseguir acertar as notas, depois, a articulação dos dedos, depois, o sentido e, por último, a velocidade. Nada pior do que tocar Bach rápido e mal.

Ela tomou uma ducha e se vestiu no quarto. Ela fez isso rápido, porque mantinha a casa fria. O outono no noroeste era uma estação fria. Mas hoje havia um brilho no céu. Ela olhou pela janela e viu os raios da manhã avançando do leste para o oeste como varas de aço polido. Seria um dia nublado, imaginou ela, mas com um mínimo de sol visível. Seria como muitos dos dias dela. Nem bom, nem ruim. Mas que valeria a pena viver.

Harper fez uma pausa por um instante no corredor subterrâneo e depois levou Reacher até o elevador em direção à luz do dia. Foram para o lado de fora, no ar frio, e atravessaram o projeto paisagístico até o carro dela.

Caçada às Cegas

Era um minúsculo carro de dois lugares. Ele percebeu que já o tinha visto antes. Ela abriu a porta e ele abaixou a cabeça e se ajeitou no banco do carona. Ela olhou severa para ele, deixou sua bolsa no colo dele e sentou-se no banco do motorista. O espaço entre os assentos era pequeno. Era um câmbio mecânico, e o cotovelo dela acertou o dele quando ela engatou a marcha.

— E então, como chegamos lá?

— Vamos precisar ir num voo comercial — disse ele. — Dirija para o Aeroporto Nacional, acho. Você tem cartões de crédito?

Ela estava balançando a cabeça.

— Todos eles já estouraram o limite — respondeu ela. — Eles vão ser recusados.

— Todos eles?

Ela fez que sim

— Estou sem grana no momento.

Ele não disse nada.

— E você? — perguntou ela.

— Eu sempre estou sem grana — disse ele

A quinta das invenções em três vozes de Bach era chamada BWV 791 pelos estudiosos e era uma das mais difíceis do cânon, mas era a peça favorita de Rita Scimeca. Ela dependia inteiramente do tom, que vinha da mente, descia pelos ombros e os braços, as mãos e os dedos. O tom tinha de ser extravagante, mas seguro. A peça inteira era uma composição feita de absurdo, e o tom tinha de reconhecer isso, mas, ao mesmo tempo, tinha de soar absolutamente sério para que o efeito se desenvolvesse do modo adequado. Precisava soar requintado, mas insano. Silenciosamente, ela tinha certeza de que Bach era louco.

O piano dela ajudou. O som era alto o bastante, mas delicado. Ela interpretou a peça do início ao fim duas vezes, à meia velocidade, e ficou razoavelmente satisfeita com o que ouviu. Decidiu tocar por três horas, depois parar, almoçar e passar a fazer o trabalho doméstico. Ela não tinha certeza sobre a tarde. Talvez ela fosse tocar um pouco mais.

Você assume o seu posto cedo. Cedo o bastante para já ter preparado sua acomodação antes da troca de turno das oito horas. Você a observa acontecer. É a mesma história de ontem. O funcionário do FBI ainda está acordado, mas não está mais muito atento. A chegada do frio Crown Vic. A troca de gentilezas de ambos os lados. O Buick dá a partida, o Crown Vic vira na estrada, o Buick desce a colina, o Crown Vic avança lentamente e se põe em seu lugar. O motor é desligado, e a cabeça do sujeito se vira. Ele afunda no banco e seu último turno como policial começa. Depois de hoje, eles não vão confiar nele nem para orientar o tráfego em torno do Círculo Polar Ártico.

— Então como chegamos lá? — perguntou Harper novamente.
Reacher fez uma pausa.
— Assim — disse ele.
Ele abriu a bolsa dela, tirou o telefone e o abriu. Fechou os olhos e tentou se lembrar de estar sentado na cozinha de Jodie, discando o número. Tentou se lembrar da sequência de dígitos preciosa. Ele os inseriu devagar. Com esperança. Pressionou a tecla verde. Ouviu o toque por um longo momento. Então alguém atende a chamada. Uma voz grave, ligeiramente sem fôlego.
— Coronel John Trent — a voz disse.
— Trent, aqui é Reacher. Você ainda me ama?
— O quê?
— Preciso de uma carona, para duas pessoas. De Andrews até Portland, Oregon.
— Tipo quando?
— Tipo agora, imediatamente.
— Você está de brincadeira, não é?
— Não, estamos indo para Andrews. A meia hora de distância.
Silêncio por um instante.
— Andrews para Portland, Oregon, não é? — perguntou Trent.
— Isso.

Caçada às Cegas 409

— Em quanto tempo você precisa chegar lá?

— O mais rápido possível.

Silêncio novamente.

— Está bem — concordou Trent.

Então a linha ficou muda. Reacher fechou o telefone.

— Então, ele vai nos ajudar? — perguntou Harper.

Reacher assentiu.

— Ele me deve favores. Então vamos.

Ela engatou a embreagem e dirigiu para fora do estacionamento, até a estrada de acesso. O pequeno carro andou aos solavancos pelos quebra-molas. Ela passou pelo guarda do FBI, acelerou na curva e passou a toda pelo primeiro ponto de verificação do Corpo de Fuzileiros Navais. Reacher viu as cabeças se virando com o canto dos olhos, rostos assustados debaixo dos capacetes verdes.

— E aí, o que é? — perguntou ela.

— Verdades e mentiras — respondeu ele. — E meios, motivo, oportunidade. A santíssima trindade do cumprimento da lei. Três em três é pra valer, não é?

— Não consigo nem um em três — disse ela. — Qual é a chave do crime?

Eles passaram pelo segundo ponto de verificação do Corpo dos Fuzileiros Navais, viajando rápido. Mais cabeças com capacete giraram observando-os passar.

— Várias coisas — disse ele. — Sabemos tudo o que precisamos. Parte disso, sabemos há dias. Mas estragamos tudo em todo lugar, Harper. Grandes erros e suposições equivocadas.

Ela fez uma curva sem visibilidade para a esquerda, em direção ao norte rumo à estrada interestadual 95. O trânsito estava pesado. Eles estavam na repercussão mais distante da hora do *rush* matinal de Washington, D.C. Ela mudou de pista, foi fechada pelos carros à frente e freou bruscamente.

— Merda — disse ele.

— Não se preocupe — disse ela. — Scimeca está protegida lá. Todas elas estão.

— Não o bastante. Não até a gente chegar lá. Esse indivíduo é muito frio.

Ela concordou com a cabeça, costurou para a esquerda e para a direita, procurando a pista mais rápida. Todas estavam lentas. A velocidade dela caiu de sessenta para cinquenta quilômetros por hora. Depois, mais ainda, para 35.

Você usa seu binóculo e observa a primeira pausa dele para ir ao banheiro. Ele está no carro faz uma hora, bebendo com pressa o café que trouxe consigo. Agora ele precisa se aliviar. A porta do motorista se abre, ele gira em seu assento, coloca o pé grande no chão e salta do carro. Ele está duro de tanto ficar sentado. Ele se estica, firmando-se com a mão no teto do carro. Ele fecha a porta e dá a volta no capô entrando no acesso de veículos. Subindo o caminho. Você o vê subir os degraus da varanda. Vê a mão dele se mover até a campainha. Você o vê dar um passo atrás e aguardar.

Você não a vê à porta. O ângulo não permite. Mas ele mexe a cabeça, sorri para algo e entra. Você mantém o binóculo focado e três ou quatro minutos depois ele está de volta na varanda, afastando-se, olhando para trás por sobre o ombro, falando. Depois ele se vira e volta pelo caminho. Desce o acesso de veículos, dá a volta no capô e entra de novo no carro. A suspensão baixa em seu lado e a porta se fecha. Ele afunda no assento. A cabeça dele se vira. Ele vigia.

Ela virou o pequeno carro para a direita e o pôs no acostamento. Aumentou a velocidade para cinquenta, cinquenta e cinco quilômetros por hora e ultrapassou o tráfego parado no lado de dentro da pista. O acostamento era áspero, cheio de cascalho e detritos. À esquerda, os pneus dos caminhões parados eram mais altos que o carro.

— Que erros? — perguntou ela. — Que suposições equivocadas?

— Muito irônicas nas circunstâncias — respondeu ele. — Mas nem tudo é nossa culpa. Acho que engolimos algumas grandes mentiras também.

— Que mentiras?

Caçada às Cegas 411

— Mentiras bem boladas, de tirar o fôlego — respondeu ele. — Tão grandes e tão óbvias que ninguém sequer as percebeu.

Ela respirou fundo e tentou relaxar novamente depois que o policial voltou para fora. Ele estava entrando e saindo, entrando e saindo, o dia todo. Acabava com a concentração dela. Para tocar essa coisa direito, você precisa estar numa espécie de transe. E a droga do policial idiota vivia interrompendo.

Ela se sentou e tocou até o fim novamente, doze, quinze, vinte vezes, do primeiro ao último compasso. Ela estava perfeita nas notas, mas isso não era nada. O sentido estava ali? Havia emoção no som? Reflexão? Considerando tudo, na opinião dela, havia. Ela tocou de novo, mais uma vez, depois, duas vezes. Ela sorriu para si mesma. Viu o próprio rosto refletido no preto brilhoso da tampa do teclado e sorriu de novo. Ela estava fazendo progresso. Agora tudo que precisava era aumentar a velocidade. Mas não demais. Ela preferia Bach sendo tocado devagar. Muita velocidade o tornava trivial. Embora fosse *mesmo* fundamentalmente música trivial. Mas isso tudo era parte do jogo mental de Bach, pensou ela. Ele escrevia música trivial que simplesmente implorava para ser tocada com grande cerimônia.

Ela se levantou e se alongou. Fechou a tampa do teclado e saiu do corredor. O almoço era o problema seguinte. Ela precisava se forçar a comer. Talvez todo mundo que morasse sozinho tivesse o mesmo problema. A hora do almoço sem companhia não era muito divertida.

Havia pegadas no corredor. Grandes pegadas enlameadas. O maldito policial, estragando tudo. Estragando a concentração musical dela, estragando o brilho do seu piso. Ela olhou para a sujeira, e, enquanto estava olhando, a campainha tocou. O idiota estava lá *de novo*. Qual era a droga do problema dele? Não tinha controle da bexiga? Ela parou em volta das pegadas e abriu a porta.

— Não — disse ela.

— O quê?

— Não, você não pode usar o banheiro. Estou até aqui com isso.

— Senhora, eu preciso — disse ele. — Esse foi o acordo.

— Bem, o acordo mudou — respondeu ela. — Não quero você entrando mais aqui. Isso é ridículo. Você está me deixando maluca.

— Preciso ficar aqui.

— Isso é ridículo — repetiu ela. — Não preciso de sua proteção. Apenas vá embora, por favor.

Ela fechou a porta, com firmeza, trancou-a e andou até a cozinha, respirando fundo.

Ele não entra. Você observa com muito cuidado. Ele simplesmente fica ali na varanda, surpreso a princípio. Depois um pouco insatisfeito. Você consegue perceber na linguagem corporal dele. Ele diz três coisas, inclinado ligeiramente para trás em autodefesa, e depois a porta deve ter se fechado na cara dele porque ele recua de repente. Ele parece magoado. Fica parado, olhando fixamente, depois se vira e volta pelo caminho, vinte segundos depois de ter subido. Qual a razão disso?

Ele dá a volta no capô do carro e abre a porta. Não entra completamente. Ele se senta de lado com os pés ainda na estrada. Inclina-se e pega o rádio. Segura o aparelho em suas mãos por trinta segundos, olha para ele, pensando. Depois ele o recoloca onde estava. É claro que ele não vai fazer a chamada. Ele não vai contar a seu sargento, senhor, ela não quer mais me deixar fazer xixi. *Então o que ele vai fazer? Será que isso vai mudar alguma coisa?*

Eles chegaram a Andrews dirigindo a maior parte do caminho pelo acostamento e forçando entrada e saída da pista quando necessário. A própria base era um oásis de tranquilidade. Nada de mais estava acontecendo. Havia um helicóptero no céu, mas estava distante demais para se ouvir o ruído. Trent tinha deixado o nome de Reacher no portão. Isso era claro, porque o guarda estava esperando por eles. Ele ergueu a barreira e disse-lhes para estacionar no escritório de transporte do Corpo de Fuzileiros Navais e procurar lá dentro.

Harper pôs o carro amarelo enfileirado com quatro Chevrolets verde-oliva sem graça e desligou o motor. Juntou-se a Reacher no asfalto

Caçada às Cegas 413

e seguiu-o até a porta da sala. Um cabo ficou olhando para ela e os passou a um capitão. O capitão ficou olhando para ela e contou que a rota de um voo teste de um Boeing cargueiro tinha sido refeita para Portland em vez de San Diego. Disse que eles podiam pegar carona nele e que eles seriam os únicos passageiros. E aí disse que a decolagem estava programada para dali a três horas.

— Três horas? — repetiu Reacher.

— Portland é um aeroporto civil — disse o capitão. — É um problema de planejamento de voo.

Reacher ficou calado. O homem apenas deu de ombros.

— Foi o melhor que o coronel pôde fazer — disse ele.

28

O CAPITÃO MOSTROU-LHES UMA SALA DE ESPERA no segundo andar. Era um espaço utilitário, iluminado por lâmpadas fluorescentes, linóleo no piso, cadeiras plásticas desorganizadamente empilhadas em volta das mesas baixas. Velhas marcas de café nos tampos, uma lata de lixo no canto cheia de copos descartados.

— Não é muito — disse o capitão. — Mas é tudo que temos. Todo o tipo de oficiais do alto escalão espera aqui.

Reacher pensou *eles esperam três horas?* Mas não disse nada. Apenas agradeceu ao homem e ficou parado à janela, olhando as pistas do lado de fora. Não estava acontecendo muita coisa por ali. Harper se juntou a ele por um instante, depois voltou e se sentou numa cadeira.

— Converse comigo — disse ela. — O que é?

— Comece com o motivo — respondeu ele. — Quem tem algum motivo?

Caçada às Cegas   415

— Eu não sei.

— Volte a Amy Callan. Imagine que ela é a única vítima. Quem você estaria investigando em busca de um motivo?

— O marido dela.

— Por que o marido dela?

— Quando uma mulher casada é morta, você sempre investiga o marido — disse ela. — Porque muitas vezes são motivos pessoais. E o laço mais próximo de uma mulher casada é com o marido.

— E *como* você ia investigar?

— Como? Do mesmo jeito de sempre. Íamos apertá-lo, verificar seu álibi, continuar até que algo se revelasse.

— E não ia demorar, não é?

— Mais cedo ou mais tarde, ele ia fraquejar.

Reacher concordou com a cabeça.

— Está bem, então, imagine que seja o marido de Amy Callan. Como ele evita ser pressionado assim?

— Ele não pode evitar.

— Pode, sim. Ele pode evitar saindo e encontrando um bando de mulheres com algum tipo de similaridade com a esposa e matando-as também. Fazendo isso de algum jeito bizarro que ele sabe que vai fazer todo mundo apostar em ideias mirabolantes. Em outras palavras, ele pode esconder seu alvo escolhido atrás de um monte de besteiras. Ele pode tirar o holofote de si enterrando o laço pessoal numa multidão. Qual é o melhor lugar para esconder um grão de areia?

Ela fez um aceno de cabeça.

— Na praia.

— Exato — disse ele.

— Então é o marido de Callan?

— Não, não é — disse ele. — Porém?

— Porém só precisamos de um motivo contra uma das mulheres — disse ela. — Não todas elas juntas. Todas, exceto uma, são apenas chamarizes. Areia na praia.

— Camuflagem — concluiu ele. — Ruído de fundo.

— Então qual delas? Qual delas é o verdadeiro alvo?
Reacher não disse nada. Afastou-se da janela e se sentou para esperar.

Você espera. Está frio no alto da colina. Frio e desconfortável. O vento que sopra do oeste é úmido. Mas você apenas espera. Vigilância é importante. Certeza é tudo. Você sabe que se mantiver a concentração, pode fazer qualquer coisa. Qualquer coisa mesmo. Então você espera.

Você observa o policial no carro e se diverte pensando na situação dele. Ele está a algumas dezenas de metros de distância, mas está num mundo diferente. Você pode sair de sua rocha e tem centenas de milhares de hectares de montanha para usar como banheiro. Ele está lá embaixo na civilização. Ruas, calçadas, jardins de moradores. Ele não pode usá-los. Ele seria preso. Ele teria de prender a si mesmo. E o motor não está ligado. Então o carro deve estar frio. Isso torna as coisas melhores ou piores?

Você o observa e espera.

O capitão voltou um pouco antes das três horas terminarem. Ele os conduziu descendo e saindo pela mesma porta que eles usaram para entrar. Uma viatura de serviço estava à espera.

— Tenham um bom voo — disse ele.

O carro os levou um quilômetro e meio em volta da pista do perímetro e depois atravessou até um Boeing de transporte de passageiros no pátio. Os caminhões-tanque estavam sendo desconectados e a equipe de solo se aglomerava. O avião era branquíssimo e novo em folha.

— A gente não os pinta até que saibamos se eles funcionam bem — falou o motorista do caminhão.

Havia uma escada sobre rodas na porta da cabine. A tripulação, de uniforme, se aglomerava sobre ela, com pastas abarrotadas e pranchetas cheias de papéis.

— Bem-vindos a bordo — falou o copiloto. — Vocês devem conseguir um assento vazio.

Havia duzentos e sessenta para escolher. Era um avião de passageiros normal. Sem televisão, sem revistas de bordo, sem botões para chamar

Caçada às Cegas

a aeromoça. Sem lençóis, sem travesseiros, sem fones de ouvido. Os assentos eram todos da mesma cor: cáqui. O tecido era liso e cheirava a novo. Reacher tomou três assentos para si e se sentou de lado, escorado contra a janela.

— Viajamos muito de avião, nos últimos dias — observou ele.

Harper se sentou atrás dele. Afivelou o cinto.

— Isso com toda certeza.

— Ouçam com atenção, pessoal — chamou o copiloto no corredor. — Este é um voo militar, não civil, então vocês têm o anúncio militar antes do voo, está bem? Que é: não se preocupem, porque a gente não vai cair. E se cairmos, vocês vão virar carne moída e cinzas de qualquer maneira, então para que se preocupar?

Reacher sorriu. Harper ignorou o sujeito.

— Então qual delas é o verdadeiro alvo? — perguntou ela novamente.

— Você consegue descobrir — respondeu Reacher.

O avião se moveu para trás e virou, encaminhando-se para a pista. Um minuto mais tarde estava no ar, suave, silencioso e imponente. Depois, estava sobre a extensão de Washington, D.C., subindo impetuosamente. Em seguida, estava alto nas nuvens, estabilizando-se para um voo de cruzeiro rumo ao oeste.

O sujeito ainda está se segurando. Ele não se moveu do carro, e o carro ficou bem ali, em frente à casa dela. Você observou o parceiro trazer o saco com o almoço. Havia um copo de café de 600 ml com ele. O pobre coitado vai ficar bem infeliz muito em breve. Mas isso não afeta o seu plano. Como poderia? São duas da tarde, é hora da ligação.

Você abre o celular roubado. Disca o número dela. Pressiona o pequeno ícone verde. Ouve a conexão se estabelecer. Ouve o toque. Você se agacha sob o abrigo da rocha, prestes a falar. Está mais quente ali. A rocha protege você do vento. O toque continua. Será que ela vai atender? Talvez não atenda. O tipo de megera do contra que não quer deixar o guarda-costas usar o banheiro talvez não seja avessa a ignorar o próprio telefone. Você sente uma onda momentânea de pânico. O que você vai fazer? E se ela não

atender o telefone?
Ela atende.
— Alô?
Ela soa cautelosa, aborrecida, na defensiva. Ela acha que é o sargento de polícia, prestes a reclamar. Ou o coordenador do FBI, prestes a convencê-la a retomar o acordo.
— Alô, Rita — diz você.
Ela ouve a sua voz. Você a sente relaxar.
— Sim? — diz ela.
Você diz a ela o que quer que ela faça.

— Não é a primeira — disse Harper. — A primeira seria ao acaso. Levando a gente para longe do rastro. Provavelmente não é a segunda também. A segunda estabelece o padrão.
— Concordo — disse Reacher. — Callan e Cooke eram ruído de fundo. Elas começaram a cortina de fumaça.
Harper concordou com a cabeça. Ficou quieta. Ela tinha saído de detrás dele. Agora ela estava esparramada na fila oposta no avião vazio. Era uma sensação estranha. Familiar, mas estranha. Nada em volta deles a não ser filas de assentos vazios uniformes.
— Mas ele não ia deixar para muito tarde — sugeriu Harper. — Ele tem um alvo, ele quer atingi-lo antes que qualquer coisa seja revelada, não é?
— Concordo — repetiu Reacher.
— Então é a terceira ou a quarta.
Reacher concordou com a cabeça. Não disse nada.
— Mas qual delas? — perguntou Harper. — Qual é a chave do crime?
— Tudo — respondeu Reacher. — A mesma coisa que sempre foi. As pistas. A localização geográfica, a tinta, a falta de violência.

O almoço foi uma maçã enrugada fria e um quadrado de queijo suíço, que era praticamente tudo que a geladeira dela tinha a oferecer. Ela se serviu num prato para preservar alguma aparência de ordem. Depois ela o lavou, e o pôs de volta do armário da cozinha, andou pelo corredor e destrancou

Caçada às Cegas 419

a porta da frente. Ficou no frio por um instante e desceu o caminho até o acesso de veículos. O carro da polícia estava estacionado atravessado na entrada. O policial a viu vir e baixou a janela do carona.

— Vim pedir desculpas — disse ela, do jeito mais doce que conseguiu.

— Não devia ter dito o que disse. Está me dando nos nervos um pouco, só isso. É claro que você pode entrar, sempre que precisar.

O homem estava olhando fixamente para ela, meio confuso, como se estivesse pensando *mulheres!* consigo mesmo. Ela manteve o sorriso, ergueu as sobrancelhas e inclinou a cabeça como se estivesse reforçando seu convite.

— Bem, vou entrar agora mesmo — respondeu o sujeito. — Se a senhora tem certeza de que está tudo bem.

Ela fez que sim com a cabeça e aguardou que ele saísse. Ela notou que ele deixou a janela do passageiro abaixada. O carro estaria frio quando ele voltasse. Ela o conduziu de volta pelo caminho. Ele estava apressado atrás dela. O coitado do sujeito devia estar desesperado, pensou ela.

— Você sabe onde fica — falou ela.

Ela aguardou no corredor. Ele voltou do toalete com uma expressão aliviado no rosto. Ela segurou a porta da frente para ele.

— Sempre que precisar — disse ela. — Basta tocar a campainha.

— Está bem, senhora — respondeu ele. — Se tiver certeza disso.

— Tenho certeza. Agradeço o que está fazendo por mim.

— É para isso que estamos aqui — disse o sujeito, com orgulho e timidez.

Ela o observa por todo o caminho de volta ao carro. Trancou a porta novamente e entrou no salão. Ficou parada, olhou o piano e decidir dedicar a ele mais quarenta e cinco minutos. Talvez uma hora.

Assim é melhor. E o tempo pode ser o certo. Não dá para ter certeza. Você é especialista em muitas coisas, mas não em urologia. Você o observa no caminho de volta para o carro, e imagina que ele é muito novo para ter problema de próstata, então, tudo que vai contar é a contraposição entre o enchimento da bexiga e a relutância natural dele em importuná-la de novo.

Duas e trinta agora, ele deve querer ir pelo menos duas vezes antes das oito. Provavelmente uma vez antes e outra depois que ela tiver morrido.

A nuvem sobre Dakota do Norte se dissipou. O solo estava visível onze quilômetros abaixo deles. O copiloto andou de volta para a cabine e apontou para baixo o lugar onde nasceu. Uma pequena cidade ao sul de Bismarck. O rio Missouri passava por ela, uma minúscula linha prateada. Depois o sujeito saiu da cabine e deixou Reacher tentando compreender a navegação. Ele não sabia nada sobre isso. De Virginia para Oregon, ele teria voado por Kentucky, Illinois, Iowa, Nebraska, Wyoming, Idaho. Ele não teria ido até Dakota do Norte. Mas uma coisa chamada rota ortodrômica fazia que fosse mais curto sair bastante do caminho. Ele sabia disso. Mas não compreendia. Como podia ser mais rápido sair do caminho?

— Lorraine Stanley roubou a tinta — disse Harper. — A falta de violência prova que o sujeito está fingindo. Mas o que a localização geográfica prova?

— Conversamos sobre isso — falou Reacher.

— Ela demonstra escopo.

Ele concordou com a cabeça.

— E velocidade.

Foi a vez de ela concordar.

— E mobilidade — acrescentou ele. — Não esqueça a mobilidade.

No fim das contas, ela tocou por uma hora e meia. O policial permaneceu longe, e ela relaxou, seu toque nunca esteve melhor. A mente dela se fechou nas notas, e ela fez a velocidade aumentar e aumentar até o ponto em que o avanço se tornou um pouco dissonante. Depois ela recuou um pouco e se estabilizou num andamento apenas um pouco mais lento que a marcação do tempo. Mas que seja, assim a peça soava magnífica. Talvez até melhor do que seria se tivesse sido tocada exatamente na velocidade certa. Era envolvente, lógica, grandiosa. Ela estava satisfeita com si.

Ela se ajeitou para trás no banco, entrelaçou os dedos e os flexionou sobre a cabeça. Depois fechou a tampa do piano e se levantou. Encaminhou-se

Caçada às Cegas

para o corredor e subiu rapidamente os degraus até o banheiro. Ficou de frente para o espelho e escovou os cabelos. Em seguida, desceu de volta até o armário de casacos e tirou sua jaqueta. Era curta o bastante para ser confortável no carro e quente o bastante para o clima. Ela trocou os calçados por um par mais robusto. Destrancou a porta que dava nas escadas do porão e desceu. Destrancou a porta da garagem e usou a chave remota para abrir o carro. A luz entrou. Ela ligou a energia do abridor automático, entrou no carro e deu partida no motor enquanto a porta da garagem subia com um ruído retumbante.

Ela foi de ré até o acesso de veículos e apertou o botão para fechar a porta novamente. Girou no assento e viu o carro de polícia estacionado no caminho. Deixou o motor ligado, saiu e andou até ele. O policial a observava. Ele desceu a janela do carro.

— Estou indo ao mercado — disse ela.

O homem olhou para ela por um instante, como se isso estivesse fora do leque de situações permissíveis.

— Quanto tempo a senhora vai demorar? — perguntou ele.

Ela deu de ombros.

— Meia hora, uma hora — respondeu ela.

— No mercado? — perguntou ele.

Ela fez que sim.

— Preciso de algumas coisas.

Ele olhou para ela por mais um tempo e tomou uma decisão.

— Está bem, mas espero aqui — disse ele. — Estamos vigiando a casa, não a senhora pessoalmente. Em crimes domésticos, é o que fazemos.

Ela assentiu de novo.

— Tudo bem. Ninguém vai me agarrar por lá.

O policial assentiu de volta. Não disse nada. Deu partida no motor e subiu a colina de ré apenas o suficiente para que ela pudesse manobrar na saída passando por ele. Ele a observou descer a colina, e, depois, se moveu devagar para seu posto.

• • •

Você vê a garagem se abrir, vê o carro sair, vê a porta fechar novamente. Você a vê parar no acesso de veículos e a vê sair. Você observa a conversa pela janela do Crown Vic. Vê o policial subir de ré, você a vê sair para a estrada. O policial volta para seu posto, ela parte descendo a colina. Você sorri no esconderijo das rochas. Você se levanta. E vai trabalhar.

Ela virou à esquerda no final da colina e depois à direita na estrada principal em direção à cidade de Portland. Estava frio. Outra semana de temperaturas em queda e logo estaria nevando. Aí sua escolha de automóvel começaria a parecer um pouco estúpida. Todo mundo tinha veículos com tração nas quatro rodas, seja jipes ou caminhões picape. Ela havia escolhido um sedã rebaixado rápido, cerca de quatro vezes mais comprido que alto. Pintura dourada, rodas cromadas, couro escuro macio no lado de dentro. Parecia coisa de primeira, mas tinha tração apenas nas rodas da frente, sem controle de tração. A distância para o chão era suficiente para uma bola de neve de tamanho razoável e não muito mais que isso. O resto do inverno ela andaria a pé ou imploraria por caronas dos vizinhos.

Mas era suave, silencioso e a direção era um sonho. Ela dirigiu os três quilômetros para oeste e diminuiu a velocidade para entrar no shopping center à esquerda. Aguardou que um caminhão que se aproximava passasse pesado e voou baixo para o estacionamento. Fez uma curva fechada e dirigiu em volta por trás das lojas à direita e estacionou sozinha na faixa extra. Tirou a chave, jogou-a na bolsa, saiu e andou no frio até o supermercado.

Estava mais quente do lado de dentro. Ela pegou um carrinho e andou por todos os corredores, gastando o tempo. Não havia método no modo como fazia compras. Ela apenas olhava para tudo e pegava o que imaginava que estivesse faltando. O que não era muito, porque o mercado não vendia as coisas nas quais ela estava realmente interessada. Nada de livros de música, nem plantas de jardim. Ela acabou com tão poucos itens no carrinho que conseguiu usar o caixa rápido.

A caixa pôs tudo em um saco de papel, ela pagou em dinheiro e saiu com o saco abrigado em seus braços. Virou para a direita na calçada estreita e ficou olhando as vitrines pelo caminho no corredor.

Caçada às Cegas

O hálito dela ficou suspenso no ar. Ela parou do lado de fora da loja de ferragens. Era um lugar fora de moda. Ele tinha de tudo um pouco. Ela já tinha comprado ali antes, sacos de farinha de ossos e composto fertilizante para ajudar suas azaleias.

Ela equilibrou o saco de compras num braço e puxou a porta. Uma campainha soou. Havia um senhor com um casaco marrom no caixa. Ela acenou uma saudação e avançou para os corredores abarrotados. Passou pelas ferramentas e pregos e encontrou a seção de decoração. Havia rolos de papel de parede barato e embalagens de cola. Pincéis e brochas. E latas de tinta. Empilhadas numa exposição que chegavam à altura dela. Os gráficos de cores estavam em suportes presos às prateleiras. Ela pôs as compras no chão, pegou um gráfico de um suporte e o abriu. Ele era agrupado em cores como um imenso arco-íris. Uma grande variedade de tons.

— Posso ajudá-la, senhora? — disse uma voz.

Era um senhor. Ele tinha se arrastado até ela, prestativo e ansioso para fazer uma venda.

— Essa coisa se mistura com água? — perguntou ela.

O senhor fez que sim.

— Eles chamam de látex — respondeu ele. — Mas isso só significa a base de água. Você pode diluir com água, limpar o pincel com água.

— Quero um verde-escuro — disse ela.

Ela apontou para o gráfico.

— Talvez este verde-oliva — disse ela.

— O abacate é bonito — sugeriu o senhor.

— Muito claro — respondeu ela.

— A senhora vai diluí-lo com água? — perguntou ele

Ela fez que sim.

— Acho que sim.

— Isso vai deixá-lo ainda mais claro.

— Acho que vou ficar com o verde-oliva — decidiu ela. — Quero que fique parecendo meio militar.

— Está bem — disse o senhor. — Quanto?

— Uma lata — respondeu ela. — Um galão.

— Não vai muito — disse ele. — Embora se a senhora diluir, isso ajude.

Ele carregou de volta à caixa registradora para ela e registrou a venda. Ela pagou em dinheiro e ele a pôs numa sacola com um pedaço de madeira grátis para mexer a tinta. O nome da loja estava gravado no meio do pedaço de madeira.

— Obrigada — disse ela.

Ela carregou o saco de compras com uma das mãos e a sacola da loja de ferragens na outra. Andou ao longo da fila de lojas. Estava frio. Ela olhou para cima e verificou o céu. Estava ficando escuro, com nuvens. Elas estavam vindo apressadas do oeste. Ela deu uma volta atrás da última loja. Correu para seu carro. Deixou as sacolas no banco de trás, entrou, bateu a porta e deu partida no motor.

O policial estava com frio, o que o mantinha concentrado. No verão, ficar sentado sem fazer nada podia deixá-lo sonolento, mas não havia chance de isso acontecer com a temperatura tão baixa quanto estava agora. Então ele viu o vulto se aproximar quando ainda estava a noventa metros abaixo na colina. Estando no ponto mais alto, isso implicava que ele viu a cabeça primeiro, em seguida os ombros e depois o peito. O vulto estava andando determinado em sua direção, subindo no horizonte reduzido, revelando cada vez mais de si, ficando maior. A cabeça era cinza, cabelos espessos bem cortados e escovados. Os ombros estavam vestidos em uniforme do Exército. Águias nas platinas, águias nas lapelas, um coronel. Um colarinho clerical no qual a camisa e a gravata deveriam estar. Um capelão militar, aproximando-se rápido pela calçada. Seu rosto balançava para cima e para baixo a cada passo. A faixa branca do colarinho se movia abaixo dele. O homem estava andando rapidamente. Praticamente marchando.

Ele parou de repente a um metro do farol direito do policial. Ficou na calçada com o pescoço esticado, olhando para a casa de Scimeca. O policial abriu a janela do carona. Ele não sabia o que dizer. Se fosse algum cidadão local, ele gritaria *senhor, venha aqui* com tom suficiente para cancelar

Caçada às Cegas 425

o *senhor*. Mas esse era um capelão e um coronel. Praticamente um cavaleiro.

— Com licença — chamou ele.

O coronel olhou em volta e andou o comprimento do para-lama. Inclinou-se. Ele era alto. Pôs uma das mãos no teto do Crown Vic e a outra na porta. Abaixou a cabeça e olhou diretamente pela janela aberta.

— Policial — disse ele.

— Posso ajudá-lo? — perguntou o policial.

— Estou aqui para visitar a senhora que vive nesta casa — disse o sacerdote.

— Ela não está no momento — respondeu o policial. — E temos um problema delicado aqui.

— Como assim delicado?

— Ela está sob proteção. Não posso dizer por quê. Mas vou pedir que entre no carro e me mostre alguma identificação.

O coronel hesitou por um segundo, como se estivesse confuso. Depois se empertigou e abriu a porta do carona. Dobrou-se no assento e pôs a mão na jaqueta. Retirou uma carteira. Abriu-a e puxou uma identificação militar gasta. Passou-a para o policial. O policial a leu, comparou a fotografia com o rosto perto de si. Entregou-a de volta e acenou com a cabeça.

— Está bem, coronel — disse ele. — O senhor pode aguardar aqui comigo, se quiser. Acho que está frio lá fora.

— Com certeza, está — disse o coronel, embora o policial tenha notado que ele estava suando levemente. Provavelmente pela subida rápida pela colina, imaginou.

— Não estou chegando a lugar nenhum — disse Harper.

O avião estava descendo. Reacher podia sentir nos ouvidos. E conseguia sentir manobras abruptas. O piloto era militar, por isso estava usando o leme de direção que os pilotos civis costumam evitar. Usá-lo faz o avião girar violentamente, como uma derrapagem de carro. Os passageiros não gostam da sensação. Então os pilotos civis fazem curvas aumentando a alimentação dos motores de um lado e reduzindo-a nos outros. Assim

o avião faz a curva suavemente. Mas pilotos militares não se importam com o conforto de seus passageiros. Eles não pagaram passagem nem nada.
— Você lembra o relatório de Poulton de Spokane? — perguntou ele.
— O que tem ele?
— Ele é a chave dos crimes. Algo grande e óbvio.

Ela tomou a esquerda da estrada principal e a direita para a rua em que morava. O policial estava de novo no caminho.
Alguém estava no banco do carona ao seu lado. Ela parou na parte mais alta da estrada, pronta para virar, esperando que ele entendesse a indireta e se mexesse, mas ele apenas abriu a porta do carro e saiu, como se precisasse falar com ela. Ele andou até o outro lado, duro de tanto ficar sentado, pôs as mãos no teto do carro e se inclinou. Ela abriu a janela, ele espiou o lado de dentro e viu de relance as sacolas de compras no banco de trás.
— Conseguiu o que precisava? — perguntou ele.
Ela assentiu.
— Nenhum problema?
Ela fez um gesto negativo com a cabeça.
— Tem um sujeito aqui querendo ver a senhora — disse ele. — Um capelão, do Exército.
— O sujeito no seu carro? — perguntou ela, como se tivesse de dizer algo embora fosse bastante óbvio. Ela conseguia ver o colarinho.
— Coronel fulano — respondeu o policial. — Verifiquei a identidade dele.
— Livre-se dele — disse ela.
O policial ficou surpreso.
— Ele veio lá de Washington, D.C. — insistiu ele. — A identidade dele diz que o posto dele é lá.
— Não me importo com onde fica o posto dele. Não quero vê-lo.
O policial não disse nada. Apenas olhou de relance para trás sobre o ombro. O coronel estava saindo do carro. Ficou de pé na calçada. Caminhou até eles. Scimeca deixou o motor ligado e abriu a porta. Saiu e ficou parada, observou-o vir, puxando com força a jaqueta em torno de si no frio.

Caçada às Cegas

— Rita Scimeca? — perguntou o capelão, quando estava perto o bastante.

— O que você quer?

— Estou aqui para ver se a senhora vai bem.

— Bem? — repetiu ela.

— Com a sua recuperação — disse ele. — Depois de seus problemas.

— Meus *problemas*?

— Depois do ataque.

— E se eu não estiver bem?

— Então talvez eu possa ajudá-la.

A voz dele era afetuosa, grave e forte. Infinitamente crível. Uma voz de Pastor.

— Foi o Exército que mandou você? — perguntou ela. — Isso é oficial?

Ele fez um gesto negativo com a cabeça.

— Infelizmente, não — disse ele. — Argumentei com eles muitas vezes.

Ela assentiu.

— Se eles oferecerem assistência, vão admitir responsabilidade.

— É essa a visão deles — concordou o coronel. — Lamentavelmente. Assim, esta é uma missão particular. Estou agindo contra ordens estritas, em segredo. Mas é uma questão de consciência, não é?

Scimeca desviou o olhar.

— Por que eu em particular? — perguntou. — Houve muitas de nós.

— Você é minha quinta — disse ele. — Comecei com as que obviamente moram sozinhas. Achei que fosse com elas que minha ajuda seria mais necessária. Estive por toda parte. Algumas viagens foram produtivas, outras, desperdiçadas. Tento não me impor às pessoas. Mas acho que preciso tentar.

Ela ficou calada por um momento. Fazia muito frio.

— Bem, sinto informar, mas você perdeu mais uma viagem — decidiu ela. — Recuso a oferta. Não quero a sua ajuda.

O coronel não pareceu surpreso nem deu a impressão de que já esperava.
— A senhora tem certeza?
Ela fez que sim.
— Absoluta.
— Mesmo? Reconsidere, por favor. Vim de muito longe.
Ela não respondeu. Apenas olhou o policial de relance, com impaciência. Ele mexeu os pés, chamando a atenção do coronel.
— Perguntou e obteve resposta — disse ele, como um advogado.
Havia silêncio na rua. Apenas o ruído do motor do carro parado de Scimeca, o vento do escapamento, um forte cheiro químico no ar de outono.
— Vou ter que pedir que vá embora agora, senhor — decidiu o policial. — Temos um problema delicado aqui.
O coronel ficou parado por um longo momento. Depois assentiu com a cabeça.
— A oferta está sempre de pé — falou ele. — Posso voltar a qualquer hora.
Ele se virou de modo abrupto e desceu de volta a colina, andando depressa. A inclinação o engoliu, pernas, costas, cabeça. Scimeca o observou sumir no horizonte e entrou novamente no carro. O policial meneou a cabeça para si mesmo e bateu duas vezes no teto do carro.
— Belo carro — disse, sem nenhuma relevância.
Ela não disse nada.
— Certo — disse o policial.
Ele andou de volta para o carro patrulha. Deu ré com ele na colina com a porta aberta. Ela virou no acesso de veículos. Apertou o botão do controle remoto e a porta da garagem subiu com um ruído retumbante. Ela dirigiu para dentro e apertou o botão novamente. Viu o policial voltando ao seu posto antes que a porta baixasse e a deixasse na escuridão.
Ela abriu a porta e a luz do teto se acendeu. Puxou a pequena alavanca ao seu lado e abriu o porta-malas. Saiu do carro e tirou as sacolas do banco de trás e as carregou até o porão. Carregou-as subindo as escadas até o corredor e a cozinha. Colocou-as lado a lado na bancada e se sentou num banco para esperar.

Caçada às Cegas

, • • •

É um carro rebaixado, então, embora a mala seja comprida e larga o bastante, ela não é muito alta. De modo que você está de lado, bem desconfortável. Suas pernas estão dobradas para cima, em posição fetal. Entrar não foi nenhum problema. Ela deixou o carro destrancado, justamente como você lhe disse. Você a observou andar até a loja, e depois só foi até lá, abriu a porta do motorista, encontrou a alavanca e abriu a mala. Fechou a porta novamente, deu a volta e levantou a porta da mala. Nenhuma dificuldade. Ninguém estava olhando. Você meio que rolou para dentro e puxou a porta fechando-a sobre si. Foi fácil. Havia peças de reforço no lado de dentro. Fáceis de agarrar.

É uma longa espera ali dentro. Mas depois você sente quando ela entra e ouve o motor dar a partida. Você sente uma área de calor debaixo da coxa onde o escapamento corre sob a carroceria. Não é uma viagem confortável. Você sacoleja um pouco. Segue as curvas na mente e sabe quando ela chega de volta à casa onde mora. Ouve o policial falando. Há um problema. Depois você ouve algum capelão idiota, implorando. Você fica num estado de tensão lá dentro. Começa a entrar em pânico. Que raios está acontecendo? E se ela pedir para ele entrar? Mas ela se livra dele. Você sente a frieza na voz dela. Você sorri no escuro, abre e fecha as mãos em triunfo. Você ouve quando ela dirige para dentro da garagem. A acústica muda. O motor fica mais alto. Você ouve os gases do escapamento batendo contra as paredes e o piso. Depois ela desliga o motor e tudo fica muito silencioso.

Ela se lembra de abrir o porta-malas. Você sabia que ela se lembraria, porque lhe disse para ela não se esquecer. Depois, você ouve os passos se distanciando e a porta do porão se abrir e fechar. Você ergue suavemente a porta da mala e sai. Fica de pé e se alonga no escuro. Esfrega a mão no lugar em que o calor machucou-lhe a coxa. Depois você faz o contorno até a frente do carro, veste suas luvas bem apertadas, senta-se no para-lama e espera.

29

O AVIÃO ATERRISSOU NO AEROPORTO INTERnacional de Portland como qualquer outro Boeing, mas parou de se mover a curta distância do terminal e aguardou num pátio distante. Uma picape com uma escada parafusada na caçamba veio devagar ao encontro dele. Em seguida à picape, veio uma minivan. Os dois veículos estavam brilhando de limpos e pintados nas cores empresariais da Boeing. A tripulação ficou a bordo para analisar os dados do computador. A minivan levou Reacher e Harper até a pista de desembarque, onde os táxis aguardavam. Na frente da fila estava um Caprice danificado, com desenhos xadrez na lateral. O motorista não era morador da cidade. Ele precisou verificar o mapa para encontrar a estrada a leste que levava à pequena cidade na subida do Monte Hood.

• • •

Caçada às Cegas

Ela estava na casa fazia cinco minutos ao todo, e a campainha tocou. O policial estava de volta. Ela saiu da cozinha, percorreu o corredor e destrancou a porta. Abriu-a. Ele estava parado na varanda, sem dizer nada, tentando comunicar seu pedido com a expressão triste do rosto.

— Oi — disse ela.

Nesse momento, ela só olhou para ele. Não sorriu nem nada.

— Oi — respondeu ele.

Ela aguardou. Ela ia fazê-lo dizer de qualquer maneira. Não era razão para ficar sem graça.

— Adivinha? — perguntou ele

— O quê?

— Posso usar o toalete?

O ar frio estava girando em volta das pernas dela. Ela podia senti-lo bater atravessando o jeans.

— É claro — respondeu ela.

Ela fechou a porta atrás de si, para manter algum calor do lado de dentro. Esperou ao lado da porta, enquanto ele desaparecia e depois voltava.

— Bem quentinho aqui dentro — comentou ele.

Ela fez que sim, embora não fosse verdade. Ela mantinha a casa o mais frio que podia aguentar. Para o tom do piano. Para que a madeira não ficasse seca demais.

— Está frio lá fora no carro — disse ele.

Ela fez que sim novamente.

— Ligue o motor — sugeriu ela. — Ligue o aquecedor.

Ele fez um gesto negativo com a cabeça.

— Não tenho permissão. Não posso deixar o motor ligado. Algo a ver com poluição.

— Então saia por um tempo — falou ela. — Dê uma volta de carro, vá se aquecer. Vou ficar bem por aqui.

Claramente esse não era o convite que ele estava esperando, mas ele pensou a respeito. Depois fez que não novamente.

— Assim me tirariam o distintivo — respondeu ele. — Preciso ficar aqui.

Ela não disse nada.

— Desculpe incomodá-la com o capelão — falou, insinuando que tinha intercedido e se livrado dele.

Ela assentiu.

— Vou levar um pouco de café quente para você — disse ela. — Cinco minutos, está bom?

Ele parecia satisfeito. Um sorriso tímido.

— Aí vou precisar ir ao toalete de novo — disse ele. — Desce na mesma hora.

— Sempre que precisar — respondeu ela.

Ela fechou a porta quando ele saiu, voltou para a cozinha e pôs a cafeteira para funcionar. Aguardou no banco ao lado das sacolas de compras até que terminasse. Achou a maior caneca que possuía e despejou o café. Acrescentou creme da geladeira e açúcar do armário. Ele parecia um sujeito que gosta de creme e açúcar; jovem, meio gordo. Ela saiu levando a caneca. O vapor saiu girando do café e ficou suspenso numa faixa horizontal estreita por todo o caminho até a calçada. Ela bateu no vidro dele, ele se virou, sorriu e desceu a janela. Ele pegou a caneca, meio sem jeito, com as duas mãos.

— Obrigado.

Ele tocou a caneca com os lábios como um gesto extra de educação e ela foi embora. Entrou no acesso de veículos, subiu o caminho e entrou pela porta. Ela fechou a porta atrás de si, trancou-a e se virou para encontrar a visita que estava esperando parada em silêncio no topo das escadas da garagem.

— Olá, Rita — disse a visita.

— Olá — respondeu ela.

O táxi dirigiu para o sul na 205 e encontrou a curva para o leste à esquerda na 26. Ele andava como se sua viagem seguinte tivesse que ser para o ferro-velho. As cores nas beiradas da porta no lado de dentro não coincidiam com as do lado de fora. Ele provavelmente tinha feito três anos em Nova York, e talvez mais três nos subúrbios de Chicago. Mas ele se movia

Caçada às Cegas 433

com estabilidade suficiente, e o taxímetro andava muito mais devagar que andaria em Nova York ou Chicago. E isso era importante, porque Reacher tinha percebido que estava quase sem dinheiro.

— Por que uma demonstração de mobilidade é importante? — perguntou Harper.

— Essa é uma das grandes mentiras — respondeu Reacher. — A gente simplesmente a engoliu.

Scimeca ficou parada dentro da casa perto da porta, calmamente.

A visita a olhou de volta do outro lado do corredor, com olhos inquisidores.

— Você comprou a tinta?

Ela fez que sim.

— Comprei, sim.

— Então, está pronta?

— Não tenho certeza

A visita a observou por um mais um momento, apenas fitando-a, com muita calma e um olhar firme.

— Está pronta agora?

— Eu não sei — disse ela.

A visita sorriu.

— Acho que está pronta. De verdade. O que você acha? Está pronta?

Ela fez que sim, devagar.

— Sim, estou pronta — respondeu ela.

— Você se desculpou com o policial?

Ela fez que sim novamente.

— Sim, pedi desculpas a ele.

— É preciso permitir que ele entre, não é?

— Eu disse a ele que podia vir sempre que precisasse.

— Ele precisa encontrar você. Precisa ser ele. É como eu quero.

— Está bem — concordou Scimeca.

A visita ficou calada por um longo momento, apenas parada, sem dizer nada, observando atentamente. Scimeca aguardava, sem jeito.

— Sim, deve ser ele quem vai me encontrar — repetiu ela. — Se é isso que você quer.
— Você agiu bem com o capelão — disse a visita.
— Ele queria me ajudar.
— Ninguém pode ajudar você.
— Acho que não -- concordou Scimeca.
— Vamos para a cozinha — ordenou a visita.

Scimeca se afastou da porta. Encolheu-se para passar pela visita no corredor estreito e foi à frente até a cozinha.

— A tinta está bem aqui — disse ela.
— Me mostre.

Scimeca tirou a lata da sacola e segurou-a pela alça metálica.

— É verde-oliva — explicou ela. — O mais próximo que eles tinham.

A visita fez que sim.

— Bom. Você agiu muito bem.

Scimeca ficou corada de prazer. Sob a brancura de seu rosto, um pequeno rubor róseo.

— Agora você precisa se concentrar — ordenou a visita. — Porque vou lhe fornecer muitas informações.
— Sobre o quê?
— Sobre o que quero que faça.

Scimeca concordou com a cabeça.

— Está bem.
— Primeiro, você precisa sorrir para mim — disse a visita. — Isso é muito importante. Significa muito para mim.
— Está bem — concordou Scimeca.
— Então, você pode sorrir para mim?
— Não sei.
— Tente, está bem?
— Não sorrio muito ultimamente.

A visita fez que sim, com empatia.

— Eu sei, mas apenas tente agora, está bem?

Caçada às Cegas

Scimeca abaixou a cabeça, concentrou-se e levantou novamente, com um sorriso fraco e tímido. Apenas um leve novo ângulo nos lábios, mas era alguma coisa. Ela o segurou, com desespero.

— Isso é bom — disse a visita. — Agora lembre-se, quero você sorrindo o tempo inteiro.

— Está bem.

— Precisamos de felicidade no nosso trabalho, não é?

— É.

— Precisamos de algo para abrir a lata.

— Minhas ferramentas estão lá embaixo — disse Scimeca.

— Você tem uma chave de fenda?

— É claro — respondeu Scimeca. — Tenho oito ou nove.

— Vá pegar uma grande para mim, por favor.

— Claro.

— E não se esqueça do sorriso, está bem.

— Desculpe.

A caneca era grande demais para o porta-copos do Crown Vic, então ele bebeu o café todo de uma tacada porque não podia largá-lo entre os goles. Isso sempre acontecia. Numa festa, se estivesse de pé segurando uma garrafa, ele bebia muito mais rápido do que se estivesse sentado num bar, onde podia descansar de vez em quando a garrafa num guardanapo. Do mesmo modo quando fumava. Se houvesse um cinzeiro para deixar o cigarro, ele durava muito mais do que se ele estivesse fumando enquanto andava; nesse caso, ele acabava com o cigarro em um minuto e meio.

Assim, ele estava sentado lá, com a caneca vazia repousada na coxa, pensando em devolvê-la. *Aqui está sua caneca de volta*, ele poderia dizer. *Muito obrigado*. Seria uma nova chance de insinuar como ele estava com frio. Talvez ele pudesse convencê-la a pôr uma cadeira no corredor, e ele poderia terminar o turno do lado de dentro. Ninguém poderia reclamar disso. Seria mais proteção dessa forma.

Mas ele estava nervoso quanto a tocar a campainha novamente. Ela era um tipo excêntrico, facilmente irritável, não havia dúvida. Quem

sabe como ela reagiria, muito embora ele estivesse sendo muito educado, apenas devolvendo a caneca. Muito embora ele tenha se livrado do capelão para ela. Ele balançou a caneca apoiada no joelho para cima e para baixo e tentava decidir, pesando o frio que sentia com o quanto ela poderia ficar ofendida.

O táxi seguiu pela Gresham, por Kelso, por Sandy. A Rota 26 ganhava um nome, Mount Hood Highway. A inclinação aumentava. O velho V-8 juntou todas as forças que tinha e subiu com estrondo.
— Quem é?
— A chave dos crimes está no relato feito por Poulton em Spokane.
— Está?
Ele fez que sim.
— Grande e óbvia. Mas levei algum tempo para identificá-la.
— A coisa da UPS? Verificamos tudo isso.
Ele fez um gesto negativo com a cabeça.
— Não, antes disso. A coisa da Hertz. O carro alugado.

Scimeca subiu novamente as escadas do porão com a chave de fenda na mão. Era a terceira maior que tinha, cerca de vinte centímetros de comprimento, com uma ponta fina o suficiente para caber entre a lata e a tampa, mas larga o bastante para servir como uma alavanca eficaz.
— Acho que esta é a melhor — sugeriu ela. — Para isso.
A visita olhou para a chave de fenda à distância.
— Tenho certeza de que é boa. Contanto que esteja confortável com ela. Você é quem vai usá-la, não eu.
Scimeca fez que sim.
— Acho que é boa — disse ela.
— Então, onde fica o banheiro?
— Lá em cima.
— Quer me mostrar?
— Claro.
— Traga a tinta — ordenou a visita. — E a chave de fenda.

Caçada às Cegas

Scimeca voltou até a cozinha e pegou a lata.

— Precisamos do pauzinho para mexer também? — gritou ela.

A visita hesitou. *Um novo procedimento exige uma nova técnica.*

— Sim, traga o pauzinho.

O pedaço de madeira tinha cerca de trinta centímetros de comprimento, e Scimeca o pegou junto com a chave de fenda, com a mão esquerda. Pegou a lata pela alça com a mão direita.

— Por aqui — indicou ela.

Ela foi à frente, saindo da cozinha e subindo as escadas. Atravessou o corredor no andar de cima e entrou no quarto. Atravessou o quarto e entrou no banheiro.

— É aqui — disse ela.

A visita olhou em volta, e se sentiu como um especialista em banheiros. Este era o quinto, afinal. Provavelmente um orçamento médio para a construção. Um pouco fora de moda. Mas combinava com a idade da casa. Um acabamento luxuoso de mármore teria dado uma impressão errada.

— Ponha as coisas no chão, está bem?

Scimeca se inclinou e abaixou a lata. O metal emitiu um som leve e límpido quando tocou o azulejo. Ela baixou a alça de metal e equilibrou a chave de fenda e o pedaço de pau sobre a tampa. A visita apresentou um saco de lixo dobrado, de plástico preto, que tirou do bolso do casaco. Sacudiu-o e o segurou aberto.

— Preciso que coloque suas roupas aqui dentro.

Ele saiu do carro, com a caneca na mão. Deu a volta no capô e entrou no acesso de veículos. Subiu o caminho sinuoso. Subiu as escadas da varanda. Ele equilibrava a caneca na outra mão, pronto para tocar a campainha. Nesse momento, ele fez uma pausa. Estava muito silencioso lá dentro. Nada de música de piano. Isso era bom ou ruim? Ela era meio obcecada, sempre tocando a mesma coisa repetidamente. Provavelmente não gostava de ser interrompida no meio. Mas o fato de que não estava tocando podia significar que estava fazendo outra coisa importante. Talvez tirando uma soneca. O homem do FBI disse que ela se levantava às seis da manhã.

Talvez ela tirasse uma soneca à tarde. Talvez estivesse lendo um livro. O que quer que estivesse fazendo, ela provavelmente não estaria lá sentada esperando que ele viesse bater à porta. Ela não tinha mostrado nenhuma inclinação parecida antes.

Ele ficou parado ali, indeciso, com a mão estendida a trinta centímetros da campainha dela. Então, ele deixou a mão cair ao lado do corpo, virou-se e desceu as escadas do caminho. Desceu o caminho até o acesso de veículos. Fez a volta no capô do carro. Entrou, inclinou-se e deixou a caneca em pé no espaço para os pés do carona.

Scimeca parecia confusa.

— Que roupas? — perguntou ela.

— As roupas que você está usando — respondeu a visita.

Scimeca assentiu, de um modo vago.

— Está bem — concordou ela.

— Este sorriso não me satisfaz, Rita — disse a visita. — Está enfraquecendo um pouco.

— Desculpe.

— Dê uma olhada no espelho e me diga se esse é um sorriso feliz.

Scimeca virou o rosto para o espelho. Olhou por um instante e começou a trabalhar os músculos no rosto, um por um. A visita observava o reflexo.

— Dê um grande sorriso. Bem alegre, está bem?

Scimeca se virou.

— Assim está bom? — perguntou, com o sorriso mais aberto que conseguia.

— Muito bem — disse a visita. — Você quer me deixar feliz, não é?

— Sim, quero.

— Então ponha suas roupas no saco.

Scimeca tirou o suéter. Era uma peça de tricô pesado com uma gola apertada. Ela levantou a bainha e o esticou por sobre a cabeça, retirando-o com um balanço para a direita; inclinou-se e o deixou cair no saco. A segunda camada era uma blusa de flanela, lavada tantas vezes, que estava

Caçada às Cegas

439

mole e sem forma. Ela a desabotoou até embaixo e soltou da calça jeans a parte de baixo da blusa. Tirou-a e a deixou cair no saco.

— Agora estou com frio — disse ela.

Ela desabotoou o jeans, baixou o zíper e o empurrou para baixo das pernas. Mexeu os pés para tirar os sapatos e tirou as pernas do jeans. Enrolou os sapatos e a calça juntos e os pôs no saco. Enrolou as meias para baixo, tirou-as e jogou-as no saco, uma de cada vez.

— Se apresse, Rita — disse a visita.

Scimeca assentiu, pôs as mãos por trás das costas e abriu o fecho do sutiã. Soltou-o e jogou-o no saco. Baixou a calcinha e tirou os pés dela. Fez uma bola com ela e largou-a no saco. A visita fechou a borda do saco e deixou-o cair no chão. Scimeca ficou parada ali, nua, esperando.

— Abra a água da banheira — ordenou a visita. — Deixe-a quente, já que está com frio.

Scimeca se inclinou e pôs a rolha no ralo. Era de borracha simples, protegida por uma corrente. Ela abriu as pias, três quartos quentes e um quarto frio.

— Abra a tinta — falou a visita.

Scimeca se agachou e pegou a chave de fenda. Enfiou a ponta na fresta e levantou. Girou a lata sob a chave de fenda, uma vez, duas vezes, até que a tampa saiu, liberando ar.

— Tenha cuidado. Não quero nenhuma sujeira.

Scimeca depositou a tampa gentilmente no azulejo. Ergueu os olhos, em expectativa.

— Despeje a tinta na banheira.

Ela pegou a lata com as duas mãos. Era larga, difícil de segurar. Ela a prendeu entre as palmas e carregou-a até a banheira. Girou o corpo a partir da cintura e virou a lata. A tinta era grossa. Cheirava a amônia. A tinta correu devagar sobre a beira da lata e fluiu para dentro d'água. O redemoinho vindo das torneiras a pegou. Ela girou em espiral e afundou como um peso. A água começou a dissolver as beiradas do espiral, e pequenos pontos de cor verde flutuavam na banheira, como se fossem nuvens. Ela segurou a lata de cabeça para baixo até que o fluxo grosso se afinou e depois parou.

— Com cuidado — disse a visita. — Agora, abaixe a lata. E não suje nada.

Ela virou a lata para cima, agachou-se novamente e a pôs suavemente no azulejo ao lado da tampa. A lata fez um som oco, levemente abafado pelo resíduo que cobria o metal.

— Agora pegue o pauzinho para mexer. Mexa.

Ela pegou o pedaço de madeira e se ajoelhou na borda da banheira. Inseriu a madeira na massa afundada grossa e mexeu.

— Está misturando — disse ela.

A visita assentiu.

— Foi por isso que você comprou látex.

A cor mudava à medida que a tinta se dissolvia. Foi de verde-oliva escuro para a cor da grama que cresce num bosque encharcado. Tinha diluído, até chegar à consistência de leite. A visita observava atentamente. Era aceitável. Não tão dramático quanto a coisa de verdade, mas era dramático o bastante estar usando tinta naquelas circunstâncias.

— Está bem, isso serve. Ponha o pauzinho na lata. Sem sujeira.

Scimeca puxou o pedaço de madeira da água verde e balançou-o com cuidado. Esticou a mão para trás e pôs a ripa de pé na lata vazia.

— E a chave de fenda.

Ela pôs a chave de fenda ao lado do pedaço de madeira.

— Ponha a tampa de volta na lata.

Ela pegou a tampa pela borda e a depositou sobre a parte de cima da lata. Ela ficou meio para cima um pouco inclinada, porque o pedaço de madeira era alto demais para permitir que a tampa baixasse completamente.

— Você pode fechar as torneiras agora.

Ela se voltou para a banheira e desligou a água. O nível estava a quinze centímetros da borda.

— Onde você guardou sua caixa de papelão?

— No porão — disse ela. — Mas eles a levaram embora.

A visita assentiu.

— Eu sei. Mas você consegue lembrar exatamente onde estava?

Caçada às Cegas **441**

Scimeca assentiu de volta.

— Ficou lá por muito tempo — respondeu ela.

— Quero que você ponha a lata lá — ordenou a visita. — Bem no lugar em que a caixa de papelão estava. Você pode fazer isso?

Scimeca assentiu novamente.

— Posso, sim — disse ela.

Ela levantou a argola de metal. Passou pela tampa instável. Carregou a lata para fora na frente de si, uma das mãos na alça, a outra com a palma para baixo contra a tampa, segurando-a. Desceu as escadas, percorreu o corredor, desceu até a garagem e foi até o porão. Ficou parada por um instante com os pés no piso frio de concreto, tentando acertar exatamente. Depois deu um passo à esquerda e pôs a lata no chão, no centro do espaço que a caixa de papelão havia ocupado.

O táxi estava lutando para subir uma longa colina depois de passar por um pequeno shopping center. Havia um supermercado, com lojas ao lado. Um estacionamento, em grande parte vazio.

— Por que estamos aqui? — perguntou Reacher.

— Porque Scimeca é a próxima — respondeu Reacher.

O táxi seguia com dificuldade. Harper fez um gesto negativo com a cabeça.

— Me diga quem é.

— Pense em *como* — respondeu Reacher. — Essa é a prova definitiva.

Scimeca mexeu a lata vazia uns centímetros para a direita. Verificou com cuidado. Assentiu para si mesma, virou-se e subiu correndo as escadas de volta. Ela sentia que precisava se apressar.

— Sem fôlego? — perguntou a visita.

Scimeca recuperou o ar e fez que sim.

— Eu corri — disse ela. — Por todo o caminho de volta.

— Está bem, descanse um instante.

Ela respirou fundo e tirou os cabelos do rosto.

— Estou bem — respondeu ela.

— Então agora você tem de entrar na banheira.

Scimeca sorriu.

— Vou ficar toda verde — disse ela.

— É — concordou a visita. — Você vai ficar toda verde.

Scimeca parou ao lado da banheira e levantou o pé. Fez uma ponta com o pé e o pôs na água.

— Está quente — disse ela.

A visita assentiu.

— Isso é bom.

Scimeca apoiou o peso no pé que estava na água e colocou o outro pé. Ficou parada na banheira com água até as canelas.

— Agora sente-se. Com cuidado.

Ela pôs as mãos na borda e baixou o corpo.

— Com as pernas retas.

Ela esticou as pernas e os joelhos desapareceram sob o verde

— Braços para dentro.

Ela largou a borda e pôs os braços para baixo, do lado das coxas.

— Bom — disse a visita. — Agora, deslize para baixo, devagar e com cuidado.

Ela se mexeu para frente na água. Seus joelhos se levantaram. Eles estavam manchados de verde, escuros e depois pálidos, onde as pequenas correntes de tinta fluíram sobre a pele. Ela se recostou e sentiu a temperatura subir pelo corpo. Sentiu o calor envolver-lhe os ombros.

— Ponha a cabeça para trás.

Ela inclinou a cabeça e olhou o teto acima. Sentiu os cabelos flutuarem na água.

— Você já comeu ostra? — perguntou a visita.

Ela fez que sim. Sentiu os cabelos se mexerem na água quando mexeu a cabeça.

— Uma ou duas vezes — respondeu ela.

— Você se lembra da sensação? Elas estão na sua boca, e você de repente as engole inteiras? Simplesmente as devora?

Ela assentiu de novo.

Caçada às Cegas   **443**

— Eu gostei delas — respondeu ela.

— Finja que sua língua é uma ostra — disse a visita.

Ela olha de lado, confusa.

— Não entendo — disse ela.

— Quero que engula sua língua. Quero que a devore, bem rápido, como se fosse uma ostra.

— Não sei se consigo fazer isso.

— Você pode tentar?

— Claro, posso tentar.

— Está bem, faça uma tentativa, agora mesmo.

Ela se concentrou e tentou. Jogou a língua para trás, de repente. Mas nada aconteceu. Apenas um ruído na garganta.

— Não funciona — disse ela.

— Use o dedo para ajudar — sugeriu a visita. — Todas as outras tiveram que fazer isso.

— Meu dedo?

A visita assentiu.

— Empurre para trás com o dedo. Funcionou com as outras.

— Está bem.

Ela ergueu a mão. Tinta diluída corria do braço, com glóbulos mais grossos nos lugares em que a mistura não estava perfeita.

— Qual dedo? — perguntou ela.

— Tente o dedo médio — disse a visita. — É o mais longo.

Ela estendeu o dedo médio, dobrou os outros, e abriu a boca.

— Ponha bem debaixo da língua — instruiu a visita. — E empurre para trás com força.

Ela abriu mais a boca e empurrou com força.

— Agora, engula.

Ela engoliu. Então seus olhos se arregalaram em pânico.

30

O TÁXI PAROU DEFRONTE PARA A VIATURA DA polícia, nariz com nariz. Reacher foi o primeiro a sair, em parte porque ele estava tenso, em parte porque ele precisava que Harper pagasse o motorista. Ele ficou na calçada e olhou em volta. Voltou para a rua e se encaminhou para a janela do policial.

— Está tudo bem? — perguntou.
— Quem é você? — perguntou o policial.
— FBI — disse Reacher. — Está tudo bem por aqui?
— Posso ver um distintivo?
— Harper, mostre seu distintivo a esse cara — gritou Reacher.

O táxi recuou e fez uma manobra de um meio-fio ao outro na estrada. Harper colocou a carteira de volta na bolsa e retirou um distintivo, dourado sobre dourado, a águia na parte de cima com a cabeça inclinada para

Caçada às Cegas

a esquerda. O policial olhou o distintivo e relaxou. Harper o pôs de volta na bolsa e ficou na calçada, olhando para a casa acima.

— Está tudo tranquilo aqui — disse o policial, pela janela.

— Ela está lá dentro? — perguntou-lhe Reacher.

O policial apontou para a porta da garagem.

— Acaba de voltar da loja — disse ele.

— Ela saiu?

— Não posso impedi-la de sair — respondeu o policial

— Você verificou o carro dela?

— Só tinha ela e duas sacolas de compras. Veio aqui um capelão, apareceu procurando por ela. Do Exército, algo a ver com assistência religiosa. Ela o mandou embora.

Reacher assentiu.

— É bem coisa dela. Não é do tipo religiosa.

— Não me diga — disse o policial.

— Está bem — falou Reacher. — Vamos entrar.

— Só não peça para ir ao toalete — sugeriu o policial.

— Por que não?

— Ela fica meio irritada se a interrompem.

— Vou arriscar — disse Reacher.

— Bem, pode dar isso a ela para mim? — perguntou o policial.

Ele abaixou a cabeça no carro e voltou com uma caneca vazia, que tirou do espaço para os pés do carona. Entregou-a pela janela.

— Ela me trouxe café — disse ele. — Depois que você a conhece melhor, ela é uma senhora legal.

— É, sim — concordou Reacher.

Ele pegou a caneca e seguiu Harper no acesso de veículos. Subiu o caminho sinuoso, depois as escadas da varanda, até a porta. Harper apertou a campainha. Ele ouviu o som ecoando no silêncio da madeira polida no lado de dentro. Harper aguardou dez segundos e apertou de novo. Ruído metálico murmurante, depois ecos, depois silêncio.

— Onde ela está? — perguntou ela.

Ela apertou a campainha pela terceira vez. Ruído, ecos, silêncio. Ela olhou para ele, preocupada. Ele olhou para a fechadura na porta. Era uma peça grande e pesada. Provavelmente nova. Provavelmente vinha com todo o tipo de garantia perpétua e desconto de seguro. Provavelmente tinha uma tranca de aço cementado, com encaixe apertado num fecho de ferro na moldura cinzelada da porta. Esta era provavelmente de pinho derrubado do Oregon havia cem anos. A melhor madeira de construção da história, que secou ao longo de um século, enrijecendo como ferro.

— Merda — disse ele.

Ele recuou até a beirada da varanda e equilibrou a caneca vazia do policial na balaustrada. Moveu-se para a frente e bateu a sola do sapato na fechadura.

— Que diabos você está fazendo? — gritou Harper.

Ele rodopiou de volta e atingiu a porta novamente, uma, duas, três vezes. Sentiu a madeira ceder. Ele agarrou a balaustrada da varanda como um esquiador, balançou duas vezes e se atirou para frente. Esticou a perna e bateu todos os seus cento e quatro quilos numa área do tamanho de sua sola de sapato, bem em cima da fechadura. A moldura se partiu e parte dela seguiu a porta para dentro do corredor.

— Lá em cima — disse ele, ofegante.

Ele correu para cima, com Harper às suas costas. Enfiou a cabeça num dos quartos. Quarto errado. Linho inferior, um cheiro frio de mofo. Um quarto de hóspedes. Enfiou a cabeça na porta seguinte. O quarto certo. Cama feita, travesseiros afofados, o cheiro do sono, um telefone e um copo d'água na cabeceira. Uma porta para um cômodo anexo, entreaberta. Ele atravessou o quarto e a abriu com um empurrão. Viu um banheiro.

Espelhos, uma pia, um chuveiro.

Uma banheira cheia de uma água verde horrenda.

Scimeca na água.

E Julia Lamarr.

Julia Lamarr, virando-se, levantando-se da beirada da banheira na qual estava acocorada, girando para encará-lo. Ela estava vestindo um suéter, calças e luvas de couro pretas. O rosto dela estava pálido de ódio e medo.

Caçada às Cegas

A boca estava entreaberta. Seus dentes acavalados estavam cerrados em pânico. Ele a agarrou pela parte da frente do suéter, girou-a e acertou-a uma vez na cabeça; um golpe abrupto violento, com um punho imenso, movido por raiva cega e um ímpeto físico avassalador. Atingiu-a em cheio na lateral do queixo, a cabeça dela virou para trás, ela bateu na parede oposta e caiu como se tivesse sido atropelada por um caminhão. Ele não a viu cair ao chão porque já estava se voltando para a banheira. Scimeca estava arqueada para cima, fora do líquido viscoso, nua, rígida, com os olhos salientes, cabeça para trás, a boca aberta em agonia.

Sem se mexer.

Sem respirar.

Ele pôs uma das mãos sob o pescoço dela e segurou a cabeça para cima, esticando os dedos da outra mão enfiando-os na boca de Rita. Não conseguiu chegar à língua dela. Ele fechou a mão, cutucou e forçou os dedos dobrados para dentro. A boca de Rita fez um O gigante e assustador em volta do pulso dele e a pele da mão dele se rasgou contra os dentes dela. Ele vasculhou a garganta e prendeu um dos dedos em volta da língua dela puxando-a de volta. Era escorregadia, como uma coisa viva. Era longa, pesada e musculosa. Curvou-se com força contra si mesma, saiu lentamente da garganta e deixou-se cair de volta para a boca. Ele puxou a mão, liberando-a, e arranhou mais a pele. Curvou-se para soprar ar para os pulmões dela, mas quando o rosto dele se aproximou do dela, ele sentiu sua expiração convulsa, uma tosse desesperada e, em seguida, o peito de Scimeca começou a subir e descer. A respiração muito profunda, entrecortada, inspirando e expirando. Ele apoiou a cabeça dela. Ela respirava de modo ofegante. Ásperos sons torturados vinham de sua garganta.

— Abra o chuveiro! — gritou ele.

Harper correu até o chuveiro e ligou a água. Ele deslizou a mão pelas costas de Scimeca e puxou a tampa do ralo. A água verde espessa fez um redemoinho em volta do corpo dela. Ele ergueu-a pelos braços e joelhos. Levantou-se, deu um passo atrás e segurou-a no meio do banheiro, pingando o líquido viscoso verde por toda parte.

— Temos de tirar essa coisa dela — disse ele, sem ação.

— Fico com ela — disse Harper, suavemente.

Ela a pegou pelos braços e recuou para o chuveiro, completamente vestida. Agarrou-se num canto do chuveiro e manteve o corpo inerte em pé, como se estivesse bêbada. O chuveiro transformou a tinta em verde-clara, e depois a pele avermelhada foi ficando visível à medida que a tinta era lavada. Harper segurou-a com força, dois, três, quatro minutos. Ela estava ensopada e suas roupas estavam manchadas de verde. Ela se movia em volta numa dança bizarra de membros inertes, de modo que a ducha pudesse atingir todas as partes do corpo de Scimeca. Depois, ela se movimentou cuidadosamente para trás até que a água lavasse o verde pegajoso de seus cabelos. A água continuava vindo, interminável. Harper estava ficando cansada. A tinta era viscosa. Scimeca estava escorregando de seus braços.

— Pegue toalhas — disse ela, arfante. — Ache um roupão.

Havia uma fileira de cabides bem acima do lugar em que Lamarr estava deitada inerte. Reacher pegou duas toalhas e Harper cambaleou para fora do box. Reacher segurou uma toalha em frente a si e Harper passou Scimeca para ele. Ele a pegou por debaixo da espessura da toalha e a envolveu. Harper desligou a água barulhenta e pegou a outra toalha. Ficou ali, no silêncio súbito, respirando com dificuldade, limpando o rosto. Reacher levantou Scimeca e a carregou para fora do banheiro, entrando no quarto. Deixou-a com cuidado, na cama. Inclinou-se e limpou os cabelos molhados do rosto dela. Ela ainda estava respirando de modo ofegante. Os olhos dela estavam abertos, mas vidrados.

— Ela está bem? — gritou Harper.

— Eu não sei — respondeu Reacher.

Ele a observou respirar. Seu peito subia e descia, subia e descia, de um modo aflito, como se ela tivesse corrido um quilômetro e meio.

— Acho que sim — disse ele. — Ela está respirando.

Ele pegou o braço dela e sentiu o pulso. Estava lá, forte e rápido.

— Ela está bem — respondeu ele. — O pulso está bom.

— Precisamos levá-la ao hospital — gritou Harper.

— Ela vai ficar melhor aqui — disse Reacher.

Caçada às Cegas 449

— Mas ela vai precisar de sedação. Isso vai deixá-la baratinada.

Ele fez um gesto negativo com a cabeça.

— Ela vai acordar, e não vai se lembrar de nada.

Harper olhou para ele.

— Você está de brincadeira?

Ele ergueu os olhos para ela. Ela estava parada, segurando um roupão, ensopada e manchada de tinta. A camisa dela estava verde-oliva e transparente.

— Ela foi hipnotizada — disse ele.

Ele fez um sinal de cabeça para o banheiro.

— Foi assim que ela fez tudo — continuou ele. — Tudo, cada maldito detalhe. Ela era a maior especialista do FBI.

— Hipnose? — perguntou Harper.

Ele tirou o roupão dela e depositou-o sob a forma passiva de Scimeca, apertando-o com força em volta dela. Ele inclinou a cabeça dela e ouviu sua respiração. Ainda estava forte, mas estava diminuindo. Ela dava a impressão de uma pessoa num sono profundo, a não ser pelo fato de que seus olhos estavam esbugalhados e olhavam para o nada.

— Não acredito — disse Harper.

Reacher usou o canto da toalha para secar o rosto de Scimeca.

— Foi assim que ela fez tudo — disse ele novamente.

Ele usou os polegares e fechou os olhos de Scimeca. Parecia a coisa certa a fazer. Ela respirou mais baixo e virou a cabeça uns centímetros. Os cabelos molhados dela se arrastaram no travesseiro. Ela virou a cabeça para o outro lado, esfregando o rosto no travesseiro, inquieta, como uma mulher que está tendo um pesadelo. Harper olhou para ela, imóvel. Depois ela se virou, fixou o olhar e falou para a porta do banheiro.

— Quando você descobriu? — perguntou ela.

— Com certeza? — perguntou ele. — Na noite passada.

— Mas como? — perguntou ela.

Reacher usou a toalha novamente, onde o fluido verde fino estava vazando dos cabelos de Scimeca.

— Só fiquei dando voltas — respondeu ele. — Desde o começo, por dias e dias, pensando, pensando, pensando, indo à loucura. Era uma coisa de *e se*. E depois se transformou numa coisa *e o que mais*.

Harper olhou para ele. Ele puxou o roupão mais para cima no ombro de Scimeca.

— Sabia que eles estavam errados sobre o motivo — explicou ele. — Sabia desde o início. Mas não podia entender. Eles eram pessoas inteligentes, certo? Mas estavam tão *errados*. Estava me perguntando por quê. Por quê? Será que ficaram burros de uma hora para outra? Estavam cegos por sua especialidade profissional? Foi o que pensei, a princípio. Pequenas unidades dentro de grandes organizações são tão arredias, não são? É da natureza delas. Imaginei que um grupo de psicólogos pagos para desvendar coisas muito complexas não estaria disposto a desistir e dizer "não, isso é algo muito comum". Achei que podia ser algo subconsciente. Mas, por fim, abandonei essa ideia. Seria simplesmente muita irresponsabilidade. Por isso, dei voltas e voltas. No final, a única resposta que restava era que eles estavam errados porque *queriam* estar errados.

— E você sabia que Lamarr estava conduzindo o motivo — disse Harper. — Porque era o caso dela, na verdade. Logo, você suspeitou dela.

Ele assentiu.

— Exatamente — afirmou ele. — Assim que Alison morreu, eu tinha de pensar em Lamarr ter feito isso, porque havia uma ligação próxima, e, como você disse, laços familiares próximos são sempre importantes. Foi então que me perguntei: e se ela tiver matado todas elas? E se ela estiver camuflando um motivo pessoal por trás da aleatoriedade dos primeiros três? Mas não conseguia ver como. Ou por quê. Não havia motivo pessoal. Elas não eram melhores amigas, mas se davam bastante bem. Não havia problemas familiares. Nenhuma injustiça na herança, por exemplo. Seria igual. Nenhuma inveja aí. E ela não viajava de avião, então, como podia ser ela?

— Mas?

— Mas aí tudo veio abaixo. Algo que Alison disse. Me lembrei disso muito depois. Ela disse que o pai estava morrendo, *mas irmãs cuidam uma da outra, não é?* Achei que ela estava falando do suporte emocional ou algo assim. Mas depois pensei: e se ela disse com outro sentido? Como algumas pessoas usam a frase? Como você usou, quando tomamos café em Nova York e a conta veio, e você disse que ia cuidar dela? Querendo dizer que ia pagar para mim, que estava me convidando? Pensei: e se Alison quisesse dizer que ela ia cuidar de Julia financeiramente. Dividir com ela? Como se soubesse que a herança iria toda para ela, e que Julia ia ficar sem nada e estava toda irritada por isso? Mas Julia tinha me dito que tudo seria dividido igualmente, e que ela já era rica de qualquer maneira, porque o velho era generoso e justo. Então, de repente me perguntei: e se ela estivesse mentindo sobre isso? E se o velho não fosse generoso e justo? E se ela *não* fosse rica?

— Ela estava *mentindo* a respeito disso?

Reacher assentiu.

— Tinha de estar. De repente, fez todo o sentido. Percebi que ela não *dava a impressão* de ser rica. Ela se vestia de forma muito simples. Ela tinha bagagens baratas.

— Você baseou isso tudo nas *bagagens* dela?

Ele deu de ombros.

— Eu lhe disse que era um castelo de cartas. Mas, na minha experiência, se alguém tem dinheiro além do salário, isso aparece em algum lugar. Pode ser sutil e de bom gosto, mas está lá. E com Julia Lamarr, não estava em lugar nenhum. Portanto, ela era pobre. Portanto, ela estava mentindo. E Jodie me contou que a firma dela tem essa coisa "e o que mais". Se eles descobrem um sujeito mentindo sobre alguma coisa, eles se perguntam "e o que mais?". Sobre o que mais ele está mentindo? Então eu pensei, e se ela estiver mentindo sobre o relacionamento com a irmã também? E se ela ainda a odeia e guarda rancor dela, como quando eram crianças? E se ela estiver mentindo sobre a herança dividida em partes iguais? E se não houver qualquer herança para ela no final das contas?

— Você verificou?

— Como poderia? Mas verifique você mesma e verá. É a única coisa que se encaixa. Então eu pensei, e o que mais? E se *tudo* for uma mentira?

E se ela estiver mentindo sobre não andar de avião? E se essa for uma bela e óbvia mentira também, tão grande e óbvia que ninguém pensa duas vezes a respeito? Eu cheguei a perguntar como ela consegue se safar disso. Você disse que todo mundo contorna isso, como uma lei da natureza. Bem, todos fizemos isso. Contornamos. Como ela queria. Porque isso tornava impossível que fosse ela. Mas era uma mentira. Tinha que ser. Medo de andar de avião é irracional demais para ela.

— Mas é uma mentira impossível de se contar. Quer dizer, ou uma pessoa viaja de avião ou não viaja.

— Ela viajava antes, há anos — disse Reacher. — Ela me contou isso. Logo, presumivelmente ela passou a odiar, daí parou de viajar. Para que fosse convincente. Ninguém que a conheça jamais a viu viajar de avião. Logo, todos acreditavam nela. Mas no final das contas, ela podia se forçar a entrar num avião. Se valesse a pena para ela. E isso valia. O maior motivo que você já viu. Alison ia ficar com tudo, e ela queria tudo para si. Ela era a Cinderela, toda cheia de inveja, rancor e ódio.

— Bem, ela me enganou — disse Harper. — Sem sombra de dúvida.

Reacher passou a mão pelos cabelos de Scimeca.

— Ela enganou todo mundo — falou ele. — Foi por isso que ela fez os lugares distantes primeiro. Para fazer todo mundo pensar na localização geográfica, na extensão, no alcance, na distância. Para de modo subconsciente, ser eliminada das possibilidades.

Harper ficou calada por um tempo.

— Mas ela estava tão chateada. Ela *chorou*, lembra? Na frente de todos nós?

Reacher fez um gesto negativo com a cabeça.

— Ela não estava chateada. Estava com medo. Era seu momento de maior perigo. Lembra um pouco antes disso? Ela se recusou a tirar o período de descanso. Porque sabia que precisava estar por perto, para controlar qualquer efeito adverso da autópsia. E depois eu comecei a questionar o motivo, ela ficou tensa à beça porque eu podia estar indo na direção correta. Mas depois eu disse que era o roubo de armas no Exército, ela chorou, não porque estivesse chateada. Ela chorou de *alívio*, porque

Caçada às Cegas　　453

ainda estava segura. Eu não a tinha descoberto. E você se lembra do que ela fez em seguida?

Harper fez que sim.

— Ela começou a apoiar você na tese do roubo de armas.

— Exato — disse Reacher. — Ela começou a preparar os argumentos para mim. Pôr palavras na minha boca. Ela disse que tínhamos de pensar além do óbvio, ir em frente, com o máximo de recursos. Entrou na onda, porque viu que estava indo para a direção errada. Ela estava pensando muito, improvisando como doida, mandando todos nós para outro beco sem saída. Mas ela não estava pensando o bastante, porque aquela onda sempre foi um monte de bobagem. Havia uma falha nela, gigantesca.

— Que falha?

— Era uma coincidência impossível que as onze testemunhas pudessem ser as únicas onze mulheres que claramente moravam sozinhas depois. Eu lhe disse que em parte era um experimento. Queria ver quem não ia apoiar isso. Somente Poulton não apoiou. Blake estava fora, chateado porque Lamarr estava chateada. Mas Lamarr apoiou até o fim. Ela deu grande apoio, porque a deixava segura. E depois foi para casa, com a solidariedade de todos. Mas ela não foi para casa. Pelo menos, não por mais tempo do que levaria para fazer uma mala. Ela voltou direto para cá e foi trabalhar.

Harper ficou pálida.

— Na verdade, ela confessou — disse ela. — Bem ali, antes de ir embora. Lembra? Ela disse *eu matei minha irmã*. Por causa do tempo perdido, disse ela. Mas era verdade. Era uma piada de mau gosto.

Reacher fez que sim.

— De péssimo gosto. Ela matou quatro mulheres pelo dinheiro do padrasto. E essa coisa da tinta? Foi sempre tão bizarra. Descomunal, de tão bizarra. Mas era difícil também. Você consegue imaginar o lado prático? Por que alguém usaria um truque como esse?

— Para nos confundir.

— E?

— Porque gostava disso — disse Harper, devagar. — Porque ela é uma pessoa muito doentia.

— Doentia à beça — concordou Reacher. — Mas muito esperta também. Você consegue imaginar o planejamento? Ela deve ter começado há pelo menos dois anos. O padrasto dela ficou doente mais ou menos na mesma época que a irmã saiu do Exército. Ela começou a preparar tudo nessa época. Meticulosamente. Ela recebeu a lista do grupo de apoio direto da irmã, escolheu as que claramente moravam sozinhas, como eu fiz, depois visitou todas as onze, em segredo, provavelmente nos fins de semana, de avião. Entrava em qualquer lugar que precisasse porque era uma mulher com um distintivo do FBI, do mesmo modo que você entrou na casa de Alison outro dia e passou por aquele policial ainda agora. Nada mais reconfortante que uma mulher com um distintivo do FBI, não é? Assim, ela deve ter contado a elas alguma história sobre como o FBI estava tentando finalmente pegar os militares, o que deve tê-las deixado satisfeitas. Disse que estava começando uma grande investigação. Sentou-as em suas salas de estar e perguntou se podia hipnotizá-las para obter informações dos antecedentes do problema.

— Incluindo a própria irmã? Mas como ela poderia fazer isso sem que Alison soubesse que ela foi de avião para lá?

— Ela fez Alison vir do Quantico para isso. Lembra? Alison disse que voou para o Quantico, de modo que Julia pôde hipnotizá-la para obter informações preliminares. Porém, não houve perguntas sobre este assunto. Nenhuma pergunta de fato, na verdade, apenas instruções para o futuro. Ela lhe disse o que fazer, como tinha dito a todas as outras. Lorraine Stanley ainda estava no Exército na época, daí ela disse a Stanley para roubar a tinta e escondê-la. Para as outras, ela disse para esperarem uma caixa de papelão em algum momento no futuro e armazená-la. Ela disse a todas para esperarem outra visita dela e, enquanto isso, para negar tudo se um dia perguntassem alguma coisa. Ela chegou a dar o roteiro das histórias mentirosas para elas, falsas colegas de quarto e erros casuais nas entregas.

Harper fez que sim e olhou para a porta do banheiro.

— Então ela disse a Stanley para acionar as entregas — disse ela. — E depois voltou à Flórida e matou Amy Callan. Depois, Caroline Cooke. E sabia que assim que matasse Cooke, um padrão de assassinato em série

Caçada às Cegas

seria estabelecido, e a coisa toda ia cair no colo de Blake no Quantico, bem onde ela estaria para começar a direcionar a investigação para o lado errado. Meu Deus, eu devia ter percebido. Ela insistiu em trabalhar no caso. E insistiu em permanecer no caso. Era perfeito, não? Quem fez o perfil? Foi ela. Quem insistiu no motivo militar? Ela. Quem disse que estavam procurando um soldado? Ela. Ela chegou a trazer você como *exemplo* do que estavam procurando.

Reacher não disse nada. Harper olhou para a porta.

— Mas Alison era o único alvo real — concluiu ela. — E foi por isso que ela abandonou o intervalo, acho. Porque estava toda ansiosa e empolgada e não conseguiu esperar.

— Ela nos fez executar a vigilância no lugar dela — disse Reacher. — Ela nos perguntou sobre a casa de Alison, lembra? Ela estava abandonando o intervalo, então não tinha tempo para a vigilância, daí ela conseguiu que fizéssemos isso para ela. Lembra? É isolado? A porta está trancada? Fizemos a observação por ela.

Harper fechou os olhos.

— Ela estava de folga no dia em que Alison morreu. Foi num domingo. O Quantico estava silencioso. Nunca cheguei a pensar nisso. Ela sabia que ninguém ia pensar nisso, num domingo. Ela sabe que não há ninguém lá.

— Ela é muito esperta — concordou Reacher.

Harper assentiu e abriu os olhos.

— E imagino que isso explique a falta de indícios em todos os lugares. Ela sabe o que procuramos na cena do crime.

— E é uma mulher — disse Reacher. — Os investigadores estavam procurando um homem, porque ela lhes disse para fazer isso. A mesma coisa com os carros alugados. Ela sabia que se alguém verificasse, eles iam ter como resultado o nome de uma mulher, o que seria ignorado. Que foi exatamente o que aconteceu.

— Mas que nome? — perguntou Harper. — Ela precisava de uma identidade para o aluguel.

— Para as companhias aéreas também — respondeu Reacher. — Mas tenho certeza de que ela tem uma gaveta cheia de identidades. De mulheres

que o FBI mandou para a cadeia. Você vai conseguir fazer a correlação entre elas, datas e lugares relevantes. Nomes femininos inocentes, que não significam nada.

Harper parecia triste.

— Eu passei essa mensagem, lembra? Da Hertz? *Não era nada*, eu disse, *só uma mulher em viagem de negócios*.

Reacher assentiu.

— Ela é muito esperta. Acho que ela chegou a se vestir do mesmo modo que as vítimas, enquanto estava na casa delas. Ela as observou e, se elas usassem um vestido de algodão, ela usava um vestido de algodão. Se elas vestissem calças, ela vestia calças. Como ela está aqui, vestindo um velho suéter como o de Scimeca. De modo que qualquer fibra que deixe para trás seja desconsiderada. Ela nos perguntou o que Alison estava vestindo, lembra? Sem tempo para vigilância, ela nos perguntou, toda inocente e cheia de rodeios. Ela ainda é toda esportiva e bronzeada e se veste como um caubói? Nós dissemos que sim, ainda é, então, não há dúvida que ela foi até lá vestindo jeans e botas.

— E ela arranhou o rosto dela porque a odiava.

Reacher fez um gesto negativo com a cabeça.

— Não, infelizmente isso foi minha culpa — disse ele. — Eu fiquei questionando a falta de violência, bem na frente dela. Então, ela mostrou um pouco, na vez seguinte. Eu devia ter ficado de boca fechada.

Harper não disse nada.

— E foi assim que descobri que ela estaria aqui — concluiu Reacher. — Porque ela estava tentando imitar um homem como eu, desde o início. E eu lhe disse que eu escolheria Scimeca como a próxima. Então, sabia que ela estaria aqui, mais cedo ou mais tarde. Mas ela foi um pouco mais rápida do que pensei. E nós um pouco mais lentos. Ela não desperdiçou tempo algum, não é?

Harper olhou para a porta do banheiro. Estremeceu. Desviou o olhar.

— Como foi que você descobriu a coisa da hipnose? — perguntou ela.

— Do mesmo jeito que o resto — respondeu Reacher. — Achei que sabia quem era, e por que, mas o *como* parecia absolutamente impossível,

Caçada às Cegas

então fiquei dando voltas. Foi por isso que queria sair do Quantico. Queria espaço para pensar. Levou muito tempo, mas, por fim, era a única possibilidade. Explicava tudo. A passividade, a obediência, a aquiescência. E por que as cenas tinham a aparência que tinham. Parecia que o sujeito nunca tinha posto um dedo nelas, porque ela nunca pôs um dedo que fosse nelas. Ela apenas restabeleceu o período e lhes disse o que fazer, passo a passo. Elas fizeram tudo elas mesmas. Até o ponto de encher a própria banheira e engolir a própria língua. A única coisa que ela mesma fez foi o que fiz, puxar as línguas de volta depois, de modo que os patologistas não compreendessem o que ela fez.

— Mas como você ficou sabendo sobre a língua?

Ele ficou calado por um tempo.

— Por ter beijado você — disse ele.

— Por ter me beijado?

Ele sorriu.

— Você tem uma língua ótima, Harper. Ela me deixou pensando. Línguas eram as únicas coisas que se encaixavam nas descobertas da autópsia de Stavely. Mas imaginei que não havia jeito de *fazer* alguém engolir a própria língua, até que percebi que era Lamarr, e ela era uma hipnotizadora, e então a coisa toda se encaixou.

Harper ficou calada.

— E sabe de uma coisa? — perguntou Reacher.

— O quê?

— Logo na noite em que a conheci, ela queria me hipnotizar. Para obter informações preliminares, segundo ela, mas, obviamente, ela ia me dizer para parecer convincente e não chegar a lugar nenhum. Blake me importunou para fazer, e eu disse não, porque ela ia me fazer correr pelado pela Quinta Avenida. Brincando. Mas era muito perto da verdade.

Harper estremeceu.

— Quando ela ia parar?

— Talvez mais uma — disse Reacher. — Seis seriam suficientes. Seis teriam bastado. Como areia na praia.

Ela se aproximou e sentou ao lado dele na cama. Olhou para Scimeca, inerte embaixo do roupão.

— Ela vai ficar bem? — perguntou ela.

— Provavelmente — disse Reacher. — Ela é forte como um touro.

Harper olhou para ele. A camisa e as calças dele estavam úmidas e manchadas. Os braços estavam verdes, até os ombros.

— Você está todo molhado — observou ela, de um jeito distraído.

— Você também — disse ele. — Mais molhada que eu.

Ela assentiu e ficou calada.

— Nós dois estamos molhados — disse ela. — Mas pelo menos agora acabou.

Ele não disse nada.

— Ao sucesso — disse ela.

Ela se inclinou e entrelaçou as mãos encharcadas em volta do pescoço dele. Puxou-o para perto de si e o beijou, com intensidade, na boca. Ele sentiu a língua dela em seus lábios. Depois, ela parou de se mexer e afastou-se.

— É uma sensação estranha — disse ela. — Não vou poder fazer isso de novo nunca mais sem pensar em coisas ruins sobre línguas.

Ele não disse nada.

— Que jeito horrível de morrer — continuou ela.

Ele olhou para ela e sorriu.

— Quando você cai do cavalo, precisa montar de novo nele imediatamente — continuou ele.

Ele se inclinou na direção dela, pôs a mão em concha atrás da nuca dela e puxou-a para perto, beijando-a na boca. Ela ficou completamente parada por um tempo. Depois voltou a corresponder. Ela segurou o beijo por um longo momento. Depois, se afastou, sorrindo de um modo tímido.

— Vá acordá-la — disse Reacher. — Faça a prisão, comece o interrogatório. Você tem um grande caso pela frente.

— Ela não vai falar comigo.

Ele olhou para o rosto adormecido de Scimeca.

Caçada às Cegas

— Vai, sim — disse ele. — Diga a ela que a primeira vez que ela ficar calada, vou lhe quebrar o braço. Na segunda vez, vou reduzir os ossos dela a pó.

Harper estremeceu novamente e se virou. Levantou-se e saiu para o banheiro. O quarto ficou silencioso. Nenhum som em nenhuma parte, a não ser a respiração de Scimeca, contínua, mas ruidosa como uma máquina. Depois Harper voltou, um longo momento mais tarde, com o rosto pálido.

— Ela não vai falar comigo — repetiu ela.

— Como você sabe? Não perguntou nada a ela.

— Porque está morta.

Silêncio.

— Você a matou.

Silêncio.

— Quando bateu nela.

Silêncio.

— Quebrou o pescoço dela.

Ouviram passos barulhentos no corredor abaixo deles. Depois, nas escadas. Em seguida, no corredor do lado de fora do quarto. O policial entrou. Ele estava segurando sua caneca. Ele a tinha recolhido da balaustrada da varanda. Tinha um olhar incrédulo.

— Que diabos está acontecendo? — perguntou ele.

31

SETE HORAS MAIS TARDE JÁ PASSAVA MUITO DA meia-noite. Reacher estava trancado sozinho numa cela dentro do escritório regional do FBI em Portland. Ele sabia que o policial havia ligado para seu sargento, e o sargento para o contato do FBI. Ele sabia que Portland tinha ligado para o Quantico e o Quantico para o quartel-general do FBI e o quartel-general do FBI tinha ligado para Nova York. O policial retransmitiu todas essas informações, sem fôlego com a empolgação. Em seguida, seu sargento chegou pessoalmente e ele se calou. Harper desapareceu e uma ambulância chegou para levar Scimeca para o hospital. Ele ouviu o departamento de polícia ceder a jurisdição ao FBI sem nenhum tipo de resistência. Em seguida, dois agentes de Portland chegaram para fazer a prisão. Eles o algemaram, levaram-no de carro para a cidade, jogaram-no na cela e o deixaram lá.

Caçada às Cegas

Estava quente na cela. Suas roupas se secaram em uma hora, duras como tábuas e manchadas de verde-oliva com a tinta. Fora isso, nada aconteceu. Ele imaginou que estava levando tempo para as pessoas se reunirem. Ele se perguntava se elas viriam de Portland, ou se o levariam de volta para o Quantico. Ninguém disse nada a ele. Ninguém se aproximou dele. Deixaram-no ficar sozinho. Ele passou o tempo preocupado com Scimeca. Ele imaginou estranhos assoberbados na sala de emergência, examinando-a e se preocupando com ela.

Ficou tudo silencioso até que passou a meia-noite. Nessa hora, as coisas começaram a acontecer. Ele ouviu sons no prédio. Chegadas, conversas aflitas. A primeira pessoa que viu foi Nelson Blake. Eles estão vindo para cá, pensou ele. Eles devem ter discutido uma posição a ser adotada e acionaram o Learjet. O tempo era mais ou menos o certo. A porta interna se abriu, Blake passou pelas barras e olhou para a cela, com algo no rosto. *Desta vez você está mesmo ferrado,* ele estava dizendo. Ele parecia cansado e estressado. Vermelho e pálido, tudo ao mesmo tempo.

Ficou tudo silencioso novamente por uma hora. Passava de uma da manhã. Alan Deerfield chegou de Nova York. A porta interna se abriu e ele entrou, calado e moroso, com olhos vermelhos por trás dos óculos grossos. Ele fez uma pausa. Olhou de relance pelas barras. O mesmo olhar contemplativo que tinha lhe lançado há varias noites. *Então, é você o sujeito, hein?*

Ele saiu e tudo ficou silencioso de novo, por mais uma hora. Passando das duas, um agente local veio com um molho de chaves. Ele destrancou a porta.

— Hora de conversar — disse ele.

Ele o guiou para fora do bloco de celas até um corredor. Pelo corredor, até uma sala de reunião menor que a de Nova York, mas tão simples quanto ela. Mesma luz, mesma mesa grande. Deerfield e Blake estavam sentados juntos de um lado. Havia uma cadeira posicionada em frente. Ele a circundou e sentou-se nela. Houve silêncio por um longo momento. Ninguém falou, ninguém se moveu. Então Blake chegou para frente no assento.

— Um dos meus agentes está morto — disse ele. — E não gosto disso.

Reacher olhou para ele.

— Você tem quatro mulheres mortas — respondeu ele. — Poderiam ter sido cinco.

Blake fez um gesto negativo com a cabeça.

— Nunca seriam cinco. Tínhamos a situação sob controle. Julia Lamarr estava lá resgatando a quinta mulher quando você a matou.

A sala ficou silenciosa novamente. Reacher mexeu a cabeça, devagar.

— É isso que você vai alegar? — perguntou ele.

Deerfield ergueu os olhos.

— É uma tese viável — disse ele. — Não acha? Ela faz alguma espécie de descoberta em seu tempo livre, supera o medo de voar, chega aqui nos calcanhares do criminoso, em cima da hora, está prestes a começar os procedimentos médicos de emergência quando você entra com ímpeto e bate nela. Ela é uma heroína, e você vai a julgamento pelo assassinato de uma agente federal.

Silêncio novamente.

— Vocês conseguem tornar a cronologia plausível? — perguntou Reacher.

Blake assentiu.

— É claro que conseguimos. Ela está em casa, digamos, às nove horas da manhã da Costa Leste, sai de Portland às cinco horas, hora do Pacífico. São onze horas. Tempo suficiente para ter um estalo e se forçar a ir ao Aeroporto Nacional e entrar num avião.

— O policial vê o criminoso entrar na casa?

Deerfield dá de ombros.

— Imaginamos que o policial caiu no sono. Você sabe como são esses rapazes do interior.

— Ele viu um capelão aparecer. Estava acordado nessa hora.

Deerfield fez um gesto negativo com a cabeça.

— O Exército vai dizer que nunca mandou nenhum capelão. Ele deve ter sonhado isso.

— Ele chegou a vê-la entrar na casa?

— Ainda estava dormindo.

Caçada às Cegas   463

— Como foi que ela entrou?

— Bateu na porta, interrompida pelo sujeito. Ele passou correndo por ela, ela não o perseguiu porque queria verificar como estava Scimeca, porque ela é uma benfeitora.

— O policial viu o sujeito fugindo?

— Ainda estava dormindo.

— E ela se deu ao trabalho de trancar a porta depois que entrou, muito embora ela estivesse correndo para subir as escadas porque é uma benfeitora?

— Evidentemente.

O quarto ficou silencioso.

— Scimeca já voltou a si? — perguntou Reacher.

Deerfield fez que sim.

— Ligamos para o hospital. Ela não se lembra de nada sobre coisa alguma. Presumimos que ela deve ter apagado da memória. Vamos conseguir um caminhão de psicólogos que vão dizer que é perfeitamente normal.

— Ela está bem?

— Está ótima.

Blake sorriu.

— Mas não vamos amolá-la com uma descrição de quem a atacou. Nossos psicólogos dirão que isso seria uma falta de sensibilidade grosseira, dadas as circunstâncias dela.

O quarto ficou silencioso novamente.

— Onde está Harper? — perguntou Reacher.

— Suspensa — respondeu Blake.

— Por não ter seguido a política do partido?

— Ela foi afetada indevidamente por uma ilusão romântica — disse Blake. — Ela nos contou uma história mirabolante.

— Você percebe o seu problema, não é? — perguntou Deerfield. — Você odiava Lamarr desde o começo. Então, você a matou por motivos pessoais e inventou uma história para se livrar. Mas não é uma história

muito boa, é? Não há nada que a sustente. Você não pode pôr Lamarr em nenhum lugar próximo de nenhuma das cenas do crime.

— Ela nunca deixou nenhuma prova — disse Reacher.

Blake sorriu.

— Irônico, não é? Foi exatamente o que você nos disse, bem no início. Você disse que tudo que tínhamos era que *achávamos* que uma pessoa como você tinha cometido os crimes. Bem, agora tudo que você tem é que você *acha* que Lamarr os cometeu.

— Onde está o carro dela? — perguntou Reacher. — Ela foi de carro até a casa de Scimeca saindo do aeroporto, onde está o carro dela?

— O criminoso o roubou — respondeu Blake. — Ele deve ter ficado às escondidas nos fundos, a princípio a pé, sem saber que o policial estava dormindo. Ela o surpreendeu, ele partiu no carro dela.

— Você vai achar um carro alugado no nome dela de verdade?

Blake fez que sim.

— Provavelmente. Geralmente conseguimos encontrar o que precisamos.

— E quanto ao voo de Washington, D.C.? Você vai encontrar o nome verdadeiro dela no computador da companhia aérea?

Blake assentiu de novo.

— Se precisarmos.

— Você percebe o seu problema, não é? — repetiu Deerfield. — Simplesmente não é aceitável que um agente morra sem que alguém seja responsabilizado.

Reacher assentiu.

— E não é aceitável admitir que um agente fosse um assassino.

— Nem pense nisso — disse Blake.

— Mesmo que ela *fosse* uma assassina?

— Ela não era assassina — disse Deerfield. — Era uma agente leal, fazendo um ótimo trabalho.

Reacher assentiu.

— Bem, acho que isso significa que não vou receber o pagamento — concluiu ele.

Deerfield fez uma careta, como se houvesse um cheiro ruim no quarto.

— Isso não é brincadeira, Reacher — disse ele. — Vamos ser bem claros. Você está bem encrencado. Pode dizer o que quiser. Pode dizer que teve suspeitas. Mas vai parecer um idiota. Ninguém vai ouvir você. E isso não vai importar de qualquer maneira. Porque, se você tivesse suspeitas, deveria ter deixado Harper prendê-la, não é?

— Não houve tempo.

Deerfield fez um gesto negativo com a cabeça.

— Bobagem.

— Ela estava visível no ato de causar dano a Scimeca? — perguntou Blake.

— Precisava dela fora do caminho.

— Nossos consultores jurídicos dirão que *ainda que* você tivesse suspeitas anteriores errôneas, mas sinceras, você deveria ter ido direto até Scimeca na banheira e deixar Harper lidar com Lamarr atrás de você. Eram dois contra um. Teria *economizado* tempo, não é? Se você estava tão preocupado com sua velha amiga?

— Teria economizado meio segundo.

— Meio segundo pode ser essencial — disse Deerfield. — Numa situação de vida ou morte como essa. Nossos consultores jurídicos vão dar muita importância a isso. Eles dirão que gastar tempo precioso batendo em alguém prova alguma coisa, algo como animosidade pessoal.

A sala ficou silenciosa. Reacher, de cabeça baixa, olhava a mesa.

— Um aficionado em direito como você sabe disso tudo — disse Blake. — Erros em boa-fé ocorrem, mas, mesmo assim, as ações em defesa de uma vítima precisam acontecer bem no exato momento em que a vítima está sendo agredida. Não depois. Depois é vingança, pura e simples.

Reacher não disse nada.

— E você não pode alegar que foi um engano — disse Blake. — Uma vez você me disse que sabia tudo sobre como quebrar o crânio de alguém, e de modo algum isso aconteceria por acidente. Aquele sujeito no beco, se lembra dele? O rapaz de Petrosian? E o que vale para crânio vale para pescoço, não é? Então, não foi um acidente. Foi homicídio doloso.

Houve silêncio.

— Está bem — disse Reacher. — Qual é o trato?

— Você vai para cadeia — respondeu Deerfield. — Não há trato.

— Mentira que não há trato — disse Reacher. — Sempre há um trato.

Silêncio novamente. Durou minutos. Depois Blake deu de ombros.

— Bem, você quer cooperar, podemos ceder — disse ele. — Podemos chamar o caso de Lamarr de suicídio, ela estava sentindo a morte do pai e atormentada por não ter conseguido salvar a irmã.

— E você pode ficar de boca calada — disse Deerfield. — Você pode não dizer nada a ninguém, exceto o que queremos que diga.

Silêncio novamente.

— E por que eu deveria fazer isso? — perguntou Reacher.

— Por que é um sujeito esperto — respondeu Deerfield. — Não esqueça, não há absolutamente nada contra Lamarr. Você sabe disso. Ela era esperta demais. Claro, você poderia vasculhar por alguns anos, se tivesse um milhão de dólares para honorários de advogado. Você podia achar alguma coisinha circunstancial irrelevante, mas o que um júri vai fazer com isso? Um homem enorme odeia uma mulher frágil? Ele é um vagabundo, ela é uma agente federal. Ele quebra o pescoço dela e depois a culpa por isso? Com uma história mirabolante sobre hipnose? Esqueça.

— Então, vamos encarar a realidade, está bem? — disse Blake. — Você está na nossa mão agora.

Houve silêncio. Reacher fez um gesto negativo com a cabeça.

— Não — respondeu ele. — Acho que vou recusar a oferta.

— Então você vai para cadeia.

— Só uma pergunta primeiro — disse Reacher.

— Que pergunta?

— Eu matei Lorraine Stanley?

Blake fez um gesto negativo com a cabeça.

— Não, você não matou.

— Como você sabe?

Caçada às Cegas

— Você sabe como sabemos. Estávamos na sua cola, toda aquela semana.

— E você deu uma cópia do relatório de vigilância para minha advogada, não foi?

— Exato.

— Está bem — disse Reacher.

— Está bem o quê, espertinho?

— Está bem, vocês que se danem, é isso — concluiu Reacher.

— Você quer explicar melhor isso?

Reacher fez um gesto negativo com a cabeça.

— Vocês vão descobrir.

A sala ficou silenciosa.

— O que foi?

Reacher sorriu para ele.

— Pense na estratégia. Talvez você possa me pôr no xadrez por Lamarr, mas nunca vai poder alegar que também sou o cara que matou as mulheres, porque minha advogada tem um relatório de vocês mesmos provando que não fui eu. Então o que vão fazer?

— O que isso importa para você? — perguntou Blake. — Vai estar preso de qualquer maneira.

— Pense no futuro — respondeu Reacher. — Vocês disseram ao mundo que não fui eu, e estão jurando de pés juntos que não foi Lamarr, então, vocês precisam continuar procurando, não é? Não podem parar nunca, não sem que as pessoas se perguntem por quê. Pensem nas manchetes negativas. *Unidade de elite do FBI não chega a lugar nenhum em dez anos de busca.* Vocês teriam que engolir essas manchetes. E precisariam manter os guardas na vigilância, teriam de trabalhar 24 horas, cada vez mais horas-homem, cada vez mais empenho, cada vez mais orçamento, ano após ano, procurando o sujeito. Vocês vão fazer isso?

Silêncio na sala.

— Não, não vão fazer isso — disse Reacher. — E não fazer isso é o mesmo que admitir que sabem a verdade. Lamarr está morta, a busca foi interrompida, não fui eu, portanto, Lamarr era a assassina. Assim, é tudo ou nada agora para vocês. É hora de decidir. Se não admitirem que foi Lamarr, então vocês vão usar todos os seus recursos até o fim da história, fingindo procurar um homem que sabem com certeza que não existe. E se admitirem que foi Lamarr, então não podem me prender por matá-la, porque nas circunstâncias, era absolutamente justificável.

Silêncio novamente.

— Então, danem-se vocês — disse Reacher.

Houve silêncio. Reacher sorriu.

— E aí, o que vai ser agora? — perguntou ele.

Eles ficaram calados por um longo momento. Depois, recuperaram-se.

— Somos o FBI — disse Deerfield. — Podemos fazer que sua vida seja muito difícil.

Reacher fez um gesto negativo com a cabeça.

— Minha vida já é muito difícil — respondeu ele. — Nada que vocês façam pode torná-la mais difícil do que já é. Mas podem parar com as ameaças, de qualquer forma. Vou guardar o segredo de vocês.

— Vai?

Reacher assentiu.

— Vou ter de guardar, não é? Porque se não guardar, tudo isso vai se voltar contra Rita Scimeca. Ela é a única testemunha viva. Ela vai ser importunada até não poder mais, promotores, polícia, jornais, televisão. Todos os detalhes sórdidos, como ela foi estuprada, como ela estava nua na banheira com a tinta. Isso vai magoá-la. E não quero que isso aconteça.

Silêncio novamente.

— Então, o segredo de vocês está a salvo comigo — disse Reacher.

Blake olhou para o tampo da mesa. Depois assentiu.

— Está bem — disse ele. — Vou concordar com isso.

— Mas vamos vigiar você — emendou Deerfield. — Para sempre. Nunca se esqueça disso.

Reacher sorriu de novo.

Caçada às Cegas

— Bem, não deixe que eu pegue vocês fazendo isso — disse ele. — Porque vocês devem se lembrar do que aconteceu com Petrosian. Nunca se esqueçam *disso*, está bem?

Terminou assim, empatado, um impasse cauteloso. Nada mais foi dito. Reacher levantou-se, passou pela mesa e saiu da sala. Encontrou um elevador e chegou ao nível da rua. Ninguém veio atrás dele. Havia portas duplas de carvalho marcado e vidro aramado. Ele as empurrou para abrir e saiu no frio de alguma rua escura e deserta de Portland no meio da noite. Ficou no meio-fio, sem olhar para nada em particular.

— Oi, Reacher — chamou Harper.

Ela estava atrás dele, à sombra de uma coluna ao lado da entrada. Ele se virou e viu o brilho dos cabelos dela e uma faixa branca onde sua camisa aparecia na frente de seu paletó.

— Oi, moça — disse ele. — Você está bem?

Ela andou até ele.

— Vou ficar — respondeu ela. — Vou pedir uma transferência. Talvez para cá. Gostei daqui.

— Eles vão deixar?

Ela fez que sim.

— Claro que vão. Eles não vão querer mexer no que está quieto enquanto as audiências de orçamento estiverem acontecendo. Essa vai ser a coisa mais tranquila que já aconteceu.

— Nunca aconteceu — disse ele. — Foi assim que deixamos as coisas, lá em cima.

— Então você se acertou com eles?

— Mais do que nunca.

— Eu teria defendido você — falou ela. — Não importa o que custasse.

Ele assentiu.

— Sei que teria. Devia haver mais gente como você.

— Fique com isso — disse ela.

Ela segurava um pedaço de papel fino. Era um vale de viagem, emitido pela central no Quantico.

— Vai fazer você chegar a Nova York — explicou ela.

— E quanto a você? — perguntou ele.

— Vou dizer que perdi. Eles vão me emitir outro.

Ela se aproximou e o beijou na bochecha. Afastou-se e começou a andar.

— Boa sorte — gritou ela.

— Para você também — gritou ele de volta.

Ele andou até o aeroporto, dezenove quilômetros em acostamentos de estradas construídas para automóveis. Ele levou três horas. Ele trocou o vale do FBI por uma passagem de avião e aguardou uma hora para o primeiro voo sair. Dormiu as quatro horas inteiras no ar e três horas de fuso horário e chegou ao La Guardia à uma da tarde.

Ele gastou o resto do dinheiro numa passagem de ônibus até o metrô e do metrô até Manhattan. Saiu na Canal Street e andou para o sul até Wall Street. Ele chegou ao hall do prédio comercial de Jodie alguns minutos depois das duas da tarde, levado por sessenta andares de funcionários retornando do almoço. A recepção da firma dela estava deserta. Ninguém no balcão. Ele entrou por uma porta aberta e andou por um corredor ladeado de livros de direito em prateleiras de carvalho. Do lado direito e esquerdo deles estavam escritórios vazios. Havia papéis nas mesas e paletós nas costas das cadeiras, mas nenhuma pessoa em lugar nenhum.

Ele chegou até um conjunto de portas duplas e ouviu o burburinho barulhento de conversas do outro lado. O tintim dos copos. Risadas. Ele puxou a porta direita e o barulho explodiu sobre ele e ele viu uma sala de reuniões abarrotada de gente. Eles estavam em ternos escuros e camisas brancas, suspensórios e gravatas discretas, e vestidos escuros sóbrios e nylon preto. Havia uma parede de persianas e uma longa mesa sob um pano branco pesado cheio de pilhas de copos borbulhantes e umas cem garrafas de champanhe. Dois garçons estavam servindo o vinho dourado

Caçada às Cegas

espumante o mais rápido que conseguiam. As pessoas estavam bebendo e brindando e olhando para Jodie.

Ela atraía a multidão como um imã. Para onde quer que andasse, as pessoas se apresentavam e formavam um cinturão em torno dela. Havia uma sequência que constantemente mudava de pequenos círculos de empolgação com ela em cada centro. Ela se virava para a esquerda e para a direita, sorrindo, brindando, e depois se movia aleatoriamente como uma bola de pinball numa nova aclamação. Ela o viu à porta no mesmo momento que ele se viu refletido no vidro sobre um desenho de Renoir na parede. Ele estava com a barba por fazer e vestido numa camisa cáqui amassada, endurecida com manchas verdes aqui e ali. Ela usava um vestido de mil dólares que tinha acabado de tirar do armário. Cem rostos se viraram com o dela, e a sala ficou silenciosa. Ela hesitou por um instante, como se estivesse tomando uma decisão. Em seguida, ela avançou pela multidão e lançou os braços em volta do pescoço dele, com taça de champanhe e tudo.

— A festa da sociedade. Você conseguiu.

— Com toda certeza — disse ela.

— Bem, parabéns, querida. E desculpe por chegar atrasado.

Ela o arrastou para a multidão e as pessoas se fecharam em volta deles. Ele apertou a mão de cem advogados, do modo que fazia com generais de exércitos estrangeiros. *Não se meta comigo e não vou me meter com você.* O chefe era um velho de rosto vermelho e cinza, de cerca de sessenta e cinco anos, filho de um dos nomes na placa de latão na recepção. O terno dele devia custar mais que todas as roupas que Reacher tinha usado na vida. Mas o clima da festa significava que não havia agressividade no comportamento do velho. Ele dava a impressão de que ficaria encantado em apertar a mão do ascensorista de Jodie.

— Ela é uma grande estrela — disse ele. — E estou feliz que ela tenha aceitado nossa oferta.

— A advogada mais inteligente que já conheci — disse Reacher no burburinho.

— Você vai com ela?

— Ir com ela para onde?

— Para Londres — disse o velho. — Ela não explicou? A primeira viagem a serviço de um novo sócio é administrar a operação europeia por alguns anos.

Em seguida, ela estava de volta ao lado dele, sorrindo, arrastando-o. A multidão estava formando pequenos grupos, e a conversa estava se voltando para questões de trabalho e fofocas discretas. Ela o levou para um espaço ao lado da janela. Havia uma vista de um metro de largura do porto, enquadrada por prédios de ambos os lados.

— Liguei para o FBI — disse ela. — Estava preocupada com você e, a rigor, ainda sou sua advogada. Falei com o escritório de Alan Deerfield.

— Quando?

— Faz duas horas. Eles não quiseram me contar nada.

— Não há nada para contar. Eles se acertaram comigo. Eu me acertei com eles.

Ela fez que sim.

— Então você conseguiu, finalmente.

Ela fez uma pausa.

— Você vai ser chamado como testemunha? — perguntou ela. — Vai haver julgamento?

Ele fez um gesto negativo com a cabeça.

— Nenhum julgamento.

Ela assentiu.

— Só um enterro, não é?

Ele deu de ombros.

— Não havia parentes restantes. Foi essa a questão.

Ela fez nova pausa, como se houvesse uma pergunta importante surgindo.

— Como você se sente quanto a isso? — perguntou ela. — Em uma palavra?

— Calmo — disse ele.

— Faria o mesmo novamente? Nas mesmas circunstâncias?

Foi a vez de Reacher fazer uma pausa.

Caçada às Cegas

— Nas mesmas circunstâncias? — perguntou ele. — Sem nem pensar duas vezes.

— Preciso ir trabalhar em Londres — disse ela. — Por dois anos.

— Eu sei — disse ele. — O velho me disse. Quando você vai?

— No final do mês.

— Você não quer que eu vá com você — concluiu ele.

— Vai ser muito agitado. É uma pequena equipe com uma grande carga de trabalho.

— E é uma cidade civilizada.

Ela fez que sim.

— É, sim. Você *gostaria* de ir?

— Ficar dois anos inteiros? — perguntou ele. — Não, mas talvez eu possa visitar de vez em quando.

Ela sorriu, de um jeito vago.

— Seria bom.

Ele não disse nada.

— Isso é horrível — disse ela. — Quinze anos que não podia viver sem você, e agora descubro que não posso viver *com* você.

— Eu sei — respondeu ele. — Tudo minha culpa.

— Você também acha?

Ele olhou para ela.

— Acho que sim — mentiu ele.

— Temos até o fim do mês — disse ela.

Ele concordou com a cabeça.

— Mais do que a maioria das pessoas chega a ter — disse ele. — Pode tirar a tarde de folga?

— Claro que posso. Sou sócia agora. Posso fazer o que quiser.

— Então vamos.

Eles deixaram seus copos vazios no parapeito da janela e forçaram o caminho pela aglomeração. Todos os observaram caminhando para a porta, e depois se viraram para fazer suas especulações silenciosas.

Impresso no Brasil pelo
Sistema Cameron da Divisão Gráfica da
DISTRIBUIDORA RECORD DE SERVIÇOS DE IMPRENSA S.A.
Rua Argentina 171 – Rio de Janeiro, RJ – 20921-380 – Tel.: 2585-2000